道家文化研究

第三輯

陳鼓應主編

文史哲出版社印行

國家圖書館出版品預行編目資料

道家文化研究 / 陳鼓應主編. -- 校訂一版. -- 臺
北市: 文史哲, 民 89
　　面 　; 公分
　ISBN 957-549-300-1 (一套：精裝) ISBN 957-549-
301-x (第一輯)ISBN 957-549-302-8 (第二輯)ISBN
957-549-303-6(第三輯)ISBN 957-549-304-4 (第四
輯)ISBN 957-549-305-2 (第五輯) ISBN 957-549-
306-0 (第六輯) ISBN 957-549-307-9 (第七輯) ISBN
957-549-308-7 (第八輯) ISBN 957-549-309-5 (第九
輯) ISBN 957-549-310-9 (第十輯) ISBN 957-549-
311-7 (第十一輯) ISBN 957-549-312-5 (第十二輯)

　1.道家 ─ 論文-講詞等　　2. 道教 ─ 論文-講詞等
121.307　　　　　　　　　　　　　　　　89011271

道家文化研究 第三輯

主 編 者：陳　　　鼓　　　應
出 版 者：文　史　哲　出　版　社
登記證字號：行政院新聞局版臺業字五三三七號
發 行 人：彭　　　正　　　雄
發 行 所：文　史　哲　出　版　社
印 刷 者：文　史　哲　出　版　社
　　臺北市羅斯福路一段七十二巷四號
　　郵政劃撥帳號：一六一八○一七五
　　電話 886-2-23511028 · 傳眞 886-2-23965656
精裝全十二冊售價新台幣　　　　　　元
中華民國八十九年八月校訂一版

《道家文化研究》在臺重版序言

　　八十年代以來，在中國大陸陸續創辦了一些學術性的刊物，如《管子學刊》、《孔子研究》等，對推動儒家、管子思想及稷下學的研究，起了積極的作用。在此之前，1979 年創刊的《中國哲學》，它是以書代刊的形式出版，給我留下深刻的印象，為此我和一些研究道家的學者曾多次商議想辦一個專門討論道家思想的專刊，這想法終於得到香港道教學院院長侯寶垣先生和副院長羅智光先生的大力支持。於是，《道家文化研究》第一輯很快就於 1992 年面世了。

　　時光荏苒，轉眼之間，《道家文化研究》已經出版了十八輯，辦刊的過程是艱辛的，但每一輯的出版也都帶來收穫的愉快。特別是它能夠穫得海內外學術界的廣泛關注與好評。

　　眾所周知，《道家文化研究》一直是在大陸印行的。這對於臺灣感興趣的讀者帶來諸多不便。兩年多前，我剛回臺大的時候，就感到了這個問題，也就有了在臺灣重新印行它的念頭。當然，我也知道，這並不是很容易做到的。因為，任何一個出版公司若要出版它，大半是要賠錢的。所以，我非常感謝我的老朋友——文史哲出版社的彭正雄社長，願意幫忙印行《道家文化研究》一到十二輯，目前僅印三百部提供專業學者研究之需。同時，我也要借此機會，向上海古籍出版社和北京三聯書店表示感謝，由於他們的慷慨，得以使本刊在臺重印。

陳　鼓　應

1999 年 8 月

《道家文化研究》臺灣版出版開言

　　《道家文化研究》是道家及道教研究的專業研究性刊物，在知名道家專家陳鼓應教授多年努力耕耘下，今天它已經是國際同行不可或缺的學術園地。世界學人只要想用中文發表有關這個領域的研究成果，莫不努力爭取在這個學術園地刊出。試看《道家文化研究》出版至今共十餘輯，作者群就已經遍佈世界各地了，除了海峽兩岸外，更包括韓國、日本、新加坡、澳洲、加拿大、美國及歐洲等地。而且其中更包括張岱年、柳存仁、王叔岷、湯一介、李學勤、朱伯崑、金谷治、余敦康、許抗生、蒙培元、李豐楙、劉笑敢、陳鼓應等等知名學者。

　　可惜，從前受限於現實情況，海峽兩岸資訊交流不易，臺灣地區的學者專家，並不容易取得這一份刊物的。而且《道家文化研究》從創刊號到今天，已經出版了十八本了，好些早已銷售一空；特別是期數較早的，更是一冊難求。有鑒於此，本社認爲需要重印整套《道家文化研究》，以饗讀者。

　　也許關心我們的讀者會替本社擔心成本效益問題，但我們的老客戶都知道本社成立近三十年，始終沒有只以營利爲唯一的宗旨。雖然我們還不至於像莊子所說的「舉世而譽之而不加勸，舉世而非之而不加沮」，但是，正如同許多讀者一般，我們欣賞這樣高水準的學術雜誌，我們更希望能讓更多人分享到這許許多多知名學人的學術成就。當然學術性專業期刊的銷路，本身就很有限，所以本社也將限量發售，只印三百套，供有興趣的專家學人們選購，當然更希望學校機關及圖書館能夠購備，以便更多讀者可以讀到這份雜誌。這樣，我們的辛勞就不會白費。

　　最後，我們得感謝陳鼓應教授的信賴，更感謝上海古籍出版社及北京三聯書店的慷慨，使得我們的重印計畫得以實現。

彭　正　雄

文史哲出版社發行人

2000 年 7 月 15 日

《道家文化研究》合刊總目

《道家文化研究》第一輯目錄

《道家文化研究》第二輯　　目錄

《道家文化研究》第三輯　　目錄

《道家文化研究》第五輯　　目錄

《道家文化研究》第七輯　　目錄

《道家文化研究》第八輯　　目錄

《道家文化研究》第九輯　　目錄

《道家文化研究》第十輯　　　目　錄

《道家文化研究》第十一輯　　目錄

《道家文化研究》第十二輯　　目錄

道家文化研究

第三輯

馬王堆帛書專號

香港道教學院主辦

陳鼓應　主編

上 海 古 籍 出 版 社

《道家文化研究》編委會

目 錄

編 輯 説 明

1973年馬王堆漢墓的發掘,在世界上引起了轟動。其中三號漢墓所出土的大批帛書,内容豐富,具有極高的史料價值,是研究先秦、秦漢文化史、思想史的重要文獻。

二十年來,這些帛書的大部分已陸續公布,如《老子》甲乙本、《黄帝四經》、《周易六十四卦》等。但尚有一些重要材料未予公布。這些帛書,對于研究戰國、秦漢之際的易學發展和當時學術思想的演變,關係至爲重要。1992年8月,湖南召開了馬王堆漢墓國際學術討論會,湖南出版社出版了《馬王堆漢墓文物》一書,又公布了帛書《繫辭》、《刑德》等部分材料,引起了海内外學者更大的關注。有鑒于此,本刊編輯部特邀海内外專家學者撰文,對各類帛書加以討論,展開研究;并首次公布古佚易説《易之義》、《二三子問》、《要》的釋文,發表重新整理的《繫辭》釋文,以爲《馬王堆帛書專號》。

本輯推出之時,適逢本刊督辦、香港道教學院院長侯寶垣道長八十壽誕。侯道長原籍廣西貴縣,自幼慕道,年長入廣州至寶臺皈道。五十年代初抵香港,創立香港青松觀,獻身于道教事業。五十年代首辦贈醫施藥,冬賑衣被;六十年代後創辦安老院、西醫贈診所、中小學和幼稚園等社會福利事業。并先後出任港内外各道教團體職位。數十年來,他資助内地重建、重修道觀,并在澳洲、加拿大、美國、英國等地創建許多道觀道場,爲推動道教走向世界,作出了重要貢獻。爲表示對侯老先生支持學術和公益事業的敬佩之情,本刊謹以此專號爲先生壽。

《道家文化研究》編輯部

1993.3

初觀帛書《繫辭》

張岱年

内容提要　通行本《易傳》是田何傳本，而馬王堆帛書《易傳》可稱爲楚地傳本。從兩本《繫辭》間的一些異文來考察，它們的關係可用"同時異地"來説明，但帛書《繫辭》有幾句文義勝于通行本。文中還依據《史記》等的有關論述指出，漢代初年，《易傳》傳本不止一種。"附記"部分還肯定了《繫辭》與道家的關係，認爲儒道相通。

友人陳鼓應教授借覽湖南出版社刊印的《馬王堆漢墓文物》，其中有帛書《周易繫辭》。鼓應教授并撰文備述帛書《繫辭》與通行本《繫辭》的異同以及帛書《繫辭》與帛書《二三子問》、《易之義》、《要》等篇的出入情况，指出："今本《繫辭上》部分除'大衍之術'一節共204字不見于帛書本《繫辭》之外，其餘部分基本相同。"而"今本《繫辭下》共計831字不見于帛書本《繫辭》，而散見于《易之義》和《要》中"。鼓應教授詢問我對帛書《繫辭》的看法。由于帛書《二三子問》、《易之義》、《要》以及《繆和》、《昭力》等篇尚未公布，難以進行全面的考察，僅就帛書《繫辭》與通行本《繫辭》的異同略陳所見。

按《漢書·儒林傳》述《周易》傳授歷程云："自魯商瞿子木受《易》孔子，以授魯橋庇子庸，子庸授江東馯臂子弓，子弓授燕周丑子家，子家授東武孫虞子乘，子乘授齊田何子莊。及秦禁學，《易》爲筮卜之書，獨不禁，故傳受者不絶也。……要言易者本之田何。"又云："至成帝時，劉向校書考易説，以爲諸易家説皆祖田何。"據此，可以説通行本《易傳》是田何傳本。而馬王堆漢墓出土帛書的《易傳》可稱爲楚地傳本。田何傳本可以稱爲北本，楚地傳本可以稱爲南本。南本與北本有同有異。一個重要問題是：田何傳本與楚地傳本的先後如何？ 孰先孰後？ 還是同時并傳的異本？

帛書本是今存最古的抄寫本。但其中顯然有一些誤字。如"天奠地庳"，奠字是尊字之誤。"有攻則可大也"，攻字是功字之誤。足見帛書《繫辭》雖古，卻不是精抄本。

值得注意的問題是，《繫辭》中的"象"字，帛書中都寫作"馬"字。"天垂象"作"天垂馬"，"易有四象"作"易有四馬"，"聖人立象以盡意"作"聖人之立馬以盡意"等等。這個馬字是錯字還是異文？看來不是錯寫而是異文。按馬字可以解作籌碼之義，《禮記·投壺》云："請爲勝者立馬，一馬從二馬，三馬既立，請慶多馬。"馬亦即符號之義。但帛書《繫辭》何以不用象字，這仍難以理解。

還有一點特別值得注意的，《繫辭》"易有太極"，帛書作"易有大恒"。這個"恒"字大概不是誤字，而是異文。恒者常也，大恒即是大常。《老子》道篇首章："道可道，非常道。名可名，非常名。"帛書《老子》作"道可道，非恒道。名可名，非恒名。"通行本避漢文帝諱，改恒爲常。但帛書《繫辭》亦有常字，"動靜有常，剛柔斷矣"二句同于今本。

今試就先秦古籍來考察"象"、"馬"異字與"太極"、"大恒"異名的問題。按《老子》書中，象字屢見。十四章："無物之象。"二十一章："其中有象。"三十五章："執大象。"四十一章："大象無形。"這些象字，帛書《老子》亦俱作象。《左傳》昭公二年："晉侯使韓宣子來聘，……觀書于太史氏，見易象與魯春秋，曰：周禮盡在魯矣。"（杜注："易象，上下經之象辭。"）是易象相連并稱，由來已久。《老子》作于春秋末年，象字并非晚出。由此可見，《繫辭》中的象字應是正字，而帛書的馬字乃是異文，可能是避某人的名諱而改象爲馬。

按《莊子·大宗師篇》云："夫道有情有信，無爲無形，……自本自根,未有天地,自古以固存,……在太極之先而不爲高,在六極之下而不爲深。"我認爲所謂"在太極之先而不爲高",是針對《易繫辭》所謂"易有太極"而發的。莊子及其弟子所見的《繫辭》當是"易有太極"云云。而帛書《繫辭》所謂"易有大恒",應是後來改定的異文。

從"象"字及"易有太極"句來看,田何傳本《易繫辭》不可能晚于帛書《繫辭》,當是同時異地的傳本。

帛書《繫辭》有幾句與通行本有較大的差異,而含義勝于通行本。通行本云:"顯諸仁,藏諸用,鼓萬物而不與聖人同憂,盛德大業至矣哉!富有之謂大業,日新之謂盛德,生生之謂易。"帛書本作:"聖者仁勇,鼓萬物而不與衆人同憂,盛德大業至矣幾!富有之胃大業,日新之胃誠德,生之胃馬。"(幾字是哉字之誤,誠字爲盛字之誤,生之胃馬句當有脱文。)通行本這幾句沒有主詞,張橫渠《易說》曾對于"鼓萬物而不與聖人同憂"有很深刻的詮釋,但不如帛書"聖者仁勇,鼓萬物而不與衆人同憂"易于理解。"盛德大業"用來形容聖人,亦較用來形容天道爲好。惟"富有"、"日新"等語用來形容聖人亦不恰當。"生生之謂易"只能是贊述天道之語,不可能是論述聖人。這幾句,通行本與帛書本都有難以溝通之處。究竟哪個是原本,哪個是改本,難以確定。

帛書《二三子問》、《要》、《易之義》、《昭力》等篇,迄今尚未公布。據已故韓仲民同志的記述,《要》篇記載了孔子晚年研究《周易》的情況,說"夫子老而好易,居則在席,行則在橐"。子貢提出疑問,孔子說《易》"有古之遺言焉。予非安其用,而樂其辭"。子貢又問:"夫子亦信其筮乎?"孔子說:"我觀其德義耳","吾與史巫同途而殊歸。"(見韓仲民論文《帛書繫辭淺說》)這確實是非常重要的材料,其所述孔子的態度與《論語》中的孔子亦相契合。應該承認,帛書《易傳》是很有價值的寶貴典籍。

帛書《易傳》是南方易學家的著述。這些著述是沒有傳到北方,或者是北方易學家不肯接受,由于史料缺乏,現在已無從測知。近

年發掘馬王堆漢墓,發現了這些南方易學家的著述,這不能不說是
大幸。

　　我閱讀《史記》中關于《周易》的論述,也受到一些啓示。
《史記·孔子世家》云:"孔子晚而喜易,序彖、繫、象、説卦、文言。"
足證司馬遷見到《彖》、《繫辭》、《象》、《説卦》、《文言》。又《太史公自
序》稱其父"受易于楊何"。楊何係田何的再傳弟子。《自序》述其父
《論六家之要指》曰:《易大傳》"天下一致而百慮,同歸而殊涂"。這
見于今本《繫辭》。《自序》又云:"易著天地陰陽四時五行,故長于
變"。按今通行本《易傳》并無五行觀念,而司馬遷卻説"易著天地陰
陽四時五行",疑司馬遷所見的《易傳》不同于通行本。《自序》又云:
"故易曰:失之毫厘,差以千里。"《史記集解》:"今易無此語,易緯有
之。"日本瀧川資言《考證》云:"《大戴記·禮察篇》、《禮記·經解
篇》并云:易曰:君子慎始,差若毫厘,繆以千里。阮元云:"今在《易
緯通卦驗》。"今按《易緯》晚出,《禮記》與太史公恐非引《易緯》,而
是引當時的一種"易傳"。這些都可證,太史公父子所見《易傳》有不
同于通行本之處。足證在漢代初年,《易傳》傳本不止一種。

　　漢儒認爲《彖》、《象》、《繫辭》、《文言》等十篇是孔子所著。故
《漢書·藝文志》稱之曰:"易道深矣!人更三聖,世歷三古。"《藝文
志》著錄《易經》十二篇,顏師古注:"上下經及十翼,故十二篇。"《十
翼》亦稱爲經。而帛書《二三子問》、《要》、《昭力》等篇,記述孔子與
弟子的問答或傳易經師的問答,顯然不可能認爲孔子所著,故不能
列入經典。因此,田何等即令見到,也不予傳授。這是可以理解的。

　　但是,無論如何,帛書"易傳"是漢初重要文獻,雖不能列入經
典,卻可稱爲"傳"。《漢書·藝文志》著錄"易傳:周氏二篇","服氏
二篇","楊氏二篇","蔡公二篇","韓氏二篇","王氏二篇","丁氏
八篇"。以上七家俱稱爲"易傳"。帛書《易傳》應是同類之書,具有
重要價值。希望帛書《易傳》早日全部刊布。

1993.2.5

　　【附記】　此文撰成之後,始見到鼓應教授《馬王堆出土帛書繫辭爲現存最早的道家傳本》全文。鼓應教授强調《繫辭》與道家的關係,這是有意義的。按《易傳》受老子的影響,是明顯的事實。孔子罕言天道,《論語》中所謂道指人道,而《易傳》所謂道乃指自然之道,顯係受老子的影響。照傳統的説法,《易傳》乃孔子所著,而孔子曾問禮于老聃。照近人的説法,《易傳》出于戰國,在《老子》之後。《老子》與《易傳》的先後是明顯的。在戰國時代,諸子并起,學派之間,交光互映,各有宗旨,亦相互啓發,惟儒墨之間鬥爭較烈。故莊子《齊物》指斥"儒墨之是非",而不言孔老之是非。稷下學者,諸家并存。如荀卿宗仰孔子,屬于儒家,而其"虚一而静"之説顯受老子的影響。《易傳》闡明天道,曾受老子的啓發,但不贊同老子"貴柔"之説,而高揚"剛健",這是對于老子學説的改變。故《易傳》屬于儒學。漢儒奉《易》爲五經之首,也是有根據的。漢文帝推崇道家,景帝之時,儒道的鬥爭趨于熾烈,司馬遷所謂"世之學老者則絀儒學,儒學亦絀老子,道不同不相爲謀,豈謂是耶?"正是説明景武之世的情況。西漢末年,嚴君平兼明易老,揚雄亦兼明易老,嚴君平屬道家,揚雄屬儒家,而揚雄頗推崇君平。這也説明儒道是相通的。

1993. 2. 8

　　作者簡介　張岱年,1909年生,河北獻縣人。北京大學哲學系教授、清華大學思想文化研究所所長、中國哲學史學會名譽會長。著有《中國哲學大綱》、《張岱年文集》等。

帛書《繫辭傳》"大恒"説

饒宗頤

内容提要 《繫辭》通行本"易有太極"句,帛書本作"易有大恒",這當是漢以前《繫辭傳》的本來面目。然"大恒"轉寫爲"太極"或者"太一",也因爲它們本是一事的異稱。本文同時還詳細地考察了"大恒"、"太極"的意義。

一

馬王堆本《繫辭傳》至今還未正式公布,但由于近日《易經》熱流行,寫文章談到帛書《繫辭》本子的特色已不乏其人,像韓仲民的介紹文章説,"易有太極"一句在帛書原作"易有大恒"。大恒意即大常或恒常,指某種恒久不變的東西,可能即是《繫辭傳》所謂形而上的道,和老子所説"獨立而不改,周行而不殆"的道體是一致的。這一異本的"大恒"非常新穎,令人矚目。

帛書《繫辭上傳》有"是故易有大恒,是生兩儀"一語,是漢以前《繫辭上傳》的原本面目。由大恒轉寫爲太極,有甚麼道理?這是古代中國哲學史一個非常重要而有趣味的問題。本文初步提出一看法。向來談哲學史問題者習慣作主觀性的演繹,説來頭頭是道,但回到原文加以對勘,每每不相符合,不是曲解便是誤解,許多矛盾即因未能精讀原文取得正確理解而生。本篇盡量避免這種過失,作一試探性的闡釋。

<h1 style="text-align:center">二</h1>

　　現在先從恒字的形義講起。恒字淵源甚古，殷墟文字裏有先公名曰王恒，其字作王𠄎，或作王𢎛，增益弓旁，則是繁形，王國維解説已爲一般學者所接受。《詩·小雅·天保》："如月之恒，如日之升。"毛《傳》："恒，弦。"鄭《箋》："月上弦而就盈。"𢎛之從弓，義出于弦。日升月恒是天地間常見的自然現象，故恒可引伸爲常。𠄎的字形，從月在上天下地之＝的中間，所以𠄎當是月恒的本字。《説文》亟與𠄎同屬《＝部》，亟爲極字，契文作𠄟，從人在天地之中，和𠄎的形構基本一致。《説文·＝部》云：

　　亟，敏疾也。从人从口从又从丨，＝，天地也。

　　恒，常也。从心从舟，在＝之間。上下心以舟施，恒也。𢘢，古
　　文恒从月。《詩》曰："如月之恒。"

比對之下，可見＝在這兩個字的形構上，指的是上天下地，十分清楚。恒之訓常是從月而來，古文恒字從月，與契文正可互證，故恒有永恒、常恒之義。

　　恒字篆文从心从舟，而另一桓字的古文則作亙，字在《木部》。《説文》云：

　　桓，竟也。从木恒聲。亙，古文桓。

亙字可能即𠄎之變，改從月爲從舟。恒字所以从舟从心，取義于上下一心。《説文》異本甚多，徐鍇《繫傳》正作"舟在＝之間，上下一心，以舟施恒也。"古有此説。至于亙訓爲竟者，有人認爲舟在＝之中，＝即表示上下前後的厓岸。＝之表示兩端、兩間，有"格于上下"的意味。故亙得訓爲竟，引伸之有究竟義。

　　古代亙及恒、緪、桓諸字都可通用。《考工記·弓人》談到"角之中，恒當弓之畏"；又説："恒角而短，是謂逆橈。……恒角而達，譬如終絻。"屢屢用恒字。恒角的恒是動詞，鄭衆讀爲緪，鄭玄讀作桓，謂"桓，竟也"。《説文·木部》訓桓爲竟，即同後鄭説。又一本作柜，

《説文·手部》:"揯,引急也。"恒作動詞用,即借爲絚、緪。緪本訓大索,《九歌·東君》:"緪瑟兮交鼓。"王逸《注》:"緪,急張弦也。"拉緊的動作稱爲緪、揯或絚。恒角即是緪角,如緪瑟之比,引仲之則恒有堅定義。從木之桓之義爲竟。揚雄《方言》:"絚,竟也。"是恒與絚可以互通。《文選·班固〈答賓戲〉》:"潛神默記,絚以年歲。"《漢書·叙傳》作"恒以年歲"。顏《注》引如淳曰:"恒音亘竟之亘。"師古曰:"恒音工贈反。"則讀恒字爲訓竟之桓,音古鄧切。《詩·大雅·生民》:"恒之秬秠。"毛《傳》:"恒,徧也。"徧與竟義相足,則恒又有周徧、普遍之義。

三

易有《恒卦》。殷代卜與筮二者兼施,新發現龜甲石板及銅器上所記以數字表示陰陽爻的卦名,已見震艮之歸妹(六六七六七一)、震坎之解(六六七六一八),巽艮之漸(一七六七八六)、巽兑之中孚(五七六八七一)。周原扶風齊家村出土的六號卜骨,背面左邊有六八一一一八,正是恒卦之卦象。恒卦(䷟)由震巽構成,其《象傳》説:"雷風恒,君子以立不易方。"恒字以引急之絚爲義,故訓牢固,表示堅定不易。《繫辭下傳》有"九德",其一爲恒:"恒,德之固也。"馬王堆帛書《周易》恒列于辰(震)宫之末卦,其卦、爻辭云:

> 恒:亨,無咎,利貞,利有攸往。
> 初六:㨆恒,貞,凶,無攸利。
> 九二:悔亡。
> 九三:不恒其德,或承之羞,貞,闈。
> 九四:田無禽。
> 六五:恒其德,貞,婦人[下缺"吉"字],夫子凶。
> 尚六:㨆恒,凶。

今本《周易·恒卦》作"初六,浚恒";"上六振恒"。陸氏《釋文》云:"深也,鄭作濬。"初六與上六二爻所以不吉者,持之以恒,求之過深，反爲不利。復引伸義爲遠，有過度義。恒而過度，即生毛病。《墨子·非樂》引《湯之官刑》正以"恒舞"爲"巫風"，恒于游敗爲淫風。古文尚書《伊訓》論"三風十愆"的三風即巫風、淫風加上亂風，這是過度之恒造成的過失。

　　九三、六五的爻辭，分別爲《論語·子路篇》和《禮記·緇衣》所徵引，指出無恒之人，連卜筮、巫醫都不可做。可見孔子以前，《恒卦》爻辭久已爲人所誦習。按《恒卦》六五《象傳》云："婦人貞吉，從一而終也；夫子制義，從婦凶也。"《緇衣》引《易》云："恒其德。偵，婦人吉，夫子凶。"貞字作偵，鄭玄《注》云："問正爲偵。婦人，從人者也，以問正爲常德則吉。男子當專行幹事，而以問正爲常德，是亦無恒之人也。"這裏偵字宜解作"問事之正爲貞"。占卜之事，問于鬼神而必本之于正，方爲合理。鄭君的意思是說：在男子方面，宜貞固以幹事，純陽爲正；如果從婦人之見依占卜以問正爲常德則不吉。這樣可說是一個沒有主見、無能力自作決定的人，臨事必敗，所以不吉。《大禹謨》說："官占，惟先蔽志，昆命于元龜；朕志先定，詢謀僉同，鬼神其依。"能夠有初步決定然後進行占卜，有長遠決心即能恒其德，如是方算是有恒的人。

四

　　甚麼是恒德？需要再加以討論。《易·恒·彖傳》說：

　　　　恒，久也。剛上而柔下，雷風相與，巽而動，剛柔皆應，恒。恒，
　　　亨，無咎利貞。久於其道也。天地之道恒久而不已也。利有攸往，
　　　終則有始也。日月得天而能久照，四時變化而能久成，聖人久于其
　　　道而天下化成。觀其所恒，而天地萬物之情可見矣。

　　這與《咸卦》之爲感駢列，恒是持久，咸是相感，各有其應具的作用。"久於其道"就是恒道、常道，故《爾雅·釋詁上》說："恒，常也。"《老子》亦言常，馬王堆甲本云：

　　　　復命，常也，知常，明也。不知常，芒〔此字今本作"妄"〕作兇，

知常容,容乃公,公乃王,王乃天,天乃道〔以下缺"道乃久"三字〕。常即可大可久的天道,恒亦如是。

何以説"不恒其德,或承之羞"? 不恒其德之人,即指二三其德之人、不能踐行一德之人。恒德亦稱"經德"。《春秋》屢言及恒星,《穀梁傳·莊公七年》云:"恒星者,經星也。"范寧《注》:"經,常也。謂常列宿。"由恒星之爲經星,則恒德即是經德。《尚書·酒誥》云:

> 王曰:"封! 我聞惟曰:在昔殷先哲王,迪畏天,顯小民,經德秉哲。自成湯咸至于帝乙,⋯⋯"

是爲周初文誥,所言必可信據。殷代的哲王都能夠"經德秉哲",這即是説他們都守其恒德。觀《古文尚書》有《咸有一德》之文,云:"非天私我有商,惟天祐于一德;非商求于下民,惟民歸于一德。德惟一,動罔不吉;德二三,動罔不凶。"《古文尚書》有極精粹的哲學性文字,這即是其中一篇。文中所言二三其德,即指不恒其德之輩。(有人説德的觀念到周代方纔有之,觀《酒誥》之文,可以知其不然。)恒德的重要性殷人諄諄告誡,恒字且被取爲王者之名。所以"不恒其德,或承之羞",二三其德的人必爲人所鄙棄! 巫醫、卜筮且不可爲,何況其他!《周禮》:"司巫掌群巫之政令,⋯⋯國有大烖則帥巫而造巫恒。"鄭玄謂"恒,久也。巫久者,先巫之故事。造之,當按視所施爲。"他以久訓恒,是取自《易·恒卦》。頗疑巫咸、巫恒二名都取自《易》卦。巫咸初是私名,後來作爲最高的神職成爲通名。巫恒亦然,它是高級職位的巫而能保有恒德,故群巫造之,按視其所爲之當否,所以稱之爲巫恒。

篆文恒字作从心从舟,徐鍇《説文繫傳》云:"二,上下也。心當有常。"引《易·恒卦》"可久之道"爲説。按从心正以示恒心,孟子言"無恒産而有恒心者,惟士爲能",恒心即能保持恒德的一心。恒的精義開展到道德境界,從殷代以來由《易》卦到孟子,恒字成爲經學上一個非常重要的概念。

其實恒的意義,正與"經"字相等。《文心雕龍·宗經篇》云:"經也者,恒久之至道。"恒已成爲經的同義字,其重要如此。

　　“周易”一名的涵義，一説是“易道周普”，而“恒”有普遍之義，與之相符。易有三義：變易、不易和簡易，而恒爲不易方，義同于“不易”。《繫辭下傳》云：

　　　　夫乾，天下之至健也。德行恒易以知險；夫坤，天下之至順也。

　　德行恒簡以知阻。

乾坤剛柔二種職能具備有德行恒易和恒簡的性格，具見恒字涵義的淵深，亦包有易、簡。如是易之三義，恒已奄有其二。恒既方經，復可配《易》，無怪得有“大恒”的稱號。

<h1 style="text-align:center">五</h1>

　　有一事足以令人注意的是“恒”的道理，在楚人的著作和記錄中，特别流行，兹舉數事論之：

　　一、《道經》馬王堆甲、乙本都把通行本的常道寫作恒道，兹錄甲本文字如下：

　　　　道，可道也，非恒道也；名，可名也，非恒名也。……故〔“故”字

　　原缺，據乙本補〕恒無欲也，以觀其眇；恒有欲也，以觀其所噭。

《老子》原本作恒道、恒名，後來因避漢文帝諱纔改爲常。其他馬王堆甲乙本相同的特點如“道恒無名”句。

　　二、《論語·子路》：“南人有言曰：‘人而無恒，不可以作巫醫。’”這一句話亦出現于《禮記·緇衣》的末段：“南人有言曰：‘人而無恒，不可以爲卜筮。’古之遺言與？龜筮猶不能知也，而況於人乎？”雖有巫醫與卜筮的不同，并稱是出于南人之言。南人者，《楚辭·九章·思美人》：“觀南人之變態。”王逸《注》云：“覽察楚俗，化改易也。”是南人即楚人，證明這句話出自孔子以前古代楚人的格言。

　　三、《楚辭·天問》：“恒乘季德。”恒是殷先公的王恒，見於卜辭，屈子在文章中加以質疑，足見殷代史事在楚地流行之久遠。

　　四、長沙子彈庫出土楚帛書屢屢提到恒字：

　　　　寺雨進退，亡又尚恒。……毋童群民，以▨三恒。……群神五

正,四⊘堯羊。建恒襄民,五正乃明。

既有"三恒"之名,又復尚(通"常")、恒聯言,且有"建恒"等語,楚俗
對於"恒"這一觀念的重視,殊非偶然。

五、包山楚簡卜筮類屢屢言"占之,恒貞吉",字作"死貞",即
"恒貞"。占而得恒貞,故吉,如第217簡即其一例。兼禱祠於楚之
先世:老僮、祝融、嬭熊諸神明。

六、《方言》卷二:"恒慨,……言既廣又大也。荊揚之間凡言廣
大者謂之恒慨。"恒讀爲互。互,竟也。故有廣大義。恒慨是雙聲聯
緜字。

由上列各點,得知恒的概念在楚學中如何受到重視和普遍使
用。

六

帛書"易有大恒",通行本作"易有太極"。"太極"一名見于《墨
子·非攻下》:

> 禹既已克有三苗,焉磨(案當作"歷")爲山川,別物上下,卿制
> 大極,而神民不违,天下乃靜。

孫詒讓《閑詁》云:"疑當爲'鄉制四極'。"謂大字乃四之形訛。然四
古文作三,不一定作𠕅,與大字形殊不相近。《說文·卯部》云:"卿,
章也。""卿制大極"可說是有條理地去建立大極。這個大極應該是
人文現象,有點像《洪範》的"皇建其有極",而不是宇宙現象之產生
兩儀的太極。道家方談及宇宙原始的太極,《莊子·大宗師》:

> 神鬼神帝,生天生地;在太極之先而不爲高,在六極之下而不
> 爲深,先天地生而不爲久,長於上古而不爲老。

把大極和六極對立起來,似以太極指上天,六極指下地。同篇下文
又云:"禺强得之,立乎北極。"這幾個極字都有極限的意義,和太極
生兩儀的太極,亦不一樣。錢穆謂《莊子》"此稱必出易有太極之
後",是主張先有《繫辭上傳》的太極,後來纔有《莊子》的太極,謂

《莊》出於《易》，亦很難説。

　　到了《淮南子》又提到"太極"二字，《覽冥訓》："引類於太極之上。"高誘《注》云："太極，天地始形之時也。"這個太極分明是取自《繫辭上傳》的"易有太極"。班固《漢書・律曆志上》云："經元一以統始，《易》太極之首也。"又云："太極中央元氣，故爲黄鐘。"以樂律的黄鐘來配太極。劉安、班固所用的自然出於《繫辭上傳》，是作"易有太極"的。太極是形質始形之象。《易緯鈎命訣》論一氣五運乃始太易而終太極。《太平御覽・天部》太極之前，還有太易、太初、太始、太素四個階段，即采緯書之説。《列子》書立四太而無太極。其實，太極的重要性要到宋初周敦頤傳《太極圖》以及朱子加以發揚解説，纔引起重大的作用。然周子的太極新圖與原圖，實取自《參同契》及《道藏・真元妙品太極先天合一之圖》，而同於朱震所進之圖。太極之義分明經過道教徒的渲染，事屬後起。此點人所共知，不必深論。

　　漢代絶無《太極圖》，而有《天一圖》。漢初夏侯竈墓所出的木式，中央圓圈之内放一圓點，可能即表示"中央元氣"，應是漢人經常所崇拜的太一。馬王堆出土的《陰陽五行》書乙本有《天一圖》，在方框之内，含一小圓圈，圓内中央，記"天一"之名。在天樞方部位的下方，記若干神名如下："刑、德、……大一、大陰、大陽。"這些神祇中又有大一，和中央的天一分而爲二。《晉書・天文志上》説："太一星在天一南，相近，亦天帝神也。主使十六神，知風雨、水旱。……"又另附繪於《刑德》乙本左面的上方，有《九宫圖》，這二圖都是近年新發現的漢初有關太一九宫的可靠材料，均大異於周敦頤的黑白《太極圖》。張彥遠《歷代名畫記》内《古之秘畫珍圖》一項有《太一三宫用兵成圖》，刑德的圖是兵書，可能是同類型之物。至於《天一圖》則尤爲可貴。

　　太一在楚國是主神，《九歌》首列《東皇太一》。宋玉《高唐賦》："醮諸神，禮太一。"《淮南子・詮言訓》描寫太一的情狀云：

　　　洞同天地，渾沌爲樸，未造而成物，謂之太一。

高誘《注》云：“太一，元神總萬物者。”

又《主術訓》云：

天氣爲魂，地氣爲魄，反之玄房，各處其宅。守而勿失，上通太

一。太一之精，通於天道。

《文子·自然篇》文字全同，惟兩“太一”寫作“太乙”（《文子》亦有別本作“太一”者），“玄房”則作“玄妙”，足證兩本字異而義實同。

太一原作大一，戰國以來，諸子每言之。《莊子·天下篇》：“建之以常無有，主之以太一。”又：“至大無外，謂之大一。”或謂《老子》二十五章“吾不知其名，字之曰道。强爲之名曰大”，“大”下有“一”字。按馬王堆乙本作“强爲之名曰大”，甲本亦作“名曰大”，絕無“一”字，不必强補。又《荀子·禮論》：“以歸大一。”此外，和《繫辭上傳》“太極生兩儀”一段相類似的文字有下列二例：

一、《呂氏春秋·仲夏紀·大樂》：“音樂之所由來者遠矣。生於度量，本於太一。太一出兩儀，兩儀出陰陽。陰陽變化，一上一下，合而成章。渾渾沌沌，離則復合，合則復離，是謂天常。……萬物所出，造於太一，化於陰陽。……道也者，至精也，不可爲形，不可爲名，彊爲之名，謂之太一。”

二、《禮記·禮運》：“是故夫禮，必本於大一，分而爲天地，轉而爲陰陽，變而爲四時，列而爲鬼神。”

如是禮、樂皆本於太一。呂氏在古樂中連續用若干次“太一”，并明顯地指出它是“天常”，亦即是“道”。《禮運》爲儒家説，繼承荀卿“以歸大一”之論。大一爲禮與樂之所自出，儒家、道家均有此説。蓋秦及漢初，“大一”之名已十分盛行，成爲天常及道的代語。帛書“易有大恒”一語，無異説易有大常、易有大道了。

由上所論，歸結起來，太恒與太極、太一自是一事的異稱。自《老子》以來强調主張“得一”，而《繫辭下傳》言“恒以一德”，理正相通，故太一與太恒在義訓上原無二致。

七

　　值得再研究者爲太極的"極"字,此字究竟如何取義?漢初陰陽五行星位圖分明把大一、大乙列於中央,這是配合星占家列星位之中宮,《史記·天官書》説:"中宮天極星,其一明者,太一常居也。"《吕氏春秋·有始覽》:"極星與天俱游,而天極不移。冬至日行遠道,周行四極,命曰玄明。……蓋天地之中也。"高誘《注》云:"玄明,大明也。"大一居於中央而下行九宫.極有"中"的意義,天極星即以其位於中央,故有此稱.極之訓中,《周禮》及《洪範》皆然。《周禮·天官》:"設官分職,以爲民極。"鄭玄《注》云:"極,中也。令天下之人各得其中,不失其所。"《洪範》敷陳天地的大法,是《尚書》中宗教哲學思想最有體系的一篇。"極"是貫串全篇的字眼,如:"九疇……次五,曰建用皇極。"孔《傳》云:"皇,大;極,中也。凡立事當用大中之道。"又如:"五、皇極,皇建其有極。"孔《傳》:"大中之道,大立其有中,謂行九疇之義。"大中之道在無所偏倚,故其最精粹之語曰:"無偏無陂,遵王之義。……無偏無黨,王道蕩蕩。"這二句《吕氏春秋·貴公》徵引,直稱爲《鴻範》。《墨子·兼愛下》亦引之。《洪範》又説:"無反無側,王道正直。會其有極,歸其有極。"孔《傳》均釋極爲中,強調大中之理,叮嚀周至。最後談到龜與筮的從逆所引起的徵兆問題。有休徵和咎徵,即吉和凶的兩面,自然氣象與人事行動的互相影響,休徵以"時"爲宜,咎徵則以"恒"爲過。《洪範》説道:"一極備凶,一極無凶。"孔《傳》云:"一者備極過其則凶,一者極無不至亦凶,謂不時失序。"過和不及都是不好的現象。兹將《洪範》所載咎徵在天人相應的表現略表如下:

　　狂:恒雨
　　僭:恒暘
　　豫:恒燠
　　急:恒寒

　　蒙:恒風

人主的動作失常,天象給以不同的反應。在古代天人交感理論支持之下,這種説法足以令在位者警惕與反省,是一種神力的教訓。上面討論過《恒卦》有"復恒",亦作"浚恒"或"振恒",恒雨、恒風等在咎徵上的恒,即是過度的恒在天現象的情況。極有"中"和"過"二義,與恒正是一樣。《洪範》所謂蒙則恒風是説人主如果蒙昧無知,就會引起恒風的災害。所以《洪範》諄諄以無偏無陂,正直立中告誡人主,發揮大中公正的義訓。漢人解極爲中是有道理的,我們聯想到殷卜辭每言"立中亡風",這一句話有許多不同的解釋。無論中是否指旗幟,"立中亡風"都可解作能立中則無恒風之患害。"中"這一抽象觀念,卜辭所見記時指旗幟,"立中亡風"都可解作能立中則無恒風之患害。"中"這一抽象觀念,卜辭所見記時間的有"中日",記空間的"中商",表位置的左中右三師等等,具體説明殷人對"中"概念的重視。極字卜辭作 (卜辭字形),表示人立於天地之中。(卜辭 字字凡四見,多爲殘辭。其一云:"曰 字 字 字,其 字……"〔《合集》16936 反〕字可讀爲極端之極,似作副詞用,言有煞之極。)極可以引伸爲中,此説有堅强的證據。《洪範》述"建用皇極"之旨,陳"大中之道",極即是中,太極即大中。天文星象極星正位於中央。班固《漢書·律曆志上》説:"太極中央元氣。"亦以中訓極。《洪範》發揮的大中道理,無疑即周初人從殷代的"恒"發展出來對於"極"的微言大義。可惜此篇久被人貶抑,視爲晚出之物,不復爲哲學史家所重視。劉節《洪範疏證》一文的錯誤,雖經近時劉起釪加以重新檢討,指出《洪範》的原本最初當是商代的,其中心思想亦出於商代,可惜他還有許多偏見,如説商代只有龜卜而無筮,商代根本沒有德的概念之類。他對新出土事物的忽視,毋庸辨正而可知其不然。最嚴重的是他説《洪範》是一篇鼓吹神權政治宣揚神意的文章,加以謾罵指責。不知世界上古代表示正直、秩序、永恒等法理的抽象名詞,背後都有神明爲主宰。印度《吠陀》的 ṛtá 義爲"規律",在《梨俱吠陀》篇章中代表 ṛtá 之神即有 Agni(火神阿祇尼)和 Varuna 之輩(見《梨俱》,I.

1,8)。在我國古代,大一亦是同樣的情形。大一既是道和萬物的最高原則和主宰,亦被視爲"元神總萬物者"(見高誘《淮南子注》);而大一在西漢被稱爲"天神貴者"(《史記‧封禪書》謬忌奏祠太一方語)。所以太一可以下行九宮,與天帝資格可以相比。可見抽象觀念之神化,是神道設教時代藉神立訓的普遍情形。

八

　　總結而論,恒是天地的恒律、不易的道理,一個抽象觀念,在道家老、莊思想影響之下,戰國的儒家、法家,以及陰陽家、星占家對於"一"的共同追求,塑造出"大一"這個抽象而又具體的總攬宇宙萬物的元神(借用高誘語),來代表不易、不偏的最高原則性的道,和周初《洪範》講大中的皇極,殷以來講常道的恒德、經德,都有共通之處。故《易‧繫辭上傳》提出"大恒"一名,說明爲兩儀陰陽之所自出。後出的同義字遂寫作"太極"。在秦漢之際表現在式和星圖上以居天地之中央的極星作爲宇宙的核心,亦用以代表大一之神,它的作用和意義跟太恒、太極基本上是一致的。

　　現代哲學家闡釋古代哲學的抽象觀念,喜歡借用外來的框子來比附,爲之披上條理繽紛、十分美觀的外衣;但覈實起來,往往不是那麽一回事。本文則注重觀念的內涵和它的同義字,尋求彼此間的相互關係,確切了解它們的歷史背景和本文在行文命意的條理,加以融會貫通,可說是一種多角形的交錯推理方法。大恒、大一、大極都是一事的異名,在群經諸子都有出典來歷。如何取得合理的解釋,本文希望作一新的嘗試,提供一比勘的義理校證法。不徒文字上勘正差異,而是推求義理上的會同與貫通,仍望讀者有以糾正之。

　　【補記】　本文成後,獲見傅舉有、陳松長編著、湖南出版社1992年出版的《馬王堆漢墓文物》一書,《周易》六十四卦與《繫辭傳》悉在其中。該書頁123第二十三行下和頁122第二十四行上

（見圖三）有文云：

是故易有大夎,是生兩＝橪＝生四＝馬＝生八＝卦＝生吉＝
凶＝生大業。

文字基本與通行本的《繫辭上傳》一致,只是不作太極,而作大恒。
恒字從月在＝之中,十分清晰。另一半作七,似是心(屮)的省筆。帛
書分明是作大恒,絕無問題。

另在帛書《陰陽五行》乙本上的《天一圖》,神名地能(龍)的外
圈,有下列諸名：

上地白青日恒司

立宮虎龍月陳陳

和司陳駢列的有"恒陳"一名,恒字從＝,內夾心和月,十分清
楚,與大恒的恒字字形可相印證。

頃見馬王堆會議論文,廖名春提出《〈帛書繫辭釋文〉校補》,他
強調大恒的"恒"字,乃是"極"字的誤寫,他認爲《莊子》已經出現
"太極"一詞,《繫辭上傳》必依據之,故大恒乃是大亟形近之訛。他
說帛書寫得很隨便,不免有誤筆。按亟字從丂在＝中,與恒之作㥁
(子彈庫帛書此字三見)、亙(金文)全不一樣。《繫辭上傳》大恒的恒
字,和《陰陽五行》的《天一圖》均作亙,是漢初的字體,與篆文的恒
非常接近,決非隨意寫錯。況且在先秦楚國文獻裏面,"恒"的觀念,
非常突出豐富,我在本文已詳細舉出。"大恒"這一概念的形成是有
它悠遠的歷史,不是突如其來的事,尤其先秦楚國學人對"恒"觀念
非常重視。大恒即是大經,是常道,和《老子》一系的思想正是一脈
相承的。帛書《黃帝書》第一篇《經法》中《道法》說："天地有恒常,萬
民有恒事,貴賤有恒位,畜民有恒道,使民有恒度。"這篇更充分發
揮恒的大道理,足見"恒"是包有宇宙人事各方面的綜合概念。《經
法》出自何人手筆,不可得知；但出于楚冡,傳自黃老之學則灼然甚
明。把大恒當作宇宙生成的源頭,與大一尤相吻合。提出本文是希
望關心秦漢思想史的學者,再作進一步的探討。

本文于 1992 年 6 月間應陳鼓應先生之邀而作,論文完稿後在 1992 年 8 月 25 日長沙馬王堆國際學術會議上提出,9 月 10 日重作修訂。

作者簡介 饒宗頤,號選堂,廣東潮州人。香港大學榮譽文學博士。現爲香港中文大學藝術系及中國文化研究所榮譽講座教授,香港大學中文系榮譽講座教授。著有《選堂集林·史林》(三冊)、《梵學集》、《老子想爾注校證》等專著數十種。

帛書《繫辭》"易有大恒"的文化意蘊

余敦康

　　近年來,關于《易傳》思想的學派屬性問題引起了學術界的興趣,提出了幾種不同的看法。一種以金景芳、呂紹綱先生爲代表,認爲屬于儒家系統,一種以陳鼓應先生爲代表,認爲屬于道家系統,我則持調和折衷的立場,認爲是儒道互補的産物。我的這個看法其實是受了陳鼓應先生的啓發後形成的。八十年代初,我在任繼愈先生主編的《中國哲學發展史》"先秦卷"中寫了一節論《易傳》的儒家思想特徵的文字。當時我根據司馬遷和班固所叙述的易學傳授世系,認爲《易傳》的哲學體系是以鄒魯文化爲背景的,同時也接受了多方面的影響。當易學由魯而楚傳授到楚人馯臂子弓時,接受了道家思想的影響;再輾轉傳到燕齊,又接受了管仲學派以及燕齊文化的影響。其中,以道家思想的影響最爲重要。如果不吸收道家的天道觀的思想來豐富自己,《易傳》至多只能得出類似孔子的那種政治倫理教訓,而不能形成包括天道、地道和人道的完整的哲學體系。但是,類似孔子的那種政治倫理教訓,畢竟是《易傳》的思想核心。儘管《易傳》接受了多方面的影響,由于它以鄒魯文化爲背景,其思想主流仍是儒家。這一番議論,貌似持平,實則有欠公允。問題出在我錯把儒家的政治倫理思想看作是《易傳》的思想核心,只知其一,不知其二。後來,陳鼓應先生發表了一系列的文章,力主"道家主幹説",根據《繫辭》所受老莊思想的影響,論證《易傳》非儒家典籍,乃道家系統之作。陳先生的這個看法激發我進一步去探索究竟什麼是《易傳》的思想核心的問題。《莊子·天下篇》曾經指出："《易》以道陰陽。"《繫辭》也説："一陰一陽之謂道。"看來把這個由一陰一陽所構成的《易》道看作是《易傳》的思想核心，大概是比較符合實際的，關鍵是如何對《易》道作出全面的理解。如果説過去我因强調其中的人文主義的傾向而斷定具有儒家思想的特徵，是蔽於人而不知天，失之於片面；那麼陳鼓應先生因强調其中的自然主義的傾向而斷定屬於道家系統，則是蔽於天而不知人，同樣失之於片面。基於這種考慮，所以我修正了原來的看法，認爲《易傳》的思想核心非道非儒，亦道亦儒，實際上是一種站在天人之學的高度綜合總結了儒道兩家思想的新型的世界觀，集中體現了中國文化的基本精神。刊載於《道家文化研究》第一輯中的《〈周易〉的思想精髓與價值理想》一文，大致表述了我的這個看法。

最近，帛書《繫辭》公開發表，又把《易傳》思想學派屬性的問題重新提了出來。王葆玹先生寫了《從馬王堆帛書本看〈繫辭〉與老子學派的關係》(刊載於《道家文化研究》第一輯)，陳鼓應先生寫了《馬王堆出土帛書〈繫辭〉爲現存最早的道家傳本》，兩篇文章都列舉了大量例證，證明屬於道家系統，并且特别提到帛書《繫辭》的最高哲學範疇爲"大恒"而不是"太極"，乃是判定其是道非儒的最重要的例證。陳鼓應先生指出："義理派對'太極'原爲'大恒'，投以不同程度的關注——儒派學者則感惴惴不安，因爲'太極'説乃宋明理學的一個重要哲學範疇。"王葆玹先生認爲："'易有太極'一句在帛書《繫辭》中作'易有太恒'，'太恒'意即'大常'或'恒常'，不像是一個確定的範疇，而像是一種縮略語，指某種恒久不變的東西。而帛書《繫辭》所謂的恒常不變的東西，即是形上之道，其所謂的形上之道即是《老子》所説的天地之道。老子認爲這種道是'無形'的，因而《繫辭》稱其爲'形而上'；老子認爲這種道'獨立而不改，周行而不殆'，因而《繫辭》稱其爲'太恒'。這就是説，帛書《繫辭》與《老子》的最高範疇，是完全相同的。"

在帛書《繫辭》公開發表以前，張岱年先生曾著文論證"太極"

一詞源於老子。張先生指出:"《莊子・天下篇》述關尹老聃的學說云:'建之以常、無、有,主之以太、一'。常、無、有是三個觀念,太、一是兩個觀念,指太與一。太即道,一即'道生一'之一。《易大傳》的太極,當是受老子影響而略變其說。太極之太是從老子所謂太來的,而添上一個極字,創立了另一個最高範疇。"照張先生看來,太極一詞雖源於老子,仍是儒家的範疇。後來莊子針對着儒家的"易有太極"提出了一個反命題,即"(道)在太極之先而不爲高"(《莊子・大宗師》)。這顯然是不承認太極是最根本的,認爲太極只相當於"道生一"之一,而把道凌駕於太極之上。這表現了儒道兩家的爭議(見《中國哲學發微》370頁)。現在根據帛書《繫辭》,太極原作大恒,從發生學的角度來看,說明這個範疇是直接取之於老子所說的道,并非儒家的創造,這對於弄清《易傳》思想的學派屬性問題,無疑會有極大的好處。但是陳鼓應、王葆玹先生由此而判定完全屬於道家系統,我覺得這個結論還有進一步討論的必要。

究竟何爲道家,何爲儒家,在兩千多年的歷史長河中,一直是爭論不休而沒有得到妥善解決的問題。唐代的韓愈在《原道》中曾提出一個判定的標準,認爲"仁與義爲定名,道與德爲虛位",儘管儒道兩家都講道德,但是儒家所講的道德,"合仁與義言之也","老子之所謂道德云者,去仁與義言之也",因而區別儒道的關鍵不在於是否使用作爲虛位概念的道與德,而在於是否贊同有着固定涵義的仁與義。按照這個標準,爲了證明帛書《繫辭》屬於道家系統,必須從中找到站在道家的立場反對仁義的言論,而不能僅僅着眼於"大恒"與老子所說的道在形式上的雷同。我們看到,帛書《繫辭》是完全贊同仁義的,與老子的態度截然不同,如"安地厚乎仁"(今本作"安土敦乎仁"),"仁者見之胃之仁","聖者仁勇,鼓萬物而不與衆人同憂"(今本作"顯諸仁,藏諸用,鼓萬物而不與聖人同憂"),"何以守立曰人"(今本作"何以守位曰仁"),"愛民□行曰義"(今本作"禁民爲非曰義")。特別是"仁者見之胃之仁"一句,其中"見之"之"之"是個代詞,指"一陰一陽之謂道",說明道統攝仁,有着仁的固定涵義,與老子所説的"天地不仁"大相逕庭,有力地反證帛書《繫辭》不屬於道家系統。但是,如果按照韓愈所定的標準,由此而判定完全屬於儒家系統,這個結論也不貼切。因爲大恒即道,道即一陰一陽,帛書《繫辭》的最高哲學範疇確實是來自道家的老莊,并非來自儒家的孔孟。這也同樣有力地反證不能簡單地把它歸結爲儒家系統。

　　韓愈把是否贊同仁義作爲區分儒道的標準,這個看法自有一定的道理,但是他把道德看作是虛位概念,認爲不值得關注,卻暴露了他自己的理論上的缺陷。《老子》五十一章:"道生之,德畜之,物形之,勢成之,是以萬物莫不尊道而貫德。道之尊,德之貴,夫莫之命而常自然。"這是老子對道德所下的經典性的定義,有着極爲深刻而確定的哲學涵義,決不是什麼虛位概念。老子認爲,道爲物之所由以生成者,德爲物之所得而畜積者,故道不得不尊,德不得不貫,道與德乃是一對緊密聯繫不可分割的範疇,有道必有德,有德必有道。如果説道是物之所由以生成的大化流行的整體,那麼德則是因其形與勢的不同由此整體所得而畜積的一個部分。整體與部分雖然彼此藴含,但整體是無限,部分是有限,無限大於有限,而且這種大是推而極之以至無可再推的大,不同於人們所習見的天、地、人之大,所以道的哲學意義比德更爲重要。道既是一個宇宙生成論的範疇,也是一個宇宙本體論的範疇,就其外延而言,是襄括天地人在内的無限整體,就其内涵而言,乃是宇宙萬物的本原、始基和内在的終極根據。老子及其後繼者正是由於以道作爲自己的哲學研究的對象,所以統稱之爲道家。從這個角度來看,道家關於道的思想,對中國哲學的影響是極爲重大的,每一個從事思考的人,不論何家何派,都必須密切關注道家的研究成果,自覺地引進并非虛位而有定名的道的範疇,才能使自己的思想上升到高層次的哲學境界。帛書《繫辭》以大恒作爲最高範疇,大恒即道,就其外延與内涵而言,完全是按照老子的原意來使用的,説明道家思想是它的一個重要組成部分。陳鼓應、王葆玹先生強調道家思想在帛書

《繫辭》中的地位和作用，當然也很有道理。

　　事實上，拿帛書《繫辭》和今本來仔細比較，除個別字句不同及缺少若干儒家色彩較濃的段落外，總體的思想基本相同，仍然是一個非道非儒、亦道亦儒的綜合體。儒家色彩之濃莫過於仁義，我們可以在帛書《繫辭》中找出贊同仁義的言論來反證其非道，道家色彩之濃莫過於與老子相同的道，帛書《繫辭》以大恒即道作爲最高範疇，可以反證其非儒。就正面而言，同樣的例子也可以證明其亦道亦儒。這就是儒道在最深層的結構上的完美的互補。

　　我常常覺得，在中國的文化思想中，如果單有儒家而無道家，將是一個極大的缺陷；如果單有道家而無儒家，其缺陷也難以彌補。道家之所長在於其偏於自然主義的深沉的宇宙意識，儒家之所長在於其偏於人文主義的對社會人生的熱烈的關懷。唯其所長，故有所短。道家之所短在於蔽於天而不知人，儒家之所短在於蔽於人而不知天。在儒道兩家初創時期，適應獨立成派的理論需要，各以己之所長而攻彼之所短，儒家著重發揮自己的仁義禮樂的思想批評道家的天道自然，道家則著重發揮自己的天道自然的思想來詆訾儒家的仁義禮樂。到了戰國末期，隨着學術大融合形勢的出現，學派成見逐漸泯除或者淡化，稷下道家與黃老道家在某種程度上接受了儒家的仁義禮樂的思想，不再像原始道家的老莊那樣，一味詆訾。以荀子和《禮記》爲代表的儒家也開始援引道家關於天道、自然、太一和道的思想，來建構新的儒學體系。由於儒道兩家的這種相互吸取，彼此滲透，一方面推動道家的自然主義向社會人生靠近，使之具有人文主義的色彩，另一方面也促進儒家的人文主義朝着宇宙意識提升，使之具有自然主義的色彩。在這個過程中，稷下道家與黃老道家較多地偏於自然主義，荀子與《禮記》較多地偏於人文主義，因而學派屬性仍然清晰可辨。但是，發展到《易傳》，特別是發展到《繫辭》所提煉而成的“一陰一陽之謂道”的命題，則自然主義與人文主義、天與人已經形成了有機的結合，完美的統一，很難判定它的學派屬性了。如果就中國文化思想的全體而言，是一種由以儒補道或以道補儒所交織而成的互補的格局，那麽就某一個別的典籍而言，《易傳》可以稱得上是非道非儒、亦道亦儒、二者不分軒輊地互補的唯一範例。也許正是因爲這個緣故，所以《周易》在後來的歷史中受到儒道兩家的共同推崇，道家學者"說以老莊"，儒家學者"闡明儒理"。這麽說來，我們今天研究帛書《繫辭》與今本的異同，與其爬梳整理從中找出某些材料來判定其學派屬性，不如站在一個更爲宏觀的角度，去進一步探索作爲總體的中國文化思想的形成和發展，把握它的基本精神。

　　雖然如此，這種研究仍然是有意義的。漢代以後，儒學獨尊，人們受長期的習慣勢力的影響，形成了一種崇儒而抑道的思維定勢，把儒學視爲中國文化思想的主流。南宋年間，陸象山與朱熹圍繞着周敦頤《太極圖説》中的"無極而太極"的命題，進行了一場激烈的爭論。朱熹對這個命題的道家思想來源諱莫如深，曲意解説；認爲是周子站在儒家的立場灼見道體之言。陸象山揭露説："'無極'二字，出於《老子》知其雄章，吾聖人之書所無有也。《老子》首章言'無名天地之始，有名萬物之母'，而卒同之，此老氏宗旨也。'無極而太極'，即是此旨。老氏學之不正，見理不明，所蔽在此"。"惟其所蔽在此，故其流爲任術數，爲無忌憚。此理乃宇宙之所固有，豈可言無？若以爲無，則君不君、臣不臣、父不父、子不子矣。"(《陸九淵集》卷二《與朱元晦》)在這場爭論中，陸象山的崇儒抑道的立場比朱熹更堅定，狹隘的學派成見也比朱熹更深。他以爲只要揭露出"無極"二字出於《老子》，就是致命的一擊，從根本上把"無極而太極"這個命題推翻。現在看來，不僅"無極"二字出於《老子》，"太極"二字是由"大恒"二字轉化而來，大恒即道，同樣出於《老子》。如果陸象山當時看到了帛書《繫辭》，不知作何感想，是否惴惴不安，或者淡化以至泯除自己的那種狹隘的門户之見。太極這個詞在中國哲學史上占有十分重要的地位，是個表示最高實在的範疇，歷代哲學家關於宇宙生成和宇宙本體的高層次的思想，幾乎都是通過對太極的詮釋發揮表述出來的。既然太極即大恒，大恒即老子所説

的道，僅僅根據這一個事實，也不難想見道家哲學對中國文化思想
所產生的深遠影響。但是，由於《繫辭》歷來被誤認爲是孔子所作，
"太極"也歷來被誤認爲是儒家的創造，這個歷史的真相也就長期
被隱埋在歷史的塵埃之中了。爲了恢復歷史的真相，爲了扭轉崇儒
而抑道的思維定勢，通過一系列的研究，包括對帛書《繫辭》的研
究，把道家的地位影響大力地彰顯出來，當然是一件極有意義的學
術工作。

　　作者簡介　余敦康，1930年生，湖北漢陽人。現任中國社會科
學院世界宗教研究所研究員，研究生院教授。著有《何晏、王弼玄學
新探》等。

馬王堆帛書《周易・繫辭》校讀

張政烺

湖南出版社出版《馬王堆漢墓文物》一書,其中有帛書《周易・繫辭》,尤爲讀者歡迎。可惜像片拼接、剪裁微有過當,削弱了一點兒資料性,釋文也有不夠明白之處。我反覆觀看,對其釋文作了些改正和補充,必要的地方加了小注,以便利讀者。

《周易》傳世古本有阜陽出土漢簡及洛陽熹平石經,皆漢代物,惜皆殘破,流傳不多。今見《繫辭》皆出韓康伯注本,敦煌卷子、開成石經莫不如此。宋代刻本尤多。案頭適有影印宋版白文"八經",是"丙寅季夏涉園影印"(1926 年),因其輕便,取備校勘之用,簡稱韓本。

馬王堆寫本中出現的胃(謂)、耵(聖)、閒(圖)、……等減筆字,今皆用正字代替,不加符號,不作説明。寫本有意或無意寫出聲音、字義相近的字,今皆作假借字處理,于本字後加注原字,用( )字標出。寫本明顯是錯字的,今爲改正,加〈 〉符號。寫本殘破,闕字多少不一,今參考韓本按闕字地位補出,用[ ]標明。

孔穎達、朱熹等學者皆爲《繫辭》分章。"八經"本亦分章排列以便讀者。今校《繫辭》釋文是否分章?曾反覆考慮,幾番修改。深恐影響讀者,故仍依帛書原樣書寫,暫不分章。

天奠〈尊〉地庫(卑)①，鍵(乾)川(坤)定矣。庫(卑)高已陳，貴賤立
(位)矣。動靜有常，剛柔斷矣。方以類宙(聚)，物以群分，吉凶生
[矣。在天成象，在]地成刑(形)，[變]化見矣。是[故]剛柔相摩，八
卦[相盪,鼓之]靁(雷)旬(霆)，汜之風雨②。[日月]運行，一寒[一
暑]。鍵(乾)道成男，川(坤)道成女。鍵(乾)知大始，川(坤)作成物。
鍵(乾)以易③，川(坤)以開(簡)能。易則傷知，開(簡)則易從①，傷
知則有親，傷從則有功。有親則可久，有功則可大也。可久則賢人
之德[也,可大則賢人之業]也。開⑤易開(簡)而理得，理得而成立
(位)乎其中。聖人祇(設)⑥卦觀馬〈象〉⑦，繫辭焉而明吉凶。剛柔
相遂，而生變化。是故吉凶也者得失之馬〈象〉也，悔閵(吝)也者憂
虞之馬〈象〉也，通⑧變化也者進退之馬〈象〉也，剛柔也者晝夜之馬
〈象〉也。六肴(爻)之動，三亞(極)之道也。是故君子之所居而安者，
易之□⑨也。所樂而妸(玩)，教(爻)之始(辭)也。君子居則觀其馬
〈象〉而妸(玩)其辭，動則觀其變而訛(玩)其占，是以自天右(祐)
之，吉無不利也。緣(彖)者，言如馬〈象〉者也。肴(爻)者，言如變者
也。吉凶也者，言其失得也。悔閵(吝)也者，言如小疵也。無(无)
咎也者，言補過也。是故列貴賤者存乎立(位)，極(齊)大小者存乎
卦，辯吉凶者存乎辭，憂悔閵(吝)者存乎分⑩，振(震)无咎⑪存乎
謀(悔)。是故卦有大小，辭有險易，辭者各指其所之也。易與天地
順(準)，故能彌論(綸)天下之道。印(仰)以觀於天文，頫(俛)以觀

---

　　① 帛書奠是筆誤，庫是假借，皆爲寫出正字，并加不同符號以説明之。按揚雄《太
玄·攡》"天地奠位"以奠爲定。《太玄·增》"澤庫其容"，庫有"增益"和"輔比"之義。故
帛書"天奠地庫"解爲天定地輔，義亦可通。
　　② 韓本作"鼓之以雷霆，潤之以風雨"。帛書無兩"以"字。何亦或假作汜，其下一
字與潤相當而不可識。
　　③ 韓本作"乾以易知"，帛書脱知字。
　　① "易從"，依本句文例，常作"傷從"。
　　⑤ 此開字是衍文，常删。
　　⑥ 祇假爲設。帛書設字字形不一，皆統一之。
　　⑦ 帛書無數馬字，只"備牛乘馬"一處不誤，其他皆是象字。
　　⑧ 變上一字是衍文，先寫作進，改爲通，後又抹去。
　　⑨ 韓本作"易之序也"，帛書此字殘不可識。
　　⑩ 韓本作"介"。
　　⑪ 韓本咎字下有者字。

於地理。是故知幽明之故，觀始反冬（終），故知死生之説。精氣爲物，游魂爲變，故知鬼神之精（情）壯（狀），與天[地]相枝（似）故不回（違）。知周乎萬物，道齊（濟）乎天下，故不過。方行不遺①，樂天知命，故不憂。安地厚乎仁，故能既（愛）。犯（範）回（圍）天地之化而不過。曲②萬物而不遺。達諸晝夜之道而知。古（故）神無方、易無體。一陰③一陽之謂道。係之者善也，成之者生（性）也。仁者見之謂之仁，知者見之謂知①，百生（姓）日用而弗知也。故君子之道鮮。聖者仁，壯者勇⑤，鼓萬物而不與衆⑥人同憂，盛德大業，至矣幾〈哉〉。富有之謂大業，日新之謂誠德，生之謂馬〈象〉⑦。成馬〈象〉之謂鍵（乾），教（效）法之謂川（坤），極數知來之謂占，迵（通）變之謂事，陰陽⑧之謂神。夫易廣矣大矣，以言乎遠則不過，以言乎近則精（靜）而正，以言乎天地之間則備。夫鍵（乾）其靜也圈（專），其動也榣，是以大生焉。夫川（坤）其靜也斂，其動也辟，是以廣生焉。廣大肥（配）天地，變迵（通）肥（配）四[時]，陰陽之合肥（配）日月，易門（簡）之善肥（配）至德。子曰：易其至乎。夫易聖人之所崇（崇）⑨德而廣業也。知崇（崇）體（禮）卑。崇（崇）效天，卑法地。天地設立（位），易行乎其中。誠生□□⑩道義之門。聖人具以見天之業⑪，而□⑫疑者其刑（形）容，以馬〈象〉其物義（宜），[是]故謂之馬〈象〉。聖人具以見天下之動而觀其會同，以行其挨（等）⑬體（禮），係辤焉以斷其吉凶，是故謂之教（爻），言天下之至業而不可

① "方行不遺"，韓本作"旁行而不流"。
② 韓本曲字下有成字。
③ 陰，从云，古文作𠃋，帛書皆誤作曲。
④ "謂知"，韓本作"謂之知"，此脱之字。
⑤ "聖者仁，壯者勇"，韓本作"顯諸仁，藏諸用"。
⑥ "衆人"，韓本作"聖人"。
⑦ "生之謂馬"，韓本作"生生之謂易"。
⑧ 韓本"陰陽"下多"不測"二字。
⑨ 《説文》"崇，嵬高也。从山，宗聲"。帛書从高（見《老子》甲本224行）或高省，宗省聲。
⑩ "誠生□□"，韓本作"成性存存"，此處殘字不似存字，故未補入。
⑪ "天之業"，韓本作"天下之賾"。
⑫ "而□疑者"，韓本作"而擬諸"，無缺字。
⑬ 挨假爲等。帛書《老子》甲本、《春秋事語》中，矢字皆作𣏔，《戰國縱橫家書》248行以下尤爲明顯。等禮即有等級、有差別的禮。《經典釋文》訓《繫辭》京房本作"等禮"。

惡也。言天下之至業而不乳(亂),知之而句(後)言,義(議)之而句(後)勤矣。義(議)以成其變化。鳴鶴在陰,其子和之。我有好爵,吾與爾赢(靡)之。曰君子居其室,言善則千里之外應之,倪(況)乎其近者乎。出言而不善,則十里之外同(違)之,倪(況)乎其近者乎。言出乎身加於民,行發乎近見乎遠,言行君子之區(樞)幾(機),區(樞)幾(機)之發,營(榮)辰(辱)之斗①也。言行君子之所以動天地也。同人先號逃(咷)而後哭〈笑〉。子曰:君子之道,或出或居,或謀(默)或語。二人同心,其利斷金。同人之言,其臭如蘭。初六,籍用白茅,无咎。子曰:句(苟)足(錯)者(諸)地而可矣。籍之用茅,何咎之有?慎之至也。夫白茅之爲述(物)也薄②,用也而可重也,慎此述(術)也,以往其毋所失之。勞溓(謙),君子有冬(終),吉。子曰:勞而不代(伐),有功而不 聰 ③ 德,厚之至也。語以其功下人者也。德言成(盛),體(禮)言共(恭)也。溓(謙)也者至(致)共(恭)以存其立(位)者也。抗龍有悔,子曰:貴而無立(位),豪(崇)[而無民],賢人在其下□位而無輔,是以動而有悔也。不出户牖,無咎。子曰:乳(亂)之所生,言語以爲階。君不閉(密)則失臣,臣不閉(密)則失身。幾事不閉(密)則害盈。是以君子慎閉(密)而弗出也。子曰:爲易者[其知盜]乎?易曰:負[且乘]之事也者,小人之事也。乘者君子之器也。小人而乘君子之器,盜思奪之矣。上曼(慢)下暴,盜思伐之。曼(慢)暴謀(誨)盜思奪之①。易曰:負且乘致寇至,盜之撓(招)也。易有型[人之道四]焉,以言[者尚其辤]以動者上(尚)其變,以[制器者尚其象,以卜筮者]上(尚)其占。是故君子將有爲、將有行者問焉。[而以]言,其受命也如錯(響)。無又(有)遠近幽險(深),述(遂)知來勿(物),非天之至精其誰能[與於此]。參五以變,[錯綜其數。通]其變,述(遂)[成天地之文。極其數,遂定天下之]馬〈象〉,

---

① 韓本作"榮辱之主也"。斗即北辰,指揮樞機,故爲榮辱之主。
② "夫 茅之爲述(物)也薄",茅上一字寫後又圈去。
③ 聰成衍文,寫成又圈去。
① "曼暴謀盜思奪之",韓本作"慢藏誨盜,冶容誨淫"。

[非天下]之至變,誰能與於此?[易無思]也,無爲也,[寂]然不動,
欽(感)而述(遂)達天下之故,非天下之至神誰能與[於此]。夫易,
聖人[之所以極深]而卲幾(機)也①。唯深故達天下之卲,②唯幾
(機)故[能]定天下之務,唯神故不疾而數(速)不行③至。子[曰:易
有]聖人之道[四]爲者,此言之[謂]也。天一地二,天三地四,天五
地六,天七地八,天九地十。[子曰:夫易]可(何)爲者也?夫易古物
定命④,樂天下之道,如此而已者也。是故聖人以達天下之志,以達
[天下之業,以]斷[天下之]疑。故筮之德員(圓)而神,卦之德方以
知,六肴(爻)之義易以工。聖人以此佚(洗)心,内(退)臧(藏)於閉
(密),[吉凶]能民同顧。神以知來,知以將往。其誰能爲此茲(哉)?
古之蒽(聰)明叡知,神武而不悆(迷)者也。夫是其[明]於天又察於
民故⑤,是閛神物以前民民用⑥,聖人以此齋戒以神明其德夫。是
故闔戶謂之川(坤),辟門謂之鍵(乾),一闔一辟謂之變,往來不窮
謂之迥(通),見之謂之馬〈象〉,刑(形)謂之器,製而用之謂之法。利
用出入,民一用之謂之神。是故易有大恒⑦,是生兩檥(儀),兩檥
(儀)生四馬〈象〉,四馬〈象〉生八卦,八卦生吉凶,吉凶生六業⑧,是
故法馬〈象〉莫大乎天地,變迥(通)莫大乎四時。垂馬〈象〉著明莫大
乎日月。榮莫大乎富貴。備物至(致)用,位(立)成器以爲天下利,
莫大乎聖人。深(探)備(賾)錯(索)根(隱)⑨,枸(鉤)險(深)至(致)
遠,定天下吉凶,定天下之勿(亹)勿(亹)者,莫善乎蓍龜。是故天生
神物,聖人則之。天變化,聖人效之。天垂馬〈象〉見吉凶,而聖人馬
〈象〉之。河出圖、雒(洛)出書而聖人則之。易有四馬〈象〉,所以見

① "而卲幾也",韓本作"而研幾也"。
② "天下之卲",韓本作"天下之志"。
③ "不行至",韓本作"不行而至"。
④ "古物定命",韓本作"開物成務"。
⑤ "夫是其明於天又察於民故",韓本作"夫是以明於天之道而察於民之故"。
⑥ 韓本作"是興神物以前民用"。帛書閛是興之誤,又衍一民字。
⑦ "大恒",韓本作"大極"。恒與極字形相似,致誤。
⑧ "六業",韓本作"大業"。可以有兩種解釋。一、六是大字之誤。二、業字形與策
相近,六策即六爻。
⑨ 韓本作"探賾索隱",今分別注于帛書文下,未必全是。

也。繫辤焉，所以告也。定之以吉凶，所以斷也。易曰：自天右（祐）之，吉無不利。右（祐）之者，助之也。天之所助者順也，人之所助也者信也。禮（履）信思乎順，[以]上賢，是以自天右（祐）之，吉無不利也。子曰：書不盡言，言不盡意。然則聖人之意，其義可見已乎？子曰：聖人之位（立）馬〈象〉以盡意，設卦以盡請（情）僞，繫辤焉以盡其①，變而迵（通）之以盡利，鼓之舞之以[盡]神，鍵（乾）川（坤）其易之經與②？鍵（乾）川（坤）[成]列，易位（立）乎其中。鍵（乾）川（坤）毀則無以見易矣。易不可則見③，則鍵（乾）川（坤）不可見，鍵（乾）川（坤）不可見則鍵（乾）川（坤）或幾乎息矣。是故刑（形）而上者謂之道，刑（形）而下者謂之器，爲（化）而施之謂之變，誰（推）而行之謂之迵（通），舉諸天下之民謂之事業。是[故]夫馬〈象〉，聖人具以見天下之請（情）①，而不⑤疑（擬）者（諸）其刑（形）容，以馬〈象〉其物義（宜），是故謂之馬〈象〉。聖人有以見天下之動，而觀其會同（通），以行其挨（等）禮（禮）⑥，繫辤焉以斷其吉凶，是故謂之教（爻），極天下之請（情）⑦存乎卦，鼓天下之動者存乎辤，化而制之存乎變，誰（推）而行之存乎迵（通），神而化之存乎其人。謀（默）而成，不言而信，存乎德行。八卦成列，馬〈象〉在其中矣。因而動之，教（爻）在其中矣。剛柔相誰（推），變在其中矣。繫辤而齊⑧之，動在其中矣。吉凶悔閵（吝）也者生乎動者也。剛柔也者立本者也。變迵（通）也者聚者也。吉凶者上朕（勝）者也。天地之道上觀者，日月之行上明者，天下之動上觀天者也⑨。夫鍵（乾）蒿（確）然視人易，川（坤）隤（隤）然視人閒（簡）。教（爻）也者效此者也，馬〈象〉也者馬〈象〉此者也。效（爻）馬〈象〉動乎内，吉凶見乎外，功業見乎變，聖人

---

　　① 韓本其字下有言字。
　　② “經與”韓本作“緼邪”。
　　③ “易不可則見”，“則”是衍文，寫成又圈去。
　　④ 情，韓本作䞓。
　　⑤ 同29頁注12。
　　⑥ 同29頁注13。
　　⑦ 同32頁注4。
　　⑧ 齊，韓本作命。
　　⑨ 此四處上字：“上朕”、“上觀”、“上明”、“上觀天”，韓本上字皆作貞。

之請(情)見乎辤。天地之大思①曰生，聖人之大尞②曰立(位)立③，何以守立(位)曰人④，何以聚人曰材。理材正辤，愛民安行⑤曰義。古者戲是(氏)⑥之王天下也，印(仰)則觀馬〈象〉於天，府(俯)則觀法於地，觀鳥獸之文與地之義(宜)，近取諸身，遠取者(諸)物，於是始作八卦，以達(通)神明之德，以類萬物之請(情)，作結繩而爲古(罟)，以田以漁，蓋取者(諸)羅(離)也。肥(包)⑦戲是(氏)没，神戎(農)是(氏)⑧作，斲木爲枹(耜)，楺木爲耒，梠梠耒之利以教天下⑨，蓋[取]者(諸)益也。日中爲俟(市)，至(致)天下之民，聚天下之貨，交易而退，各得其所欲，蓋取者(諸)筮(噬)蓋(嗑)也。神戎(農)是(氏)没，黃帝堯舜是(氏)作，迵(通)其變，使民不乳(亂)，神而化之，使民宜之。易冬(終)則變，迵(通)則久，是以自天右(祐)之，吉無不利也。黃帝堯舜陲(垂)衣常(裳)而天下治，蓋取者(諸)鍵(乾)川(坤)也。杅(刳)木爲周(舟)，剡木而爲楫，盇(濟)不達，至(致)遠以利天下，蓋取者(諸)奐(渙)也。備(服)牛乘馬，[引]重行遠以利天下，蓋取者(諸)隨也。重門擊枺(柝)，以挨(待)旅客⑩，蓋取余(豫)也。斷木爲杵，椡⑪地爲曰，曰杵之利萬民以次(濟)，蓋取者(諸)少(小)過也。孫(弦)木爲柧(弧)，棪(剡)木矢⑫，柧(弧)矢之利以威天[下]，蓋取者(諸)渿(睽)也。上古穴居而野處，後世聖人易之以宮室，上練(棟)下楣⑬，以寺(待)風雨，蓋取者(諸)大莊(壯)也。古之葬者厚裹之以薪，葬諸中野，不封不樹，葬期無數，後

---

① "大思"，韓本作"大德"。思疑是恩之誤。
② 韓本作竇。
③ 立字不當有重文符號，可刪去後一立字。
④ 韓本"人"作"仁"。
⑤ "愛民安行"，韓本作"禁民爲非"。
⑥ "戲是"，韓本作"包犧氏"。戲字前脫一字。
⑦ 《玉篇·日部》"昌，附夫切。"《廣韻·虞韻》有溫、恦、胁，皆屬防無切。是知帛書睏从隶，昌聲。肥戲是即包戲氏。
⑧ "神戎是"即神農氏。銀雀山竹簡《孫臏兵法》亦如此寫。
⑨ "梠梠耒之利"，衍一梠字。
⑩ 韓本作"以待暴客"。
⑪ 韓本作搰。
⑫ "棪木矢"，韓本作"剡木爲矢"。
⑬ "上練下楣"，按《儀禮·鄉射禮記》:"堂則物當楣"，鄭玄注:"正中曰棟，次曰楣"。故分上下。

世聖人易之以棺郭（椁），蓋取者（諸）大過也。［上古結］繩以治，後世聖人易之以書契（栔），百官以治，萬民以察，蓋取者（諸）大有①也。是故易也者馬〈象〉，馬〈象〉也者馬〈象〉也。緣（彖）也者制也，肴（爻）也者效天下之動者也，是［故］吉凶生而悔吝（吝）箸也。陽卦多陰，陰卦多［陽］，其故何也？陽］卦奇、陰卦［耦］也。［其］德行何也？陽一君二民，君子之道也。易曰：童童往［來］，偑（朋）從壐（爾）思。子曰：天下［何思何慮，天下同歸而殊塗，一致而］百［慮］。天下何思何慮？日往［則月來，月往則日來，日月相推而明生焉。寒往則暑來，暑往則寒來，寒暑相］誰（推）而歲［成焉。往者屈也，來］者仲也，詘（屈）仲相欽（感），而利生焉。［尺蠖之屈，以求信也。龍蛇之蟄］，以存身也。請（精）義人神，以至（致）用，利用安身，以㝮（崇）［德也。過此以往，未之或知也。窮神知化，德之盛］也。易曰：［困于石，據］于疾（蒺）利（蔾），入于其宮，不見其妻，凶。子曰：非其所困而困焉，名必辱。非其所勵而據焉身必危，既辱且危，死其將至，妻可得見［邪？易曰：公用射隼于高墉之上，獲之，無不利。子曰］：鵻（隼）者禽也、弓矢者器也，射之者人也。君子臧（藏）器於身，侍（待）者〈時〉而童（動），何不利之又（有）。動而不緒②，是以出而又（有）獲也。言舉成器而動者也。子曰：小人［不恥不仁，不畏不義，不見利不勸，不］畏（威）不誅（懲）。小誅（懲）而大戒，小人之福也。易曰：構③校滅止（趾），無咎也者，此之謂也。善不積，不足以成名。惡不積，不足以滅身。小人以小善爲無益也，而弗爲也。以小惡［爲無傷而弗去也，故惡積而不可］蓋也。罪大而不可解也。易曰：何校滅耳，凶。君子見幾（機）而作，不位（俟）冬（終）日。易曰：介于石，不冬（終）［日，貞］吉。介于石，安用冬（終）日，斷可識矣。君子知物（微）知章（彰），知柔知剛，［萬夫之望。若夫雜物撰德，辨］是與非則下，中教（爻）不備。初大要，存亾吉凶則將可知矣。鍵（乾）德行恒易以知險。

①　"大有"，韓本作"夬"。
②　緒，高也。韓本作括，注"括，結也"。
③　韓本作屨。

夫川(坤)䭾(隤)然,天下[之至]順也,德行恒閒(簡)以知[阻]。能説之心,能數諸庆之慮,[定天下之吉凶,成天下之亹亹者,是故]變化具爲,吉事又(有)羊(祥),馬〈象〉事知器,□①事知來。天地設馬〈象〉②,聖人成能,人謀鬼謀,百姓與能。八卦以馬〈象〉告也。敎順以論語③,剛柔雜處,吉[凶]可識。動作① 以利言,吉凶以請(情)遷,[是故]愛惡相攻而吉凶[生],遠近相取,而悔㾊(吝)生,請(情)偽相欽(感),而利害生。凡易之請(情),近而不相得則凶,或害之則悔且㾊(吝),將反則其辤乳(亂)⑤。吉人〈人〉之辤寡,趮人之辤多,無善之人其辤游,失其所守其辤屈。[繫]□□□□⑥

　　作者簡介　張政烺,山東榮成人,1912 年生。1936 年畢業於北京大學史學系。曾任中央研究院歷史語言研究所副研究員、北京大學史學系教授。現任中國社會科學院歷史研究所研究員、國家文物委員會委員等。

① 帛本作占。
② 帛本作位。
③ "敎順以論語",帛本作"爻象以情言"。
④ "動作",帛本作"變動"。
⑤ 帛本作慭。
⑥ 原有尾題,字已殘損,不知共是幾字。

帛書本《繫辭》文讀後

朱伯崑

馬王堆漢墓出土的帛書本《繫辭》文現已公開發表,爲研究《易傳》文提供了新的史料。怎樣理解此史料的價值,我想,談以下幾點意見,供學術界參考。

一、漢代儒家經書,就其傳本說,有今古文之別。今文經是以當時通行的隸書體寫成的,古文經是以篆文體寫成的。帛書本《繫辭》文是以隸書寫成的,屬于今文經系統。但漢初今文經則來于秦代或以前的古文經。如漢初伏生傳《書》經,所依據的是古文本,以口授形式傳于弟子,弟子以隸書記錄下來,則爲《今文尚書》。由于經師口授或將古文經轉寫爲今文,在傳誦或傳抄時,往往出現口誤或筆誤。此是帛書本《繫辭》文訛誤較多的原因之一。如"有攻則可久","攻"當爲"功"。"以田以漁,蓋取諸羅","羅"當爲"離"。"使民不亂",據《鹽鐵論・本議》引《繫辭》文,"亂"當爲"倦"。"義之而後動","義",當爲"議"。"不位冬日","位",當爲"俟";"冬",當爲"終"。"君子之區幾","區幾",當爲"樞機"。"教在其中","教",當爲"爻"。凡此,或由于口誤,或出于同音假借,或因字形而誤。其中最爲突出者有兩處:文中凡"象"字皆寫成"馬"字,凡"坤"字,皆寫成"川"。所以有此筆誤,是由于將古篆文抄寫成隸書體造成的。按篆文𧰼(象)與𢒫(馬)字形相似,除上體頭部稍有差異外,下體完全相同,故帛書本誤"象"爲"馬"。"坤"字,古文爲"巛"。按《大戴禮記・保傅》說:"易之乾巛,皆慎始敬終云尔"。漢初文獻仍保存古坤字

"《《"。清黄宗炎于《周易尋門餘論》中説："⻆之象爲地,即古文《《地字。"亦以古坤字爲《《。"《《"與"⺤⺤"字形相似,故帛書本誤"坤"爲"川"。以上兩點説明,帛書本所依據的藍本爲篆文竹簡本,所錄《繫辭》文,在秦代或以前已存在,證明通行本《繫辭》文中此部份内容,并非漢人所撰。

二、帛書本《繫辭》文同通行本《繫辭》相比,無通行本《繫辭上》大衍之數章,其它所缺的章節,見于通行本《繫辭下》者,又分别見于帛書本其它部分《要》和《子曰:易之義》中。此種現象,如何理解?帛書本《繫辭》文所無者,是否晚出?就"天地之數"和"大衍之數"章説,還不能得出此結論。關于"天地之數"章,《漢書·曆律志》説:"故易曰:天一地二,天三地四,天五地六,天七地八,天九地十。天數五,地數五,五位相得而各有合。天數二十有五,地數三十。凡天地之數五十有五,此所以成變化而行鬼神也。"此是引劉歆《三統曆》文,劉歆看到的"天地之數"章,"天一地二"到"天九地十"一段文字,并非孤立地存在,是同"天數五……"一段文字相承的。朱熹依程頤説,對"天地之數"章所作的校刊,即本于此。可是帛書本《繫辭》文只有"天一地二"一段文字,無"天數五"以下一段文字,文意孤立,難以理解。此種現象,或者出于其所依據的竹簡有脱落,或者抄寫時迤漏了。劉歆繼其父劉向的事業,校刊和整理皇家藏書,所見到的《周易》經傳傳本,不僅有今文本,亦有古文本,其引"易曰"的"天地之數"章當有所據。關于通行本"大衍之數"章,最早的注釋,見于京房。《周易正義》引京房語説:"五十者,謂十日,十二辰,二十八宿也。凡五十其一不用者,天之生氣,將效以虚來實,故用四十九焉"。西漢易學家有兩京房,一是梁丘賀的老師,與司馬談同學于楊何;一是京君明,焦延壽的弟子。如果爲前者,楊何傳《易》時,已有大衍之數説,故京房釋之。如果爲京君明,其大衍義,亦當有所本。又《大戴禮記·易本命》,講到動物之數時,認爲各類動物皆有三百六十種,從而得出結論説:"此乾坤之美類,禽獸萬物之數也。"通行本"大衍之數"章説:"乾之策二百一十有六,坤之策百四十有

四,凡三百有六十,當期之日。二篇之策,萬有一千五百二十,當萬
物之數也"。此段文意又見于京房《易傳》:"筮分爲六十四卦配三百
六十四爻,序一萬一千五百二十策,定天地萬物之情狀。"《易本命》
說的"禽獸萬物之數",其前冠有"乾坤美類",顯然是依"大衍之數"
文。按《大戴禮記》文,乃戴德所編,其中多爲漢初文獻,如有關賈誼
的著作,亦收錄其中。《易本命》文,不會晚于賈誼的文章,當是漢初
或以前的文獻,而其所依的大衍之數說,更應早出。又帛書本《繫
辭》文中,于"日新之謂誠德"後,有"生之謂馬",即"生之謂象"句。
此句不通,與下文"見之謂之馬(象)"文意不合。通行本《繫辭上》此
句爲"生生之謂易"。當從通行本。京房于《易傳》中說:"故曰生生
之謂易",此是引《繫辭》文。他所看到的傳本,并非如帛書本所說。
以上幾點說明,帛書本《繫辭》文,在漢初,只是一種傳本,并非唯一
的傳本。

　　三、帛書本《繫辭》文與通行本相比,有些文句的差異較大。突
出者有"易有太恒","聖者仁勇","古物定命"和"易之馬(象)也"四
條。此四條應如何理解?(1)關于"易有太恒"句,通行本作"易有太
極"。按先秦文獻中,只見"太極"一辭,未見"太恒"一辭。前者見于
《莊子·大宗師》。《莊子·天下》中有"主之以太一"。《呂氏春秋·
大樂》有"太一出兩儀"句。但"太一"不等于"太恒"。"太一"既有根
源又有實體之義,而"太恒"從字義上看,并無此種意義。按《繫辭》
此段文句,是講揲著或畫卦的過程,其下文所說的"兩儀","四象"
和"八卦",皆指筮法而言。就此段文句說,其首句,當爲"易有太
極"。因爲"太極"有極限之義,表示揲著或畫卦的最初狀態。而"太
恒"或"太一"皆無此種涵義。帛書本是將"太極"誤抄爲"太恒"。所
以出現這一筆誤,也是由于將古文篆文轉抄爲隸書造成的。按
"亟"字,石鼓文作"𠄛";"亘"字,小篆作"𠄭",字形很相似。故帛書
本誤"極"爲"恒"。帛書本中的"極"字,并非皆爲"恒"字。此處,誤
"極"爲"恒",當是其所依據的竹簡本字形較爲模糊所致。有一種說
法,認爲太極原爲太恒,後因避漢文帝諱,故改"太極"。此說難以

成立。因爲儒家的經傳文,不存在避諱問題。如《易》經"恒卦"之
"恒"字,不能寫成"極"字。而且漢文帝以後的典籍和著述,亦無改
"恒"爲"極"的例子。(2)關于"聖者仁勇"句,下文爲"鼓萬物而不與
衆人同憂"。通行本則爲"顯諸仁,藏諸用,鼓萬物而不與聖人同
憂。"按通行本的諸家注,以此句有兩層涵義:一爲形容道體,即上
文說的"一陰一陽之謂道"。道體有化育萬物之功,故說"顯諸仁";
但無經營意識,故說"藏諸用"。一爲聖人得道的境界。就第一層涵
義說,道體無經營意識,故下文說"鼓萬物而不與聖人同憂"。可是,
帛書本的文句,只有一層涵義,皆爲講聖人的德業。故以"仁"和
"用",爲"聖者仁勇",下文則以"聖人"爲"衆人"。按《繫辭》此段文
意,頗受老子無爲說的影響。如《老子》二十章所說"衆人皆有以,而
我獨頑似鄙"。帛書本的"不與衆人同憂"句,當本于此,表示聖人的
境界是無心無爲。可是,其上句,又說聖人以仁勇之德鼓動萬物,又
是講聖人有心而爲,其文意自相矛盾,難以理解。就文意說,通行本
于義爲長。按"顯諸仁,藏諸用"的說法,同《荀子·天論》中所說:
"萬物各得其和以生,各得其養以成,不見其事,而見其功",文意一
致。"見其功"即"顯諸仁","不見其事"即"藏諸用"。荀子這段話是
講"陰陽大化",而《繫辭》文則講一陰一陽之道。主語亦一致。又漢
元帝時翼奉說:"故曰顯諸仁,藏諸用,露之而不神,獨行則自然矣"
(《漢書·本傳》)。其"故曰",即引《繫辭》文。可見,通行本的文句,
在翼奉前已流行。(3)關于"古物定命",通行本作"開物成務"。"開
物"指前章"遂知來物"和"通天下之志"句,"成務"指前章"成天下
之務"句,文意自通。可是帛書本的"古物定命",則很費解。"古
物"如指蓍草和卦象,《繫辭》通稱其爲"神物",何以又稱"古物"?在
先秦和漢初關于"命"的論述中,有"立命","知命","俟命","正
命","安命"等說法,未見有"定命"說,不知此說究爲何義。如指命
定或前定之義,但《繫辭》文并不認爲人的命運不可改變,所謂"動
則觀其變而玩其占",即通過"悔吝"和"無咎",可以化凶爲吉。據
此,通行本的"開物成務"句,于義爲長。(4)關于"易之馬(象)也"

句,《正義》和《本義》本,皆作"易之序也"。而李氏《集解》本則爲"易之象也",與帛書本同。按此句下文爲"君子居則觀其象而玩其辭",上文句當爲"君子所居而安者,易之象也"。帛書本可爲旁證。以上所論,帛書本《繫辭》文中的文句,有的出于筆誤,有的或另有傳本,但不能代替通行本。

　　四、通行本《繫辭》中的有些章節,不見于帛書本《繫辭》文,而分別見于帛書《要》和《易之義》中。見于《要》者有通行本《繫辭下》第五章中"子曰:危者安其位者也"一段,還有"子曰:顔氏之子"到"立心勿恒,凶"一段文字。就此章説,帛書本《繫辭》文,只有其中"君子見幾而作"到"萬夫之望"一小段。帛書本《要》所見此大段文字,與通行本相比,除個別字有出入外,文句大致相同。其不同者爲《要》中于"其刑屋,凶"到"子曰顔氏之子"之間,只殘缺八個字。可是,通行本于"其形渥,凶"後至"君子見幾而作",其中有"言不勝其任也。子曰知幾其神乎!君子上交不諂,下交不瀆,其知幾乎!幾者動之微,吉之先見者也",共三十八個字。其中"子曰知幾其神乎"至"吉之先見者也"這一段文字,顯然,爲帛書本所無有。帛書本所缺的這一段話,是否晚出?按《漢書·楚元王傳》,元王劉交與魯穆生、白生、申公爲同學,其爲楚元王後,又以穆生、白生、申公爲中大夫。穆生曾進言説:"易稱知幾其神乎!幾者動之微,吉凶之先見者也。君子見幾而作,不俟終日。"穆生乃漢初儒者,其引《繫辭》文,自有所據。與通行本相比,只缺"君子上交不諂,下交不瀆"兩句,其它皆同,而且"吉"字後,多一"凶"字,于義爲長。此説明,帛書本所無者,漢初已有之。關于通行本《繫辭》見于帛書《易之義》者,有第六章、第七章、第八章和第九章。帛書本這部分可讀的文句,與通行本相比,字句差別較大者,有以下幾處。通行本六章"乾坤其易之門邪"一段中,"以體天地之撰","撰",帛書本作"化"。"以通神明之德"句,不在此句之後,而在另一段中,作"而達神明之德也。"通行本七章三陳九德,凡"巽"卦名,帛書本皆作"渙"卦名。又帛書本于"其有憂患乎"後,多出"贊以德而占以義者也"一句。此種差異,如何理解？按通行本中的"天地之撰"，《九家易》訓"撰"爲"數"，韓伯《繫辭傳》取其義，謂指天地之數即天九地六之數。朱熹于《本義》中，則訓"撰"爲"事"，不取天地之數義，因爲其證據不足。而帛書本作"天地之化"，于義爲長，可以解決上述兩家訓詁上的分歧。按三陳九德章對卦名的解釋，大都依《彖》、《象》文義。《彖》以巽爲"申命"，謂順從和退讓，故通行本《繫辭》文以其爲"德之制"和"巽以行權"。而"渙"或爲"渙發"，或爲"渙散"義，都不足以說明其何以爲"德之制"，何以"以行權"。當從通行本。關于帛書本多出的文句，不影響其內容，可與通行本并存。這裏，有一值得討論的問題，即此部分文句，何以不見于帛書《繫辭》文，而見于《要》和《易之義》？對此現象可以有兩種解釋：一種解釋是，此部分文句，原爲《繫辭》所無有，後來通行本的《繫辭》，依帛書《要》和《易之義》，將其編入其中；一種解釋是，此部分文句，本爲《易傳》或《繫辭》文，《要》和《易之義》將其引入文中，作爲其講易之義的依據。就《要》和《易之義》的內容看，後一種意見也是有根據的。其理由有三：其一，不見于或見于帛書《要》和《易之義》者，有的曾被漢初至武帝時儒家經師所引用，稱其爲"易曰"。如前引穆生語"知幾其神乎"一段話，則不見于帛書本。又董仲舒《春秋繁露·精華》中說："易曰：鼎折足，覆公餗。夫鼎折足者，任非其人也。"此種解釋又見于通行本《繫辭下》五章。而帛書本則脫落"言不勝其任也"六個字。此說明，這些文句，本屬于《易傳》或《繫辭》文，漢初至武帝時已存在，非帛書本一家所獨有。其二，帛書《要》和《易之義》中所見到的與通行本相同的文句，是作爲論據的形式而出現的。如《要》中"危者安其位者也"（見通行本《繫辭下》五章）一大段文句，其前有"子曰：吾好學"，"安得益吾身"，"而貴之，難立者也"一大段話。看來，此是引三不忘以下的文句，討論好學問題。故結尾後，接着又談"夫子老而好易"，說明孔子晚而學易，可以無大過。故稱此文爲《要》，即學易的要領，如其所說"察其要者，不詭其要"。又《要》中還談到與通行本《繫辭下》十章有關"三才之道"的文句。提出"有天道焉"、"有地道焉"，"有人道焉"。并分別對其内容作了解釋。如論天道説:"故易有天道焉,而不可以日月生(星)辰盡稱也,故爲之以陰陽。"關于六畫而成章,加以解釋説:"有四時之變,不可以萬物盡稱也,故爲之以八卦。"顯然,此是對通行本《繫辭》下十章中:"易之爲書也,廣大悉備,有天道焉,有人道焉,有地道焉,兼三才而兩之,故六。六者非它也,三才之道也"所作的解釋,顯然其中未引"三才之道"的辭句。又如《易之義》,此文的中心内容是解釋乾坤兩卦的卦義,所謂"易之義,唯陰與陽,六畫而成章"。爲了説明"鍵(健)之平説"和"川(坤)之平説",進而提出"乾坤其易之門也"一段文字。此段文字前,有"子[曰]□□之□可得而知矣",表示爲了説明此問題,故有以下的言論。在叙述時,又插入了"易曰:括囊無咎"和"龍千變而不能□其文(帛書此文以坤卦義爲"文")句。此説明,"乾坤其易之門"一段文字,在《易之義》中是作爲引述而出現的。正因爲出于轉述,又將其中"以體天地之化"同"而達神明之德"兩句分隔開來,成爲文中不可讀的部分。又《易之義》講到"易之爲書也","爲道屢遷"一段話,最後歸結爲"無德而占,則易以不當"。此又是用來論證其以德爲占説。其下文"原始要終以爲質"一段文字,亦在于論證"德占之,則易可用矣"。其三,值得注意的是,《易之義》中與通行本《繫辭》九章相同的文句即"二與四同功而異位"和"柔之爲道不利遠者",其前皆冠以"易曰",而非"子曰"。此表明《易之義》是引《易傳》語或《繫辭》文。以上三點説明,《要》和《易之義》中與通行本《繫辭》相同的文句,原有所本,非此抄本一家解易之語。至于此部分文字,原爲《繫辭》文,還是其它《易傳》文,尚待考證。

五、帛書本《周易》經傳文,公開後,有一種看法,即帛書本無《彖》、《象》、《文言》,從而認爲此三傳爲晚出。此説根本不能成立。《彖》咸卦辭,見于《荀子·大略》,《彖》謙卦文,又見于《韓詩外傳》:"夫天道虧盈而益謙……人道惡盈而好謙。"《文言》坤卦文"臣弑君,子弑父,非一旦一夕之故也,其漸久矣",見于《太史公自序》引。《文言》文常引《象》傳語,又是出于《象》傳之後。據此,此三傳在漢初或以前已流行。以此三傳文附經文，始于漢鄭玄。在此以前，經傳分別傳授。故帛書本《周易》經傳，只傳經文而未及以上三傳文。因此，僅依帛書本斷定其它傳形成的年代，是站不住腳的。

六、關于《易傳》文，從漢初開始，在西漢就有不同的傳本。其中的文句，有的既不見于通行本，亦不見于帛書本。如賈誼《新書·胎教雜事》說："易曰：正其本而萬物理。失之毫厘，差以千里。"此文句，又見于《大戴禮記·禮察》、《禮記·經解》和司馬遷《史記·太史公自序》。還見于《漢書·杜周傳》和《漢書·東方朔》："易曰：正其本，萬事理。失之毫厘，差以千里。"按賈誼的解釋，是對乾坤卦兩義的闡發，當爲《繫辭》一類的文句。又京房于《易傳·遯》中，引《繫辭》文說："繫云：能消者息，必專者敗。"又劉向于《說苑》中曾引"易曰：不損而益之故損，自損而終故益"。以上所引"易曰"，皆不見于通行本和帛書本。西漢時期的人所引"易曰"文句，除指經文外，亦指《易傳》文，但非各家自己解《易》的言論。因爲在他們看來，《易經》和《易傳》皆爲聖人之書，故統稱爲"易曰"，如同引"書曰"，"詩曰"一樣。如劉向于《說苑》中引萃卦《象》辭則爲"易曰：君子以除戎器，戒不虞。"劉歆《三統曆》引《說卦》文則爲"易曰：立天之道曰陰陽"，"易曰：參天兩地而倚數"，同其于此文中引"書曰：天功人其代之"的語調是一致的。至于各家自己解《易》的著作和言論，引述時，則同《易傳》區別開來。如《漢書·寬饒傳》說："韓氏易傳言：五帝官天下，三王家天下，家以傳子，官以傳賢，若四時之運，功成者去，不得其人則不居其位。"《韓氏易傳》即韓嬰《易傳》，又稱《子夏傳》。以上說明，關于《易傳》文，在西漢有不同的傳本。至于哪一種傳本爲最早，由于史料缺乏，尚不能得出結論。帛書本《繫辭》文，如同帛書本《易經》一樣，只是目前發現的最早的手抄本，并非即是最早的傳本。依《晉書》和杜預《左傳集解後序》，晉太康二年在汲縣發掘的戰國魏襄王墓出土的"易經二篇"，"與今本正同"。當時說的今本《易經》，即王弼傳本，即通行本。所謂"正同"，包括六十四卦排列的順序在內。可是帛書本《易經》，其卦序則不同于通行本。此《易經》傳本,是否比魏襄王時的傳本更早,并無旁證。至于漢初或秦漢之際的《易經》傳本,亦非只有帛書本一家。按《韓詩外傳》解謙卦義說:"孔子曰:易先同人後大有,承之以謙,不亦可乎!"他看到的《易經》六十四卦的排列順序,即通行本的卦序,非帛書本的卦序。韓嬰乃當時傳易的經師之一,其傳本,自有所據。總之,帛書本《周易》經傳文,只是一種傳本而已。

七、通行本《易傳》分爲十翼,此說始見于《史記·孔子世家》,談到孔子晚而喜易說:"序彖、繫、象、説卦,文言。"其中未言及《序卦》和《雜卦》。但《淮南子》已引《序卦》文。此説明《易傳》中的六類文獻,在司馬遷時或以前都已存在。關于《繫辭》部份,司馬談引《繫辭》文"天下同歸而殊途,一致而百慮",則稱"易大傳曰"(見《史記·太史公自序》)。又韓嬰于《韓詩外傳》中引《繫辭》"易簡則天下之理得矣",則稱"傳曰",都未言"繫曰"。在漢初,《繫辭》文所以又被稱爲"易大傳",因爲此傳是通論《周易》之大義,不是如《彖》、《象》、《文言》那樣,逐句逐字解釋經文。此種解經的體例,亦見于其它經學,如伏生的《尚書大傳》,《禮記》中的《大傳》,《春秋大傳》等,都是通論一經之大義。而司馬遷,則稱《易大傳》爲《繫》。此說始于何時,亦不可考。在西漢的易學著作中,除司馬遷提到《繫辭》外,還有京房《易傳》,如其所説:"繫云:一陰一陽之謂道。"今通行本《繫辭》文部分稱爲"繫辭",與上述説法是一致的。

可是,帛書本有關《易傳》文,皆無標題,亦未分爲《繫辭》、《説卦》和《序卦》。此種現象如何解釋?一種解釋是,此傳本較早,當時尚未分爲十翼。一種解釋是,此是另一種傳本,與司馬遷所見者不同。二説皆有可能。按司馬遷引述其父司馬談的志願説:"有能紹明世,正易傳,繼春秋,本詩書禮樂之際,意在斯乎!"(《史記·太史公自序》)。關于《周易》的研究,司馬氏所以稱之爲"正易傳",這是因爲《易》本卜筮之書,秦始皇焚經書,獨不禁《周易》,當時關于《易傳》有不同的傳本,需加以整理,使其符合所謂孔子作《易傳》的宗旨。帛書本的《易傳》文,可能是司馬遷父子所要"正"的一種傳本。

至于司馬遷以《易傳》文爲孔子所作，此是因襲前人的説法。如《禮記・經解》和《韓詩外傳》皆以孔子爲傳《易》的宗師。此説出于儒家易學系統。但晉汲縣魏襄王墓出土的竹簡中，只有《易經》，卻"無《彖》、《象》、《文言》和《繫辭》"（杜預《左傳集解後序》）。當時的魏國乃孔門弟子子夏傳經之地，子夏曾爲魏文侯師。如果，這些《易傳》文真爲孔子所作，子夏當傳之于魏國，魏襄王死後，應同《易經》一道作爲隨葬文物，埋藏于地下。魏墓無今傳《易傳》文，説明《易傳》在戰國中期尚未形成。

八、關于帛書本《易傳》文，屬于哪一派傳授系統，是值得探討的問題。就儒家系統説，孟子不傳《易》。在先秦，有文獻可據者，只有荀子及其弟子傳授《周易》。《荀子・大略》引《彖》文解釋咸卦義即是一證。并説："善爲易者不占"，重視研究《周易》的原理及其人道教訓之義。其于《禮論》中説："天地合而萬物生，陰陽接而變化起"，同咸卦《彖》文"天地感而萬物化生"和《繫辭》文"剛柔相推而生變化"的文意是相通的。荀子在齊國講學多年，齊國儒者多出于荀門。如秦漢之際和漢初傳《詩》的經師齊人浮丘伯，即是荀子的學生。漢初傳《詩》的魯申公又是浮丘伯的學生。韓嬰于其《外傳》中，曾大量引用荀文，受荀學影響頗深。漢初傳《易》者始于田何，亦是齊人。他的再傳弟子楊何，爲京房和司馬談的老師。齊人田何是否荀門弟子，已不可考，但其易學出于齊學，是可以肯定的。此外，漢初傳《書》者伏生，傳《春秋》者胡毋生，傳《詩》者轅固生，亦皆齊國人。這些資料説明，漢初的經學大都來于齊學。按《漢書・楚元王傳》，元王亦學于浮丘伯，楚國的經學，與齊學亦有關，或來于齊學。依此推測，楚地帛書本《周易》經傳文，多半來于齊學。齊學解經的特徵之一，多依陰陽五行説，釋經文義。如伏生的《尚書》學，轅固生的《詩》學以及受齊學影響的董仲舒的《春秋》學即是如此。關于《易》學，司馬遷説："易著天地陰陽四時五行，故長于變。"又説："易以道化"（《史記・太史公自序》）。此説大概本于其父司馬談義，而司馬談又本于其師楊何説。漢代儒家傳經，皆承其師説，後來形成師法和家法,後學不敢憑空杜撰。今文經學中的陰陽五行説,當出于戰國時代的齊國。當時的齊國不僅提倡道家,形成黄老之學,講陰陽説,而且陰陽五行家的代表人物鄒衍,亦出于齊國。《管子》書中的《幼官》即玄宫、《四時》、《五行》等篇,保存了此派談陰陽五行的文獻。秦始皇尚黑統,即采納鄒衍的五德終始説。漢興,齊人經師傅《公羊春秋》,以魯國爲繼黑統,爲漢立法,亦是本于鄒衍説。馬王堆漢墓出土的有關帛書《易傳》的文獻,其中既談陰陽,又言五行。此外,帛書《刑德》、《陰陽五行》和《九宫圖》,皆講陰陽五行説。就《刑德》説,其以刑德對稱,解釋甲子周期當本于《管子·四時》"陽爲德,陰爲刑"和"德始于春,長于夏;刑始于秋,流于冬"説。據此,帛書本中的易説,當屬于今文經學中齊學的傳統。此與司馬遷所説"易著陰陽五行之變易"是一致的。至于西漢易學還有另一傳統,即古文經的傳統。劉向校書時,始以官府所藏古文《易經》校施、孟、梁丘三家今文經。其後,成、哀時費直則傳古文經,無章句,僅以《易傳》文解經。故古文經易學不大講陰陽五行之變易,特別是其卦氣説和占候術。以上所談,關于帛書本易學的淵源,只是一種想法,還需要新的史料證實。

總之,帛書本《繫辭》文,就其史料的價值説,可歸結爲三點:其一,此文獻證明《繫辭》文,先秦已有之。通行本《繫辭》的内容,非出于一時一人之手,而是逐步形成的。其下限,可斷在秦漢之際。《繫辭》晚出説,不攻而自破。其二,帛書本可以校通行本中個别文字傳抄之誤,如"易之序",當爲"易之象"。其三,爲研究通行本《易傳》的形成提供了一條綫索。帛書本中的《易傳》文,未分十翼,十翼説可能在漢初尚未形成。其形成的下限當在司馬遷以前。至于以此抄本,爲唯一的古本,不承認漢初還有其它傳本,從而否定通行本在易學史上的地位及其影響,是没有必要的。

作者簡介 朱伯崑,1923年生,河北寧河人。1951年畢業于清華大學哲學系。現爲北京大學哲學系教授。著有《易學哲學史》等。

讀帛書《繫辭》雜記

樓宇烈

內容提要 從帛書《易傳》與通行各本《繫辭》的比較來看，現通行各本基本上是在帛書《繫辭》基礎上整編而成的。帛書本與通行本之間有許多異文，大多屬異體字、聲義通假字或錯字，無關大旨。但有些則與文義密切相關。文中舉例于此加以說明，并認爲在這些地方，帛書本多勝于通行本，或較通行本更近于原貌。

I 湖南長沙馬王堆三號漢墓帛書是一九七三年出土的，其中大部分內容在前些年已陸續公諸於世，并獲得了極其豐富的學術研究成果。可是其中《周易》後佚書部分，直至二十年後的今天，才公布了其中的《繫辭》部分，正可謂"千呼萬喚始出來"。然而，根據原始整理者報告書的介紹，《繫辭》只是帛書《周易》後佚書中的一小部分。因爲《繫辭》僅有二千七百餘字，而帛書《周易》後佚書的其它部分，如《二三子問》、《子曰易之義》、《要》、《繆和》、《昭力》等加在一起則尚有近一萬字左右*，且其中大部分是人們前未曾見的、戰國末至漢初人論述《易》的佚著，其研究價值可以肯定地說比之《繫辭》有更重要的意義。但願不要讓我輩再等上二十年，而冀儘早得覩這部分佚著的全貌以作整體的研討。儘管未免遺憾，然就已公布的《繫辭》部分來説,也還是有不少值得研究和探討的問題。*

　　Ⅰ　以現今通行各本與帛書《繫辭》相校,可以清楚地看到,現
通行各本基本上是在帛書《繫辭》基礎上整編而成的。帛書《繫辭》
不分上下篇,而現通行各本則都分爲上下篇。就通行各本上篇言,
其中除增入了"大衍之數"一章外,其餘章節次序與帛書本全同。而
通行各本的下篇,則比帛書本增加了三分之一左右的章節,這部分
增入的章節據云大多見於《子曰易之義》或《要》中** 此外,帛書《繫
辭》中有不少文字是與現通行各本不同的。其中,大部分是古今異
體字(如"祐"作"右","悔"作"恖"等)或聲義通假字(如"乾"作

---

　　* 據《馬王堆漢墓文物(綜述)》介紹:"帛書《周易》之後,有幾篇包括《繫辭》在内的
古佚書。根據帛書中在篇首以墨塊爲記的慣例細驗原件,其内容大致分爲六篇。
　　第一篇是《二三子問》。從'二三子問曰'始,至'小人之貞'止,共三十六行。無篇題,
姑取開篇幾字名之。
　　第二篇是《繫辭》。……
　　第三篇《子曰》約二千餘字。開篇即説:'易之義,唯陰與陽'。全篇討論陰陽卦象的
道理。……
　　第四篇《要》,篇末標明字數爲一千六百四十。前面一部分殘缺,現存十八行半,約
一千零四十餘字。
　　第五篇《繆和》,從'繆和問於先生曰'至'觀旦之光明達矣'止,共五千餘字。主要是
繆和等人與先生討論周易義理,篇末題爲'繆和',缺記字數。
　　第六篇《昭力》,首句有'昭力問曰',篇末題有'昭力,六千',可見'昭力'是篇名。
……'昭力問曰'的篇首没有墨塊標記。此篇甚短,字數卻標爲'六千'。……因此,'六
千'所指常是《繆和》與《昭力》的字數總和。"(湖南出版社,1992年第一版)
　　烈按,以上《二三子問》一篇只標了"共三十六行",而未計字數,若以《要》所存十八
行半約有一千零四十字折算,則此篇常約爲二千字左右。這樣,除《繫辭》以外各篇的字
數加在一起常有一萬字左右。
　　** 同上引書云:"《繫辭》與通行比較,它包括通行本的《繫辭上》(缺第八章。烈按,
即"大衍之數"章),還有《繫辭下》的第一、二、九章;第三章的第一、二、三、四節,第五節
的開頭四字;第四章的第一、二、三、四、九、十節的一部分;第七章第
十節的一部分。"又云:"《子曰》……其中還包括通行本《説卦》第三節、《繫辭下》的第五、
六、八章以及第七章的一部分。"
　　又,據《文物》1974年第9期首次披露馬王堆漢墓帛書的報導文章《長沙馬王堆漢
墓帛書概述》(作者:曉菡)和同期《座談長沙馬王堆漢墓帛書》一文中張政烺先生的發
言中,都指出通行本《繫辭下》第四章中的"子曰危者安其位","子曰顏氏之子其殆庶幾
乎"兩簡文字見於帛書的《要》。然新出版的《馬王堆漢墓文物(綜述)》中則未提及,敬特
爲引出。

“鍵”，“坤”作“川”，“邇”作“近”，“胃”借爲“謂”，“至”借爲“致”等），此外也有一些明顯的錯字，這些都不涉及文義的歧解。但是，其中有許多不同處則是與文義相關的，有的甚至涉及到《繫辭》的一些重要思想理論問題，這些我將在下面提出來與方家研討。在一般不同的文字中，有一個字大概是最爲引人注目的，即現通行本中所有的“象”字，在帛書本中卻一律寫作“馬”字。原因是什麼？我想最簡單的一個解釋是：由於“象”和“馬”這兩個字在篆書中十分相近，因而在轉寫爲隸書的過程中把“象”寫成了“馬”。或者，《繫辭》中用“象”之義，是以“象其物宜”，特別是象法天地（乾坤）之義爲主，所以嘗言：“成象之謂乾，效法之謂坤。”又，如衆所周知“馬”爲“乾”之象（《說卦》：“乾爲馬”）。這樣，上文“成象之謂乾”，帛書作“成馬之謂乾”似乎也可通。由此，我懷疑當時人在此處是把“馬”和“象”這兩個字當作一個字、同一意義上來用的，“馬”也就是“象”，不像今人把這兩個字分得那麼清楚。當然，這只是我的一種猜測而已，至於帛書“象”作“馬”有什麼更爲深刻的意義，我期待著方家的高見。

　　Ⅲ　在通行本《繫辭上》的第一章中有一句很著名的話，即“乾以易知，坤以簡能”。帛書本卻無句中“知”字，而作“乾以易，坤以簡能”。烈按，帛書本是正確的。因爲，緊接著這句話的下文是：“易則易知，簡則易從。易知則有親，易從則有功；有親則可久，有功則可大；可久則賢人之德，可大則賢人之業。易簡而天下之理得矣。”這裡，“易則易知，簡則易從”一句，是直接解釋乾的“易”和坤的“簡”的。所以，“乾以易，坤以簡能”句中的“能”字，是貫通“乾以易”和“坤以簡”兩句的，即是說乾具有“易”的功能，而坤具有“簡”的功能。後人可能是因爲“乾以易，坤以簡能”讀起來不對稱，同時又由於後面有“易知”一句，於是就加上了一個“知”字，使“乾以易知”與“坤以簡能”對仗，讀來琅琅上口。殊不知加此一“知”字，實乃畫蛇添足之舉，它使得緊接著的“易則易知，簡則易從”句成了重復的贅語。“易知”和“易從”，“有親”和“有功”，“可久”和“可大”等是分別解釋和發揮"易"和"簡"的,而"易""簡"則是"乾""坤"的最基本特性,所以下文總結説:"易簡而天下之理得矣。"或説:"易簡之善配至德。"(五章)又,通行本《繫辭下》第一章有"夫乾,確然示人易矣;夫坤,魋然示人簡矣。"(帛書本作"夫乾,蒿然視人易;坤,魋然視人簡。")第九章有"夫乾,天下之至健也,德行恒易,以知險。夫坤,天下之至順也,德行恒簡,以知阻。"(帛書本無"天下之至健也"一句,而於"天下之至順也"前多"魋然"二字)。這兩段話也可以作爲帛書本作"乾以易,坤以簡能"爲是的佐證。

Ⅳ　通行本《繫辭上》第三章中的一句名言:"易與天地準,故能彌綸天地之道。"帛書本作"易與天地順,故能彌論天下之道。"這理"論"與"綸"聲與義均可通,可不論。"天地之道"作"天下之道"意義相去不遠,亦可不論。但要指出的是,"天地之道"當是後人據前句"易與天地準(順)"而改易的。因爲,在一些較早的通行本中此句亦作"天下之道"。如,唐陸德明在《經典釋文》中出的是"天下之道",而注曰:"一本作天地。"唐李鼎祚的《周易集解》本亦作"天下之道",并引漢虞翻注云:"謂易在天下,包絡萬物",可見虞翻所見之本也作"天下之道"。這句話裏最有意思的一個差別是,"準"字在帛書本中作"順"字。"準""順"二字,一聲之轉,完全可以通假。但如果對整句話或對"易"的基本原則理解不同的話,那末其釋義是會相去很遠的。現在能見到的各通行本都作"準",但解釋是不盡一樣的。如,《經典釋文》引京房和鄭玄説云:"京云:準,等也。鄭云:中也,平也。"《周易集解》引虞翻曰:"準,同也。"以後,韓康伯注似乎取虞説,故曰:"作易以準天地。"朱熹《周易本義》則似取京説,而云:"易書卦爻,具有天地之道,與之齊準。"以上諸説於文義均可説通,但我以爲,帛書本之"順"字,其義遠勝各家之解。順者,因也。易之所以能彌綸天下之道,乃在於其能因順天地之陰陽剛柔而生變化。此當與道家"道法自然",因順自然的思想有相通之處。

V　通行本《繫辭上》第五章起始一句説："顯諸仁，藏諸用，鼓萬物而不與聖人同憂，盛德大業，至矣哉！"這是後儒們大加發揮的一句話。然而，帛書本此句則作："聖者仁勇，鼓萬物而不與衆人同憂，盛德大業，至矣哉！"與通行本差別甚大。按一般的解釋，通行本中的"顯諸仁，藏諸用，鼓萬物"的主詞是指易道。如，《周易集解》引"侯果曰：聖人成務，不能無心，故有憂。神道鼓物，寂然無情，故無憂也。"韓康伯注亦曰："衣被萬物，故曰顯諸仁；日用而不知，故曰藏諸用。萬物由之以化，故曰鼓萬物也。聖人雖體道以爲用，未能至（全）無以爲體，故順通天下，則有經營之跡也。"同時，這兩個注解都把易道與聖人對舉相比。然而，帛書本此句的主詞卻爲"聖者"，且以"聖者"與"衆人"對舉。從前後文義貫穿起來看，通行本的修改顯然優於帛書本，因爲這句話的前後文都是講易道的。不過，如果考慮到《繫辭》中受有某種程度道家思想的影響，那末，其中插上這樣一段以"聖者"喻易道的話也并非没有道理。《老子》書中就有"聖人不行而知，不見而名，不爲而成"（四十七章）；"功成事遂，百姓皆謂我自然"（十七章）等這樣的思想。所以，帛書本此句的不同，對我們考察《繫辭》的演變軌迹是有重要意義的。

VI　通行本《繫辭上》第十章中"夫易，開物成務，冒天下之道，如斯而已者也"一句，帛書本作："夫易，古物定命，樂天下之道，如斯而已者也。"其中，"古"字疑爲"占"字之誤，故"古物定命"當爲"占物定命"。而從這一章的全文來看，帛書本的這句話似乎更爲樸實無華、準確貼切。"易"本來就是用來"占物定命"的，所以緊接這句話的後面就説："是故，聖人以通天下之志，以定天下之業，以斷天下之疑。是故，蓍之德，圓而神；卦之德，方以知；六爻之義，易以貢。"以往許多注《易》者，費力地解釋"開物成務"之義，都不免望文生義，曲折爲解。如《周易集解》引"陸績曰：開物，謂庖犧引信八卦，重以爲六十四，觸長爻册，至於萬一千五百二十，以當萬物之數，故曰開物。聖人觀象而制網罟耒耜之屬，以成天下之務，故曰成務。"

韓康伯則完全離開卜筮，統而論曰："言易通萬物之志，成天下之務，其道可以豥冒天下也。"朱熹是明確以《易》爲卜筮之書的，所以他的解釋倒很符合帛書本的文義。他説："開物成務，謂使人卜筮以知吉凶，而成事業。冒天下之道，謂卦爻既設，而天下之道皆在其中。"當年，朱熹若得見此帛書《繫辭》，則不啻爲其論《易》之性質提供一强有力的佐證。

本章在緊接"六爻之義，易以貢"之後，通行本均作"聖人以此洗心，退藏於密，吉凶與民同患。"而帛書本則作"聖人以此佚心，内藏於[密，吉凶與]民同患(？)。"這裏"内藏"與"退藏"義同，"同患"之"患"，帛書本似非"患"字，但因模糊不清，無法斷定爲何字，不過這些都無關緊要。這句話中最關鍵的不同是通行本的"洗心"，在帛書本中作"佚心"。而據《經典釋文》説："京、荀、虞、董、張、蜀才作'先'，石經同。"作"先心"解者，《周易集解》引虞翻曰："聖人謂庖犧以蓍神知來，故以先心。"作"洗心"解者，《經典釋文》引劉瓛注："盡也。"《周易集解》則引韓康伯注："洗濯萬物之心"。此三字比較，我以爲當以帛書之"佚心"與本章前後文義最爲相合。"佚心"者，不用心而順自然也。若前文所言，"夫易，古(占)物定命"，"蓍之德，圜而神；卦之德，方以知；六爻之義，易以貢"，"聖人以通天下之志，以定天下之業，以斷天下之疑"等等，則聖人又何需用心？當順其神物(蓍)所示，卦爻所告，"佚心"以待，而"吉凶與民同患(？)"。

Ⅶ　通行本《繫辭》與帛書本相較，使人們最爲困惑難解的是《繫辭》中一個最重要、最關鍵的詞："太極"，在帛書本中竟作"大恒"。也就是説，人們最爲熟知的"是故，易有太極，是生兩儀，兩儀生四象，四象生八卦，八卦定吉凶，吉凶生大業"這句話，在帛書本中則成了"是故，易有大恒，是生兩儀，四象生八卦，八卦生吉凶，吉凶生大業"。"太""大"古通，無需多説。帛書本中的"恒"字，有没有可能是"極"的誤寫呢？這也不能完全排斥。因爲，在帛書本中"恒"與"極"這兩個字的書寫形象很近似，易於誤書誤讀。爲此，我

反覆比較了帛書《繫辭上》第二章中“六爻之動，三極之道也”句中
的“極”字和《易經‧恒卦》中的許多“恒”字，肯定帛書確實是作“易
有大恒”。即使如此，我們仍然不能完全排斥帛書寫者筆誤的可
能性。而且，如果有人要堅持說帛書本之“恒”字爲“極”字之誤，我
也是不會反對的。

　　不過，經過反覆思考後，我覺得“易有大恒”很可能是原有之
義，而“易有太極”則是後起之說。“太極”一詞，最早見於《莊子‧大
宗師》，而且，在先秦典籍中，也僅此一見而已。其文曰：“夫道，有情
有信，無爲無形，可傳而不可受，可得而不可見‧自本自根，未有天
地自古以固存‧神鬼神帝，生天生地，在太極之先而不爲高‧在六極
之下而不爲深，先天地生而不爲久長，於上古而不爲老。”這裏，“太
極”一詞，上與“道”相比，下與“六極”對文。“六極”者，上下四方之
謂也。“上下”亦即天地。文中以“道”“生天生地”‧“先天地生”，且
言“在太極之先”，則“太極”不可能“生天生地”和“先天地生”。那
末，“太極”一詞在這裏的意義與“六極”相當。所不同者，“六極”是
一個具體指“上下四方”的詞，而“太極”則是一個總“上下四方”而
表示其廣大極至的詞，它與“道”是不相等的。《繫辭》中所講的“兩
儀”，從筮法上講是指爻象，即“—”與“--”，從易理上講是表示“陰”
與“陽”，指象“天”與“地”。這樣《繫辭》中所講的“是生兩儀”者，就
不應當是《莊子‧大宗師》中的“太極”，而應當是它的“道”。“道”是
先天地生而更爲久長者，“生天生地”的“道”的基本特性之一，可以
說也就是恒久。《老子‧道篇》一開首不就是說：“道可道也，非恒道
也。”只有“恒道”才是萬物之始母。所以，“易有大恒，是生兩儀”這
句話，也就是說：“易有恒道，是生兩儀”，這比之於“易有太極，是生
兩儀”似乎更合道理。又，《恒卦‧彖傳》有曰“恒者，久也。……天
地之道，恒久而不已。……觀其所恒，而天地萬物之情可見矣。”從
這句話中，我們也可以體會到“恒”與天地兩儀的關係。那末，怎麼
會從“大恒”演變爲“太極”的呢？我想這可能與秦漢之際把“道”稱
爲“太一”，又把“太一”與“兩儀”聯繫起來有關。如《呂氏春秋‧仲

夏紀・大樂》中就說：“道也者，至精也，不可爲形，不可爲名，强爲
之謂之太一。”又說：“太一出兩儀，兩儀出陰陽，……萬物所出，造
於太一，化於陰陽。”王弼注《老子》三十九章“昔之得一者”句曰：
“一，數之始而物之極也。”由此可見“一”與“極”的相通之處，而“太
一”之演變而爲“太極”也就不難理解了。以上所論僅爲推測，供方
家一笑。

帛書《繫辭》中還有許多值得研究的問題，我期待着拜讀學界
同仁們的卓識高見。

作者簡介　樓宇烈，1934 年生，浙江嵊縣人。1960 年畢業於北
京大學哲學系。現任北京大學哲學系教授、博士生導師。主要著作
有《王弼集校釋》等。

略談帛書《老子》與帛書《易傳·繫辭》

許抗生

内容提要 帛書《老子》與帛書《易傳·繫辭》從文字到思想内容皆有許多相通的地方。老子思想是《繫辭》的重要思想來源。尤其在宇宙論學說方面，帛書《繫辭》提出了"大恒生兩儀"的思想，而"大"與"恒"正是老子對宇宙本原"道"的作用與性質的釋詞，由此可見，"大恒"這一思想是直接來源於老子的。《繫辭》宇宙論是對老子宇宙論學説的發揮。當然我們在討論他們之間的思想相通性時，也不能忽視他們兩者之間思想差異性的一面。

1973 年在長沙馬王堆出土的漢墓帛書中，既有《老子》和《經法》等四篇的黄老學作品，又有《易經》和《繫辭傳》等著作。《易經》已在《文物》雜志上作了介紹，但《繫辭傳》一直未能面世。久盼的《繫辭傳》現在正式公開發表了，這是學術界的一件喜事。帶着興奮的心情，粗略地讀了一遍，又反復地與通行本《繫辭》作了些對照，感到確有很大的出入。最明顯的是，帛書《繫辭》沒有"大衍之數"、"天地絪緼，萬物化醇"；"乾坤，其《易》之門邪"、"《易》之興也，其于中古乎？作《易》者，其有憂患乎？""《易》之興也，其當殷之末世，周之盛德邪？當文王與紂王之事邪？"等段落，比通行本少了不少文字。很可能這個本子出現較早，通行本只是在此基礎上增加内容而成。至於"《易》之興也，……當文王與紂王之事邪"和"作《易》者，其有憂患乎"？這樣地肯定《周易》的成書年代，很可能是後來人根據當時的傳説而增添進去的。總之,帛書《繫辭傳》很可能是一個比較早的本子。

一、《易》、《老》與《繫辭》思想脈絡的相承性

從帛書《老子》與帛書《繫辭傳》的文字抄寫上看,兩者抄寫的時間大體相近。它們都用了相同的借假字。如帛書《繫辭傳》中把"謂"寫作"胃"、"配"寫作"肥"、"終"寫作"冬"等等,皆與《帛書老子》同。又帛書《繫辭傳》與帛書《老子》文中皆有"恒"字,而没有改"恒"爲"常",這説明抄寫時并不避諱漢文帝劉恒的"恒"字,可見兩書皆在漢文帝之前所抄。

就《繫辭傳》本身所運用的詞和概念上來説,《繫辭傳》的寫作也是比較早的。《繫辭傳》中出現了道、德、精、神等詞,但皆是以單詞出現的,而没有道德、精神等復合詞。而現存的通行本《説卦》與帛書中"昔聖人之作易"至"故易逆數也"一段文字相同,卻出現了道德與性命的復合詞。可見《説卦》與帛書中這一段文字的寫作時代一定晚於《繫辭》。

漢初盛行黄老之學,而馬王堆漢墓中所出土的既有黄老著作,又有《周易》(包括《易經》和《繫辭傳》等)著作。這説明漢初盛行黄老學時,人們又對《易》學十分重視,《老》《易》兩者是兼學的。所以《史記·太史公自序》中説司馬談"學《天官》於唐都,受《易》於楊何,習《道論》於黄子。"職位太史自然要學《天官書》,作爲一名黄老學者自然要習《道論》,然而爲什麽他又要重視《易》學呢?這大概是因爲黄老學者們懂得《老》《易》兩者思想本來就有着不可分割的聯繫的。要理解《老》學,必須要研究《易》學,反過來,只有研究清楚了《老》學,也才能深刻地理解《易》學。這是由於《易經》的思想是《老子》的重要思想來源,而《易傳》的思想又大量地吸取與發揮了《老子》的思想。《老》《易》兩者是互相吸收,互爲發揚的。以此《老》不能離開《易》,《易》亦不能離開《老》。《老》《易》兩書是我國古代傳統

哲學、民族智慧的兩大取之不竭的淵源。

　　《易經》思想是老子哲學的重要來源之一,這在學術界已有了共識。例如《易經》中的謙卦、損卦、復卦、否卦乃至乾、坤等卦的思想,皆曾爲老子哲學所吸取。《謙卦》中講謙退思想,如《謙·初六》說:"謙謙,君子用涉大川,吉。"《六二》說:"鳴謙,貞吉。"《九三》說:"勞謙,君子有終,吉。"等等。這些崇尚謙退的思想,與老子所主張的謙虛、卑下,反對驕傲自大,提倡"自是者不章,自見者不明"的思想基本上是一致的。又《損卦》中講減損的道理,認爲減損可得"有孚,元吉,無咎,可貞,利有攸往"。這與老子講"損之又損"和"損之而益"的思想亦較一致。再如《復卦》講"反復其道"、《否卦》講否去泰來先否後喜、《乾卦》講"亢龍有悔"(物極必反)、《坤卦》講"利牝馬之貞,君子有攸往,先迷後得主"等等,也都與老子哲學中的對立轉化、循環反復、崇尚雌性柔順等等思想有着相承關係。所有這些都是大家所公認的。

　　至於老子哲學反過來又對《易傳》思想給以了深刻的影響。這在近幾年中有不少學者,如陳鼓應先生、胡家聰先生、余敦康先生等寫出了論文加以專門論說。尤其可以《繫辭傳》爲例,其思想與老子和黃老之學有着許多相通的地方,它們之間關係是十分密切的。例如《繫辭傳》中有不少思想是直接繼承了老子思想而來的。《繫辭傳》說:"子曰:'勞而不伐(伐,夸耀也)·,有功而不德,厚之至也。語以其功下人者也。德言盛,禮言恭,謙也者,致恭以存其位者也。'"這是通行本《繫辭》的一段文字,帛書本基本與此同。這段話的思想顯然是從《老子》中抄來的。這與老子所説的"不自見故明,不自足故彰,不自伐故有功,不自矜故長"(《老子》22章)思想基本上是相同的。又《繫辭傳》説:"亂之所生也,則言語以爲階。君不密則失臣,臣不密則失身,機事不密則害成,是以君子慎密而不出也。"這段文字帛書《繫辭》作:"亂之所生,言語以爲階,君不閉則失臣,臣不閉則失身,幾(機)事不閉則害盈,是以君子慎閉而弗出也。"兩段文字意思基本相同。這種思想亦與老子所提倡的"希言自然"(《老子》23

章)、"多言数窮"(《老子》5章)、"知者弗言,言者弗知"(《老子》56章)的思想基本相似,皆主張"慎言";再如《繫辭傳》説:"易,無思也,無爲也,寂然不動,感而遂通天下之故。"在這裏帛書《繫辭》作"易,無思也,無爲也,寂然不動,欽而述達天下之故",稍與通行本異。在此用無爲、無思、寂然不動來描繪"易",不能不説是接受了老子主靜思想的影響的。至如《繫辭傳》中的精氣思想則是來自於稷下黄老學的。《繫辭傳》説:"精氣爲物,游魂爲變,是故知鬼神之情狀。"這裏的游魂、鬼神,皆指精氣而言,精氣可以游動于人體之内外,可以流動于天地之間,這就是"游魂"與"鬼神"。這也就是稷下黄老學的著作《管子·内業》中所説的精氣爲靈魂(精氣亦叫靈氣)、爲鬼神的思想。《管子·内業》説:"凡物之精(精氣)……下生五谷,上爲列星,流于天地之間,謂之鬼神,藏于胸中,謂之聖人。"又説:"……思之思之,又重思之,思之而不通,鬼神將通之,非鬼神之力也,精氣之極也。"精氣即是鬼神,它能使人聰明有思慮,所以又叫"靈氣"。由此可見,《繫辭》中的精氣爲游魂爲鬼神的思想,是直接繼承了《管子·内業》思想而來的。在《繫辭傳》的哲學思維中最稱重要的是陰陽學説。《繫辭傳》中最重要的哲學命題是"一陰一陽,之謂道"和"陰陽不測之謂神"(帛書作"陰陽之謂神"),把陰陽的對立統一當作宇宙的普遍法則,把陰陽互相作用變化不測稱之爲神,從而把我國古代的辯證思維提高到了一個新水平。而這一思想的提出又很可能是與老子所主張的相反相成("有無相生,難易相成……")思想和"萬物負陰而抱陽"的學説不無關係。總之,《繫辭傳》是吸取和發揮了老子思想的,兩者之間是有着密切的承繼關係的。

　　正由於《周易》(包括《易經》和《易傳》)與《老子》有着如此密切的關係,從而使得而後的不少學者皆《易》《老》兼學,或《易》《老》并稱,或揉合易老的思想以建立自己的學説。例如漢代的著名哲學家揚雄,他曾著有《太玄》一書,其書形式上采取的是《易經》形式,而其思想内容則是揉合了《易》學與《老》學思想的。正如他自己在《太玄賦》中所說：“觀大《易》之損益兮，覽老氏之倚伏”，是主張《老》《易》兼學的。在這裏揚雄已經明確地認識到了“易之損益”與“老之倚伏”兩者思想是相通的（皆是辯證思維）。之後，魏晉時期玄學風行，《老》、《莊》、《周易》號稱三玄，尤其在魏正始年間，《老子》與《周易》并提，成爲了當時玄學討論所依據的主要經典著作。玄學首領人物何晏，“少以才秀知名”，即“善談《易》《老》”。玄學理論家王弼《老》《易》并學，既作《老子注》和《老子指略》，又作《周易注》和《周易略例》，揉和易老，以老解易，用以發揮自己的玄學思想。乃至竹林七賢的阮籍，他對三玄皆有造詣，不僅寫了《通老論》、《達莊論》，而且還著有《通易論》。可見在魏晉時期，不少玄學家都把《老》、《莊》與《周易》看作是同一思想體系的著作。這顯然是和《老子》與《周易》本來就有着相通的思想是分不開的。對於這一點魏代思想家裴頠亦早已有所認識。他在《崇有論》中說：“老子既著五千之文，表摭穢雜之弊，甄舉靜一之義，有以令人釋然自夷，合于《易》之《損》、《謙》、《艮》、《節》之旨。”老子的主靜守一思想是符合《周易》的損減、謙讓、靜止（《艮》卦思想）、節制（《節》卦思想）原則的。《老子》《周易》確有相通之處。

二、帛書《繫辭》“大恒”概念淵源于帛書《老子》

至於帛書《老子》與帛書《繫辭傳》，除了上述我們已經講到的相通之處外，在帛書《繫辭》中還有一個很特殊的概念，叫做“大恒”的，很可能也是吸取了帛書古本《老子》的用詞和思想而提出來的，帛書《繫辭》說：“是故易有大恒，是生兩檈（儀），兩檈（儀）生四馬（象），四馬（象）生八卦。”這裏談的是宇宙演化的過程。但在通行本《繫辭》中，“大恒”改作了“太極”，“大恒生兩儀”成爲了“太極生兩儀”。以此使得而後的人們只知是“太極”，不知有“大恒”這一概念。帛書《繫辭》的出土，使得“大恒”這一概念消失了二千餘年之後的今天又與人們見了面。通行本的“太極”概念很可能就是在“大恒”

這一概念基礎上演變而成的。以此我們對"大恒"概念的正確理解，
是有助于我們對"太極"思想的詮釋和把握的。

　　大恒生兩儀，兩儀生四象，四象生八卦。很明顯這裏的"大恒"
講的是宇宙最初的存在物，"兩儀"可能是指陰陽相對，徐志銳在
《周易大傳新注》中引俞琰説："儀也者，一陰一陽對立之狀也。《爾
雅》云：'儀，匹也。'謂其陰陽相并也。"這一注釋可能是符合《繫辭》
原義的。四象則指陰陽消長而產生的春夏秋冬，或如徐志銳所説，
四象爲少陽、老陽、少陰、老陰，"少陽象徵春，老陽象徵夏，少陰象
徵秋，老陰象徵冬。"陰陽消長，四時運行則產生了天、地、雷、風、
水、火、山、澤，從卦象上説就是乾、坤、震、巽、坎、離、艮、兑八卦。宇
宙的演化從大恒開始，之後產生出陰陽、四時和天、地、雷、風、水、
火、山、澤八種自然物質現象。那么"大恒"是怎樣的一種原初存在
物呢？這種原初存在又爲什么稱作"大恒"呢？在先秦的儒家著作
如《論語》、《孟子》、《大學》、《中庸》和《荀子》中最高的哲學概念是
"天"。孔子、孟子講天和天命，孔子説："五十而知天命。"又説："巍
巍乎！唯天爲大。"(《論語·泰伯》)孟子説："盡其心者，知其性也。
知其性，則知天矣。存其心，養其性，所以事天也，夭壽不貳，修身以
俟之，所以立命也。"(《孟子·盡心上》)他們都把天看作爲最高的
哲學概念。即使是主張天道自然的荀子，他把有意志之天打翻在
地，主張自然之天，還了天的本來面目，但仍然把天當作最高的自
然物，并不再探求天的形成和產生的問題。只有以老子爲代表的道
家學派才討論了整個宇宙(包括天地)的演化問題，并提出了"道"
生天地萬物的思想，把"道"當作爲宇宙的最初存在物。以此帛書
《繫辭》中所提出的"大恒"產生陰陽、四時、天地等物的思想，很可
能是受了老子宇宙生成論思想影響或啟迪的結果。我想我的這一
推測是對的。其根據則可在帛書《老子》中找尋到。

　　帛書《老子》雖説并未出現過"大恒"這一概念，但帛書《老子》
把"大"與"恒"皆當作爲宇宙之本原——"道"的屬性，并多次地討
論了"大"與"恒"的問題。首先我們先來討論一下"道"爲"大"的思

想。帛書《老子》説："有物昆成,先天地生。蕭呵寥呵!獨立而不改,可以爲天地母。吾未知其名,字之曰道。吾强爲之名曰大。大曰逝,逝曰遠,遠曰反,道大,天大,地大,王亦大。國中有四大,而王居一焉。"(《帛書老子注譯與研究》第 113 頁)國中(通行本作域中)有四大,而"道"爲第一大,因爲道"先天地生","爲天地之母",天地萬物皆有名,而道大無能名,只可"强爲之名曰大",以此"道"可名爲大。但道大并不自以爲大,"天下皆謂我(我即指道)大,大而不肖(不像大)。夫唯不肖,故能大"(同上書第 55 頁)。"萬物歸焉而弗爲主,可名于大,是以聖人之能成大也,以其不爲大也,故能成大。"(同上書第 126 頁)道大而不肖故能大,聖人體道"以其不爲大,故能成大"。由此可見,老子確是把"道"稱作爲"大"的。同時他還把"道"稱之爲"大象"、"大音"等等,"大音希聲,大象無形",正由於它大,所以它無音無象無形亦無名。這就是老子對道爲大的論説。至於"道爲恒"的思想,在帛書《老子》中尤爲明顯。恒即常義,帛書《老子》用"恒"來解釋"道"在時間上的永恒不變性,以此把宇宙本原的"道"稱作爲"恒道"。帛書《老子》説:"道可道也,非恒道,名可名也,非恒名也。"又説:"道恒無名,樸雖小而天下弗敢臣,侯王若能守之,萬物將自賓。"道爲可稱道的道,就不是恒道(通行本作"常道"),恒道是不可稱道的,所以"道恒無名",宇宙本原的道是永恒的,所以又説它是"獨立而不改",是永不爲消失的。由此可見,帛書《老子》是把宇宙本原的道稱作爲"恒道"的,認爲道在時間上是永恒存在的。從帛書《老子》把"道"稱之爲"大"看作爲"恒"來看,雖説并沒有提出"大恒"這一名詞概念,但道爲大爲恒的思想已經講得是十分清楚了。以此我們有充分的理由説,帛書《繫辭》中的"大恒"思想是來源于老子的。帛書《繫辭》與老子一樣認爲,在天地之先還有一個宇宙的本原即宇宙的最初存在物。老子把這一原初物稱作"道",而帛書《繫辭》把它稱之爲"大恒",其實這兩個概念皆是同一層次的概念,老子的道已經包含了大與恒的内容,所以帛書《繫辭》的"大恒"與老子的"道"兩者思想是相通的。

　　關于老子的道爲大爲恒（常）的思想，在《莊子·天下篇》中亦有所闡述。《莊子·天下篇》在總結老子的思想時歸結爲這樣兩句話："建之以常無有，主之以太一。"在這裏"常無有"與"太一"皆指的是老子的"道"。"常無有"和"太一"即是黄老學著作《道原》中所說的"恒先之初，迥同大（太）虛，虛同爲一，……，古（故）無有形，大迥無名"。常無有即恒無有形，太一即迥同太虛，虛同爲一。確實老子還把道稱作爲無（無形無象）和一的（"昔之得一者，天得一以清，地得一以寧，……"）。恒無有和太（大）一，把恒與無有、大與一聯在一起用以詮釋"道"的性質，這應當説是符合老子原義的。由此亦可見到，帛書《繫辭》確是用"大恒"這一概念來表達老子所提出的宇宙的本原思想的。

　　然而我們亦應看到帛書《繫辭》并沒有明確把"大恒"當作老子的"道"來看待。這可能是帛書《繫辭》與《老子》兩者對宇宙本原"道"的看法還是有所不同的緣故。老子的"道"非常強調它的無形無象的"恒無有"性，而帛書《繫辭》并不強調這一點，它卻給宇宙的本原道下了一個定義説："一陰一陽，之謂道，係（繼）之者，善也；成之者，生（通行本作性）也。"繼，繼承。成，生成。繼承一陰一陽的道沒有不完滿善良的，由道而生成的事物又各有自己的本性。這就是説，道是産生萬物的本原，所以《繫辭》又説它能"鼓萬物"，能"生生"不已。由此可見，《繫辭》所强調的是一陰一陽變化産生萬物的"道"，道是陰陽兩者的統一體。既然道是陰陽的統一體，所以也就不能稱它爲"無"，但它可以稱之爲"大恒"，就其道能産生萬物説，它可稱之爲"大"；就其道在時間上的永恒性而言，它可稱之爲"恒"；就"大恒"來説它又與老子的"道"是相通的。這大概就是《老子》與《繫辭》在宇宙本原問題上的同一性與差異性之所在。應當承認，老子的"道"中并不包含有陰陽，只是在道所産生的萬物中才有陰陽（"萬物負陰而抱陽"）的對立統一。而《繫辭》把"一陰一陽"稱作爲道，這是一個與老子很大不同的地方。

　　至於而後的通行本《繫辭》又爲什麽要把"大恒"改成爲"太極"

呢?這大概是"大恒"本來是老子用來表現"道"的作用與性質的,它并不是代表一個實體的概念,以此爲了明確表示宇宙本原的實體性,通行本《繫辭》就把它改稱爲"太極"了。其實"太極"一詞的思想來源亦是《老子》。老子把宇宙本原的道稱作爲一,又稱之爲大,以此道即是太(太即大)一。由此《莊子·天下篇》稱老子思想爲"主之以太一"(《呂氏春秋·大樂篇》亦稱之爲"太一")。可見"太極"實就是"太一"。至於"極"字則來源於三才爲三極的説法。三才即天、地、人,在帛書《繫辭》中已把三才稱之爲三極。老子則有域中有四大之説,所謂四大即指道大、天大、地大、人(或稱王)大。既然天、地、人稱作三極,那麼產生天、地、人的道必在三極之上之先,故稱爲"太極"。太極應當是陰陽統一之存在狀態,太極生兩儀即是太極生出對立的一陰一陽,陰陽開始分判。總之,不論是帛書《繫辭》把宇宙的本原説成是"大恒"也好,還是通行本《繫辭》把宇宙本原稱之爲"太極"也好,它們都是接受了老子思想影響的產物,《繫辭》的宇宙論是對老子宇宙論思想的進一步的發揮。

作者簡介 許抗生,1937 年生,江蘇武進人。現任北京大學哲學系教授。著有《帛書老子注譯與研究》等。

《繫辭傳》的道論及太極、大恒說

陳鼓應

内容提要　馬王堆出土的帛書《繫辭》于 1992 年秋公布之後，筆者首先在《哲學研究》(1993 年第 2 期)發表《帛書〈繫辭〉爲現存道家的最早傳本》一文。這裏進一步從道論和太極、大恒說的角度，來論證今本和帛書《繫辭傳》的道家性質。本文指出，《繫辭》對于道的論述明顯地從老子發展出來，但由于體例限制，其系統性反而不如老子。"太極"概念源于《莊子》，而後人對它的解釋也多依據道家關于道、氣、理等的論述。帛書《繫辭》"太極"作"大恒"，更能顯示其與老子的聯繫。

　　道論是先秦道家的共同主張。

　　從嚴格的哲學觀點來看，先秦道家各派之間的差異是很大的，但是他們之所以都可納入道家的名稱之下，就是因爲他們都突出了作爲萬物本源的道的首要地位與最高準則，并對道體提出了各自的系統性的論證。如果從道論這個共同主張來看，那么《易傳》與道家的關係應該重新加以考慮。從前馮友蘭先生曾在英文本的《中國哲學簡史》上說："《易傳》中最重要的形上學觀念是'道'的觀念，道家也是如此。"又在《中國哲學史》上說"《易傳》采老學'道'之觀念"。李鏡池先生在《周易探源》中說："道家思想的特色，在于以'道'爲宇宙構成的總原理；道家又認識到事物矛盾變化的道理。這是道家思想的進步的地方。在《繫辭》里也有類似的理論。"這意味着從道論的角度來看,《繫辭》與老子間有着内在思想的聯繫,本文則進一步論證它可被視爲道家學派内的發展。

一、道　　論

　　道家各派之間思想傾向之不同,先秦典籍中即有表述。除《莊子・天下篇》曾列關尹、老聃;彭蒙、田駢、慎到及莊子三派之外,《呂氏春秋・不二篇》列舉十家,其中五家屬道家,且所貴各異:"老聃貴柔,關尹貴清,子列子貴虚,陳駢貴齊,陽生貴己。"當然,此處所論還多是從"治國"處着眼。從道論方面而言,各派間的差異,也是存在的。一般説來,道家自老子以後,分成兩大主要學派:即莊學和黄老之學。這三者間當然有其共同之點,但差異也是很顯著的。後人常以老莊并稱,但是他們對于道論的偏重點卻各有不同。老子以其積極入世的態度比較重視道的客觀性,以"反"的規律及柔弱的作用并把握、應用于人類社會政治生活之中,因而,形式上建構了完整的本源論體系;莊子則因其游世的藝術精神,而比較強調道的自爲之性,并將其内化而爲各人主體的心靈境界。就老子和黄老來説,老子以無有互動來描述道體,而黄老則強調道的虚無一面,并突出天道的法則意義,來論證其君道無爲而臣道有爲及刑德并用等社會政治理論。至于莊子和黄老之間,雖然都強調道的虚無特性,但其精神傾向則迥異,黄老講道生法,而較近于老子的客觀化形態之道,莊子則轉向主體境界之開展。

　　老與莊、老與黄老、莊與黄老之間,雖有如此大之差異,但無人否認其同屬道家。如前所述,這當然因爲它們之間也有共同點,如同以道爲最高之範疇,而爲萬物之本原或依據,都強調道之虚無無形之性質,都從道論中推出人事學説等。而《繫辭》也正是具有這些方面的特點。

　　《繫辭》屬于通論《周易》大義之作品,基本内容約形成于戰國後期,馬王堆漢墓帛書《易傳》中包括了今本《繫辭》的絶大部分内容。本文擬以道論和太極或太恒這兩方面來探討一下《繫辭》與老子的內在關係。

《繫辭》論道主要有兩段文字。一段是"乾坤，其易之蘊邪！乾坤成列，而易立乎其中矣。乾坤毀，則無以見易。易不可見，則乾坤或幾乎息矣。是故形而上者謂之道，形而下者謂之器。"此處由討論乾坤與易的關係而歸納爲道和器一對範疇，可以看出，道即指易，器即乾坤。就易本身而言，乾坤即乾卦☰和坤卦☷，道指乾坤兩卦變化之法則，從哲學上講，乾坤則是指天地，道指天地（萬物）運動的普遍規律。《繫辭》此處肯定道（易）蘊于器（乾坤）之中。

這段文字中，《繫辭》以道器對言，并用形而上與形而下來區別之，都與老子有密切關係。就道器這對範疇來說，雖明確于《繫辭》，卻淵源于老子。老子說："道常無名，樸"，又說："樸散則爲器"，一方面把道器相對起來，另一方面又以器爲從道中生出。與此相比，《繫辭》并無明顯的道生器之義。另外，《繫辭》以形而上即無形來規定道，形而下即有形來規定器，也與老子一致。老子以道爲無形體，即所謂"大象無形"，而具體事物即器，則有形體，《老子》五十一章："道生之，德畜之；物形之，器成之"也正是這個意思。

《繫辭》論道的另一段主要文字是"一陰一陽之謂道"。一陰一陽，意思是又陰又陽，陰陽互動。這也就是說道體包含着陰和陽兩個方面，而陰陽的運動變化就構成了道的內容。我們知道，老子論道體時主要是運用有和無兩個概念，認爲道體包含有和無兩個方面，但在 42 章的論述中也講到了陰陽，這一章說："道生一，一生二，二生三，三生萬物。萬物負陰而抱陽，冲氣以爲和。"這裏講的是宇宙生成論，其中一即道之別稱，二指陰氣和陽氣，三指陰陽相合而形成的一種均調和諧之狀態。道雖然渾沌未分，但它實際上已稟賦陰陽兩氣，所以才能從中分化出來，并進而和合產生天地萬物。因而，從 42 章來看，老子也有道體包含陰陽兩面的想法，後來《繫辭》"一陰一陽之謂道"命題的提出，當與老子有關。

當然，《繫辭》畢竟是解釋《易經》的作品，雖然與老子有如此密切的關係,但在形式上仍是由《易經》而來。因此,《繫辭》對道的論述可以說都有筮法的基礎,如"一陰一陽之謂道"命題的提出,就與《易經》的陰陽爻、六十四卦兩兩相偶,除乾坤外的六十二卦既包含陽爻,又包含陰爻等有關。但是,《繫辭》之所以出現于戰國後期,而不是更早,與中國哲學特別是道家哲學的發展密不可分。它用了許多哲學概念來講筮法,這就使對筮法的解釋也具有了哲學意義。

《繫辭》道論雖是對老子道論的進一步明確和發展,但受其解《易》體例的限制,它在系統性方面反而不如老子。老子對道體、道用、道的性質等都有精辟的描述,而且由此引申出人生及社會政治法則,構成了一個雖略顯簡單素樸卻很完整的思想體系。《繫辭》則不然,如同它用形而上和形而下來區分道器一樣,它在本體道和實物器之間沒有建立起融貫的聯繫,而以上下爲兩截。如老子由道的自然無爲性質而要求人君之自然無爲,且有具體論證,《繫辭》講"易無思也,無爲也,感而遂通天下之故",則顯突兀,且講"易"、道如此,對器則沒有如此要求,當係抄襲老子而來。

另外,由于《易經》本爲卜筮之書,與宗教迷信有關,因而解釋它的《繫辭》也不可避免地帶有宗教迷信的痕迹,如同其大部分語句都既講筮法,又講義理一樣,《繫辭》本身可以說是一個宗教與哲學的混合物。在這方面,老子則是明確而徹底的。老子用自然無爲的道否定了上帝及鬼神的絕對性,對以後中國無神論傳統發生了最大的影響。

從道家系統內部來看,莊子學派主要把老子客觀的道內在化而爲人心靈的一種境界,從而發展出一種高超的境界哲學。與莊學比,《繫辭》在這方面是望塵莫及的。

二、太極說的道家性質

通行本《繫辭》中有"太極"概念。《繫辭上》說:"易有太極,是生兩儀,兩儀生四象,四象生八卦,八卦生吉凶,吉凶生大業。"這段話的意思講的是什么，後人有不同理解，或以爲是講宇宙生成論，或以爲講揲蓍成卦的過程。個人以爲，這段話無疑與揲蓍成卦的筮法有很大關係，但是在當時宇宙生成論已經形成并流行的背景下，它包含這方面的内容也是有可能的。如前所述，《易傳》常常使用兩套語言，一種與筮法有關，一種則與哲理有關。"易有太極"章也應是如此。

在諸子文獻中，太極最早出現于《莊子·大宗師》中。莊子形容道的神妙，説是"在太極之先而不爲高，在太極之下而不爲深。"此處太極同六極對文，太極指空間的最高極限。《繫辭》把它拿過來，看作是卦象或天地萬物的根源。是對《莊子》中太極一詞意義的發展。

從哲理方面來説，"易有太極"章是講宇宙發生的問題。其中太極是天地萬物的根源，類似于道家哲學中的道，而"太極生兩儀"等則近于老子所説"道生一，一生二，二生三，三生萬物"。因而太極説也源于道論的一部分。

朱伯崑先生曾説："在中國哲學史上，關于宇宙形成的理論有兩個系統：一是道家的系統，本于《老子》的'道生一'説；一是《周易》的系統，即被後來易學家所闡發的太極生兩儀説"①。這是非常正確的。更進一步，我們可以説，這兩個系統之間還存在着交互融合的關係。從發生的時間上來看，《老子》倡于前，《繫辭》隨其後，《繫辭》討論這個問題受到《老子》的影響是毋庸置疑的。另外，此後的易學家在討論或闡釋"易有太極"章時，也多把它和道家系統結合起來②。

漢代是宇宙形成論發達和流行的時期，我們可以從這入手來考察。先來看一下《易緯》。《乾鑿度》説："夫有形生于無形，乾坤安從生？故曰：有太易，有太初，有太始，有太素也。太易者，未見氣也。太初者，氣之始也。太始者，形之始也。太素者，質之始也。氣形質

---

① 朱伯崑：《易學哲學史》上册，北京大學出版社。
② 以下論述參考了朱伯崑先生《易學哲學史》。

具而未離,故曰渾淪。渾淪者言萬物相渾成而未相離,視之不見,聽之不聞,循之不得,故曰易也。"這是把宇宙形成的過程分爲四個階段:太易、太初、太始、太素。實際上,如朱伯崑先生所說,事實上只是兩個階段,一是太易即氣未產生的階段,一是氣質具備的階段,包括太初、太始、太素。這後一個階段,就是太極。所以《乾鑿度》說:"太易始者太極成。太極成,乾坤行。"這是說先有太易,後有太極。鄭玄注云:"太易,無也,太極,有也。太易從無入有。"這與周敦頤後來講"易無極而爲太極"是完全一致的。不過周氏用無極代替了太易。

上面《易傳》講的宇宙形成論,值得注意的有兩點:第一,由太易而太極,由無到有,與老子所說"有生于無"之說十分接近。《淮南·原道訓》也說:"是故有生于無,實出于虛。"第二,以"視之不見,聽之不聞,循之不得"形容太易,本于《老子》14章對道的描述。以太極爲混沌未分之元氣,也受道家影響。老子多用混、渾等來形容道,但并未明確言及氣。後經《黃帝四經》、《莊子》到《鹖冠子》中就明確提出了"元氣"概念,以之爲天地之來源。《淮南·天文訓》也說:"天地無形,馮馮翼翼,洞洞屬屬,故曰太昭。道始于虛廓,虛廓生宇宙,宇宙生元氣。"這與《易緯》所講太易而太極的過程是很接近的。

《易緯》以渾淪未分之元氣來解釋太極,顯然是受道家著作《淮南子》等的影響。但是,太極在宇宙形成論中的地位與道遠不能等同。將老子"道生一"與《易緯》"太易始著太極成"比較,則太易相當于道,太極相當于一,屬于道之下的次級本原。當然,在與天地萬物相對的意義上,它們還屬于同一個層次。

道家的"道",從《莊子·天下篇》開始,又稱爲"太一",《易緯》中也使用了這個概念,不過用它來指太易,而不是太極。但是,到了後代經師那裏,便有以太極爲太一者,如虞翻《易注》即說:"太極,太一也",這就把太極和道家的道徹底等同了起來。

作爲新道家——玄學的開創者,王弼對易的解釋是從老子出發的。他在解釋"大衍之數，其一不用"時説，"不用而用以之通，非數而數以之成，斯《易》之太極也。"這是以太極爲一、爲無、爲本體。實際上，也就是把太極和老子的道等同了起來。後來王弼後學韓康伯注釋"太極"時説："夫有必始于無。故太極生兩儀也。太極者無稱之稱，不可行而名，取有之所極，況之太極者也。"并是此義。

宋儒中言太極者始于周敦頤。周作《太極圖説》，圖文并茂。宋以來學者（如宋代朱震、清代黃宗炎）早就指出周氏太極圖來源于北宋道士陳摶。而其對此圖之解説，更有道家之色彩。開頭一句"自無極而爲太極"（朱熹定爲"無極而太極"，毛奇齡已指出其誤）。就受到道家、道教的顯著影響。"無極"一詞本于《老子》二十八章"復歸于無極"，自無極而爲太極也包含着無生有的内涵。《太極圖説》接着講"太極動而生陽，動極而靜，靜而生陰"，以太極爲陰陽五行方面的來源或根本。這種宇宙生成論模式，與道家如《淮南子》所述十分相似，馮友蘭先生則指出周氏這裏受到了從《易緯》到道教的影響①。

周敦頤之後，張載、朱熹都講太極。張載以太極爲氣，説："一物而兩體，其太極之謂與？""一物兩體，氣也。"這與《易緯》以元氣釋太極相近，而從更根本的方面來講，則與《鶡冠子》、《淮南子》爲代表的"元氣論"相聯繫。這裏也可以加上莊子。《莊子》在道論的形式下包含了豐富的氣論思想，已經有明確的"通天地間一氣也"和氣生物的認識，在道和氣之間建立了重要的聯繫。張載的氣論，以氣釋太極，從其著作來看，可以肯定受到了莊子的影響，如其釋《繫辭》"天地絪縕，萬物化醇"時説："氣塊然太虛，升降飛揚，未嘗止息。易所謂絪縕，莊生所謂生物以息相吹，野馬者與！"此中提及莊子語見于《逍遥遊》表明張對莊子的接受。另如莊子喜談虛，張載言"太虛"，即語出《莊子·知北遊》；莊子講人之生死爲氣之聚散，張載言物的生死爲氣之聚散等，都襲取莊子觀點而發展。

---

① 見《中國哲學史新編》，第三册，第191頁。

朱熹以前言太極者多以氣、道解釋，至朱熹則有一轉變，而繼承程頤以理釋太極。他説：“太極者，其理也。”“總天地萬物之理便是太極。”值得注意的是，從發生的角度來看，討論萬物之“理”最早始于道家，莊子嘗言“萬物之理”、“天理”，而成書于戰國早中期的帛書《黃帝四經》談“理”最爲突出與明顯。《經法》以“物各[合于道者]謂之理，理之所在[謂]之道。”此以理爲道之散説。道之體現于萬物者，而道則爲理之合説。這與朱熹承認物物有理，衆理匯爲太極十分近似。從這種比較中，可以看出朱熹的太極實相當于《四經》中的道，而朱熹講“物物各有一太極”，與莊子講道“無所不在”也十分相近。

以上所舉《易緯》、王弼、周敦頤、張載、朱熹等對《易》的解釋，在易學史均占有十分突出的地位，他們對太極的解釋，都援用道家的氣、道及理，表明太極概念從產生到發展都具有明顯的道家性質。

三、大恒概念源于老子

“太極”一詞從《莊子》中發展而來，但在帛書本《繫辭》中，“太極”則寫作“大恒”，雖然“極”、“恒”二字篆文字體相近，但由于帛書《繫辭》中既有“極”字（如“三極之道”），又有“恒”字，因而“大恒”并不象是“太極”的誤寫（帛書《老子》中既有“恒”字也有“極”字，二者之間區別還是較明顯的）。

“大恒”一詞與老子的關係更加密切（帛書《老子》“恒”字出現28次之多）。老子形容道時常使用“大”、“恒”二字。《老子》第1章即提出“恒道”的概念。二十五章説：“强字之曰道，强爲之名曰大。”又以“大象”等喻道。老子用“大”指道在空間上的無限延伸，“恒”指道在時間上的無限綿延。因而，“大恒”便是指道在時空上的無限性。

“大”、“恒”在《老子》中分開使用，是形容道的性質的，到帛書

《繫辭》，則將之合二爲一，并成爲一實體性的詞匯。從"大恒"這一概念，我們更可看出《繫辭》在義理方面與老子的關聯，同時也可表現出"易有大恒（極）"章的哲理内容。

總之，無論"太極"説或"大恒"説，都與道家具有一脈相承的關係。自較大的範圍而言，它都屬於道家道論的範疇。至於帛書《繫辭》"大極"原本作"大恒"，則更具原始道家的哲理義藴，這概念出於老子是無疑義的。由於"大恒"這一極具關鍵性的概念的出現，則帛書《繫辭》之屬道家系統著作，比之通行本更具特色。

作者簡介 陳鼓應，1935 年生，福建長汀人。曾任臺灣大學哲學系副教授。現任美國加州大學研究員，北京大學哲學系客座教授。主要著作有《悲劇哲學家尼采》、《老子注譯及評價》、《莊子今注今譯》、《老莊新論》等。

帛書《繫辭》與戰國秦漢道家《易》學

王葆玹

内容提要　帛書《易經》是某一種先秦古文《易經》的忠實抄本,帛書《繫辭》則是現存最古樸的《繫辭》寫本。這一寫本顯示出《繫辭》原是道家老子一派的作品,《繫辭》卷後的《易之義》和《要》等佚書則出於儒者之手。通行本《繫辭》抄錄了《易之義》的文字,乃是根據帛書《繫辭》、《易之義》和《要》篇改編纂集而成的。在戰國秦漢時期,有一個道家的《易》學流派一直在活動,這一學派可能發源於春秋時期的陳國,在戰國時期盛行於齊國,在戰國晚期以致西漢中葉不斷地通過陳地向楚地漫延。帛書《易經》和《繫辭》即是這一學派所編纂的《易傳》系統的核心部份,而《易之義》和《要》等佚書則可看作是這一系統的外圍部份,它們的編入當是由於道家素有兼綜儒、墨的傾向。

　　我在去年發表了《從馬王堆帛書本看〈繫辭〉與老子學派的關係》一文①,主要内容是在韓仲民先生的見解的基礎上②,將帛書《繫辭》與其卷後佚書加以區分和比較,說明帛書《繫辭》僅三千字左右,是老子學派的作品,而《繫辭》卷後的三千餘字則是另一部著作,應稱其爲《易之義》。這一結論支持了陳鼓應先生的見解,引起

---

　　① 見《道家文化研究》第一輯。
　　② 見韓仲民《帛書〈繫辭〉淺說——兼論易傳的編纂》,刊於《孔子研究》1988 年第4 期。

了一些學者的反響。文章發表後不久，便見到了剛剛出版發行的《馬王堆漢墓文物》一書①，書中所收錄的《繫辭》僅三千餘字，不包括《易之義》在內，這與我的意見幾乎是完全一致的。另外，最近還從廖名春先生那里，聽到了關於帛書《易之義》及其卷後佚書《要》的文字內容的介紹，這些內容與我的見解也是相容的。情況是如此地令人鼓舞，以致不能不再作申論，因而又將我的見解加以整理和擴充，歸納出以下幾點：一、秦代未焚《周易》，在西漢流傳的各種今文《易經》，都是先秦各種古文《易經》的忠實抄本。帛書《易經》雖用今文抄寫，價值卻不在劉向所見的中秘古文《易經》之下。二、帛書《繫辭》屬於帛書《易經》的解釋性著作系統，是現存最爲古樸的《繫辭》寫本，價值遠在通行本之上。三、帛書《繫辭》與其卷後的《易之義》是思想不同的作品，前者出於道家，後者出於儒家。《易之義》篇中“《易》曰二與四同［功異位］”一節，與通行本《繫辭》的相應章節有同有異，這些同異之處顯示出通行本《繫辭》乃是抄錄并綜合《易之義》與帛書《繫辭》而形成的。四、從戰國中葉到西漢中葉，有一個道家《易》學流派一直在活動着，這一學派可能發源於春秋時期的陳國，興盛於戰國中期的齊國，在戰國晚期通過陳地流傳到楚國，在西漢前期和中期則不斷地向楚地漫延。帛書《易經》和《繫辭》都是這一學派所尊奉的經傳，而整個的帛書《周易》也有可能是這一學派的人物所編纂的，其中的外圍作品竟包括儒家的《易之義》、《要》等佚書，當是由於道家具有寬容精神，往往有兼綜儒墨的傾向，例如《淮南子》一書就表現了這種精神。

一、《易經》的今古文問題

西漢流傳的各種《易經》寫本究竟有沒有今古文之分？假如有的話，今文《易經》和古文《易經》究竟有哪些區別？這些都是經學中

---

① 湖南出版社 1992 年 5 月出版。

懸而未決的問題。馬王堆帛書《周易》是漢初的寫本，字體爲西漢早期的隸書，亦即漢代學者所謂的"今文"，這使問題顯得更爲複雜，因爲我們在討論《易》學今古文的問題時，還必須澄清帛書《周易》與西漢今古文《易經》的關係如何。下面從研究秦代焚書事件對《易》學的影響入手，對這些問題作一初步的考察。

　　今古文經學的分歧與爭論，與焚書事件的聯繫本是很密切的。秦代焚書時，民間私藏的《詩》、《書》等文獻遭到焚毀。後來項羽進兵咸陽，焚秦宮室，使秦代官方所藏的《詩》、《書》等文獻也受到摧殘。到漢惠帝廢除挾書律的時候，《詩》、《書》、《禮》、《春秋》等文獻都已殘缺不全，伏生、申公等經學大師憑藉記憶，對這些文獻進行了不可少的補充、整理和隸寫，從而形成了今文經的系統。這些今文經書及其傳、說之類的詮釋性著作，與後來出土的各種古文經傳有很大的不同，以致引起經學家的爭議。在這過程中，《易》學典籍的情況頗爲特殊。《史記·秦始皇本紀》説：

　　　丞相李斯曰："……臣請史官非秦記皆燒之。非博士官所職，
　　天下敢有藏《詩》、《書》、百家語者，悉詣守、尉雜燒之。……所不去
　　者，醫藥、卜筮、種樹之書。若欲有學法令，以吏爲師。"制曰："可。"
由這材料可將秦代所焚書籍的範圍確定爲：一、官私收藏的六國史書；二、民間私藏的《詩》、《書》、百家語"。而秦代未焚的書籍則包括：一、博士官所藏的《詩》、《書》、百家語；二、官私收藏的"醫藥、卜筮、種樹之書"。李斯奏議説："若欲有學法令，以吏爲師"，《集解》引徐廣説："一無'法令'二字。"後代一些學者以此爲據，聲稱"以吏爲師"的學習内容包括《詩》、《書》、百家語及卜筮之書。但這解釋是錯誤的，因爲李斯明確規定："有敢偶語《詩》、《書》者棄市。"可以肯定，《詩》、《書》、《禮》、《春秋》四部經書的命運與《易》類書籍是截然相反的，前者在任何情況下都禁止傳授和談論，除博士官所藏之外一律焚毀；《易》類書籍則既未焚毀，也未遭到任何的禁止。秦代以後，《詩》、《書》、《禮》和《春秋》焚毀殆盡，偶有殘本出現，已稍具出土文物的性質，而《易》類書籍卻廣泛流傳於民間，正如《漢書·藝

文志》所説:"及秦燔書,而《易》爲筮卜之事,傳者不絶。"

明白了《易》類書籍與其它經傳在秦代的截然相反的遭遇,便可知道由焚書造成的西漢古文本與今文本的巨大差異,只存在於《詩》、《書》、《禮》、《春秋》之間,在《易》類書籍當中幾乎完全是不存在的。也就是説,在西漢時期出現的今文《周易》當是先秦古文《易》類典籍的忠實的抄本,在抄寫之際幾乎未加任何的修改和補充。《漢書·藝文志》説,漢成帝時,劉向整理皇家的藏書,用秘府所藏的古文《易經》去校施、孟、梁丘三家所傳的《易經》,僅有"或脱'無咎'、'悔亡'"一類無足輕重的脱誤,而費直所傳的《易經》今文本則與古文本完全相同①。《晉書·束晳傳》説,西晉時期汲郡出土的戰國時期的竹書,包括《易經》兩篇,"與《周易》上下經同"。可見西漢時期施、孟、梁丘、費氏所用的今文《易經》乃是古文《易經》的比較準確的抄寫本,"信口説"及"抱殘守缺"之類的今文經學的弊病②,在今文《易》學當中是完全不存在的。

不過,肯定西漢官方今文《易經》的價值,并不意味着馬王堆帛書《易經》的價值有所減少,因爲帛書《易經》既是今文本,便一定也是某一部古文《易經》的忠實抄本。在這裏應當注意,戰國秦漢時期的《易經》古文本絶非僅有一種。許慎《説文解字》所謂的"古文",是與籀、篆相區別的六國文字,考慮到《易》的占筮在六國是一種極爲普及的學問,可以知道六國一定會有各式各樣的《易經》寫本。在這情況下,帛書《易經》所據的古文底本與劉向所見中秘古文本有巨大差異,便可説是很自然的事情。有趣的是,關於這兩種古文本的來源,都可以上溯到戰國中期。中秘古文本與通行本大致相同,通行本又與汲冢竹書《易經》相同,汲冢或説爲魏襄王墓,或説爲魏安釐王墓,這是中秘、汲冢兩古文本的來源不得遲於戰國中期的證

① 費直所傳的《易經》本是用今文抄寫的,但由於這一今文本與古文本完全相同,便受到後代古文經學家的重視,成爲東漢時期馬融等人構築古文經學體系的依據之一。從道學派性質的角度來看,人們説費氏學爲古文《易》學亦無不可。
② 語出劉歆《移書讓太常博士》。

據。另外，汲冢竹書當中有《陰陽説》一篇，"似《説卦》而異"(《晉書·束哲傳》)，當是《説卦傳》的早期寫本，而現存的《説卦傳》説：

> 乾，天也，故稱乎父；坤，地也，故稱乎母。震一索而得男，故謂之長男；巽一索而得女，故謂之長女。坎再索而得男，故謂之中男；離再索而得女，故謂之中女。艮三索而得男，故謂之少男；兌三索而得女，故謂之少女。

在這裏，乾生三男、坤生三女的次序是：乾、震（長男）、坎（中男）、艮（少男）、坤、巽（長女）、離（中女）、兌（少女），而帛書《易經》當中八卦的次序是：乾、艮、坎、震、坤、兌、離、巽。兩個次序的差别僅在於長、少互换位置，一爲長、中、少，一爲少、中、長，兩者有着密切的邏輯聯繫，因而帛書《易經》與《説卦傳》以及汲冢《陰陽説》，應當是出自同一個《易》學著作系統，這是帛書《易經》的來源不得遲於戰國中期的證據。

從傳本來源上看，我們對《易經》帛書本與通行本或中秘古文本是很難甄别其先後的，但若從卦序的比較上看，則又當别論。《易經》帛書本的卦序略同於《説卦傳》中乾坤生男女的次序，而通行本卦序則與《序卦傳》一致，由於《説卦》的操作時代很可能在《序卦》之先，我們顯然還不能排除《易經》帛書本的編寫時間早於通行本的可能性。

二、帛書《繫辭》——最接近於原貌的《繫辭》寫本

《説卦傳》所謂的乾生三男、坤生三女，即是《繫辭》所謂的"乾道成男，坤道成女"，後兩句見於帛書本，可見帛書《繫辭》與《説卦》乾坤生男女一章原屬同一個系統。上文已證實《説卦》當中乾坤生男女的次序與帛書《易經》中的八卦次序一致，因而可以肯定帛書《繫辭》乃是帛書《易經》的附屬部分。不過，與帛書《易經》相比較，帛書《繫辭》有着更高的價值，這主要表現在幾個方面：一、戰國時期流行的各種《周易》寫本，多數不包括《繫辭》在内，因而寫於漢初

的帛書《繫辭》的價值便顯得格外突出；二，帛書《繫辭》行文古樸，而來源於西漢官方傳本的通行本《繫辭》則經過了修飾加工；三，通行本《繫辭》的一些錯誤不見於帛書本，而這些錯誤顯然是在傳抄之時產生的。

現在所能了解到的先秦與漢初的《周易》寫本，僅有汲冢竹書本、中秘古文本、阜陽簡本及馬王堆帛書本數種。

汲冢竹書《易經》僅附有《陰陽說》，"無《彖》、《象》、《文言》、《繫辭》"（杜預《春秋經傳集解後序》）；帛書《周易》則包括《繫辭》及數篇佚書，而無《彖》、《象》、《文言》、《說卦》及《序卦》等；至於阜陽漢墓出土的竹書《周易》殘本，僅附有卜事之辭，無《彖》、《象》、《文言》、《繫辭》等等。這表明戰國秦漢時期的各種《周易》寫本是各不相同的，并非一切《周易》寫本都包括《繫辭》在內。西漢秘府所藏的古文《易經》是西漢官方今文《易經》的依據，這一古文本是否包括《繫辭》呢？請看《漢書·藝文志》[1] 的說明：

> 劉向以中古文《易經》校施、孟梁丘經，或脫去"無咎"、"悔亡"，唯費氏經與古文同。

其中出現的三個"經"字，在漢代都是與"傳"、"說"、"記"、"章句"等等區別而言的，例如《漢書·景十三王傳》說河間獻王所得的古文先秦舊書，有經、傳、說、記四類；《揚雄傳》說，揚雄以爲"經莫大於《易》"，"傳莫大於《論語》"，也對經、傳加以嚴格的區分。《漢書·藝文志》提到《易經》十二篇，似將十翼看作經書，但這書名和篇數有可能是班固根據東漢皇家藏書所更定的，因爲與劉歆同時的揚雄還根據一部《易序》，聲稱"《易》損其一"，意即在劉歆作《七略》時，十翼還缺一篇，《易經》十二篇這一編纂本尚未形成[2]。至於唐修《晉書》將杜預所說的《陰陽說》稱爲《易經》，是由於《易傳》、《禮記》

---

[1] 《漢書·藝文志》關於劉向以古文《易經》校三家經的記載，乃是抄自劉歆《七略》。劉歆爲劉向之子，又爲揚雄之友，則揚雄區分經傳的概念，一定也是劉向、劉歆所堅持的。僅此一事，已可證明劉向所校的《易經》僅僅是經，不包括傳。

[2] 參見拙文《從河內佚書的出土看五行八卦兩種模式的融合》，載於《中國文化月刊》第 121 期。

等書在唐代已上升到“經”的地位。《漢志》沿襲《七略》，對中秘古文
《易經》只稱其爲經，不稱其爲傳，意味着這部古文《易經》未附有
《繫辭》、《文言》等。再考慮到汲冢竹書《易經》也未附有《繫辭》，可
以肯定帛書《繫辭》的價值遠超過通行本。

　　將《繫辭》帛書本與通行本的文字内容加以對照，可以支持這
一結論。通行本所謂的“易有太極”，帛本寫作“易有太恒”。有的學
者説“恒”、“極”形近，“太恒”是“太極”的誤寫，然而帛書《繫辭》有
“三極”字樣，“恒”、“極”兩字既然一同出現於帛書本，那麼斷定
“恒”爲“極”字誤寫的説法便難以成立了。有的學者説，《莊子》已提
到“太極”，因而《繫辭》原作“太極”是合理的。然而考察《莊子·大
宗師篇》：“夫道，……在太極之先而不爲高，在六極之下而不爲
深”，其中的“太極”應當寫作“六極”才對，“大”、“太”兩字古通用，
根據馬王堆帛書各篇，“大”、“六”兩字在用西漢早期隸書抄寫時很
難區分，可見《大宗師》的原文應當是：“在六極之先而不爲高，在六
極之下而不爲深”①。《莊子》既未提到“太極”，則帛書本寫作“太
恒”便不大可能是錯誤。“太恒”即是帛書《老子》所謂的“恒道”，亦
即帛書《繫辭》所説的“刑而上者胃之道”。通行本改“太恒”爲“太
極”，顯然是避漢文帝劉恒諱。《漢書·文帝紀注》引荀悦説：“諱恒
之字曰常。”有的學者試圖根據這句話來證明漢人避“恒”爲“極”之
不可能。然而漢武帝名徹，荀悦説：“諱徹之字曰通。”漢代政界、學
界卻將“徹侯”改爲“列侯”與“通侯”，可見當時人們用來取代“徹”
字的不一定是“通”字。同樣道理，“恒”字也不一定非改爲“常”字不
可，西漢人將“太恒”改爲“太極”，完全是合乎情理的行爲。

　　《繫辭》通行本説：“乾坤毀則無以見易，易不可見，則乾坤或幾
乎息矣。”這兩句話在帛書本寫作：

　　　　鍵（乾）川（坤）毀，則無以見易矣。易不可見，則鍵（乾）川（坤）
　　不可見。鍵（乾）川（坤）不可見，則鍵（乾）川（坤）或幾乎息矣。

----

① 六極，即四方上下。這裏的“高”、“深”，均就四方上下而論。

在這裏，通行本與帛書本的文義接近，若論文辭的精練程度，甚至可以承認通行本勝過了帛書本。然而帛書本爲何多出"則鍵川不可見。鍵川不可見"兩句話？這兩句話不像是摻入正文的注文，顯然不是後加的，而應當是通行本的編纂者所故意删去的。

《繫辭》通行本又説：

顯諸仁，藏諸用，鼓萬物而不與聖人同憂，盛德大業至矣哉！

這幾句話與通行本《繫辭》的另一些説法似難相容，通行本《繫辭》屢次稱贊聖人功德，提到古代聖人"始作八卦"、"觀象繫辭"，聲稱"聖人之情見乎辭"，指出陰爻與陽爻的交感運動體現着《周易》的"情僞相感而利害生"的道理，暗示出爻的"情僞"與"聖人之情"有一定的關聯，這些話表明《繫辭》的作者認爲聖人之德與易道相通。這位作者怎麽會又説易道"不與聖人同憂"呢？看一看帛書本，問題便可迎刃而解了，因爲"顯諸仁"一節在帛書本寫作：

耵（聖）者仁勇，鼓萬物而不與衆人同憂，盛德大業至矣幾（哉）！

其説聖人"不與衆人同憂"，與《繫辭》關於聖人的各種議論相合，顯然是原文如此。後人在改編抄寫之際誤寫爲"不與聖人同憂"，以致出現疑點。另外，通行本《繫辭》"聖人之大寶曰位，何以守位曰仁"，"仁"字帛書本寫作"人"，鑒於下句爲"何以聚人曰財"，可見帛書本"何以守位曰人"句優於通行本。通行本"聖人以此洗心"句，帛書本寫作"耵（聖）人以此佚心"，"洗"顯爲"佚"字之誤。

在修辭方面，《繫辭》帛書本行文古樸，通行本則經過了修飾和加工。例如，帛書本説："是故耵（聖）人以達天下之志，以達〔天下之業〕"，通行本改作："是故聖人以通天下之志，以定天下之業"；帛書本説："見之胃（謂）之馬（象），形胃（謂）之〔器〕"，通行本改作："見乃謂之象，形乃謂之器"；帛書本説："印（仰）以觀於天文，顧（俯）以觀於地理，是故知幽明之故。觀始反冬（終），故知死生之説。"文中連續出現三個"觀"字，這三個"觀"字在通行本分別寫作"觀"、"察"、"原"三字，全句改爲："仰以觀於天文，俯以察於地理，是故知幽明之故。原始反終，故知死生之説。"帛書本在修辭方面尚有戰國時期文章的特色，通行本則照顧到行文的對偶平衡及錯綜變化，略有西漢文章的特點。

　　講到這裏，應當承認帛書《繫辭》乃是現存最早的、與《繫辭》原本最爲接近的寫本。

三、關於帛書《繫辭》與《易之義》分屬儒道兩家的證明

　　帛書《繫辭》正文之前有一行空白，相當於簡册中的贅簡。第一行頂端塗有墨丁，是篇首的標志。全篇行文順序與孔穎達疏本大體上一致，包括孔疏本《繫辭上傳》第一至第八章，第十至第十二章，以及《下傳》第一至第三章，和第四、七、九章的部份文字。孔疏本《下傳》最後一句，出現在帛書《繫辭》第四十七行的中間，然後換行，在第四十八行的頂端塗有墨丁，從"子曰易之義"一句開始，篇中的一些文字分別與孔疏本《繫辭下傳》的部份章節以及《説卦》前三章相似，而大部份文字則是通行本《易傳》十篇所不包括的佚文。"易之義"句以上的墨丁顯然是篇首的標志，全篇字數約三千有餘。這一篇究竟是《繫辭下傳》，還是與《繫辭》不同的另一部著作呢？上文已推斷帛書《繫辭》屬於帛書《易經》的解釋性著作系統，帛書《易經》不分篇，那麼帛書《繫辭》便祇能有一篇，由"子曰易之義"句開始的一篇顯然不可能是《繫辭下傳》，而是一部長期淹没而不爲人們所知的佚書。按照古書定名的通例，稱其爲《易之義》篇應是恰當的。如果我們對"易之義"句前後兩篇的内容加以比較，會看出這兩篇分別屬於儒道兩家的《易傳》系統。

　　大家知道，先秦儒道兩家的旨趣幾乎是相反的，道家力圖超越於形名之上，治學注重於通簡；儒家則試圖全面解釋周代文獻，治學不免于博雜。而帛書《繫辭》與《易之義》的論題恰是不同的，帛書《繫辭》的内容是論述六十四卦通義，篇中僅第六、第七兩章（按孔疏本分章）論述了七個卦的爻辭，然而未舉卦名，未論及七卦之間

的聯繫,其議論宗旨似不在於釋卦或釋爻,而在於通過舉例以顯示易卦通義。至於《易之義》全篇的内容,則在於反覆解釋乾、坤兩卦以及師、比等二十餘卦的卦爻辭。通行本《繫辭下傳》説:"是故履.德之基也;謙,德之柄也;復,德之本也;恒,德之固也;損,德之修也;益,德之裕也;困,德之辨也;井,德之地也;巽,德之制也。履和而生,謙尊而光,復小而辨於物,恒雜而不厭,損先難而後易,益長裕而不設,因窮而通,井居其所而遷,巽稱而隱。履以和行,謙以制禮,復以自知,恒以一德,損以遠害,益以興利,困以寡怨,井以辨義,巽以行權。"此即所謂"三陳九卦"。《繫辭下傳》爲何單單論述這九個卦,是個長期爭論的問題。今考帛書《周易》,"三陳九卦"一章不見於其中的《繫辭》,僅見於《易之義》篇,而且《易之義》篇中"三陳九卦"章前尚有數句:"作《易》者其又(有)患憂與!上卦九者,贊以德而占以義者也。"意即這九卦都與作《易》者的憂患相關聯。進一步説,這一章在《易之義》篇中不是一個孤立的章節,而是摻雜在其它的釋卦章節中間。"三陳九卦"當中"履,德之基也;謙,德之柄也"的句式,在《易之義》篇中得到了普遍的使用,例如對於師、比、小畜、家人、豐等卦,均用"得之……也"① 的句式來解説,這表明"三陳九卦"一章原本是《易之義》的一部份,它出現在《繫辭》篇中是不倫不類的。帛書《繫辭》專論六十四卦通義,全篇貫穿者"易"、"簡"、"通"的風格,這正好合乎司馬談《論六家要旨》對道家的評價:"指約而易操,事少而功多。"《易之義》分論二十餘卦的性德,而且反覆申論多次,這也容易使人聯想到司馬談的評語:"儒者博而寡要,勞而少功"。

　　關于乾、坤兩卦的性質,帛書《繫辭》與《易之義》的説法也是絶然不同的。帛書《繫辭》反覆強調乾、坤兩卦的性德在於"易"、"簡"、例如説:"鍵(乾)以易,川以閒(簡)能,易則傷知,閒(簡)則易從。"又説乾卦"德行恒易",坤卦"德行恒閒(簡)"。而《易之義》則認爲乾

────────────

① "得",通"德",兩字同出現於《易之義》篇中。這種本字與借字同時出現的例證,在帛書中是屢見不鮮的。

坤之德在於"文"、"武",例如說乾卦"六剛能方",代表"湯武之德",六爻"剛而不折",才能做到"武而能安",坤卦"六柔相從",達到了"文之至"的地步,六爻"柔而不狂",才能做到"文而能朕(勝)"。帛書《繫辭》所强調的"易簡",正是司馬談所稱道家"指約而易操"的原則;《易之義》所强調的"文武"與文王、湯、武有關,完全合乎儒家"憲章文武"的傳統。

通行本《繫辭》和《說卦》都有關於"三才"的議論,前者指出:"《易》之爲書也,廣大悉備,有天道焉,有人道焉,有地道焉,兼三才而兩之,故六。六者非它,三才之道也。"後者指出:"立天之道曰陰與陽,立地之道曰柔與剛,立人之道曰仁與義。兼三才而兩之,故易六畫而成卦。"這兩個章節不見於帛書《繫辭》,卻都在《易之義》篇中出現了。今按《易之義》篇與申述孔子之道的《要》篇思想接近,《要》篇說明對於天道"不可以日月生(星)辰盡稱也,故爲之以陰陽";對於地道"不可以水火金土木盡稱也,故律之以柔剛",這實際上就是《易之義篇》稱天道爲陰陽、地道爲柔剛的主要理由。而這種思想的痕迹在帛書《繫辭》當中是找不到的,帛書《繫辭》雖提到"三極之道",卻一直聲稱天道剛,地道柔;天道陽,地道陰,絕沒有"天道爲陰陽,地道爲柔剛"的見解,更沒有那種對於地道可否"以水火金土木盡稱"的說法。《易之義》以三才觀念解釋六爻,重點在於"仁義",而帛書《繫辭》則未將"仁義"放在突出的位置。仁義主要是儒家哲學範疇這一點,恐怕是不需要再作證明的。

關于聖王的系統,儒道兩家一直有不同的主張,而帛書《繫辭》和《易之義》也有不同的說法。帛書《繫辭》衹提到伏羲、神農、黃帝、堯、舜五位聖王與《易》的關係,例如篇中指出伏羲氏的活動"蓋取諸羅(離)",神農氏的活動"蓋[取]者[諸]益",意即八卦重爲六十四卦的工作至遲在神農之時已然完成,這與文王重卦的傳說發生了牴觸。至於舜以後的禹、湯、文、武,帛書《繫辭》隻字未提。通行本《繫辭下傳》說:"《易》之興也,其於中古乎!作《易》者其有憂患乎!"又說:"《易》之興也,其當殷之末世、周之盛德邪!當文王與紂之事邪！"這兩節不見於"子曰易之義"以前的《繫辭》，僅見於"易之義"句以下的一篇，其中的第二節在帛書中寫作："《易》之用也，殷之無道，周之盛德也。"《易之義》篇還提到"文王之危"、"湯武之德"，而對於商湯以前的羲、農、黄帝等，一律不提。比較之下，可以看出"子曰易之義"句前後的兩篇在聖王系統方面的説法是全然不同的，此句以前的《繫辭》所推崇的是伏羲、神農、黄帝的系統，此句以下的《易之義》篇所尊崇的是禹、湯、文、武的系統，前者的立場接近於道家，後者的立場則極似於儒家。《易之義》的思想與其卷後的《要》篇頗有相似之處，而在《要》所引述的孔子言論中，明確指出"文王作，……然後《易》始興"，至於道家所尊崇的伏羲、神農、黄帝，《要》同《易之義》一樣也是隻字不提。儒道兩家的界限，在這裏是非常清楚的。

　　帛書《繫辭》和《易之義》之間最大的問題，可能要算"二與四同功異位"的引用。通行本《繫辭下傳》第八章説："二與四，同功而異位，其善不同，二多譽，四多懼，近也。柔之爲道不利遠者，其要无咎，其用柔中也。三與五同功而異位，三多凶，五多功，貴賤之等也。其柔危，其剛勝邪？"帛書《易之義》篇末也引述了這段話裏的部份文字，而稱其爲《易》曰"，意即這些文字不是出自《易之義》的作者本人，而是出自另一部易著。這另一部易著初看起來很像是通行本《繫辭》，但如果仔細分析一下，可以看出這"《易》曰"可能比我們最初所設想的更爲複雜。因爲在《易之義》所説的"[《易》]曰：三與五同功異立[位]"一句之後，"[三]多凶，五多功，[貴賤]之等"三句之前，尚有不見於通行本的"其過……"等六字，這六字不像是後加的，也就是説，通行本《繫辭》缺少這六個字是一種遺漏，它的寫定的時間可能晚於《易之義》的操作時間。另外，在通行本中，"其要无咎，其用柔中也"兩句與"三與五同功而異位"一節本是前後銜接的，《易之義》的作者在"三與五"句前加上"《易》曰"兩字，顯示出"其要无咎，其用柔中也"兩句絶不是《易之義》所引《易》的原文，而是《易之義》的作者對引文的解釋。通行本《繫辭》竟對《易之義》的這兩句加以抄錄，足證《易之義》乃是通行本《繫辭》的來源之一。至於《易之義》所引"二與四"、"三與五"的話，既不見於帛書《繫辭》，一定是出自帛書《周易》所未包括的一部佚書。帛書《周易》有數篇儒家色彩濃厚的著作沒有被收錄在通行本"十翼"當中，顯示出西漢以前的儒家《易》學作品有很多沒有流傳下來，假若我們斷言有一部既未包括在"十翼"之中亦未包括在馬王堆帛書之中的先秦儒家《易》學作品曾經流傳過，并且擁有很高的權威因而得到《易之義》的引用，那絕對不能說是冒險的推測。《易之義》對於《繫辭》的大量的名言警句均未引用，卻引述不甚重要的"二與四同功異位"一節，亦可證明"二與四"一節另有出處，而且所屬的學派與帛書《繫辭》有着敵對的關係。

　　凡此種種，都證明帛書《繫辭》爲道家作品而《易之義》則爲儒家作品。只是在西漢初期的學者改編《易傳》之時，《易之義》才被割裂，其中的部分文字才被編入《繫辭》之中。考慮到漢文帝時期司馬季主談論文王重卦，蘭陵人繆生引述《易》義，均與通行本《繫辭》相合，可以推測通行本《繫辭》是在漢惠帝時編定的。

四、道家《易》學流派及其《易傳》系統

　　上文關於帛書《繫辭》原屬道家的論斷，與過去那種將《易》學完全看成儒學的傳統見解發生了衝突。因而在作出上述論斷的同時，我們必須證明，在先秦時期確曾有過一個道家的《易》學流派，并且有過一個道家的《易傳》系統。

　　《易》學由於是占筮學，得以安然度過秦代焚書的劫難。而在西漢，《易》學正是由於和占筮有關，才受到皇帝的支持，例如梁丘賀"以筮有應，繇是近幸"（《漢書·儒林傳》）；京房由於精通占驗之術，一度成爲元帝的寵臣。漢武帝時的占筮流派有五行家、堪輿家、建除家、曆家、叢辰家、天人家、太一家（見《史記·日者列傳》附褚少孫語），顯示出占筮學的高度發達。而帛書《要》篇引孔子說，他要

超越占筮，"觀其德義耳也"，將這話與荀子所謂的"善爲《易》者不占"聯繫起來，可以知道先秦儒家《易》學所真正看重的不是占筮，而是"德義"。從這些情況來看，儒家《易》學不過是先秦《易》學的一個支系，而且這支系絕不是先秦《易》學的主流。《左傳》記有許多《易》筮的事例，其中的人物都與儒家無關。《史記・儒林列傳》與《仲尼弟子列傳》記有一個儒門《易》學的傳承譜系，依次有孔子、商瞿、馯臂子弘、矯子庸疵、周子家豎、光子乘羽、田何、王同、楊何等，其中商瞿以後、田何以前的人物不見於其他先秦典籍，可靠性十分有限。這一傳系即使確實存在過，在先秦衆多的《易》學流派中恐怕也不是顯赫的一支。

　　而關於道家《易》學，古書卻有很確實的記載，例如《戰國策》引顏斶對齊宣王説：

　　　　是故《易傳》不云乎："居上位未得其實，以喜其爲名者，必以驕奢爲行。據慢驕奢，則凶從之也。"是故無其實而喜其名者削，無德而望其福者約，……故曰：無形者形之君也，無端者事之本也。夫上見其原，下通其流，至聖人明學，何不吉之有哉！《老子》曰："雖貴必以賤爲本，雖高必以下爲基，是以侯王稱孤、寡、不穀，是其賤之本與！"夫孤寡者，人之困賤下位也，而侯王以自謂，豈非下人而尊貴士與！

顏斶先引述一部《易傳》，後引述《老子》，以"無形者形之君也"爲基本原則，以"貴必以賤爲本"爲其議論的落腳點，顯然是兼通《易》、《老》而以《老》爲主。顏斶在這段話的上文指出："當今之世，南面稱寡者乃二十四。"我們如果注意到他所説的"稱寡"與"稱王"有所不同，便可知道他的話正好合乎齊宣王時期的情況。在齊宣王時期，宋國與中山國尚是較强的國家，衛、鄭等中小國家尚未滅亡，而在齊宣王以後的齊湣王時期，還存在"泗上諸侯、鄒、魯之君"（見《史記・田完世家》），這些國家加上七雄，與顏斶所謂"南面稱寡者乃二十四"大致相合。我們完全可以相信《戰國策》的記載，將顏斶認作齊宣王時代的人物，他所從事的學問包括《易》學和《老》學，屬道家老子一派。關于戰國中期儒門《易》學的代表人物,史書罕有記載,因而《戰國策》所記顏斶的議論極爲可貴,可視爲證明戰國道家從事《易》學因而《易》學不限於儒學的重要史料。

提起道家《易》學,人們往往會想起西漢文帝時期的司馬季主。《史記‧日者列傳》完全是司馬季主一人的傳記,其中說,司馬季主"卜於長安東市",有一次得到空閒,便向弟子講述"天地之道、日月之運、陰陽吉凶之本"。前來拜謁的宋忠、賈誼二人對他的身份地位表示懷疑:"今何居之卑?何行之污?"他說:"今公所謂賢者,皆可爲羞矣。……才賢不爲,是不忠也;才不賢而託官位,利上奉,妨賢者處,是竊位也。有人者進,有財者禮,是僞也。"這一席話譏諷當時處於上位的"賢者",與顏斶所引《易傳》"居上位未得其實,以喜其爲名者"的意思接近。司馬季主又徵引《老子》"上德不德,是以有德"一句,爲卜筮辯護;引述《莊子》之言,以說明卜筮之道即是"君子之道",這與顏斶先引《易傳》後引《老子》的作法也是一脈相承的。當然,司馬季主提到"伏羲作八卦,周文王演三百八十四爻",與通行本《繫辭》一致,與帛書本不合,出現這一情況當是由於通行本《繫辭》在文帝年間已經編成。

顏斶是齊人,司馬季主卻是楚人,將他們扯到一起是否有些不倫不類呢?我們恐怕絕不能這樣說。在戰國時代統治齊國的陳氏一族,原本是陳國公子的後裔,產生於陳國的老子學派在齊國稷下學裏發揚光大,絕不是偶然的事情。而在秦將白起攻破楚國郢都之後,楚考烈王遷都於壽春之前,亦即在楚頃襄王二十一年至楚考烈王二十二年之間,原先的陳國都城竟成爲楚國的首都,而陳地則成爲楚文化的中心地域。這樣看來,戰國晚期的齊、楚兩國文化有着密切的聯繫,而陳文化則是這聯繫的關鍵或樞紐。到秦末戰爭的時候,陳、楚兩地成爲反秦運動的中心,於是有大批的齊人跑到楚地去施展才略。這種情況一直到西漢還存在着,例如鄒陽在吳王濞策劃謀反時指出:"淮南連山東之俠,死士盈朝,不能還厲王之西也。"(見《漢書‧鄒陽傳》)可見在漢文帝之時,淮南厲王劉長招合了大量的山東俠士和死士，其中自然不會缺少齊地道家的學者。到漢景帝時，吳王濞"招致四方游士"，其中可能以齊人居多，例如鄒陽即是齊人。到漢武帝時，淮南、衡山兩國成爲文化發達的地域，《鹽鐵論・晁錯篇》説："日者淮南、衡山修文學，招四方游士，山東儒墨咸聚於江淮之間，講議集論，著書數十篇。"在淮南王和衡山王招致的游士中間，道家學者可能占有很大的比例，否則《淮南子》一書不會有明顯的道家思想傾向。這些道家學者既是來自山東，自然是齊人。《漢書・藝文志》著錄《淮南道訓》二篇，歸於《易》類，可能即是淮南王劉安門下的齊地道家人物的《易》學作品。西漢時期的吳、楚、淮南等國，都在戰國時期楚國的地域之内。楚人司馬季主從事道家《易》學，極有可能是從齊人學來的。

　　總之，從戰國時期到西漢中葉，的確有一個道家《易》學派系存在。這一學派可能在春秋時期發源於陳國，在戰國中期興盛於齊國的稷下學府，在戰國晚期經由陳地而滲透到楚國，在秦末、西漢前期和中期則一直由齊、陳等地向楚地漫延。西漢長沙國也處於楚地範圍，長沙所出土的《易經》應當是這一學派的傳本，帛書《繫辭》是這一學派的作品。進一步説，全部的帛書《周易》，也可能是由這一學派的後期的人物所編纂的，這一編纂本以《易經》和《繫辭》爲中心，以其他學派的作品爲外圍部份，其中包括儒家的《易之義》、《要》和《二三子問》。這些非道家性質的佚書的收錄，當是由於道家素有兼容儒墨名法的傾向，這種傾向表現於司馬談《論六家要旨》文中，亦表現於《淮南子》書中。

作者簡介　王葆玹，1946 年生，北京人，中國社會科學院哲學所副研究員，撰有《正始玄學》及關於道家、經學的論文二十餘篇。

帛本《繫辭》探源

陳亞軍

內容提要 對帛本《繫辭》成篇問題的研究是當代易學的一項基礎工作。本文將帛本《繫辭》的成篇問題放到早期筮法史、早期《易》學史、兩周文化史和先秦學術史中去考察。本文認爲,帛本《繫辭》的形成大概經歷了底本的形成和定本的形成前、後兩個階段。

引　言

1992 年 5 月,湖南出版社出版的《馬王堆漢墓文物》,首次公開發表了帛本《繫辭》及其釋文。這在當代易學史上是一件大事。于是,帛本《繫辭》的研究工作成了當代易學的一個新熱點。學者們紛紛著文立說,提出了許多新的見解。本文作者試圖在此基礎上通過對早期筮法史中的"八卦重卦"占筮系統、早期易學發展史中的《蓍書》、兩周"巫史文化"中大史一系職官的職掌與帛本《繫辭》一系易學之間的相關關係的分析,以及先秦學術史中巫史文化一系的學術傳承和廣義的史官文化一系的學術傳承與帛本《繫辭》思想內容之間的相關關係的分析等五個方面來探討帛本《繫辭》的成篇問題。本文認爲,帛本《繫辭》大概是戰國時期的易學經師對屬于大史一系易學的《蓍書》"照着講"和"接着講"的產物。帛本《繫辭》的形成大概經歷了兩個階段,第一個階段是底本形成的階段,第二個階段是定本形成的階段。

一、帛本《繫辭》主體部分——筮法

帛本《繫辭》中最原始部分和最核心部分是用來説明和解釋帛本《易經》筮法的。

陳鼓應先生認爲："《繫辭》講授占筮的方法並大事宣揚占筮的作用"，"《繫辭》之解《易》，與後來的象數派或義理派不同，乃是兼重占筮象數與義理的"。"在《繫辭》裏，我們隨處都可以發現贊美占卜的話"。"此外，更還有許多關于筮法的叙述。這表明《繫辭傳》的作者對于占筮并不是一般的敷衍，而是真正的重視。這顯然不是一種偶然的情況。它應是一種崇尚占卜的環境中的産物"①。經過考證，這種"崇尚占卜的環境"，是與兩周王官和諸侯的巫史文化，即與官方意識形態中的原始宗教和巫術有相關關係的。

我們發現，如果從通行本《繫辭》中排除掉周文王、顔回、"大衍之數"和"三才"的一些章節之後，這種"舍人事而任鬼神"②的原始宗教和巫術的色彩就濃烈了，而且從筮法上看也更具體系性了。而我們所設想的這種删節本，恰好就是帛本《繫辭》。看來，研究帛本《繫辭》，從筮法方面入手，也是一個值得嘗試的方法和途徑。

根據當代的易學筮法研究成果③，我們可以把明清之際的黄宗羲的《易學象數論》所總結的"易學"七種取象歸納爲三個大類。

第一類，單個的六位卦形占筮系統。這個系統與出土的新石器時期至西漢初期的原始的單個的六位筮數組占筮方法及其深層的原始法術或筮術觀念有相關關係。這個占筮系統的成卦法用揲著法。後來"易學"中的某些"象占"，或爲其餘緒，或在其基礎上進一步發展的結果。例如，"六畫之象"中的"義位説"，見于帛本《易之義》（即通行本《繫辭下》第七章）、通行本小《象》（如比卦和觀卦）、

① 《論〈繫辭傳〉廷稷下道家之作》，《道家文化研究》第 2 輯。
② 班固：《漢書・藝文志》。
③ 劉大鈞：《談〈易〉象》，《中國哲學》，第 14 輯，1988 年 1 月。

《乾鑿度》關于"應"的說解、通行本《彖》(如小畜卦、履卦、同人卦)等。再如,"三材説",見于帛本《易之義》(即通行本《繫辭下》第八章和通行本《説卦》第二章)。又如,"互體之象",見于帛本《易之義》(即通行本《繫辭下》第七章、第八章和通行本《説卦》第二章)、《左傳・莊公二十二年》和杜預注,京房《易傳》等。另外,還有"象形之象"、"爻位之象"等等。

第二類,六位卦形對偶卦組占筮系統。這個系統與出土的商代後期至西漢初期的兩兩相偶六位筮數組以及對偶占筮方法中的原始宗教辯證思維有相關關係。這個系統最終發展成爲今通行本《序卦》一系的"易學"和"易傳"。例如,反映春秋時期筮法的《左傳》、《國語》中的對偶卦組和説解(如《左傳・莊公二十二年》)。再如,通行本《序卦》和《雜卦》。而後來"易學"中所謂的"反對之象",即爲其遊緒。這個占筮系統最集中地體現在今通行本《易經》的卦序上面。這個占筮系統的成卦法用揲蓍法,因此,在今通行本《繫辭》中有"大衍之數"章。

第三類,"八卦重卦"占筮系統。這個系統與不斷發展變異的兩周時期巫史文化中的數術和天文曆法地理之觀念有相關關係。這個系統最終發展成爲帛本《繫辭》一系的"易學"和"易傳",并且最集中地體現在帛本《易經》的卦序上面。屬于這一占筮系統的有後來"易學"中所謂的"八卦之象",見于今通行本《説卦》第四章至第十七章、帛本《易之義》(即今通行本《説卦》第三章)、通行本大《象》、通行本《彖》(如蒙卦、訟卦、明夷卦)等。又有"六畫之象"中的三位卦重疊爲六位卦之説,見于帛本《繫辭》第一行(即通行本《繫辭》上第一章)、通行本大《象》、通行本《彖》(如蒙卦、訟卦、明夷卦)等。另外,還有"方位之象",見于今通行本《説卦》第四章等等。這個占筮系統的成卦法不用揲蓍法,而用天地盤定位、三位卦作爲上下卦體組配六位卦的成卦法。例如,帛本《繫辭》:"易有大恒(極),是生兩樣(儀),兩樣(儀)生四馬(象),四馬(象)生八卦,八卦生吉凶"(第二十三、二十四行)①。講的就是由北辰、天地、四季、八節氣而轉換爲八卦以定吉凶這樣一個完整的占筮操作程序②。因此,帛本《繫辭》中没有"大衍之數"章。

以此可見,從筮法發展史的角度考察,并與通行本《繫辭》相比較,帛本《繫辭》明顯地屬于筮法中的"八卦重卦"繫辭,而且更具體系性。當然其中亦可能有離散式變異形式,即例外。通行本《繫辭》的編輯者大概不大懂得筮法,因此僅根據他們所理解的義理而將屬于不同占筮系統的東西整合在一起。

對于"八卦重卦"占筮系統的説明和解釋是帛本《繫辭》的主體部分和最原始的部分。根據考古發現,"八卦重卦"占筮系統筮法的淺層結構所産生的年代要早于老子和孔子所生活的那個年代。因此,帛本《繫辭》的主體部分,既不屬于道家,也不屬于儒家,而是屬于"巫史文化"的早期易學的一個流派的作品。

二、帛本《繫辭》所據底本之探索

帛本《繫辭》中那些説解筮法的部分,與早期易學史中的《蓍書》有相關關係。

陳鼓應先生曾概略地統計過,"《繫辭》上傳十二章四十三節之中,有廿二節,即半數講述筮法或宣揚占筮的作用;《繫辭》下傳,也有近半數的章節講義理而混入占筮説"③。而帛本《繫辭》中講筮法的部分所占的比例就更高了。從帛本《繫辭》來看,不像是講義理而混入占筮説,而很可能是講占筮的書而後人又附以義理之説。所以,既"有記述前人遺聞的部分","也有後人竄入的部分"①。

從帛本《繫辭》中講占筮的主體部分的内容看,有一些對筮法

① 據黄沛榮《馬王堆帛書〈繫辭傳〉校讀》釋文,《周易研究》,1992年第4期。
② 連劭名:《商代的四方名與八卦》,《文物》,1988年第11期。
③ 《論〈繫辭傳〉是稷下道家之作》,《道家文化研究》第2輯。
④ 金景芳:《學易四種》第215頁,吉林文史出版社,1987年。

的淺層結構——操作程序的説明,而多數是對筮法的深層結構
——蓍筮所以成立的觀念和道理的解釋。從帛本《繫辭》的篇章結
構來看,多數章節的結構是筮法説明在前,而筮法解釋在後。有的
章節在筮法解釋的後面,又附益有二度解釋——脱離筮法的義理
解釋。這與解釋的邏輯發展順序,即説明先于理解和解釋,是相符
合的。顯然,這裏面有一個解釋的"文本"的問題。在帛本《繫辭》的
成篇過程中,應當先有一個由筮法説明和筮法解釋構成的"文本",
然後,才能在此基礎上進行二度解釋,即脱離筮法的義理解釋。那
麼,這個"文本"就是帛本《繫辭》據以成篇的底本。從早期易學發展
史看,這種"底本"我們可以稱之爲"蓍書"。

"易學"有廣義和狹義之分别。所謂狹義的"易學",指《易傳》
(十翼)形成以後研究《易經》和《易傳》的學問。據此,朱伯崑先生主
張區分經、傳、學。所謂廣義的"易學",自商周之際的卜筮記錄被西
周晚期王官巫史編輯成書,成爲斷定吉凶休咎的參考書《周易》之
日起,就已產生了。當時的"易説",即早期的"易學"。早期易學是
以數術的面目出現的,尚未理論化系統化。可是,正是這種"易説",
作爲人爲設定的邏輯支點,後人不斷地對它進行研究和説明,不斷
產生新的理解,并且用這些新的理解去解釋《周易》,使之成爲《易
經》,才能建立起理論化系統化的易學。有人甚至用這些新的理解
去解釋世界,于是就產生了易學哲學。"易學有自己的歷史,如果從
春秋時期的易説算起,已有兩千多年,經歷了不同的階段,形成了
許多流派,其内容不斷地豐富和發展,從而使《周易》這部古老的占
筮典籍得以長期地保留下去"①。這種早期的"易説"被寫定下來,
就成爲屬于早期易學的"蓍書"。

春秋時期的蓍書現已不存,但是我們還可以從古文獻的考據
中看到它的影子。

《左傳·昭公二年》記載晉國韓宣子"觀書于魯太史氏,見《易

① 朱伯崑:《易學哲學史》上册前言,北京大學出版社,1986 年 11 月。

象》與《魯春秋》”李學勤先生認爲，“大史有藏書的職責是肯定無疑的。……在《易傳》撰成之前，已經存在類似的講卦象的書籍，供筮者習用。這種書是若干世代筮人知識的綜合，對《易》有所闡發，是後來《易傳》的一項來源和基礎。《左傳》韓起所見《易象》，應該就是這樣一部書，係魯人所作所傳，有其獨到之處，以致韓起見後頓生贊嘆的心情”①。以此可見，魯係易學傳承及其所傳《周易》和《周易》係“蓍書”，可能更接近于早周和西周巫史文化中的易學傳統，是後來的《易傳》的某些篇章的一個來源。

《禮記·禮運》記載孔子的話：“我欲觀夏道，是故之杞，而不足征也。吾得《夏時》焉。我欲觀殷道，是故之宋，而不足征也。我得《坤乾》焉。”孔子之宋大約在公元前 498 年至前 484 年之間。《坤乾》大概是春秋時期在宋國流傳的一部《歸藏》一系的《蓍書》，與魯《易象》不屬于同一個歷史文化傳承。但也可能是後來形成的《易傳》的某些篇章的一個來源。

戰國時期的“蓍書”今已不傳。但是，古籍文獻上有明文著錄。

西晉時在今河南省北部的汲縣戰國魏襄王墓（大約葬于前 299 年）中出土的簡本《卦下·易卦》、《公孫段》、《師春》，大概是戰國早期至中期的作品。據《晉書·束晳傳》、杜預《春秋左傳集解·後序》的記載和當代學者們的分析，其中《卦下·易經》和《師春》都是專講筮法的《蓍書》。而《公孫段》則是研究《易經》和《蓍書》的“易傳”類論著②。這類《蓍書》及易學論著，與當時已經形成的或正在形成的《易傳》的某些篇章可能是并行的，與其中某些章節可能有前後相承的關係。

《漢書·藝文志》說：“數術者，皆明堂羲和史卜之職也。史官之廢久矣，其書既不能具，雖存其書而無其人。”其數術略蓍龜類中著錄有：“《蓍書》二十八卷，《周易明堂》二十六卷，《周易隨曲射匿》五十卷。東漢初年，班固修《漢書》，其《藝文志》本于西漢末劉歆的《七

---

① 《周易經傳溯源》第 44、48 頁，長春出版社，1992 年 8 月。
② 參見李學勤《周易經傳溯源》第 183—186 頁，長春出版社，1992 年 8 月。

略》。可見，劉歆校閲群書時，尚有這三部"蓍書"。秦火，"《易》爲筮
卜之事，傳者不絕"。因此，這三部書"蓍書"，都不能是先秦之作。又
其中《蓍書》緊排在諸《龜書》之後，可見其早出。很可能曾與《易
象》、《坤乾》、《卦下·易經》、《師春》一類的"蓍書"同時并行。

後來的在湖南長沙馬王堆出土的帛本《繫辭》，大概就取材于
這類巫史"蓍書"，或者更確切地説，帛本《繫辭》的底本大概就是這
類巫史所寫的某種專講"八卦重卦"占筮系統的《蓍書》。而帛本《繫
辭》大概就是這種《蓍書》的改編本或增訂本。

朱伯崑先生認爲，"就今本《繫辭》説，文章有重複，有錯簡。有
些章節，上下文之間并無聯繫。……看來此傳非出于一時一人之
手，是陸續編纂而成"①。就帛本《繫辭》來説，也是如此。帛本《繫
辭》上共有 13 處"子曰"。從内容上看，這些"子曰"多數與上下文無
聯繫，很明顯是改編者或增訂者硬"粘"上去的。而對巫史《蓍書》進
行改編和增訂的人大概是戰國時期傳《易》的經師。

三、帛本《繫辭》底本之源

帛本《繫辭》説明和解釋的"八卦重卦"占筮系統與兩周時期屬
于"巫史文化"的史官職掌之間有相關關係。

張立文先生認爲，"《十翼》(易傳)出現于春秋到戰國中期，作
者并非出自一人之手，可能是當時的史官所作"②。張先生的這個
看法與傳統的説法很不相同，很有見地。《易傳》中的一些篇章確實
與兩周時期的"史官文化"有相關關係。

在近年來的"文化熱"中，人們常談到的所謂"史官文化"實有
廣義和狹義之分别。所謂廣義的"史官文化"是周代的"文治教化"
與商代的"巫祝文化"相對而言的。而這種"文治教化"與兩周時期
史官官僚階層職掌的那一部分(主要指"大史寮"以外的史官職能)

① 《易學哲學史》上册第 46 頁，北京大學出版社，1986 年 11 月。
② 《帛書周易注釋·帛書周易淺説》第 25 頁，中州古籍出版社，1992 年 9

官方的(既包括王官也包括諸侯)觀念上層建築(其中主要是政治法律思想、倫理道德觀念等)有相關關係。而所謂狹義的"史官文化"是兩周時期大史寮一系(或"宗伯"一系職官中的大祝、大卜、大史和巫)職官所掌管的官方的社會意識形式與其以外的官方和非官方的社會意識形式相對而言的。因此,這種狹義的"史官文化"可以稱之爲"巫史文化"①。

前面談到的廣義的早期"易學",就是屬于這種狹義的史官文化——"巫史文化"的,并且逐漸地成爲一個具有自己的專用術語、研究方法和思維方式的獨立的系統。早期易學形成的年代要遠遠早于先秦諸子形成的年代。因此,早期易學并不隸屬于先秦諸子中的任何一家。

近年來史學界的一些學者,在對出土的兩周文獻資料進行整理和研究的過程中發現,《周禮》的"內容有相當成分爲西周官制之實錄,保存有相當成分之西周史料"②。從而重新肯定了《周禮》一書的史料價值。因此,我們可以從《周禮》宗伯一系職官職掌來考察早期易學的淵源,再現與帛本《繫辭》的主體部分有相關關係的那部分巫史文化背景。

"大宗伯"有親自主持祭祀天地、四方之神和卜日的職責③。這上與商代的四方風四方神有相關關係。也與後來的《管子·幼官》、《大戴禮記·明堂》、《內經·靈樞·九宮八風》、《內經·素問》卷十九、《周易明堂》(《漢書·藝文志》著錄)等中所記載的周代國家宗教制度"明堂"和"卦氣"說有相關關係④。

"大卜"總掌卜筮之事,并且"掌三《易》之法"⑤。這種"三《易》之法"寫定,即爲"蓍書"。"大卜"一系職官中有"筮人","掌三《易》,

---

① 參見張亞初、劉雨《西周金文官制研究》,中華書局,1986年5月,第103—111頁.賴長揚、劉翔《兩周史官考》,《中國史研究》1985年第2期。王博《老子思想探源及研究》,北京大學博士論文,1992年6月。
② 陳漢平:《西周册命制度研究》第214頁,學林出版社,1986年12月。
③ ⑤ 林尹:《周禮今注今譯》,書目文獻出版社,1985年2月。
④ 參見嚴敦杰《式盤綜述》,《考古學報》,1985年第4期。王興業、翟师娅《談式占、八卦與洛書》,《周易研究》,1990年第2期。

以辨九簭之名"①。三《易》中包括《周易》。這種僅供卜筮的《周易》，後來的西漢阜陽雙古堆簡本《周易》，以及《漢書·藝文志》數術略著龜類著錄的《周易》三十八卷等，大概就是大卜一系《周易》的漢代傳本。另外，"筮人"還在"上春，相筮。凡國事，共筮"②。從"相筮"和"共筮"來看，其成卦法是揲蓍法。可見，今通行本《易經》與"大卜"一系《周易》有相關關係。

"大史"的主要工作中有保存政治複史檔案、制定曆法、大祭祀時與大卜一起卜日，軍事行動時掌式占等職①。政治歷史檔案與三《易》和《蓍書》有相關關係，魯大史就保存有《易象》(《左傳·昭公二年》)。曆法和卜日與後來的明堂、日者、卦氣説等有相關關係。式占與公元前522年伶州鳩對周景王七律所用的六壬之術④，與八卦重卦成卦法，與帛本《繫辭》一系"易學"和"易傳"(例如，帛本《易經》的卦序，帛本《易之義》中與通行本《説卦》第三章相同的部分)等等都有相關關係。

"大史"一系職官中的"小史"，"掌邦國之志"⑤。《左傳·昭公元年》記載子産的話，"故《志》曰：買妾不知其姓，則卜之"。以此可見《志》涉及到卜筮。這些《志》中可能也包括講筮法的"蓍書"。

"大史"一系職官中的"馮相氏"、"保章氏"兩個職官職掌中的"十二紀"、"二十八宿"、"四時之叙"、"禩象"等⑥，上與《夏小正》有相關關係，與周代春秋末《宋司星子韋》三篇(《漢書·藝文志》著錄)、戰國初曾侯乙墓中的《二十八宿周圍圖》、戰國時期的《月令》、《呂氏春秋·十二紀》等中的"明堂"、"式占"、"卦氣"有完全相關關係，下與西漢初帛本《繫辭》和帛本《易之義》(與通行本《説卦》第三章相同的部分)中的八卦重卦成卦法、西漢初年出土的太乙式盤和六壬式盤等有完全相關關係。可見是一脈相承的⑦。

①②③⑤⑥　林尹：《周禮今注今譯》，書目文獻出版社，1985年2月。
④　《國語·周語下》。黄宗羲：《易學象數論》。
⑦　參見嚴敦杰：《式盤綜述》，《考古學報》，1985年第4期。王興業、翟潔媛：《談式占、八卦與洛書》，《周易研究》，1990年第2期。

　　由此可見,"大史"一系職官所掌的典籍、數術和天文曆法地理之觀念,是帛本《繫辭》一系"易學"的淵源。"大史"一系"易學"的《蓍書》是帛本《繫辭》據以成書的底本。我們還可以看到巫史文化中的易學是有自己獨立的傳承的。我們還可以從《左傳》、《國語》對卦爻辭筮例的解釋遠比屬于《序卦》一系易學傳統的小《象》詳盡切實這一點上看到巫史官對筮占之學的深厚底蘊。而屬于帛本《繫辭》一系易學傳統的"《象傳》作者大概還跟卜官之徒有來往,得到點傳授,故所言尚覺不差"①。

四、帛本《繫辭》中的"陰陽"、"精氣"觀念

　　從帛本《繫辭》的思想內容看,用來解釋筮法深層結構的"陰陽"、"精氣"等概念,反映了兩周時期深厚的巫史文化底蘊和精致的原始宗教哲學觀念。

　　朱伯崑先生發現,"《易傳》中有兩套語言:一是關于占筮的語言,一是哲學語言。有些辭句只是解釋筮法,有些辭句是作者用來論述自己的哲學觀點,有些辭句二者兼而有之"② 具體到帛本《繫辭》,我們發現,可以區分出三種語言:一是對筮法淺層結構(操作程序)的說明。二是對筮法深層結構(蓍筮所以成立的觀念和道理)的解釋。三是脫離筮法的義理解釋。很顯然第一二種語言可以歸納爲一類,而第三種語言則自成一類。筮法解釋與筮法說明,屬于同一個思想理論體系,語言上緊密無間,是一氣呵成的。而義理闡發則常常與筮法說明的本義無關,語言上相游離,仿佛是貼上去的。例如,帛本《繫辭》中的"子曰"。

　　朱伯崑先生在談到《繫辭》的時候說,"此傳的特點之一是,以

　　① 李鏡池:《左傳國語中易筮之研究》,《周易研究論文集》第2輯,北京師範大學,1978年3月。
　　② 朱伯崑:《易學哲學史》上册,北京大學出版社,1986年11月。

陰陽説解釋《周易》和筮法的原理"①。"此種解易的傾向,……是來于春秋時期史官的陰陽説"②。這個特點在帛本《繫辭》的主體部分中表現得更爲突出。

從先秦古籍文獻中我們可以看到,"陰陽"的觀念起源于"巫史文化"中的原始宗教觀念。從西周中期至春秋中後期,廣義的史官文化中逐漸産生了比較系統的陰陽思想,人們已用這一思想來解釋氣候氣象、地震、隕星、水鳥退飛、疾病、音樂、水旱災害等。那麼,掌《易》的巫史用"陰陽"説來解釋筮法則是很自然的事。

不少學者把帛本《繫辭》主體部分中的"陰陽"觀念與早期的道家、陰陽家、數術家的"陰陽"學説相聯繫,這在當代易學史上是一個進步。這對于突破《易傳》專屬于儒家的傳統成説是有意義的。但是,我們還應當看到,早期易學是有它自己的傳統的。巫史文化中的"陰陽"觀念屬于原始宗教哲學觀念,而不屬于理性思辨哲學的範疇。産生這種觀念的時代要遠遠早于道家創始人老子生活的那個時代,自然更要早于戰國晚期儒家代表人物荀子生活的那個時代。春秋晚期,以原始宗教天神崇拜和祖宗崇拜爲核心的巫史文化逐漸衰落,而尊崇理性和人文的文治教化,即廣義的史官文化,逐漸居于主導地位。王官及諸侯國的官方意識形態也逐漸地由鬼神文化向人文文化過渡。在此過程中,一些巫史官失其守,而成爲"隱者",甚至成爲日者。從而形成了介于官方意識形態和民間意識形態之間的相對獨立的知識階層的意識形態,形成了各種學術流派。其中有老子創始的以理性思辨的歷史哲學和素樸的辯證法爲主要特色的早期道家,建立在"神人互感"的數術觀念和科學知識(特別是天文曆法知識)基礎上的理論化系統化的原始宗教世界觀的陰陽家,以及在原始法術巫術和原始宗教迷信基礎上不斷創新的數術家。這三個學術流派與帛本《繫辭》主體部分一系早期易學同出于一源,同用"陰陽"這個概念,也就不足爲奇了。戰國晚期儒家代

---

①② 朱伯崑:《易學哲學史》上册,北京大學出版社,1986 年 11 月。

表人物荀子也講究"陰陽",但是他主張"明于天人之分",他批評天命、鬼神迷信之説。因此,他的"陰陽"説與老子的"陰陽"説同屬于理性思辨的。但是,荀子的這個思想不是直接來源于巫史文化,而是直接來源于廣義的史官文化的。由此可見。上述各家各派所使用的"陰陽"概念的内涵有所不同。帛本《繫辭》的主體部分是講究"鬼神"的,因此它的"陰陽"觀念是從屬于原始宗教哲學的,而近于陰陽家、數術家的"陰陽"觀念①。

　　帛本《繫辭》第六行用"精氣"來解釋筮法的深層結構。許多學者都談到了這種"精氣"説與屬于稷下道家的《管子》"心術"、"内業"二篇中的"精氣"説之間的聯繫。這對于突破《易傳》專屬于儒家的傳統觀念也是有意義的。但是,我們還應當看到,"精氣"的觀念,其發生的年代,要比原始宗教中"上帝"的觀念更早,更原始,是具有神秘意味的前宗教的法術或巫術觀念的遺迹②。它可能與後來的薩滿教觀念是同源的③,都源于原始人的"互滲"的觀念④。這種觀念後爲周代的巫史文化所繼承和發展。這種觀念自然要早于春秋後期子産的"天道"、"人道"觀,更早于老子和孔子的"道"的觀念,從譜系關係上看,帛本《繫辭》"精氣"説和稷下道家的"精氣"説可能是同源的,但不一定就是同一個時期的同一種學説。二者之間不一定就存在誰抄誰、誰受誰影響的問題。

　　總而言之,帛本《繫辭》主體部分對筮法深層結構的解釋,究其思想根源,既不是來源于儒家,也不是來源于道家。儒家創始人孔子"不語怪力亂神",道家創始人老子是否定神權主宰和神創説的。這兩位先哲所創始的學説都是與春秋晚期官方意識形態相異的,是崇尚理性和人文精神的産物。而帛本《繫辭》主體部分的思想則來源于屬于官方意識形態的巫史文化中的原始宗教哲學觀念。

　　　① 此段論述參考了牟鍾鑒先生的意見。
　　　② 參見裘錫圭《稷下道家精氣説的研究》,《道家文化研究》第2輯。
　　　③ 參見潘世惠《再探揲蓍》,《周易研究》1991年第1期。
　　　④ 參見[法]列維·布留爾著、丁由譯《原始思維》第71頁,商務印書館,1981年1月。莊春波《〈周易〉與原始思維》,《齊魯學刊》1991年第6期。

這樣，對"八卦重卦"占筮系統的表層結構的說明與建立在"陰陽"說、"精氣"說的基礎上對筮法的深層結構的解釋,這二者結合起來就形成了屬于巫史文化系統的"蓍書"。這就是帛本《繫辭》形成過程中的第一個階段。

五、帛本《繫辭》中的"子曰"和義理

從帛本《繫辭》的思想內容看,"子曰"和與"上下文之間無聯繫"的義理闡發,反映了兩周時期廣義的史官文化的崇尚理性和人文的時代精神。

帛本《繫辭》中的"子曰"的問題是一個頗有爭議的問題,同時又是一個研究帛本《繫辭》所無法迴避的問題。從"子曰"的思想內容看,多數是脫離筮法而講義理,主要"是戰國以來的社會政治、文化思想發展的歷史產物"①。

具體說來,"子曰"至少有以下七個方面的思想內容：

(1)既解釋"八卦重卦"占筮系統,同時從上下文來看,又是在講義理。例如,帛本《繫辭》："天地設位易行乎其中矣"(第十一行)。

(2)解釋卦爻辭的文意。例如：帛本《繫辭》："子曰：作《易》者其知盜乎"一節(第十七、十八行)。

(3)與儒家的倫理觀念有相關關係。例如,帛本《繫辭》："子曰：小人[不耻不仁,不畏不義,不見利不勸,……]"一節(第四十二行)。

(4)與老子的思想有相關關係。例如,帛本《繫辭》："勞而不代(伐),有功而不德"(第十五行)。

(5)與墨家的思想有相關關係。例如,帛本《繫辭》："[又以]上(尚)賢也"(第二十六行)。

(6)與莊子懷疑"言"能達"意"的思想有相關關係。例如,帛本

---

① 朱伯崑：《易學哲學史》上册第51頁。北京大學出版社,1986年11月。

《繫辭》:"子曰:書不盡言,言不盡意"(第二十六行)。"子曰:聖人之位(立)馬(象)以盡意,設卦以盡請(情)偽"(第二十七行)。

(7)與道法思想有相關關係。例如,帛本《繫辭》:"君不閉(密)則失臣"(第十六行)①。

從上面的情況看,關于"子曰"的問題,我們可以得出以下三點看法:(1)"子曰"的作者是借義理來解釋《易》的。而這種"義理"與先秦諸子的"義理"之間有相關關係。但是,這并不能證明誰抄誰、誰受誰的影響,而只能說明,他們都是同源的,都同屬于兩周時期廣義的史官文化。(2)由于現存的早期儒家的思想史料很少,特別是孔子"述而不作",因此,早期儒家思想的研究中尚有許多不確定的東西。所以,我們現在既不能證實"子曰"中有孔子的原話,也不能證明"子曰"與孔子完全無關②。(3)從帛本《繫辭》個體發生的角度看,由"蓍書"到帛本《繫辭》的發展過程是離散的串行的,即後一個發展階段接著前一個發展階段。所以,"子曰"的問題應當放在帛本《繫辭》形成的第二個階段來考察。然而,從早期易學的系統發生的角度來看,屬于巫史文化一系易學的發展和屬于廣義的史官文化一系易學的發展,在東周時期是連續的并行的,同時也是相互影響、相互競爭的。"子曰"的產生年代,大約就在經師所據的這種"蓍書"寫定的年代的前後。

每一個時期的易學都有它自己獨特的內容和時代特色。帛本《繫辭》中的那些"上下文之間并無聯繫"的話,以及屬于兩種文化系統的易學在帛本《繫辭》中并存的局面,顯然是比"蓍書"和"子曰"都晚一個時代的傳《易》經師所為。傳《易》經師先是把他們所傳承的那部"蓍書"作為底本,"照著講"筮法。然後又廣泛地采用了當

---

① 參見胡家聰《〈易傳·繫辭〉思想與道家黃老之學相通》,《道家文化研究》第 1 輯。

② 參見錢穆《論十翼非孔子作》,《周易研究論文集》第 1 輯,北京師範大學出版社,1987 年 9 月。高亨《周易大傳今注》,齊魯書社,1983 年,第 6 頁。韓仲民《帛書〈繫辭〉淺說》,《孔子研究》1988 年第 4 期。張岱年《〈周易〉經傳的歷史地位》,《人文雜志》1990 年,第 6 期。朱伯崑《易學哲學史》上冊,北京大學出版社,1986 年 11 月,第 44—45 頁,第 52 頁。李學勤《周易經傳溯源》第 235—236 頁,長春出版社,1992 年 8 月。

時諸子之學的義理"接着講"筮法和卦爻辭,講了帛本《繫辭》中出現的"上下文之間并無聯緊"的話。在"接着講"的部分大量地引用了他們所傳承的"子曰"作爲書證。而經師之徒在課堂上將傳《易》經師的話記錄下來,就成了一個貌似"完整"的東西。從而將屬于兩種文化傳統的易學整合成爲帛本《繫辭》。從而完成了帛本《繫辭》形成過程中的第二個階段。

<h2 style="text-align:center">結　語</h2>

綜上所述,帛本《繫辭》的形成大概經歷了前後兩個階段。帛本《繫辭》中最原始、最核心的部分是用來説明和解釋帛本《易經》筮法的,即對"八卦重卦"占筮系統的説明和解釋。帛本《繫辭》是對這種筮法"文本"多次解釋的産物,而這種"文本"即早期《易》學中的《蓍書》。作爲帛本《繫辭》據以成書的底本的這種《蓍書》,是兩周時期屬于王官和諸侯"巫史文化"中太史一系職官的作品。戰國時期屬于提倡"文治教化"的"史官文化"中傳承帛本《易經》一系易學的經師對于這種《蓍書》有了新的理解,以崇尚理性和人文的時代精神,對"文本"再次進行了解釋,從而形成了帛本《繫辭》。

作者簡介　陳亞軍,1953 年生,北京人。現爲北京大學哲學系博士生。

帛書《繫辭傳》校證

黃沛榮

　　自去年五月馬王堆帛書《繫辭傳》之圖片公開發表以後,已經掀起了研究的熱潮。對於帛書《繫辭傳》,可以從三方面着手研究:最重要的,是根據帛書之圖片,將帛本《繫辭》逐字隸定及通讀,在這方面,陳松長先生在《馬王堆漢墓文物》中的《譯文》已經有具體的基礎;筆者亦曾根據陳氏《釋文》再作訂補,撰成《馬王堆帛書繫辭傳校讀》一文①。其次則是帛書字句的考證及詮釋工作,廖名春先生去年八月在長沙"馬王堆漢墓國際學術討論會"上發表的《帛書繫辭釋文校補》一文,即屬此類。此外,學者可根據帛書《繫辭》之形式,并參考同時出土的其他佚傳,對《繫辭傳》之分篇、作者、時代、流傳、內容思想、學術淵源以及價值等重要問題,作進一步的解釋與評估。這三方面的研究,雖然以後者最為重要,但是前二項則為重要之基礎,因此學者們必須加強合作,各抒所長,才能使整體的研究工作開花結果。

　　本文撰作之目的,是透過近代出土之其他文獻,如馬王堆帛書《六十四卦》、《老子》甲乙本、《戰國縱橫家書》、《春秋事語》,武威漢簡《儀禮》,臨沂漢簡《孫子兵法》、《孫臏兵法》等,以考證《繫辭傳》之字句,屬於上述第二步之工作。至於對於《繫辭》之著成、源流、價值等問題,必須等待其他佚傳,如《易之義》、《二三子問》、《要》、《昭

　　① 《周易研究》,1992 第 4 期。

力》等公布後，才能作綜合性之論斷。

基本上説，帛書《繫辭》是研究《周易》經傳之重要憑藉，唯是與今本比較，異文甚多，其中不少是字形、字音方面的訛字，如"象"訛爲"馬"，"配"誤爲"肥"等，須根據今本詳予校證，此爲今本優於帛本之處。其中亦有今本與帛本皆可通者，例如今本"易有太極"，帛本作"易有大恒"，今本"吉凶與民同患"，帛本作"吉凶與民同顧"之類，凡此皆有助於今本之研究。更有帛本明顯優於今本者，如今本"何以守位曰仁"，帛本"仁"作"人"，與上下文可密切呼應；又如今本"乾坤毀，則無以見易；易不可見，則乾坤或幾乎息矣"，帛本"則乾坤或幾乎息矣"句之前，較今本多"則鍵＝川＝不＝可＝見＝"十一字，凡此皆爲帛本《繫辭》之價值所在。

茲據帛書原有之行款，將個人對帛本《繫辭》字句考訂方面的一些淺見，論述如下：

第一行
天奠地庳

今本"奠"作"尊"。按：二字形近相混，帛書《老子》甲本"[道]之尊，德之貴也"，《縱橫家書》"位尊而無功"，"尊"字亦作"奠"。

鍵川定矣

帛書《繫辭》及《六十四卦》，"乾"字皆作"鍵"，"坤"字皆作"川"。按："鍵"、"乾"漢韵同屬元部[1]，聲母俱爲群母。"鍵"、"犍"並從"建"聲，今四川犍爲縣"犍"正唸ㄐㄧㄢ（QIAN'），與"乾"同音。"坤"漢韵屬真部，"川"屬元部，真元通韵；又坤之卦德爲"順"，"順"從"川"聲，故"川"即"巛"，亦即"坤"之借字，《玉篇》："巛，古文坤字。"陸德明《經典釋文》："坤，本又作巛。"

貫賤立矣

按："立"、"位"古今字。金文中習見"即立"，即"即位"。《萃卦

---

[1] 本文漢韵分部，據羅常培、周祖謨先生《漢魏晉南北朝韵部演變研究》。

·九五》：“萃有位。”帛書本“位”作“立”。臨沂漢簡《孫子兵法》：“四時無常立。”又佚篇：“武王即立。”“立”皆“位”字。

動精有常

按：“精”即“靜”字。二字左右偏旁互易。帛書《老子》乙本卷前古佚書“至靜者正”，“靜”亦作“精”。

方以類宲

宲，《馬王堆漢墓帛書·釋文》作“傷”，誤。按：“宲”爲“宷”字之誤，《説文》：“宷，積也。從宀取，取亦聲。”段注：“宷與聚音義皆同。”

在地成刑

今本“刑”作“形”。按：熹平石經亦作“刑”。帛書《鼎卦·九四》：“鼎折足，覆公餗，其形渥，凶。”“形”亦作“刑”。《晁氏易》云：“形，九家、京（房）、荀（爽）、虞（翻）、一行、陸希聲作刑。”則與帛書及漢石經同。按：二字并從井聲，同聲系通叚。此外，《老子·二章》“長短相形”，帛書乙本作“長短之相刑也”；五十一章“物形之”，帛書乙本作“物刑之”，皆以“刑”爲“形”；而《管子·權修》“見其不可，惡之有形”、《荀子·成相》“治復一，脩之吉。……讒夫棄之形是詰”，又皆借“形”爲“刑”，此二字互通之證。第十一行“疑者其刑容”同。

圖片第一、二、三行下半，“无爲也”、“耵人之道”、“斷”、（右半）等字，原屬第十九、二十、二十一行，當拼在第十八行“其受命也”四字之左方。

第二行

鍵以易川以閒能易則傷知閒則易從傷知則有親傷從則有功

按：“鍵以易”，今本作“乾以易知”。按：此句“易”、“傷”雜用，故知“傷”即“易”字。唯是作“傷”者皆爲“容易”之義，作“簡易”解者不用“傷”字。又“閒”借爲“簡”，第十行“易閒之善肥至德”、三十一行“川魗然視人閒”、四十四行“夫川，魗然天下□□順也，德行恒閒以知□”并同。

有功則可大也

《馬王堆漢墓帛書·釋文》作"有攻（功）則可大也"，誤。

本行下半"可久則賢"四字之右側，相當於第一行"柔相摩八卦"五字處，拼合有問題。"可"字右側之字，左半爲"相"字之"木"旁，右半爲"誰"字之"隹"旁，二者誤拼爲一字；"久"字右側之字，左邊爲"摩"字之左半，右邊爲"而"字之右半，二者誤拼爲一字；"則"字右側之字，左邊爲"八"字的左撇，右邊則屬於另一來歷不明之小帛片。上述"誰而"二字之右半，當在第二九行下半，與該行"誰而行之存乎迥"之"誰而"二字拼合。

第三行

耶人設卦觀馬毄辤焉而明吉凶

耶人，即聖人。"耶"爲"聖"字之省。《老子·四十九章》："聖人之在天下"、六十六章"是以聖人欲上民"、八十一章"聖人不積"，帛書乙本皆作"耶人"。

"馬"爲"象"形近之誤。以下皆同。

"毄辤"，今本作"繫辭"。陸德明《經典釋文》云："周易繫，徐胡計反，本系也。又音係，續也。字從毄。若直作毄下系者，音口奚反，非。"阮元《十三經校勘記》云："陸氏大字當云'周易毄'，小字'字從毄'當云'本作毄'。"按：《漢書·景帝紀》："無所農桑毄畜。"師古注："毄，古繫字。"《説文》："辤，不受也。从受辛。"段注："漢人辤、辭不別。"按：熹平石經《乾卦·文言傳》"脩辭立其誠"，"辭"正作"辤"。

悬闇也者憂虞之馬也

今本"闇"作"吝"，"悬"作"悔"。按："悬"從母聲；"悔"之聲符"每"，亦從"母"聲。二字同聲通假。帛書《春秋事語》："愧於諸悬德晉惌。"《孫臏兵法·兵失》："兵多悬，信疑者也。"二"悬"字并同。

又："吝"古韻屬文部，"闇"在真部，聲母俱爲來紐，漢韻真、文合爲一部,故二字可通。帛書《蒙卦·初六》"以往吝"、《泰卦·上六》"貞吝"、《同人卦·六仁》"同人于宗,吝"、《賁卦·六五》"吝終吉"、《大過卦·九四》"有它吝"、《咸卦·九三》"往吝"、《解卦·六三》"貞吝"、《困卦·九四》"吝,有終"、《巽卦·九三》"頻巽,吝"、《未濟卦·初六》"濡其尾,吝",諸"咼"字并同。

第四行

是故君子之所居而安者易之□也

空圍處《馬王堆漢墓帛書·釋文》據今本釋作"序"。按:此字雖殘泐,然絕不類"序"字。疑作"馬",即"象"字。《集解》"序"作"象"。陸德明《經典釋文》:"虞本作象。"

是以自天右之吉无不利也

今本"右"作"祐"。《集解》引虞注,"祐"正作"右"。帛書《大有卦·上九》同。

第六行

卬以觀於天文頫以觀於地理

《馬王堆漢墓帛書·釋文》作"俯"。疑爲"頫"字。按:"頫"本"面頻骨"之意,見《集韵》,此處借爲"俯"字。因二字雙聲,且從"甫"聲之字,古韵在魚部;從"府"聲之字,古韵在候部,漢韵候魚合爲一部,故可叚借。"觀於地理",今本作"察於地理"。陸德明《經典釋文》:"察於,一本作觀於。"帛書本與"一本"同。

觀始反冬

"冬",今本作"終"。按:《説文》"終"從古文"冬"。《釋名·釋天》:"冬,終也。物終成也。"二字漢韵同在冬部,聲母俱爲舌音。帛書《六十四卦》"終"字多作"冬",如《訟卦·卦辭》、《訟卦·初六》、《需卦·九二》、《比卦·初六》、《既濟卦·卦辭》、《夬卦·上六》、《旅卦·六五》皆然;又《老子·五十五章》"終日號而不嗄",六十三章"是以聖人終不爲大",帛書乙本"終"并作"冬"。

第七行
安地厚乎仁故能眹

今本作"安土敦乎仁故能愛"。按:土與地、敦與厚義同。"眹"即"既"字。《説文》:"炁,惠也。……悉,古文。"段注:"悉者,古文愛。""眹"與"悉"形近致誤。

犯回天地之化而不過

"犯回",今本作"範圍",是也。陸德明《經典釋文》:"馬(融)、王肅、張(璠)作犯違。"帛書作"犯",與諸本同。"回",《馬王堆漢墓帛書·釋文》逕作"囸","囸"、"回"形音并近致誤。

第八行
仁者見之胃之仁

帛書《繫辭》"謂"字皆作"胃",二字同聲系通叚。

第九行
迵變之胃事

"迵"與"通"爲同源字,其音義皆近。《説文》:"迵,迵迭也。从辵、同聲。"段玉裁注:"迭,當作達。"朱駿聲《説文通訓定聲》:"迵,迵達也。達即達字,今本作迭也,誤。"按:段、朱説是。《玉篇》云:"迵,通達也。""迵"、"通"漢韵同在東部,聲母并爲端系。下文第二十三行"往來不窮胃之迵"、二十四行"變迵莫大乎四時"、二十七行"變而迵之以盡利"、二十九行"誰而行之存乎迵、三十及三十一行"變迵也者聚者也"、三十四行"冬則變,迵則久"并同。

然而,帛書《繫辭》亦用"通"字。第三行"通變化也者,進退之馬也"、第十行"變通肥四□"、第三十四行"通其變"皆是,其中可注意者,第三十四行"通其變,使民不乳,神而化之,使民宜之,易冬則變,迵則久”數句中，“迴”、“通”互見，尤可見二字之關係。至於第十一行及二十九行“而觀其會同”，今本作“會通”，“同”叚借爲“通”或讀爲本字均可。

　　此外，乾卦“用九”，坤卦“用六”，二“用”字迄無定解，如朱熹《本義》云：“用九，言凡筮得陽爻者，皆用九而不用七，蓋諸卦百九十二爻之通例也。以此卦純陽而居首，故於此發之，而聖人因繫之辭，使遇此爻而六爻皆變者，即此占之。”其説難通。按：《集解》引劉瓛曰：“總六爻純九之義，故曰用九也。”《程傳》云：“見群龍，謂觀諸陽之義，无爲首則吉也。”説雖可取而苦無佐證。今自帛書觀之，“用”字作“迴”，則“用九”者，乃“迴九”、“通九”之義，即劉瓛所謂“總六爻純九之義”也；“用六”者，乃“迴六”、“通六”也，即總六爻純陰之義也。試以《左傳》證之《昭公二十九年》：“……《周易》有之，有乾〓之姤〓，曰：‘潛龍勿用。’其同人〓曰：‘見龍在田。’其大有〓曰：‘飛龍在天。’其夬〓曰：‘亢龍有悔。’其坤〓曰：‘見群龍無首，吉。’”古無“爻題”（即初六、九二之謂），故《左傳》所載卜筮，稱及某爻時，皆云“某卦”之“某卦”，所指之爻，即以其變爻示之。此一情形，可從所引爻辭得以印證，如“乾〓之姤〓”，所引即《乾卦・初九》；“乾〓之同人〓”，所引即《乾卦・九二》；“乾〓之大有〓”，所引即《乾卦・九五》；“乾〓之夬〓”，所引即《乾卦・上九》。至於“乾〓之坤〓”，六爻皆變，自其爻辭觀之，乃指《乾卦・用九》故知“用九”乃通合六爻之義而言也。

第十行
廣大肥天地

　　今本“肥”作“配”。按：《豐卦・初九》：“遇其配主。”《老子》六十八章“是謂配天”，帛書乙本“配”亦并作“肥”。“配”、“肥”漢韵同在脂部，聲母同爲唇音；音近通假。古佚書《伊尹九主》“以肥天地”、“唯余一人□乃肥天”，“肥”亦皆爲“配”之借字。

夫易聖人之所崇德而廣業也

崈，《馬王堆漢墓帛書·釋文》遥作"崈"。按：崈字蓋從高省、宗聲，爲"崇"之異文。下句"知崈體卑"、第十一行"崈效天卑法地"、四十行"利用安身，以崈（德也）"同。

第十二行

言天下之至業而不可亞也

"亞"即"亞"字。下文四十三行"亞不責不以足滅身"、四十六行"愛亞相攻"并同。按：古文字於平畫之上，皆可加一短畫，如"不"之作"亞"，"木"之作"木"之類。"亞"即"惡"字，《説文》："亞，醜也。"段注："亞與惡音義皆同，故《詛楚文》亞馳，《禮記》作惡池，《史記》盧綰孫他之封惡谷，《漢書》作亞谷，宋時玉印曰周惡夫印，劉原甫以爲即條侯亞夫。"《繫辭》此句"亞"字，陸德明《經典釋文》作"惡"，云："荀（爽）作亞。……亞通。"《睽卦·初九》："見惡人。"帛書本"惡"亦作"亞"。又《老子》八章"處衆人之所惡"、四十二章"人之所惡"、七十三章"天之所惡"，帛書乙本"惡"皆作"亞"。古佚書《經法》"美亞不匿其請"、《十六經》"有美有亞"、"天亞高，地亞廣"，《稱》"上帝所亞"、"陽親而陰亞"，《道原》"无好无亞"，以及臨沂漢簡《六韜》"凡民者樂生而亞死"、"同亞相助"等，"亞"皆爲"惡"字。

言天下之至業而不乳

"乳"爲"亂"字之誤。下文第十六行"乳之所生，言語以爲階"、三十四行通其變，使民不乳"、四十七行"將反則其辭乳"并同。《萃卦·初六》："乃亂乃萃。"《既濟卦·卦辭》："初吉終亂。"帛書本"亂"亦誤作"乳"。《老子》十八章"國家昏亂有忠臣"，帛書甲本"亂"亦作"乳"。臨沂漢簡《孫子兵法·計篇》"乳而取之"、《孫武傳》"婦人乳而笑"，《孫臏兵法·威王問》"罰者所以正乳"，"乳"亦皆爲"亂"字之誤。

知之而后言義之而后動矣

今本"后"作"後"，"義"作"議"。按：古人常以"后"爲"後"。如《禮記·大學》："身修而后家齊，家齊而后國治，國治而后天下平。"即是。"義"讀爲"議"字，同聲系通叚。

我有好爵吾與壐靡之

"壐"，今本作"爾"。"爾"字作"壐"，帛書《咸·九四》"朋從爾思"、《繫辭》第三八行"朋從壐思"并同，此外，又見武威漢簡《儀禮·服傳》二十。《老子》四十七章"其出也彌遠"，五十七章"夫天下多諱而民彌貧"，"彌"字帛書甲本、乙本作"彊"，所從之"爾"字亦有土旁。《馬王堆漢墓帛書·釋文》作"壐"，非。

第十八行
述知來勿

今本作"遂知來物"。按："述"與"遂"、"勿"與"物"音近通假。《老子》九章"功遂身退"，帛書甲本作"功述身芮"，"述"與"遂"漢韵同在寘部，故可通叚。下十九行"欽而述達天下之故"同。

第十九行
无爲也□然不動

按：此六字及下行"耵人之道"四字，整理帛片時誤接在第一行下半，當移至此。

此行下半，"然不動"之上有"甸"字及"風"字之一小片，并非《繫辭》之文，當屬他篇。

第二十行
耵人之道□□□此言之胃也

見上行"无爲也□然不動"句。

　　本行下半，有"也女"等六字之一小片，并非《繫辭》之文，當屬他篇。

第二二行
六肴之義易以工

　　今本作"六爻之義易以貢"。按：熹平石經"爻"亦作"肴"，"貢"亦作"工"。陸德明《經典釋文》："貢，京（房）、陸（績）、虞（翻）作工。"

吉凶與民同願

　　"同願"，今本作"同患"，《馬王堆漢墓帛書・釋文》與今本同。按：帛書非"患"字，圖片極爲明顯。此字當釋爲"頷"，即"願"字。《戰國縱橫家書・一》："頷（願）王之爲臣故此也。"同書四："臣甘死蕶（辱），可以報王，頷（願）爲之。"《孫臏兵法・十問》："交和而舍，客主兩陳（陣），適（敵）人刑（形）箕，計敵所頷（願），欲我陷復（覆）。"武威漢簡《儀禮・士相見禮》："某也頷（願）見，無由達。"皆可證。

第二三行
是故易有大恒

　　今本作"大恒"作"大極"。饒宗頤先生謂"恒"非誤字，"大恒"猶言"大經"，爲楚人習語（見《馬王堆帛書繫辭傳"大恒"説》，香港中文大學學報卅年紀念號）。按：《莊子・大宗師》云："夫道有情有信，无爲无形，可傳而不可受，可得而不可見。自本自根，未有天地，自古固存。神鬼神帝，生天生地。在太極之先而不爲高。"可見先秦自有"太極"之説也。姑誌其疑以俟考。

第二七行
鍵川毀則无以見易矣易不可則見則鍵＝川＝不＝可＝見

＝則鍵川或幾乎息矣

《馬王堆漢墓帛書·釋文》"鍵川毀則无以見易矣。易不可見，見則鍵川，鍵川不可見，不可見則鍵川或幾乎息矣。"按：此句當讀爲："乾坤毀，則无以見易矣；易不可[則]見，則乾坤不可見；乾坤不可見，則乾坤或幾乎息矣。"今本作"乾坤毀，則无以見易；易不可見，則乾坤或幾乎息矣"，疑其于"易不可見"後脫去"則乾＝坤不＝可＝見＝"一句。

再者，此種聯珠句法①，爲戰國散文特色之一，如《論語·子路》："名不正則言不順，言不順則事不成，事不成則禮樂不興，禮樂不興則刑罰不中，刑罰不中則民無所所措手足。"《孟子·離婁下》："君子深造之以道，欲其自得之也；自得之則居之安，居之安則資之深，資之深則取之左右逢其原。"《老子》五十九章："治人事天莫若嗇，夫唯嗇是謂早服，早服謂之重積德，重積德則無不克，無不克則莫知其極，莫知其極可以有國，有國之母可以長久。"《莊子·秋水》："知道者必達於理，達於理者切明於權，明於權者不以物害己。"《荀子·富國》："裕民則民富，民富則田肥以易，田肥以易則出實百倍。"《管子·七法》："百姓不安其居則輕民處而重民散，輕民處而重民散則地不群，地不群六畜不育，六畜不育則國貧而用不足，國貧而用不足則兵弱而士不屬，兵弱而士不屬則戰不勝而守不固，戰不勝而守不固則國不安矣！"《韓非子·解老》："有形則有短長，有短長則有小大，有小大則有方圓，有方圓則有堅脆，有堅脆則有輕重，有輕重則有黑白。"《孫子·虛實》："吾所與戰之地不可知，不可知則敵所備者多，敵所備者多則吾所與戰者寡矣！"《孫臏兵法·將義》："將者不可以不義，不義則不嚴，不嚴則不威，不威則卒弗死。"《禮記·中庸》："其次致曲，曲能有誠，誠則形，形則著，著則明，明則動，動則變，變則化"《大學》："物格而後知至。知至而後意誠，意誠而後心正，心正而後身修，身修而後家齊，家齊而後國治，

---

① 亦可稱爲"唧尾句法"、"頂真句法"。

國治而後天下平。"《呂氏春秋·應同》:"故曰同氣賢於同義,同義賢於同力,同力賢於同居,同居賢於同名。"①《周易·繫辭》中,亦有類似修辭之方式,如:"易窮則變,變則通,通則久。""道有變動故曰爻,爻有等故曰物,物相雜故曰文。""是故易有太極,是生兩儀,兩儀生四象,四象生八卦,八卦定吉凶,吉凶生大業。"然而由於其例不顯,故不受學者注意;今若多此一例,則對于《繫辭傳》著成之時代問題,或可提供另一種綫索也。

第二九行
誰而行之存乎週

　　參見第二行"誰",今本作"推",同聲系通叚。《老子》六十六章:"天下樂推而不厭。"帛書乙本"推"亦作"誰"。

第三一行
夫鍵嵩然視人易川魋然視人閒

　　今本"視"皆作"示"。按:"視"從"示"得聲,二字可借用。《老子》三十六章"國之利器不可以示人",帛書甲本作"邦利器不可以視人"。《漢書》中亦多借"視"爲"示",如《陳勝項籍傳》"視士必死"、《張耳陳餘傳》"視天下私"、《張王陳周傳》"召戚夫人指視曰"、"指視我"、《文三王傳》"以視海內"、《爰盎晁錯傳》"視民不奢"、《賈鄒枚路傳》"視孝也"、"則飾辭以視之"、《竇田灌韓傳》"視單于使者爲信"、《董仲舒傳》"視大始而欲正本也"、"上召視諸儒視"等,顏師古注皆云:"視讀曰示。"

第三二行
天地之大思曰生

---

　　①　例多不枚舉。詳見拙著《周書研究》,臺灣大學博士論文,1976年7月。

《馬王堆漢墓帛書·釋文》"曰"誤爲"日"。"大思"，今本作"大德"，疑帛書本原作"大恩"，誤爲"大思"耳。

何以守立曰人何以聚人曰材

今本作"何以守位曰仁"。陸德明《經典釋文》云："曰人，王肅、卞伯玉、桓玄、明僧紹作仁。"則陸氏所見之本，亦作"人"字。李富孫《易經異文釋》云："當以仁爲長。"按：《繫辭》云："聖人之大寶曰位，何以守位曰人，何以聚人曰財。"文章相喞，作"人"者是。《群書治要》引陸景典語云："《易》曰：聖人之大寶曰位，何以守位曰人。故先王重於爵位，慎於官人。"此即"守位"以"人"之義也。

第三三行

作結繩而爲古

今本作"作結繩而爲網罟"。"古"、"罟"音同致誤。《集解》本、《經典釋文》本皆無"網"字。《釋文》云："爲罟，音古，馬（融）、姚（信）云：猶網也。黃本作爲網罟。"則馬融、姚信本亦無"網"字。

以田以漁蓋取諸離也

今本"田"作"佃"。《集解》本作"田"。陸德明《經典釋文》："取獸曰佃。佃，本作田。"《詩經·鄭風·叔于田》，《傳》云："田，取禽也。""羅"，今本作"離"。帛書《離卦》亦作"羅"。按："離"、"欏"、"羅"古通，古音同屬來紐歌部，"以佃以漁"而觀象於"離卦"，蓋取"網羅"之義。臨沂漢簡《孫臏兵法》："五地之殺曰：天井、天宛、天離、天堎、天柖。""離"又借爲"羅"。此二字互通之例也。

第三四行

易冬則變迵則久

今本作"易窮則變，變則通，通則久"。然而陸德明《經典釋文》

云：“一本作易窮則變，通則久。”與帛書本正同。

第三五行
備牛乘馬

　　“備”，《馬王堆漢墓帛書・釋文》作“備”。今本作“服”。然而細
覈圖片，此字恐非從“人”；從“人”之字，如第十三行上半之“侃”字，
偏旁與此字絕不相類。疑爲“犕”字。《說文》：“犕，《易》曰：犕牛乘
馬。”段注：“此蓋與革部之鞁同義；鞁，車駕具也。”又云：“《繫辭》今
作服，古音艮聲、㫄聲同在第一部，故服、犕皆扶逼反，以車駕牛馬
之字當作犕，作服者假借耳。”唯因圖片頗爲模糊，尚須據原照片細
作考察。倘真作“備”字，則爲“犕”字之叚借。

第三七行
□於疾利

　　“疾利”，今本作“蒺藜”。《困卦・六三》：“困于石，據于蒺藜。”
帛書本“疾莉”。按：“蒺”字從“疾”得聲，漢韵同在質部。“藜”、
“利”、“莉”同聲系通假。

第三八行
陽卦多陰，陰卦多[陽]

　　《馬王堆漢墓帛書・釋文》誤作“陰卦多陰，陽卦多[陽]”。

第四一行
死其將至

　　陸德明《釋文》亦作“死其”，云：“其亦作期。”今本作“死期”。
按：作“期”是。二字同聲系通假。

第四三、四四行

此二行上半“小人以小善爲无益也而弗爲”等字下之一小片，
有“其變述”、“幾也唯深”（俱存右半）等字，原屬於第十九、二十行，
當將“其變述”三字置於第十九行“參五以變”空五字之下，而“幾也
唯深”之右半，正好與第二十行“幾也唯深”四字之左半拼合。

第四五行

然天下

《馬王堆漢墓帛書·釋文》誤作“雖然天下”，今本作“陨然天
下”。按：“魋”爲借字。《説文新附》：“魋，神獸也。从鬼、从聲。”與
“坤”義無涉；而《説文》：“陨，下隊也。”段注：“《繫辭》曰：‘夫乾確然
示人易矣；夫坤示人簡矣。’許冂部曰：‘隺，高至也。’引《易》‘夫乾
確然’。然則正與下隊作反對語。”“魋”、“陨”漢韵同在微部，故可通
叚。

第四六行

請偏相欽而利害生

“欽”，今本作“感”。帛書《咸卦》，諸“咸”字亦作“欽”。《咸卦·
彖傳》又云：“咸，感也。”按：“咸”、“感”漢韵在談部，“欽”字在侵部。
二部通韵。

第四七行

則愳且哭

《屯卦·六三》：“君子幾不如舍，往吝。”帛書本“吝”亦作“哭”。
王輝先生《馬王堆帛書六十四卦校讀札記》云：“按哭即鄰字，此處
借用爲吝。河北平山縣出土中山王𰉣大鼎銘文：‘哭邦難新’，哭即
鄰字，新即親字異構。張守中《中山王𰉣器文字編》定哭爲鄰字古
文，甚是，高明《古文字類編》定爲吝字，非是。馬王堆帛書《老子》乙
種本：‘哭國相望’、‘其若畏四哭’，前哭字帛書《老子》甲種本作𩁺．

今通行本二奰字俱作鄰。按漢隸鄰字作叩，孫根碑：‘至于東叩大
虐’，衡立碑：‘彭祖爲叩’。《文選》班孟堅《幽通賦》：‘東鄰虐而殲
仁’，鄰字《漢書·敘傳》作厸，師古曰：‘厸，古鄰字也。’厸當即叩之
訛變。奰是在叩下又加注文聲的形聲字，鄰文古韵真文旁轉，古音
極近。”① 按：《説文》“遴”字下云：“行難也。从辵、粦聲。《易》曰：以
往遴。”清惠棟《九經古義》：“史書遴本吝字（見《汗簡》），此《易經》
古文。《漢書·魯安王》‘晚節遴’，《王莽傳》‘性實遴嗇’。”“遴”、
“鄰”古韵在真部，“奰”、“吝”古韵在文部。漢韵真、文合爲一部，而
四字皆爲來紐，故可通叚也。

　　（作者係臺灣臺北臺灣大學中文系教授）

---

① 見《古文字研究》第十四期。

帛書《繫辭》與通行本《繫辭》的比較

張立文

在湖南長沙馬王堆漢墓發掘二十周年之際，湖南出版社爲紀念這一盛事，出版了《馬王堆漢墓文物》，首次公佈了帛書《周易繫辭》，這是易學研究和教學工作者所久已期待的。略感不足的是，與帛書《周易六十四卦》一起出土的《二三子問》、《易之義》、《要》、《繆和》、《昭力》等篇仍未刊佈，爲帛書《周易繫辭》的研究帶來一定的困難，若能早日公佈，實乃功德無量。1984 年《文物》第三期發表了《馬王堆帛書六十四卦釋文》，但無全部帛書六十四卦圖版。蒙友好相借，參考愚在六十年代初完成的通行本《周易注譯》，於 1985 年 5 月完成《周易帛書今注今譯》一書，卷首有一篇《周易帛書淺説》的長文。其中關於帛書《繫辭》的一節，曾於同年 9 月 1 日在日本東京大學、本鄉會館作過演講①，涉及帛書《繫辭》是否分上下篇、字數、墨丁以及《易之義》等篇名問題，引起了同行的興趣和討論。現藉《周易繫辭》圖版和釋文公佈之時，對有關問題再作探討，以就正於方家。

一

《漢書·藝文志》曰："：人更三聖，世歷三古。"以明《易》非一人

---

① 演講發表於《中國文化與中國哲學》(1988 年號)，三聯書店 1990 年 12 月版。

一時之作，而經歷一個很長的時期。《周禮·春官三·太卜》記載太卜"掌三易之法，一曰《連山》，二曰《歸藏》，三曰《周易》。其經卦皆八，其別卦皆六十有四"。漢代鄭玄、杜子春以爲《連山》作於伏羲，《歸藏》作於黃帝，并以爲前者爲夏代，後者爲殷代①。這兩部《易》書，漢時還存在，前者藏於蘭臺，後者藏於太卜②。這樣到漢時有以《艮》卦爲首卦的《連山易》、以《坤》卦爲首卦的《歸藏易》、以《乾》卦爲首卦的《周易》三個《易》的大系統的存在。這三個大系統開出了儒、道、墨三家思想。先秦之時，《周易》的傳播較《連山》、《歸藏》爲盛，這與春秋戰國之時名義上是周王朝的天下有關。然即使在《周易》內部，也有不同的系統，譬如《論語》有《魯論語》、《齊論語》、《古文論語》等，《周易》有帛書《周易》、通行本《周易》等系統。

　　在春秋戰國時期，各種學派產生、形成、發展，其間各個學派也借《周易》以表明自己的學術觀點、方法和價值理想。當時儒、道、墨、法、陰陽五行、兵各家，都有可能對《周易》作出自己的理解或解釋。這種理解或解釋又與當時地域文化傳統相關聯，如鄒魯文化、荆楚文化、三晉文化、燕齊文化等，帶有地域文化的特徵。因此，《莊子·天下篇》以"《易》以道陰陽"，對《易》的學術思想作出概括。

　　但漢代司馬遷和班固所記載的易學傳承譜系，可能只是指儒家一系而言。"孔子傳易於瞿，瞿傳楚人馯臂子弘，弘傳江東人矯子庸疵，疵傳燕人周子家豎，豎傳淳于人光子乘羽，羽傳齊人田子莊何，何傳東武人王子中同，同傳菑川人楊何，何元朔中以治易爲漢中大夫"（《史記·仲尼弟子列傳》）。"自魯商瞿受易孔子，孔子卒，商瞿傳易，六世至齊人田何，字子莊"（《史記·儒林列傳》）。《漢書·儒林傳》亦載："自魯商瞿子木受《易》孔子，以授魯橋庇子庸，子庸授江東馯臂子弓。子弓授燕周醜子家。子家授東武孫虞子乘。子

---

① 參見拙作：《〈周易〉與中國文化之根》，收入拙著《周易與儒道墨》，東大圖書公司 1991 年版。
② 同上。另見劉師培：《連山歸藏考》，商明：《連山歸藏考》，載《周易研究論文集》，北京師範大學出版社 1987 年版，第 108—131 頁。李學勤：《帛書〈周易〉的幾個問題》，《周易經傳溯源》長春出版社 1992 年版，第 219—222 頁。

乘授田何子裝。"漢代重師承,司馬遷、班固絕非無據而杜撰。儒家傳《易》系統之所以受到重視,可能與漢代儒家思想受到"獨尊"有關。然不能排斥在漢初亦有其他學派對於《周易》解釋的文字的存在。

既然《周易》本身有不同的系統,而各家各派對《周易》的理解或解釋亦各不相同。因此帛書《周易六十四卦》排列次序、是否分上下二篇等均與通行本異。通行本六十四卦次序是按伏羲八卦次序圖的順序重疊而成六十四卦,沒有遵照父母以後先少後長的原則。帛書六十四卦次序是按文王八卦次序圖的順序,即乾一、艮二、坎三、震四、坤五、兌六、離七、巽八爲上卦,配乾一、坤二、艮三、兌四、坎五、離六、震七、巽八爲下卦。上卦次序體現先男後女的原則,下卦次序體現先少後長原則,帛書理順。也與帛書《周易》卷後佚書中的"天地定立,□□□□,火水相射,雷風相搏"之意相符,而通行本《說卦傳》作"天地定位,山澤通氣,雷風相薄,水火不相射",與先少後長的原則相逆而不順①。

帛書《周易六十四卦》沒有以陽奇陰耦而分上下經,通行本上經三十卦,下經三十四卦。由於《易經》有上下經,因而《象傳》、《彖傳》、《繫辭傳》分上下篇,以與上下經相對應,加上文字較少的《文言傳》、《說卦傳》、《序卦傳》、《雜卦傳》、是謂"十翼",實只有七篇。只較帛書《周易六十四卦》後的《二三子問》、《繫辭》、《易之義》、《要》、《繆和》、《昭力》多一篇。因此,帛書此六篇對於《周易》的理解或解釋,可構成與以儒家爲宗,而兼納各家的"十翼"詮釋系統不同的另一詮釋系統。之所以這樣講,是因爲帛書此六篇所詮釋的思想與"十翼"異趣。

例如,通行本《易經》分上下經,較早的根據見於通行本《繫辭》上傳第八章:"乾之策二百一十有六,坤之策百四十有四,凡三百有六十,當期之日。二篇之策,萬有一千五百二十,當萬物之数也。"此

①　參見拙著《周易帛書淺說》,《周易帛書今注今釋》,學生書局1991年版第16—18頁。

“二篇”,《乾鑿度》引孔子曰:“陽三陰四,位之正也,故易卦六十四,分而爲上下,陽道純而奇,故上篇三十。陰道不純而偶,故下篇三十四。”這顯然是漢人傅會孔子之言。《漢書·藝文志》曰:“文王以諸侯順命而行道,天人之占可得而效,於是重易六爻,作上下篇。”後歷代注家,都有同意此解釋的。侯果説:“二篇,謂上下經也”(轉引自李鼎祚《周易集解》)。朱熹亦謂:“二篇,謂上下經”(《周易本義》卷三)。帛書《繫辭》卻只缺此第八章整章和接着第八章的第九章的十五字,而上傳的其他各章均全。因帛書《繫辭》不分章,通行本分章爲漢代人所爲。筆者認爲,帛書《繫辭》無第八章,并非帛書《繫辭》抄寫者所刪去①,亦非漏抄,而是帛書《繫辭》整理者編纂者没有整理進去,這是因爲帛書《周易六十四卦》不分上下經之故。另外,既然帛書《繫辭》和其他佚書爲《周易》詮釋的另一系統,那又怎麼存在刪不刪的問題?刪去之説,也是現代人的一種理解,帛書《繫辭》的作者、編纂者恐怕也有他們自己的理解。現代人往往以通行本《繫辭》爲參照系,以先入之先見、先識去看帛書《繫辭》,因而對帛書《繫辭》提出種種猜測,這也是很自然的。

二

　　《馬王堆漢墓文物》所刊佈的《周易繫辭》,没有依照張政烺、于豪亮、曉菡諸位先生的意見②,以爲帛書《繫辭》較通行本《繫辭》爲多,約六千七百餘字,并與通行本一樣,分爲上下兩篇,以緊接帛書《繫辭》的《易之義》爲下篇。而采取另一種意見③,以帛書《繫辭》較通行本字數少,不分上下篇,不把篇首頂端塗有墨丁,首句爲“子

---

① 李學勤《帛書〈繫辭〉淺論》(《齊魯學刊》1989年第4期)認爲是抄寫者刪去。
② 參見《座談長沙馬王堆漢墓帛書》、《長沙馬王堆漢墓帛書概述》兩文載1974年《文物》第9期。《馬王堆二、三號漢墓發掘的主要收獲》載《考古》1975年第1期。于豪亮:《帛書周易》載《文物》1984年第3期。
③ 韓仲民:《帛書〈繫辭〉淺説》,載《孔子研究》1988年第4期。張立文:《〈周易〉帛書淺説》,載《中國文化與中國哲學》1988年號,三聯書店1990年版。

曰：易之義"的佚書，作爲《繫辭》下篇。這是有道理的。

　　除筆者在《〈周易〉帛書淺説》中所闡述的三點理由外，還可作些補充：

　　第一、不僅帛書《繫辭》内容已涵蓋通行本《繫辭》上下兩篇的首與尾各章節，所缺只是中間的部分章節，故不能以《易之義》爲《繫辭》下篇。而且依通行本《繫辭》上下篇所分的中間銜接處的前後文字而言，帛書《繫辭》均完整。從《帛書〈繫辭〉與通行本〈繫辭〉對勘》①來看，帛書《繫辭》第三十行上，"人，謀而成，不言而信，存乎德行。八卦成列，馬在其中矣。……""存乎德行"句以上文字屬於通行本《繫辭》上篇的末句，"八卦成列"以下文字屬於通行本《繫辭》下篇的首句。上下篇之間無任何區別的標誌。從抄寫者的行文來看，可窺見帛書《繫辭》是一整篇，無上下篇之分。如果以爲帛書《繫辭》與通行本《繫辭》一樣有上下篇之分，就應該依照通行本《繫辭》在"存乎德行。八卦成列"處斷開，以分上下篇，何必從《繫辭》之外去找下篇？假如以帛書《繫辭》所缺部分見之於《易之義》，以《易之義》爲下篇，那麼帛書《繫辭》所缺部分還見之於《要》，《要》是否亦爲下篇？這顯然是不妥當的。所以以《易之義》爲帛書《繫辭》下篇不能成立。

　　第二，通行本《繫辭》不僅分上下篇，而且分章。究竟應分多少章，各家看法不一。《繫辭》上篇，漢時馬融、荀爽作十三章，後姚信亦主是説。虞翻作十一章。唐孔穎達作《周易正義》，采韓康伯注，定爲十二章，後朱熹《周易本義》承之。通行本《繫辭》下篇，劉瓛定爲十二章，以與上篇相對稱，孔穎達《周易正義》依韓康伯注，定爲九章。李鼎祚《周易集解》亦作九章。然朱熹《周易本義》作十二章。可見通行本《繫辭》上下篇分章，歷來就有爭論，各家看法不同，劃分章次的標準亦不相同。帛書《繫辭》不分章，有其合理性。譬如馬融、荀爽、姚信把通行本《繫辭》上第七章，從"初六，藉用白茅"到

---

① 此節因篇幅關係，收入本輯時被删。

"子曰:作易者,其知盜乎"爲一章,從"易曰:負且乘"到末句"盜之
招也"爲又一章.其實這第七章,從文意上看,分與不分,無關宏旨.
但孔穎達認爲,"白茅以下,歷序諸卦,獨分負且乘以爲別章,義無
所取也"(《周易正義·繫辭上》).虞翻將第八章與第九章合爲一
章.可見,章之劃分,亦各以爲是.即使同意《繫辭》上篇爲十二章,
每章的文字先後,亦有不同.朱熹《周易本義》認爲第八章的首句,
應據程頤的意見,將第十章的首句"天一……地十"移於此,接着應
是第八章中間的"天數五……而行鬼神也",再是"大衍之數五十
……".帛書《繫辭》抄寫方法,是章與章之間相聯結,根本不存在另
起行或標以其他標誌,以顯章與章之間的劃分.其方法與《繫辭》上
下篇劃分處相似.這與接着帛書《繫辭》的"子曰:易之義"一篇抄寫
方法斷然不同,《易之義》篇不僅另起行,而且朱絲欄行格的頂端有
墨丁,與緊接着六十四卦後的《二三子問》的情況相似.既然人們決
不會以《二三子問》爲六十四卦的下篇一樣,也不應以《易之義》爲
《繫辭》下篇.

　　第三,帛書《繫辭》的字數,張政烺説約六千字;于豪亮先生説
共約六千七百餘字,李學勤先生亦同意此説①.周世榮先生認爲二
千七百五十餘字,韓仲民先生認爲約三千字,筆者曾認爲二千七百
多字.黃沛榮先生"根據《繫辭》的圖版,參考《馬王堆漢墓文物·釋
文》,校讀多次以後擬定","使用電腦來作統計,帛書《繫辭》的字
數,應爲三三四四字,不過,這個數字是根據原卷的篇幅來計算的,
如果只算現存的字","帛書《繫辭》中可以辨認的字(包含殘字在
內),共有二九〇八字,再加上少數字形模糊或殘缺,暫時無法確認
的字,約有二九一五字"②.由於張政烺、于豪亮、李學勤先生把《易
之義》作爲《繫辭》的下篇,因此有六千多字之説,今將《易之義》作
爲獨立的一篇,則字數自然不是六千多字.而餘下約三千、二千七

　　① 李學勤説:"《繫辭》共兩篇,原無篇題,共約六千七百餘字"(《周易經傳溯源》,
長春出版社1992年版第224頁).另見《帛書〈繫辭〉略論》,同上書,第231—237頁.
　　② 參見《馬王堆帛書〈繫辭傳〉校讀》,《周易研究》1993年第1期.

百五十餘字、二千七百多字，顯然是指不包括《易之義》的帛書《繫辭》而言。但他們都不敢把字數說得十分確定，因爲帛書有缺損字、殘缺字、模糊不易辨認字、拼接有誤等等複雜情況。唯黃沛榮先生根據《馬王堆漢墓文物》的《周易繫辭》圖版、釋文而有一確定的統計。但由於現刊佈的帛書《繫辭》在拼接方面存在着將非《繫辭》文字錯入以及缺損之字辨認差異等問題，因而確定字數也有一定的困難。今筆者對帛書《繫辭》的圖版經反覆辨認，缺損之字據行款和兩遍文字對照仔細推算。帛書《繫辭》的總字數應爲三三四五字，其中包括缺損字四五七字，殘缺字一〇三字，模糊不易辨認字五字。若減去缺損字和殘缺字，現存較完整字爲二七八五字，則余在《周易思想研究》中所言帛書《繫辭》"二千七百多字"爲不謬也①。與帛書《繫辭》對應的通行本《繫辭》爲三三八二字，較帛書本多三七字，基本相近。字數問題，本來是與帛書《繫辭》是否有上下篇，《易之義》是否爲《繫辭》下篇相關聯。若帛書《繫辭》不分篇，《易之義》爲獨立一篇佚書得到認同，字數就好統計了。

三

帛書《繫辭》與通行本《繫辭》對勘時，筆者對圖版作了認真辨認，有許多處與《馬王堆漢墓文物·周易繫辭釋文》異，已在對勘中隨文校正，恕不一一。帛書《繫辭》屢用假借字、異體字或當時楚地的簡化字，這點與帛書《六十四卦》相似。如第一行上"天奠地庳"的"奠"，通行本作"尊"。《儀禮·士喪禮》："冪奠用功布"。鄭玄注："古文奠爲尊"。"奠"與"尊"古通假②。"鍵川定矣"的"鍵"，假借爲"乾"③。"川"與"坤"爲古今字④。第二行上"易"與"傷"，爲同聲系，

① 見拙著《周易思想研究》，湖北人民出版社 1980 年版，第 206 頁。
② 參見拙著：《翰卦·六四爻辭》，《周易帛書今注今譯》，學生書局，第 236 頁。
③ 參見《乾卦卦辭》，同上書第 44—45 頁。
④ 參見《坤卦卦辭》，同上書第 409—410 頁。

古相通。第三行下"惥"與"悔",爲異體字,"闇"假借爲"吝"①。第八行上"胃"假借爲"謂",同聲系,古相通。第九行上"迥"假借爲"通",《説文》:"迥,迥迭也。从辵,同聲。"《太玄·達》:"中冥獨達,迥迥不屈。"注:"迥,通也。"②"冬"假借爲"終"③等等。筆者在《周易帛書今注今譯》中對《六十四卦》卦爻辭的注釋,涉及帛書《周易》的假借字、異體字等,有與帛書《繫辭》同者,故不另舉。

對帛書《繫辭》中的一些假借字、異體字,兹作考釋:

第一行上,"地庫"之"庫",假借爲"卑"。《説文》:"卑,賤也。執事者,从ナ甲。"《廣雅·釋言》:"卑,庫也。"《詩經·正月》:"謂天蓋卑。"唐陸德明《經典釋文》:"卑本作庫。"此卑、庫古相通之證。《經典釋文》在解釋《繫辭》"天尊地卑"時曰:"卑本作坤。"《漢書·五行志中之下》:"塞埤擁下。"顔師古注:"庫,卑也。"《文選·射雉賦》:"不高不埤。"李善注:"埤與庫古字通。"卑、埤、庫古相通。

第二行上,"陰能"之"陰",假借爲"簡"。《釋名·釋書契》:"簡,間也,編之篇篇有間也。"陰與簡古相通。"聖人"帛書作"耴人",《説文》:"聖,通也,从耳呈聲。"段玉裁注曰:"聖从耳者,謂其耳順。《風俗通》曰:'聖者,聲也。'言聞聲知情。"帛書《繫辭》簡化爲"耴",以耳順、聞聲知情爲聖。

帛書《繫辭》凡"聖人"基本上都簡化爲"耴人"外,凡"象"字都寫作"馬"。馬與象形近,甲骨文象作𧰷,馬作𩥇;金文象作𧰷,馬作𩥇;小篆象作𧰲,馬作𩢡,古文作𢒰,籀文作𢒇,形近而誤。但有以馬爲兵象,《隋書·五行志下》記載:"侯景僭尊號於江南,每將戰,其所乘白馬,長鳴蹀足者輒勝,垂頭者輒不利。西州之役,馬卧不起,景拜請,且箠之,竟不動。近馬禍也。《洪範五行傳》曰:'馬者兵象。將有寇戎之事,故馬爲怪。'景因此大敗。"又載:"陳太建五年,衡州馬生角。《洪範五行傳》曰:'馬生角,兵之象,敗亡之表也'"。段

①參見《同人·六二爻辭》,同上書,第109頁。
②參見《鍵·迥九》,同上書,第56頁。
③參見《訟卦卦辭》,同上書,第96頁。

玉裁《説文解字注》認爲：“《周易》用象爲想象之義”，“韓非以前或祇有象字，無像字，韓非以後小篆既作像，則許（慎）斷不以象釋似，復以象釋像矣。……象也者，像也；爻也者，效天下之動者也。蓋象爲古文”。象即似的意思，爲象似、擬象、法象等義。所以馬爲兵象，這與“震爲馬”（《周易・坤卦辭》：“利牝馬之貞”虞翻注），“坎爲馬”（《周易・屯六二爻辭》：“乘馬班如”虞翻注）“辰爲馬”（《周禮・馬質》“禁原蠶者”注）一樣，都是馬的擬象、想象之義。從這個意義上説，馬即象也。帛書《繫辭》抄寫者可能藉於這種意義，而以馬假藉爲象。且《周易・説卦傳》以“乾爲馬。”孔穎達注曰：“乾象天行健，故爲馬。”馬是乾的天行健的象徵。《洪範五行傳》：“王之不極，時則有馬禍。”鄭玄注：“天行健，馬，畜之，疾行者也，屬王極，乾爲王，馬屬王極，故乾爲馬。”馬爲乾象、王象，爲最高之象，故以象爲馬。

　　帛書“繫辭”，都寫作“毄毄”。“繫”《説文》：“繘也，一曰惡絮，从系毄聲。”繫、毄爲同聲系，古相通。《漢書・景帝紀》：春正月，詔曰：“郡國或磽陜，無所農桑毄畜。”顏師古注：“毄古繫字。”《周禮・校人》：“三鑑爲毄”，《經典釋文》：“本又作繫。”帛書作“毄”，乃爲古字。

　　“辤”假借爲“辭”。《説文》：“辤，不受也。从受辛，受辛宜辤之也。”段玉裁曰：“按經傳凡辤讓皆作辭説字，固屬假借，而學者乃罕知有辤讓本字，或又用辤爲辭説而愈惑矣。《禮經》一書，多言辭曰，謂其文辭如是也。……謂辭則其辤如是也。故鄭特注之，以別於他處之言辭曰者。哀六年《左傳》：五辤而後許。《釋文》曰：辤本又作辭”又説：“《世説新語》蔡邕題《曹娥碑》，黃絹幼婦，外孫齏臼。解之曰：齏臼所以受辛，辤字也。按此正當作辤，可證漢人辤辭不別耳。”這就是説，漢人不分辤讓之“辤”與辭説之“辭”，而相互通用。《廣韻》亦以辤與辭同。

　　第四行上、下“妧”、“訵”假借爲“玩”。《説文》：“玩，弄也，从玉元聲。”“妧”从女元聲，“訵”从言无聲。妧、訵、玩爲同聲系，古相通。

　　“肴”假借爲“爻”。《説文》：“肴，啖也，从肉爻聲”。“肴”、“爻”

爲同聲系,古相通。《孔霍碑》:"易建八卦,撥肴繫辭",爻作肴。

"教"疑借爲"爻"。"教"篆文作𪒠,帛書作𪒠《説文》:"上所施下所效也,从攴𡥉,凡教之屬皆从教。𢻻亦古文教。"段玉裁注曰:"从攴從爻。""教"、"爻"形近,故以教爲爻。且"教"、"爻"古音同在二部。"爻"段玉裁注:"胡茅切,二部。""教"段玉裁注:"古孝切,二部",音近相通。

第五行下,"振"假借爲"震"。"振",《説文》:"舉救也,从手辰聲。""震",《説文》:"劈歷振物者,从雨辰聲。""振"、"震"同聲系,古相通。《荀子·正論》:"天下爲一,諸侯爲臣,通達之屬,莫不振動從服以化順之。"楊倞注曰:"振與震同"。《周易·恒·上六》:"振恒,凶。"《經典釋文》:"振,張作震。"爲"振"、"震"相通之證。

"謀"字古文與"悔"形近。《説文》:"謀,慮難曰謀,从言某聲。𢻻古文謀,𢿙亦古文。"段玉裁注:"上从母。"帛書《繫辭》"悔"均寫作"𢿙",與謀之古文相似。且段玉裁認爲,"謀","莫浮切,古音在一部"。《説文》:"悔,恨也,从心每聲。"段玉裁注:"悔,荒内切,古音在一部。""謀"、"悔"古音同在一部,音近疑相借。

第七行上,"回"假借爲"違"。《詩經·大明》:"厥德不回",毛傳:"回,違也。"《左傳》昭公二十六年:"厥德不回",杜預注:"回,違也。"義同,古相通。《尚書·堯典》:"靜言庸違",《論衡·恢國》作"靖言庸回",《三國志·陸抗傳》作"靖譖庸回",爲"回"、"違"相通之證。

"回"又疑借爲"圍"。《説文》:"圍,守也,從囗韋聲。""違,離也,从辵韋聲。""違"、"圍"同聲系,古相通。"違"與"回"通,故"違"、"圍"、"回"通假。

"犯"假借爲"範"。《説文》:"範,軷也,从車笵省聲,讀與犯同。"段玉裁注:"不曰讀若犯,而曰與同者,其音義皆取犯。……《釋文》曰:'鄭曰範,法也。馬、王肅、張作犯違。'此亦範犯同音通用之證也。"

第十行上下,"廣大肥天地"以下三個"肥"字,《馬王堆漢墓文

物·周易繫辭釋文》作"肥",最後一個作"配"。黄沛榮《馬王堆帛書
〈繫辭傳〉校讀》和廖名春《帛書繫辭釋文校補》此以四字均作肥,并
認爲"肥"、"配"音近相借。帛書《繫辭》此四字均清晰可辨,且寫法
相同,均作"肥",右半部作己,而不是作巴。此字應寫作"肥"。《武
威醫簡》七七:"肥",《漢印》作"肥"。《類篇·肉部》:"肥,薄也。"《列
子》:"口所偏肥",今本《列子·黄帝篇》作"肥"。張湛注:"肥,音鄙,
薄也。"肥、肥義同。《説文》:"配,酒色也,从酉己聲。""肥"字从肉己
聲,同聲系相借。肥疑借爲"妃"。段玉裁《説文解字注》:配"後人借
爲妃字,而本義廢矣。"《周易·豐·初九爻辭》:"遇其配主。"《經典
釋文》:"配,鄭作妃。"《詩經·匏有苦葉》鄭玄《箋》:"爲之求妃耦。"
《經典釋文》:"妃本作配"。《左傳》文公十四年:"子叔姬妃齊昭公。"
《經典釋文》:"妃本作配。"是爲"配"、"妃"互通之證。《説文》:"妃,
匹也,从女己。"段玉裁注曰:"《左傳》曰:'嘉耦曰妃',其字亦假配
爲之。《太玄》作娸,其云娸孰者,即《左傳》之'嘉耦曰妃',怨耦曰仇
也。"帛書《繫辭》作"肥",取娸之从肉,取妃之己聲也。

　　"膿"疑借爲"禮"。《説文》:"禮,履也,所以事神致福也。从示从
豊,豊亦聲。""膿"字見於《睡虎地簡》三六、七九,《帛書老子》甲後
二四六,《孫臏兵法》一五四。《龍龕手鑒·肉部》:"膿",膲的俗字。
《戰國縱橫家書·觸龍見趙太后章》:"竊自□老,與恐玉膿之有所
郄也,故願望見大后。"膿與體通假。依"膿"之形聲,爲从肉从豊,豊
亦聲。"禮"、"膿"爲同聲相借。《十六經·順道》:"常後而不失膿,
正信以仁,兹惠以愛人。"膿疑作禮。

　　限於本文篇幅,兹作上釋,待《二三子問》、《易之義》等幾篇刊
佈後,再作注釋與今譯,以便與拙著《周易帛書今注今譯》相配,有
一完整的帛書《周易》的注釋今譯本。竊願掌握原始資料者早日刊
佈,以供國内外學人研究,是所禱也。

四

　　關於帛書《周易》卷後古佚書篇名的定名問題，《馬王堆漢墓文物綜述》把開頭"子曰：易之義，唯陰與陽"，定名爲《子曰》。筆者曾在《周易帛書淺説》中定名爲《易之義》。現經仔細考慮，仍認爲以《易之義》爲妥。

　　先秦之書，很多不是先有書名、篇名，而後撰成，而是經編輯論纂而得名。猶如《論語》，《漢書‧藝文志》曰："《論語》者，孔子應答弟子時人及弟子相與言而接聞於夫子之語也。當時弟子各有所記，夫子既卒，門人相與輯而論筭，故謂之《論語》。"此説較可靠合理，譬如應答弟子的有"子曰"之類的問答等，是孔子弟子編輯而成。《論語》書中的篇名，亦是弟子或後人定的。其原則是取篇首幾個重要的字來命名，以示區别。初并無别的意義，後經注釋家的解釋，便給予一定意義。

　　《論語》以至《孟子》篇名的確定，并非一定取每篇開頭兩、三字，而是取開頭一句中幾個重要的，足以能表示區别的字。如第一《學而》篇，"子曰：學而時習之，不亦説乎？"第二《爲政》篇，"子曰：爲政以德。"第三《八佾》篇，"孔子謂季氏，'八佾舞於庭'"。第五《公冶長》篇，"子謂公冶長"。都不取開頭的"子曰"、"孔子"、"子謂"等爲篇名。

　　《孟子》取篇名的原則，與《論語》同。第一《梁惠王》篇，"孟子見梁惠王"。第四《離婁》篇，"孟子曰：離類之明。"第七《盡心》篇，"孟子曰：盡其心者，知其性也。"不取開頭"孟子"爲篇名。

　　究《論語》、《孟子》取篇名之則，筆者認爲：其一，"子曰"《論語》雖指孔子之言，然《論語》稱子者甚多，如微子、崔子、陳文子、季文子、甯武子、子桑伯子等。先秦典籍很多，著者亦多有稱子者，其弟子編纂時稱其師爲子曰者，便不易區别；其二，"子曰"是很泛的詞，難以確定實名。先秦典籍，無見於以"子曰"爲篇名的，編纂者在命名時，亦是有所考慮的；其三，《論語》不以“子謂”爲篇名，也是基於以上的思考，且“子謂”更泛，凡“子”之言，都可稱謂爲子謂；其四，《論語》不以“孔子”爲篇名，《孟子》不以“孟子”爲篇名，是因爲《論語》本就是在孔子死後，“仲弓之徒追論夫子之言”(《傅子》)、“《論語》記孔子與弟子所語之言也”(《釋名·釋典藝》)。若以“孔子”爲篇名，實與書名在含義有重覆之嫌。《孟子》不以“孟子”爲篇名，就避免完全與書名重覆。

今人既然要給秦漢之前的古佚書命名篇名，就不能不考慮到《論語》、《孟子》等書確定篇名的原則，這種情況在《莊子》外篇中亦有所運用。所以筆者以“子曰：易之義”的《易之義》爲篇名，也是基於這種考慮。

作者簡介　張立文，1935 年生，浙江溫州人。現任中國人民大學哲學系教授、博士生導師。主要著作有《傳統學引論》、《周易思想研究》、《周易與儒道墨》、《帛書周易今注今譯》等十餘種。

論帛書《繫辭》與今本《繫辭》的關係

廖名春

内容提要　本文比較了帛書《繫辭》與今本《繫辭》語意不同的異文，認爲帛書《繫辭》的祖本非常接近于今本《繫辭》；探討了帛書《繫辭》與今本内容的不同，認爲帛書本少于今本的許多章節、段落、文字，在帛書《繫辭》的祖本中原是存在的；分析了《易之義》、《要》的記載，説明《繫辭》是它們的材料來源。通過這三方面的論證，得出了在帛書《繫辭》、《易之義》、《要》寫作時，今本《繫辭》的内容都已基本形成的結論。

　　馬王堆帛書《繫辭》内容陸續披露後，學者們對帛書《繫辭》同今本《繫辭》的關係問題，發表了截然相反的意見：李學勤、韓仲民先生認爲："帛書《繫辭》和今本《繫辭》只是編排有異，思想實相一致，這應該認爲是不同傳本，不好説是前後演變的關係"①，"今本《繫辭》的個別篇章，散見于其他佚書，并不能因而斷定今本《繫辭》編定的時間要比帛書更晚"②。而王葆玹先生則認爲："《繫辭》帛書本是現存最早的，最可靠的《繫辭》傳本，最能反映《繫辭》最初寫定時的原貌"，今本《繫辭》不見于帛書《繫辭》的部分，"乃是戰國以後

---

　①《帛書〈繫辭〉略論》，《齊魯學刊》1989 年第 4 期。
　②《帛書〈繫辭〉淺説》，《孔子研究》1988 年第 4 期。

的學者加以改編的結果"①。

　　我爲參加 1992 年 8 月在長沙舉行的馬王堆漢墓國際學術討論會，針對新發表的帛書《繫辭》釋文②，撰寫了《帛書〈繫辭〉釋文校補》一文。該文除補正了帛書《繫辭》釋文的一些錯誤外，也附帶論述了我對帛書《繫辭》與今本《繫辭》關係的看法。承蒙陳鼓應先生的推薦，朱伯崑、余敦康、劉長林先生邀請我參加 1992 年 10 月 28 日在炎黄藝術館召開的北京《周易》研究會會議。會上，我從文獻比較出發，從三個方面論證了帛書《繫辭》的祖本更接近于今本《繫辭》；帛書《繫辭》是對接近于今本《繫辭》之祖本的節錄。改編的結果。現論述如下：

一、從語意的不同論帛書《繫辭》是對
今本《繫辭》的改造

　　帛書《繫辭》與今本《繫辭》有很多的異文。這些異文，除了假借字、古今字等書寫上的問題外，還有着思想意義不同的問題。對這些思想意義不同的異文細加分析，很能看出今本《繫辭》與帛書《繫辭》之間的演變軌迹。

　　今本《繫辭》的"顯諸仁，藏諸用，鼓萬物而不與聖人同憂"，一般的帛書《繫辭》釋文都作："聊者仁勇，鼓萬物而不與衆人同憂"③。其實細看照片，帛書原文"仁"下有兩個小字，左邊的是"壯"，右邊的是"老"。"壯"爲今本"藏"字之假，兩字上古音聲近韻同。《周易》剝卦中的 3 個"牀"字，帛書《六十四卦》皆寫作"臧"。而"牀"、"壯"都从爿得聲。"老"即"者"，爲"諸"字之借。由此可知，帛書《繫辭》的原文應是："聊（聖）老（者）仁，壯（藏）老（諸）用，鼓萬物

　　① 《從馬王堆帛書本看〈繫辭〉與老子學派的關係》，《道家文化研究》第一輯，上海古籍出版社 1992 年 6 月。
　　② 藏《馬王堆漢墓文物》第 118 至 126 頁，湖南出版社 1992 年。
　　③ 如《馬王堆漢墓文物》；黄沛榮《馬王堆帛書〈繫辭傳〉校讀》，《周易研究》1992 年第 4 期。

而不與衆人同憂。"從這種特殊的寫法分析,帛書的作者認爲原文的觀點不對,似乎貶低了聖人,因此將聖人提前,突出其"仁勇"而不同于"衆人"之特點。但寫完後,又發現没有完全利用好原文的材料,故在"仁"字下補上這兩個小字,以加以彌補。所以,帛書作者如果不是照今本這句話改寫的話,決不會出現這種奇怪的寫法。從前後文看,道理也是如此。這一段是泛論道,"仁者見之謂之仁,知者見之謂之知,百姓日用而不知"的,都是道。所以"顯"的、"藏"的、"鼓"的、"同憂"的也應指道。帛書前文同于今本,也講"仁",也講"用",所以這裏的"仁勇"當然應是指道。改成了"聖者",不但"壯諸勇"不通,"鼓萬物"更成問題。孔穎達《正義》云:"言道之功用能鼓動萬物,使之化育,故云'鼓萬物';聖人化物不能全'無'以爲體,猶有經營之憂。道則虛無爲用,無事無爲;不與聖人同用有經營之憂也。"因此,從易理看,從寫法言,我們只能説帛書本的這一段話是對今本語意的篡改。

今本《繫辭》的"化而裁之謂之變,推而行之謂之通,舉而錯之天下之民謂之事業",帛書《繫辭》作:"爲而施之胃(謂)之變,誰(推)而舉諸天下之民胃(謂)之事業。"《馬王堆漢墓出土文物》一書的釋文曾將"誰"寫爲"雜","舉"字則未釋出。我在《帛書〈繫辭〉釋文校補》一文中曾指出:"'雜而□諸天下之民'句,'雜'應爲'誰','誰'爲'推'之同音借字。'□'應爲'舉'字。帛書抄寫者抄掉了'推而行之謂之通'一句,故塗改了一下,想補上,結果只補上'誰'字就寫不下去了。因此原文的'推而行之謂之通,舉而錯之天下之民'被寫成了'誰而舉諸天下之民'。這一則説明帛書的抄寫者對原文并不是很尊重;二則説明帛書的底本的確與今本基本相似,不然就不會抄出這樣的句子來。"① 對帛書這一異文,黄沛榮先生曾有所懷疑,他説:"第二十八行上半有一個略歪的'誰'字,從字體來説,不像是原文,可能是整理拼合時補上的,不過從圖片上看就難以確定

① 馬王堆漢墓國際學術討論會論文,1992 年 8 月。

了。"①其實,對此以前我也有所疑慮。承蒙湖南省博物館朋友的好
意,我見到了帛書《繫辭》的原物,發現"變誰"處是一補丁,其質地
與帛書所用之黃帛同,不可能是後人整理拼合時所補。應是抄手當
時發現抄寫有誤而補。從這一修改的事實看,原本是有"推而行之
謂之通"一句的。而將"推"寫作"誰",也符合此抄手的書寫習慣。如
《老子》六十六章:"天下樂推而不厭。"帛書乙本"推"就作"誰"。《繫
辭》下文的"推而行之存乎迵",帛書"推"也作"誰"。因此,這一
"誰"字不可能是後人所補。據此可知,帛書本的這一異文也是在與
今本《繫辭》相同句子的基礎上作出的。

　　又如今本的"天下之動,貞夫一者也",帛書作:"天下之動,上
觀天者也"。從文字的誤寫上,似乎難以解釋這種異文。這當是帛
書編寫者不滿意原文而作出的改動。所謂"上觀天者也"有一種尊
天的傾向,盡管這是一種流行的觀點,但上下文意卻費解。帛書上
文說:"天地之道,上觀者;日月之行,上明者"。"天地之道,上觀
者"與"天下之動,上觀天者也"語意重復,還可說得過去;但與"日
月之行,上明者"聯繫,後者則無法解釋。而今本"貞"爲守正,是用
自然現象來說明人事,所謂"貞觀"、"貞明"、"貞夫一"有着內在的
聯繫,都是強調守正的重要性。從重"貞"到重"天",這一改變實在
生硬。這是帛書作者的草率造成的。

　　今本《繫辭》的"生生之謂易",帛書本作"生之胃馬(象)"。按,
今本以"生生"即陰陽轉化相生爲"易",這是很得《易》理的,上文的
"盛德大業"正是贊此。而帛書本以"馬(象)"代"易",以"馬(象)"有
"生"之"盛德大業",豈不謬哉?

　　又如今本的"小人而乘君子之器,盜思奪之矣;上慢下暴,盜思
伐之矣。慢藏誨盜,冶容誨淫。《易》曰'負且乘,致寇至',盜之招
也"。帛書上、下兩句同,中間一句則作"曼暴謀,盜思奪之"。"曼暴
謀",句式不協,"盜思奪之",又與上文重復。比較之下,我們只能說

_____

　　① 《馬王堆帛書〈繫辭傳〉校讀》。

是帛書擅改原文所致。

今本的"夫《易》開物成務,冒天下之道,如斯而已者也",帛本作:"夫《易》古物定命,樂天下之道,如此而已者也。"今本是說《易》的功用,"開物"、"成務","冒天下之道"的,都是指《易》;而帛書本說《易》"古物定命",不但盡去人謀,而且語氣欠順;至于《易》能"樂天下之道"更是匪夷所思。此外,今本的"成務"、前文"能成天下之務"已有鋪墊,而"定命"之說,于《傳》無據;"如斯"帛書本作"如此",顯是後出的痕迹。

又如今本的"上古結繩而治,後世聖人易之以書契,百官以治,萬民以察,蓋取諸《夬》",最後一句帛書作:"蓋取者(諸)大有也。"從卦義來看,夬卦卦辭有"揚于王庭,孚號有厲"之語,與"百官以治,萬民以察"較為貼切;而大有卦很難與此扯上關係。因此,當以今本為是。

此外,今本的"乾坤,其易之緼邪?乾坤成列,而易立乎其中矣;乾坤毀,則無以見易。易不可見,則乾坤或幾乎息矣",帛書本"緼"作"經",最後一句作"易不可見則鍵川不可見,鍵川不可見則鍵川或幾乎息矣"。初看似乎以帛書"經"為是,其意同于下文的"門戶"(按:今本稱"乾坤,其《易》之門邪",帛書本則稱"門"為"門戶",從單音詞在先,複音詞在後的詞匯發展規律看,帛書本也應晚于今本)。但細加分析,今本的乾坤,實即陰爻和陽爻。陰陽爻"成列",才產生易卦,故云"易立乎其中矣";沒有陰陽爻,就形不成易卦,故云"乾坤毀,則無以見易";沒有易卦,陰陽爻的作用就幾乎發揮不了,故云"易不可見,則乾坤或幾乎息矣"。所以,"乾坤,其易之緼邪"之"緼",就是帛書《要》中所謂"天地凪(緼)"之"凪",指陰陽是易卦所緼積的根源。上文所謂"立象"、"設卦"、"繫辭"云云,下文所謂"道"、"器"、"變"、"通"、"象"、"爻"、"卦"云云,都不是具體解釋哪一卦名及作用,而是泛論最一般意義上的易學概念。對"乾坤"也應作如是解。如果將乾坤解釋為兩卦,以其為《易》之綱要的話,那"《易》立乎其中矣",就顛倒了整體與局部的關係。所以,帛書本改

“緼”爲“經”是不可取的。至于帛書本的“易不可見,則鍵川不可見”一段,語意重復拖沓,顯然是從今本“易不可見,則乾坤或幾乎息矣”一句敷衍而出。

　　上述帛書本《繫辭》與今本《繫辭》語意的差異,都是帛書本編寫者對其祖本的觀點加以改動造成的。從意義的比較上,我們只能得出一個結論:帛書本的祖本更接近于今本《繫辭》。

二、從内容的詳略論帛書《繫辭》是對
今本《繫辭》的節録

　　帛書本《繫辭》與今本比較,一個突出的特徵是字數較今本少。今本的一些章節、段落、字句都不見于帛書本。這些略于今本的文字,到底是帛書本的祖本本身所固有的,還是本來就不見于其祖本?這對于確定帛書本《繫辭》與今本《繫辭》的關係是非常重要的。筆者認爲,今本《繫辭》不見于帛書本的文字,大都見于帛書本的祖本;帛書本祖本與今本《繫辭》是非常接近的,而帛書《繫辭》之所以文字少于今本,主要是由于帛書《繫辭》是對其接近于今本《繫辭》的祖本進行節録造成的。

　　今本《繫辭》的“大衍之數”章爲帛書本所無,許多人便以爲“大衍之數”章是後人竄入《繫辭》的,這種觀點是不能成立的。因爲帛書本《繫辭》雖然没有“大衍之數”章,卻保留着“天一、地二、天三、地四、天五、地六、天七、地八、天九、地十”之説。我們知道,“大衍之數”章的“天數五,地數五,五位相得而各有合。天數二十有五,地數三十,凡天地之數五十有五”與此有着内在的邏輯聯繫。後者是對前者的概括,在“天一……地十”之數中,天數一、三、五、七、九,剛好是“五”位,其和爲“二十五”;地數二、四、六、八、十,也剛好是“五”位,其和爲“三十”;“天數”和“地數”相加得出“天地之數”,剛好是“五十有五”。而“大衍之數”即“天地之數”,“五十”後脱掉“有

五”二字。筮法用四十九,餘六不用以象六爻之數①。所以,有“天一
……地十”之説,就必然有“天地之數”;有“天地之數”,就勢必有
“大衍之數”。不然,單獨説“天一……地十”云云,就顯得莫名其妙
了。其實,“天一……地十”説與“大衍之數”章的這種關係,前人早
就窺破了。程頤《易説》以爲《繫辭傳》“簡編失次”,當作更移,就是
因爲今本《繫辭》將這兩説分爲兩章,破壞了它們緊密的邏輯關係。
朱熹《周易本義》據程説,將“天一……地十”説與“天數五……凡天
地之數五十有五”説連爲一體,皆移置“大衍之數”前,就是從其意
義聯繫出發的。帛書《繫辭》雖然没有“大衍之數”章,但卻保留了
“天一……地十”之説,可見其祖本原是有“大衍之數”章的,只不過
是爲後來的傳者所删去罷了。

　　今本《繫辭》下篇的第五章(從朱熹《本義》所分)的後半部分,
大多不見於帛書《繫辭》,而收在另一帛書《要》中。這些不見於帛書
《繫辭》的文字,是否其祖本也無? 這是值得研究的。比如今本的
“子曰:知幾其神乎? 君子上交不瀆,其知幾乎! 幾者,動之微,吉之
先見者也”一段,帛書本雖無,但卻存有“君子見幾而作,不位冬
(終)日……”一段。由此我們可知,帛書本的祖本是定有今本“子
曰”這段話的。因爲這段話是論“知幾”的重要性,正因爲“幾者,動
之微,吉之先見者也”、“知幾其神乎”,所以“君子”才要“見幾而作,
不俟終日”。如果没有“子曰”的這幾句,在“《易》曰:‘何校滅耳,
凶。’”下直接説“君子見幾”云云,其上下語意就無法貫通了。帛書
本正是如此。所以,從它存有“君子見幾而作”段推論,它的祖本至
少是有“子曰”一段的。從文獻的記載看,今本《繫辭》“子曰”這段
話,至少在漢初就存在了。《漢書·楚元王傳》記穆生在楚王戊時曾
將“子曰”這段話和“君子見幾而作”這段話連在一起,合稱爲《易》。
因此,我們推論帛書本《繫辭》的祖本應該有“子曰”這一段,完全是
可信的。

　　① 説見金景芳《易通》,商務印書館1945年版;高亨《周易大傳今注》第524、525
頁,齊魯書社1979年版。

今本的"顏氏之子"段也不見于帛書《繫辭》,而收在另一篇帛書《要》中。帛書《繫辭》的祖本是否有"顏氏之子"段呢?我們認爲這是很可能的。因爲這一段前的"君子知微知彰,知柔知剛,萬夫之望"帛書本基本還保存着。孔子對"顏氏之子"的稱贊,正是"萬夫之望"的具體化;而"有不善,未嘗不知;知之,未嘗復行也",與"知微知彰,知柔知剛"是有意義聯緊的。"有不善,未嘗不知"正是"知微"、"知幾"的表現,"知之,未嘗復行也",正是"知彰"的行爲。所以帛書本《繫辭》存有"君子知微知彰"段,其祖本應當也有"顏氏之子"段。

今本《繫辭》下的第九章,帛書本只存有"是與非,則下中教(爻)不備。初,大要存亡吉凶,則將可知矣"幾句。帛書本似乎是將今本《繫辭》的重中爻的思想進行了改造,認爲初爻爲《易》之"大要"。但是,應該指出,帛書本的"下"字應爲"非"字之誤。"初"即"抑"字,通"噫"。"大要"應與"存亡吉凶"連讀,即"存亡吉凶"之"大要"。因此,這裏談不上有什麼重初爻的思想,祇是對今本的誤抄而已。

此外,帛書本《繫辭》還有一些辭句,一看就知道是對祖本的省略。如今本的"陰陽不測之謂神",帛書作"陰陽之謂神"。按,"不測"才稱之爲"神",帛書"陰陽之謂神"不通,其既稱"神",其祖本必有"不測"二字。今本"《易》曰:自天祐之,吉無不利。子曰:祐者,助也",帛書本無"子曰"二字。按,"《易》曰:自天佑之,吉無不利",是大有卦上九爻辭。"祐者,助也"是對經文的解釋。從上下文體例看,帛書的祖本當有"子曰"二字。今本"陽卦多陰,陰卦多陽。其故何也?陽卦奇,陰卦耦。其德行何也?陽一君而二民,君子之道也;陰二君而一民,小人之道也",帛書本後僅"陽一君二民,君子之馬(象)也"一句,省略了"陰二君一民,小人之道也"一句。帛書既有"陰卦多陽","陰卦耦","其德行何也"等語,其祖本也當有"陰二君一民,小人之道也"。今本"夫乾,天下之至鍵也,德行恒易以知險;夫坤,天下之至順也,德行恒簡以知阻",帛書本大體同于今本,只少"天下之至鍵也"一句。按,帛書本有"夫川(坤),魋然天下之至順也"一句,其祖本也當有"天下之至健也",因爲這是相對成文的。

從以上這些比較中,我們可以清楚地看到帛書本《繫辭》少于今本《繫辭》的許多内容,其祖本是存在的。帛書本的祖本在很多方面,是非常接近今本《繫辭》的。

三、從《易之義》、《要》的記載論今本
《繫辭》早于帛書《繫辭》

與帛書《繫辭》寫在同一幅帛上的還有《易之義》、《要》等。今本《繫辭》的一些段落章節,也散見于這兩篇帛書中。對這兩篇帛書的記載進行研究,有助于我們了解帛書《繫辭》祖本的真正面目。

《要》載有今本《繫辭下》第五章後半部分的内容,將《要》的記載同帛書《繫辭》的記載合在一起,今本《繫辭下》的第五章就大致復原了。《要》篇至少由四段文字組成,它們雖然記載的是孔子關于《周易》的一些言行,但每段文章各有其中心。這說明所謂篇名《要》,是摘要之意,是作者摘錄的一些孔子關于易學的重要觀點和論述。由《要》篇的這種性質我們可知,《要》篇所記載的内容并非最早出于《要》,而另有其文獻來源。這一點,在《易之義》中表現得更加清楚。

《易之義》既載有《說卦》前三章的内容,又載有今本《繫辭下》第六、七、八、九章的内容,因此過去人們曾將它誤爲帛書《繫辭》的下篇。《易之義》載有《說卦》的前三章,但今本《說卦》的"天地定位,山澤通氣,雷風相薄,水火不相射",卻被它改寫爲"天地定立(位),[山澤通氣],水火相射,雷風相榑(薄)"。據張政烺、于豪亮先生的研究,這種改造是從帛書《六十四卦》卦序的排列出發的。就像帛書《六十四卦》的卦序是對通行本卦序的改編一樣,《易之義》的這一段話也是對《說卦》的改造。由此可知,《易之義》所載的《說卦》三章,應是另有來源的。

《易之義》所載《繫辭》部分也是另有來源的，這里暫不詳加考證。最能説明問題的是《易之義》的最後一部分：

> 子曰：知者觀其緣（彖）辤，而説過半矣。《易》曰：二與四同[功而異位，其善不同：二]多譽，四多腥（懼），近也。《易》曰：柔之[爲道，不利遠者：其]要无[咎，其用]柔若[中也。《易》]曰：三與五同功異立（位），其過□□，[三]多凶，五多功，[貴賤]之等……

這裏的"子曰"、"《易》曰"都是今本《繫辭》所無的。《易之義》將《繫辭》文稱之爲"子曰"或"《易》曰"，説明《易之義》是引用他文。衆所周知，《新語》也是如此稱引《繫辭》語的。如《辨惑》篇説：

> 《易》曰：二人同心，其義斷金。

《明誠》篇説：

> 《易》曰：天垂象，見吉凶，聖人則之。

《説苑》的《敬慎》篇、《辨物》篇稱引《繫辭》的這兩段話，也都稱爲"《易》曰"。《鹽鐵論·險固》篇稱引《繫辭》"重門擊柝，以待暴客"句，也以"《易》曰"稱之。西漢初年的穆生説："《易》稱知幾其神乎！幾者，動之微，吉凶之先見者也。君子見幾而作，不俟終日。"也是將《繫辭》稱爲《易》。司馬談《論六家要指》引《繫辭》"天下一致而百慮，同歸而殊塗"，則稱其爲《易大傳》。可見《繫辭》在西漢初年以前，地位和一般的易説是很不相同的。這和它爲孔子所作的傳説是分不開的。正因爲如此，人們才直接以"子曰"或"《易》曰"稱引它。由此可見，《易之義》同于今本《繫辭》的文字，它直接稱之爲"子曰"或"《易》曰"，取之于《繫辭》的可能性最大。這一《繫辭》，與今本《繫辭》相當接近，它無疑就是帛書《繫辭》的祖本。

今本《繫辭》的大部分内容都散見于帛書《繫辭》、《易之義》和《要》之中，往往帛書《繫辭》所無的，就保存在《易之義》和《要》中；《易之義》和《要》所有的，帛書《繫辭》就無。因此，人們就據此認爲《易之義》、《要》中所有的《繫辭》部分，是西漢初年以後人們增入《繫辭》的。也就是説，今本《繫辭》是在帛書《繫辭》、《易之義》、《要》之基礎上綜合而成的。而事實并非如此。今本《繫辭下》第九章尚有一些殘存于帛書《繫辭》中，它們是“　　　　　　　　是與非，則下中教（爻）不備。初，大要。存亡吉凶，則將可知矣。”“是與非”前盡管文字已殘，但其内容肯定是“若夫雜物撰德，辨”無疑。而《易之義》有今本《繫辭》第九章内容的，也存有“鄉物巽德，大明在上，正其是非，則”等語①。“鄉物巽德”，無疑即“雜物撰德”，“正其是非，則”及後面的缺文無疑即“辨是與非”等。這說明帛書《繫辭》的内容，《易之義》也有。這是由它們的材料都有一個共同的來源而決定的。正由于它們取材于同一個來源，又是一人一時一地寫成，所以在運用同一材料時，三篇大致就能避免重複。當然，偶爾也有照顧不周的地方，這樣就出現了上述互見。

　　從帛書《繫辭》與今本《繫辭》語意不同的異文可證，帛書《繫辭》的祖本非常接近于今本《繫辭》；從帛書《繫辭》與今本《繫辭》詳略的比較可知，帛書本少于今本的許多章節、段落、文字，在帛書本的祖本中原是存在的；而《易之義》、《要》的記載則說明，在帛書寫作時，《繫辭》已被稱之爲《易》而作爲它們的材料來源。這一切證明，在帛書《繫辭》、《易之義》、《要》寫作時，今本《繫辭》的内容都已基本形成。因此，以帛書《繫辭》爲據證明今本《繫辭》的許多内容晚出的論點，是不能成立的。

　　作者簡介　廖名春，男，1956 年生，湖南武岡人，歷史學博士，清華大學思想文化研究所講師。著有《周易研究史》（合作）、《荀子新探》等。

---

　　① “非，則”兩字，筆者剛從帛書碎片的照片中找出。該殘片共兩行字，第一行有“始”和另一字，剛好補上《易之義》的“贊□□冬以爲質”中的兩個殘缺之字；第二行“非，則”剛好可按在“正其是”後。

從帛書《易傳》看今本《繫辭》
的形成過程

王　博

內容提要　從帛書《易傳》和今本《繫辭》的比較可以看出,它們之間當存在前後繼承關係,今本《繫辭》是在帛書《易傳》的基礎上整理而成的。漢初人所作《易傳》均爲兩篇,這應只是對《易經》的解釋,表明"十翼"系統尚未形成。漢武帝時設"五經博士",置博士弟子,故有"協六經異傳"的要求,司馬遷講"正易傳"正是這種情形的反映。本文認爲,今本《繫辭》的編定大約在公元前134年到前128年之間。

與今人著書不同,古代書籍一般都不是一時形成,這種認識得到了近年來考古發現的支持。李學勤先生曾說:"近年若干批簡帛古籍的發現,使人們更清楚地認識到,古書的形成和定型每每經過許多年代,有着分合增删的複雜過程。"① 從馬王堆漢墓發現的帛書《易傳》來看,今本《繫辭》的形成同樣經歷了一個複雜的過程。

一、帛書《易傳》簡介

1973年馬王堆漢墓出土了大批古代帛書,其中就有《周易》經

① 李學勤《馬王堆帛書〈周易〉的卦序、卦位》,載《中國哲學》第十四輯。

傳。《易經》部分幾年前即已公布，與通行本相比，差異主要表現在卦序方面，"傳世諸本都是始于乾，終于未濟，而帛書本則始乾終益。卦序完全不同。"[①]《易傳》部分的内容，先是有幾位看過帛書的先生撰文介紹過，到今年，又有所謂帛書《繫辭》釋文的發表。雖然我們目前還不能見到帛書《易傳》的全部釋文，但已知的材料仍可以爲我們探討易學史上的一些問題提供重要綫索。

帛書《易傳》附于《易經》之後，由幾個部分構成。各部分之間或以墨釘分開，或在文尾有篇名及字數統計。緊抄在《易經》後面的部分没有篇題，因以"二三子問"開頭，依古代名篇之例，可稱之爲《二三子問》。《二三子問》後面，就是所謂帛書《繫辭》，這部分本無篇題，篇首有一墨釘，因其内容與今本《繫辭》大同小異，故以《繫辭》名篇。《繫辭》之後的一篇也無篇題，因以"易之義"開始，故一般稱之爲《易之義》，它與《繫辭》間有墨釘分開。《易之義》之後的幾篇，都有篇名，分别題爲《要》、《繆和》與《昭力》。

帛書《易傳》發現于湖南長沙附近，其中又出現明顯的楚人姓氏（如昭、繆），加之所述歷史故事多與吳、越、楚有關，因此，學者一般認爲帛書《易傳》可能是當時流行于南方的一種傳本，這是很有道理的。

帛書《易傳》中，最引起學者注意的，當然是所謂《繫辭》了。值得再説明的是，帛書《繫辭》本無篇名，只是因爲它的内容與今本《繫辭》相似，才以《繫辭》名篇。馬王堆帛書中，有篇名及字數統計的非常多，如《老子》上下篇分别題爲《德》、《道》，《黄帝四經》四篇分别題爲《經法》、《十六經》、《稱》和《道原》，帛書《易傳》的後面幾篇也有篇名。這種情況表明，帛書在抄寫過程中是注意了篇名的。因此，所謂帛書《繫辭》没有篇名，應該就是當時還没有"繫辭"一名的證明。這對于我們討論今本《繫辭》的形成過程來説，是非常重要的。

---

① 李學勤《馬王堆帛書〈周易〉的卦序、卦位》，載《中國哲學》第十四輯。

　　與今本《繫辭》相比，所謂帛書《繫辭》缺少了一些章節，主要有①：

　　1.今本《繫辭上》第八章"大衍之數五十"至"可與祐神矣"，共189字；

　　2.《繫辭上》第九章首句"子曰知變化之道者，其知神之所爲乎"，共15字；

　　3.《繫辭下》第四章"子曰危者安其位者也"至"幾者動之微，吉凶之先見者也"，共133字；

　　4.《繫辭下》第四章"子曰顏氏之子其殆庶幾乎"至"立心勿恒凶"，共149字；

　　5.《繫辭下》第五章"子曰乾坤其易之門邪"至"以明失得之報"，共119字；

　　6.《繫辭下》第六章"易之興也其于中古乎"至"巽以行權"，共145字；

　　7.《繫辭下》第七章"易之爲書也不可遠"至"則思過半矣"，共163字；

　　8.《繫辭下》第八章"二與四同功而異位"至"此之謂易之道也"，共188字。

　　缺少的這些章節中，除1、2條所列外，其餘部分都見于帛書另外幾篇《易傳》中。其中3、4條見于《要》，5、6、7、8條見于《易之義》。

　　儘管缺少了以上這些章節，但所謂帛書《繫辭》畢竟包括了今本《繫辭》的大部分內容，特別是從形式上考慮，二者都始于"天尊地卑，乾坤定矣"，而終于"失其守者其辭屈"。因此，它們之間的聯繫是顯而易見的。我們并不能因爲帛書《易傳》原是南方傳本而否認其與今本《繫辭》的關係。

　　問題是：在有密切聯繫的帛書《繫辭》和今本《繫辭》之間，哪一

____
① 此據黃沛榮先生《馬王堆帛書〈繫辭傳〉校讀》文中的統計。

個要更早一些呢？看來，帛書《繫辭》形成的年代要早。這樣説，是
基于以下兩點直接的理由：第一，帛書《繫辭》原無篇名；第二，今本
《繫辭》除包括所謂帛書《繫辭》外，還包括《易之義》及《要》兩篇中
的部分内容。今本《繫辭》當是以帛書《繫辭》爲主，同時又采納了
《易之義》及《要》中的部分内容。而其中"大衍之數"章等可能還有
另外的來源。

　　因此，一種可能的情況是，本來并無今本《繫辭傳》的存在。今
本《繫辭》和帛書《易傳》的關係，或許也不是不同地區不同傳本的
關係，它們應該是前後繼承的關係。

二、漢初所傳《周易》的分析

　　帛書《易傳》發現于馬王堆 3 號漢墓中，下葬年代是漢文帝前
元 12 年，即公元前 168 年。此時今本《繫辭傳》尚未編定，"十翼"也
并未形成。這從漢代初期《周易》的傳授情況也可以得到證實。

　　漢代的易學，本于齊人田何，此是漢人公論。《漢書·藝文志》
説："漢興，田何傳之，訖于宣元，有施、孟、梁丘、京氏，列于學官"，
從田何到施、孟、梁丘三家的傳授，依史書記載，可用下表説明①：

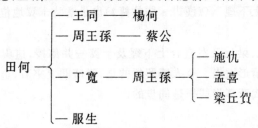

其中五同、周王孫、丁寬、服生、楊何、蔡公等都著有《易傳》數篇，
《漢書·藝文志》六藝略《易》類記載：

　　《易傳》周氏二篇　字王孫也。

————————

　　① 參見李學勤先生前文。

　　服氏二篇

　　楊氏二篇　　名何，字叔元，菑川人。

　　蔡公二篇　　衛人，事周王孫。

　　王氏二篇　　名同。

　　丁氏八篇　　名寬，字子襄，梁人也。

值得注意的是，在田何的弟子和再傳弟子中，除了丁寬的《易傳》爲八篇外，其餘人的《易傳》都是二篇，另外，與田何無師承關係的韓嬰《易傳》，《漢志》記載也是二篇。爲什麽如此，恐怕只有一種比較合理的解釋，即他們的《易傳》只是對《易經》上下篇的注釋，而不包括對"十翼"的注釋。這表明，在漢初，還没有一個權威的《易傳》如後來的"十翼"存在，所以經師只是傳授、講解經文。

　　這種情形到了施、孟、梁丘及費直時才有改變。《漢書・藝文志》記載：

　　《易經》十二篇，施、孟、梁丘三家。

師古注曰："上下經及十翼，故十二篇。"應該是正確的。這表明，至少從施、孟、梁丘三家開始，包括今本《繫辭傳》在内的"十翼"已經出現，且已具有與《周易》上下經類似的地位。約與施、孟、梁丘三家同時的費直把十翼附於上、下經後，"徒以《彖》、《象》、《繫辭》十篇文言解説上下經"，(《漢書・儒林傳》)也是當時十翼地位已經確立的證明。

　　施、孟、梁丘及費直合上下經及十翼一并傳授，這與漢初只傳上下經的情形大異。令人感興趣的是，從時間上來看，這個轉變的發生與漢武帝尊崇儒學是同步的。

三、五經博士與博士弟子

　　漢承秦弊，因而在建國之初采取了與民休息的政策，從哲學上來看，就是尊崇主張清靜無爲的黄老思想。此時雖也有一些儒生倡導儒學，但總不能成大氣候，此中原因，據《漢書・儒林傳》記載：高祖時尚有干戈，平定四海，未皇庠序之事；惠帝、呂后時，公卿皆武力功臣；文帝本好刑名之學；景帝時不任儒，竇太后又好黃老術。是故儒學在漢初不能得到重視。

但到武帝時，情形發生了很大變化。武帝初年，竇太后雖還在世，也曾發生過逼死儒者趙綰、王臧之事，但武帝雄才大略，不欲清靜無爲，即位初便"向儒術、招賢良"，竇太后死後一年，便上徵文學之士（即儒者）公孫弘等。武帝時曾有幾次舉賢良對策之事，其中董仲舒的對策，頗得武帝賞識，而其中便有"諸不在六藝之科、孔子之術者，皆絕其道，勿使并進"等語。

武帝尊崇儒學的第一個步驟就是于建元五年（公元前 136 年）"置五經博士"。五經即《詩》、《書》、《禮》、《周易》和《春秋》，即儒者常研習的所謂"六藝"的內容。（因《樂》無文字，故不能立爲博士）博士制度起源于戰國時期，秦及漢初也都有博士存在，如漢初傳《尚書》的伏生就是秦朝博士。文景之時，專治《詩》、《書》、《禮》、《易》和《春秋》的博士可能即已存在，如韓嬰以傳《詩》聞名，文帝時即爲博士；董仲舒精于《春秋》，景帝時爲博士。到武帝建元五年"置五經博士"，其意義可能在于提高了五經博士的地位，把五經由儒家經典變爲國家倡導的經典；或者是廢除文景時的諸子及傳記博士，而只立五經博士。這後一種可能性也是很大的①。

武帝尊崇儒學的第二個步驟是爲五經博士置弟子員。此事發生于公元前 124 年，是武帝在採納了丞相公孫弘等的建議後實施的。此舉的意義在于增加了博士官的職能。《漢書·百官公卿表》云："博士，秦官，掌通古今"，可知博士之職責本只是推古以明今，爲帝王顧問咨詢，故《儒林傳》言景帝時博士"具官待問"。但爲之立弟子員之後，博士制度就有了學校的功能，博士也具有了老師的身份，負有傳授經書的責任。這在公孫弘等的上奏中已有説明：

"謹與太常臧、博士平等議，曰：聞三代之道，鄉里有教，夏曰

---

① 《漢書·儒林傳》言"爲博士官置弟子"，此博士即專指五經博士。"博士"與"五經博士"通用表明當時可能只存在"五經博士"。

校，殷曰庠，周曰序。其勸善也，顯之朝廷；其懲惡也，加之刑罰。故
教化之行也，建首善自京師始，由内及外……請因舊官而興焉，爲
博士官置弟子五十人，復其身。太常擇民年十八以上儀狀端正者，
補博士弟子。"

　　五經博士及博士弟子的設置，要求博士要承擔傳授經學的責
任。但傳授什麽，這是博士們面臨的一大問題。他們需要確定一權
威的傳本，包括今本《繫辭傳》在内的"十翼"的出現，可能就與此有
關。

四、"六經異傳"及"正易傳"

　　說今本《繫辭傳》等的編定是出于博士官教授弟子的需要，這
還是從微觀的方面着眼。從漢武帝時期學術的宏觀背景來看，當時
正處在一個從尚黄老到尊儒學的轉變過程中，因此，客觀上存在着
一個以儒學爲指導來統一思想的問題。另外，漢自高祖創立，中經
惠帝、吕后、文帝和景帝，到武帝時，政治上的統一已趨穩固，但思
想領域卻遠遠未能達到大一統的要求。所以，董仲舒在給武帝的對
策中才有如下的建議：

　　　《春秋》大一統者，天地之常經，古今之通誼也。今師異道，人異
　　論，百家殊方，指意不同，是以上亡以持一統；法制數變，下不知所
　　守。臣愚以爲諸不在六藝之科、孔子之術者，皆絕其道，勿使并進。邪
　　僻之說滅息，然後統紀可一而法度可明，民知所從矣。

　　董仲舒這裏已把當時思想界的形勢、統一思想的必要性及手
段講得非常清楚。他建議武帝以孔子所重視的"六藝"爲制定統紀
法度的標準，而排斥其他一切道術，這樣，老百姓的言行就有了依
據。但是，仍然有問題，那就是當時學者對"六藝"就有不同的理解，
有所謂"六經異傳"① 的存在。如《漢書・藝文志》序文所說："昔仲

---

① 《史記・太史公自序》。

尼没而微言絶，七十子喪而大義乖。故《春秋》分爲五，《詩》分爲四，《易》有數家之傳。"此中《春秋》分爲五，據韋昭説是指左氏、公羊、穀梁、鄒氏和夾氏；《詩》分爲四是指毛氏、齊、魯、韓。

因此，要統一認識，就必須統一人們對六藝的理解。武帝建元五年立五經博士，《尚書》立歐陽氏，《禮》立后氏，《周易》立楊何，《春秋》立公羊，大概就有這樣的意思。就《周易》而言，司馬談曾有"正易傳"的説法，這三個字出于《史記·太史公自序》："太史公曰，先人有言：'自周公卒五百歲而有孔子。孔子卒後至于今五百歲，有能紹明世，正《易傳》，繼《春秋》，本《詩》、《書》、《禮》、《樂》之際？'意在斯乎！意在斯乎！小子何敢讓焉。""正《易傳》"表明在司馬談時存在着不同的《易傳》，今傳"十翼"的地位尚未確立。

現在人們只要一提起《易傳》，指的就是十翼，但在戰國及漢初，情形并非如此。帛書《易傳》的發現，使我們更容易判定當時多種《易傳》的存在。帛書《易傳》大體形成于戰國後期的楚地，而與此同時或稍前，在魏國及齊國，就有不同内容的《易傳》存在。西晉太康二年、汲縣魏襄王墓中，曾挖出有關《周易》的書籍。據《晉書·束晳傳》記載："其《易經》二篇，與《周易》上下經同，《卦下易經》一篇，似《説卦》而異。"魏襄王（公元前 318—前 296）墓中出土《易經》及與今"十翼"不同的解易作品，無疑是戰國中後期魏國存在并流行内容不同的《易傳》的證明。另外，《戰國策·齊策四》曾記載顏斶對齊宣王説："是故《易傳》不云乎？居上位，未得其實，以喜其爲名者，必以驕奢爲行；據慢驕奢，則凶從之。"此處所引《易傳》語不見于"十翼"，顏斶是齊國人，他所引應是當時齊國流行的《易傳》中的一段話。

以上説明戰國時即存在多種《易傳》，這其實也是一種很普通的情形。《易經》形成于諸子百家興起之前，所以并不是某一學派的作品。戰國時各學派的思想家以《易經》爲思想資料來發揮自己的觀點，因而形成了不同傾向的《易傳》。

秦始皇焚書坑儒，《易》以卜筮之書得免，故傳者不絶。漢興、官方易學本于田何,另外也還有許多民間傳授者,戰國時的各種《易傳》也會流傳到漢初。這使漢初的易學呈現出紛雜的面貌,司馬談"正《易傳》"的想法也正是在這種情形下才能提出的。

五、今本《繫辭》編定的時間

依以上的說明,我們現在可以來討論一下今本《繫辭》編定的具體時間了。首先我們可以確定一個大致的上下限,然後我們再做更詳細的分析。

《史記·孔子世家》稱孔子"序《彖》、《繫》、《象》、《說卦》、《文言》。"此中《繫》即《繫辭》,這是文獻中第一次出現"繫辭"之名,值得注意。此時今本《繫辭》當已形成,可以作爲我們討論《繫辭》年代的下限。《孔子世家》寫作的具體年代,因無記載,不得詳考。但據《太史公自序》,司馬遷作《史記》始于遭李陵之禍(天漢三年,即前98年)之後,依《自序》所記寫作次序,係《孔子世家》于公元前95年前後,當無大問題。

至于今本《繫辭》形成的上限,我們可以初步繫于帛書《易傳》隨葬之年——漢文帝十二年,即公元前168年。不過,進一步地分析,我們會把這個上限逐漸地挪後。《漢書·董仲舒傳》記董仲舒給武帝的對策中,曾有這樣一段話:

> 《易》曰:"負且乘,致寇至。"乘車者君子之位也,負擔者小人之
> 事也,此言居君子之位而爲庶人之行者,其患禍必至也。

董仲舒所引《易》曰,乃《解》卦六三爻辭,後面是他對此爻辭的解釋。令人感興趣的是,今本《繫辭上》也曾引此句爻辭加以解釋,其文曰:

> 子曰:"作易者,其知盜乎?易曰:負且乘,致寇至。負也者,小人
> 之事也。乘也者,君子之器也。小人而乘君子之器,盜思奪之矣。上
> 慢下暴,盜思伐之矣。慢藏誨盜,冶容誨淫。易曰:負且乘,致寇至。盜
> 之招也。"

　　兩相比較，二者的解釋并不完全相同。董仲舒講"居君子之位
而爲庶人之行者，其患禍必至也"，主語是君子。而《繫辭》言"小人
而乘君子之器，盜思奪之矣"，主語是小人。可知董仲舒解《易經》文
并沒有完全依《繫辭》立義。這說明董仲舒對策之時，《繫辭》尚未具
有權威地位，今本《繫辭》尚未形成。

　　另外，對策中還有一段話，也可證明這種推論。董仲舒說："言
出于己，不可塞也；行發于身，不可掩也，言行，治之大者，君子之所
以動天地也。故盡小者大，慎微者著。"這與今本《繫辭上》所說"言
行，君子之所以動天地也，可不慎乎？"相似。董仲舒對策中喜稱引
《詩》、《書》之文，此處不稱"《易》曰"，說明此時這段話尚無經之地
位。

　　董仲舒對策之年，史書記載不同。《漢書·武帝紀》繫于元光元
年（前134），而《通鑑》則繫于建元元年（前140）。從對策中"今臨政
而願治七十餘歲矣"來看，謂漢興已七十餘年，則當以元光元年爲
正。這就是說，在公元前134年時，今本《繫辭》尚未形成。

　　這樣，我們已可以把今本《繫辭傳》形成的時間限定在公元前
134年到前95年這四十年之間了。這段時間，正值五經博士剛剛
設立（前136年），博士弟子也開始設置（前124年）。此時的易學博
士是楊何，今本《繫辭傳》的編定可能就與他有關。《史記·太史公
自序》記司馬談"受易于楊何"，司馬談曾撰《論六家要旨》，開頭即
說："《易大傳》：天下一致而百慮，同歸而殊途"，此所引《易大傳》文
見于今本《繫辭下》，《集解》引張晏曰：《易大傳》即指《繫辭傳》。《大
傳》是通論一經大義的解經體裁，《繫辭》正是這種體例。值得注意
的是，司馬談已經使用《易大傳》一詞，這表明今本《繫辭傳》可能已
經編定。而《繫辭》之名此時或許已經出現，不過司馬談依漢人習慣
稱之爲《大傳》而已。司馬談卒于武帝元封元年即公元前110年，他
寫作《論六家要指》的時間，《史記》無明確記載，姑繫之于前115
年，即司馬談卒前5年。這樣，《繫辭傳》的編定，很可能便在前134
年到前115年之間了。

如果我們進一步探索，這段時間內，漢武帝曾引用過《繫辭》文字。《漢書·武帝紀》記載，元朔元年春三月甲子，立皇后衛氏，詔曰："朕聞天地不變，不成施化；陰陽不變，物不暢茂。易曰：'通其變，使民不倦'，詩云：'九變復貫，知言之選'。"所引"易曰"文，見于今本《繫辭下》，帛書《易傳》此句作"通其變，使民不亂"，與武帝詔書引文有異。這說明此時今本《繫辭》已經編定，且具有經的地位，故武帝引其文稱"易曰"。元朔元年即公元前 128 年，上距董仲舒對策只有七年，距五經博士之說也只有九年。果如此，則《繫辭傳》的編定大略是公元前 134 年到前 128 年之間發生的事了。

六、餘　　論

以上對今本《繫辭傳》形成過程的探討，只能算是一種推測。在"十翼"中，以《繫辭》文字最爲殺駁，這是古今學者都承認的。北宋歐陽修即曾據《繫辭》文"繁衍叢脞而乖戾"而否認其爲孔子作品，今人更明確地說："就今本《繫辭》說，文意有重復，有錯簡。有些章節，上下文之間，并無聯縈……看來，此傳非出于一時一人之手，是陸續編纂而成的。"[1] 其實，與《彖》、《象》等相比，《繫辭》之名也無確定之意義，這也是其爲編纂而成的證據。

本文討論的是《繫辭》編定的過程，這與《繫辭》所包含內容形成的年代是兩個不同的問題。我們說今本《繫辭》形成于武帝時期，是指今本《繫辭》這種結構的形成年代。事實上，今本《繫辭》所包含內容的出現是相當早的，這個問題，朱伯崑先生《帛書本〈繫辭〉文讀後》一文中有論述，此處就不多談了。

作者簡介　王博 1967 年生，內蒙古赤峰人。哲學博士。現爲北京大學哲學系講師，主要從事先秦道家思想研究。

---

① 朱伯崑：《易學哲學史》上册，北京大學出版社，1986 年版，第 46 頁。

帛書《繫辭》初探

陳松長

内容提要　作者曾將帛書《繫辭》的圖版加以拼接,寫出釋文,刊于《馬王堆漢墓文物》(湖南出版社 1992 年版)書中。當時由于時間倉卒,未及將圖版和釋文細加核校,故在本文中再作初步的解釋。作者支持那種關于帛書《繫辭》僅四十七行、三千餘字的見解,認爲"子曰易之義"句以下的三千餘字是與《繫辭》不同的佚書,并補充了一些重要的證據,指出那些不見于《繫辭》帛書本而僅見于通行本的章節,多數與《繫辭》原義不合,是漢初以後的易學家補充進去的。例如帛書《繫辭》强調初爻的重要性,通行本則重視中爻,增加了很多以中爻判斷吉凶的言論。在這基礎上,作者説明帛書《繫辭》保存了較多的戰國古文的形體,内容樸實而易於理解,没有通行本那麽多的象數理論和玄妙色彩,是比通行本更爲原始或古樸的寫本。

帛書《易傳・繫辭》自從 1973 年出土以來,雖間有學者對其進行過不同程度的介紹和研究,但由于種種原因,其全文和圖版遲遲未能與學人見面。時值馬王堆漢墓挖掘出土二十周年之際,爲迎接馬王堆漢墓國際學術討論會的召開,筆者和傅舉有先生合作編撰出版了《馬王堆漢墓文物》一書。當時的初衷乃是集中匯萃馬王堆漢墓出土的文物精品,給學術界提供一份翔實而形象的研究材料,同時有選擇地刊出一批尚未發表的新材料。考慮到帛書《易經》、

《易傳·繫辭》在學術界,特別是在思想史研究中的重要價值,故第一次選刊了帛書《易經》和《繫辭》的全部圖版。最初并未考慮發釋文,後因出版社的同志反復强調釋文的必要性,才在該書即將付梓前,匆促地趕寫了《繫辭》的釋文。又因時間緊迫和條件所限,釋文未能細細斟酌,亦未來得及請專家弈定,即交付出版了,故該書收入的《繫辭》圖版和釋文都留下了一些不應該有的遺憾。現在蒙《道家文化研究》慨允,再次刊發帛書《繫辭》的釋文,筆者對《繫辭》的圖版重新進行拼接,核對原物,同時參稽時賢之説,對釋文進行了較爲仔細的復核和校訂。下面僅就筆者在帛書《繫辭》的圖版拼接和釋文過程中所想到的幾個問題做些粗略的探討。

一、關于帛書《繫辭》的篇幅

帛書《繫辭》出土以後,不少學者對其進行了不同程度的整理和研究。特別是以已故的于豪亮先生的《帛書周易》(《文物》1984年第 3 期)爲代表,認爲帛書《繫辭》分上下兩篇,上篇約三千餘字,它包括通行本《繫辭上》的第一至第十二章(其中缺第八章),還包括通行本《繫辭下》的前三章和第四章的一部分,第七章的一小部分以及第九章。下篇則從"子曰易之義"開始,約三千七百餘字,它包括三個部分,一部分是不見於通行本的兩千餘字,一部分則是通行本《説卦》中的前三節,最後一部分則是通行本《繫辭下》的第五章、第六章、第七章的一部分和第八章。上下兩篇合計約六千七百餘字。

這種意見當時得到了很多學者的認可,以至許多言及帛書《繫辭》的文章或論著中,均援引其説。後來,韓仲民先生根據自己整理帛書的體會,對此提出了異議。他在《帛書〈繫辭〉淺説——兼論易傳的編纂》(《孔子研究》1988 年第 4 期)一文中,認爲帛書《繫辭》不分上下篇,只有三千餘字。而所謂"下篇"實際上是另一篇佚書。隨後,張立文先生在《〈周易〉帛書淺説》(《中國文化與中國哲學》

1988 年號,三聯書店 1990 年 12 月初版)一文中亦支持韓仲民先生的觀點,并將所謂"下篇"的古佚書逕稱爲《易之義》。這兩位先生對於帛書《繫辭》的認識,主要基於以下幾點理由:第一,馬王堆帛書中分篇的標誌是多在篇首畫有墨釘。帛書《繫辭》的第一行"天尊地卑"的頂端標有墨釘,而在第四十八行"子曰:易之義"的頂端亦標有墨釘,這與帛書《二三子問》、《要》篇的首行頂端標有墨釘一樣,均是分篇的標誌。第二,帛書《周易》六十四卦不分上下篇,中間亦沒有墨釘標誌,因此,帛書《繫辭》亦無上下篇之分。第三,帛書《繫辭》所缺的通行本中的章節并不全見於所謂"下篇"之中,還散見于另一篇帛書中,因此,并不能因爲文中有《繫辭》通行本中的章節,就認爲它一定是《繫辭》的下篇。第四,所謂帛書《繫辭》上篇其實已籠括了通行本上下兩篇的主要内容,特别是其首尾章節均很完整,完全没有必要將另一篇古佚書劃定爲其下篇。

應該説,這些理由已很有説服力,而王葆玹先生在這些理由的基礎上,從帛書《繫辭》能夠解決通行本《繫辭》"重卦"説的自相矛盾這一點上,又有力地支持了韓、張兩先生的觀點(見《從馬王堆帛書本看〈繫辭〉與老子學派的關係》一文,載《道家文化研究》第一輯,上海古籍出版社,1992 年 6 月第 1 版)。

筆者在編選帛書《繫辭》的圖版時,曾反覆比較這兩種意見,最後決定取韓、張二先生之説,只編發了從"天尊地卑"到"失其所守,其辭屈"共四十七行,這不僅是筆者以爲韓、張兩先生的理由很有説服力,而且筆者從其内容的理解和文意的連貫性認識上,亦覺得韓、張二位先生的意見比較可取。

帛書《繫辭》與通行本相校,主要是缺通行本《繫辭上》的第八章和《繫辭下》的第五、六、八章和第七章的一部分。關於《繫辭上》的第八章之所以在帛書中闕如,有些學者已作過一些分析。筆者以爲,這一章全是討論筮法的内容、結構、作用以及行筮的方法、步驟等,其本身與《繫辭》所着重闡述的易學原理就有根本的區别,帛書中没有這一章,倒是更顯得主題明確,層次分明些。加上這一章,反而有蕪雜之感，以至宋代的朱熹不得不將"天一，地二；天三，地四；天五，地六；天七，地八；天九，地十"這一句論述天地之道的話抽出來，加在"大衍之數五十"的前面，以牽合文意。《繫辭下》的第五、六、八章和第七章的一部分，其內容多爲稱述周文王、顏回的文字，歷來是學者們將《繫辭》認定爲儒家著作的標志。其實，只要我們仔細地比較一下《繫辭》的其它章節，就會發現，它們那闡述問題的方式和着眼點都是迥然不同的。例如："子曰：《易》，其至矣乎？夫《易》，聖人所以崇德而廣業也。"（《繫辭》上第六章）這裏强調，《周易》是至高無上、無所不包的東西，它是聖人充實德行、擴大業績的工具。但在通行本《繫辭》下的第六章中卻又説："《易》之興也，其于中古乎？作《易》者，其有憂患乎？"第八章中更説："易之興也，其當殷之末世、周之盛德邪？當文王與紂之事邪？"完全把《易》的興起和功用與周文王聯繫了起來，儼然一種"祖述堯舜，憲章文武"的口氣，與《繫辭》上中對《易》的高度評價形同實別，甚至可以説大相徑庭。

　　帛書《繫辭》中，完全沒有這幾章稱贊周文王、顏子的內容，這一方面顯示了《繫辭》本身思想的連貫性，避免了在易學原理闡述中的儒道思想的混雜；另一方面，我們仔細推敲帛書《繫辭》中省略這些章節的前後文意，發現它們本來就是非常緊湊的一個整體，只是被漢以後的易學家們硬加分解，插入了一些章節。爲了説明的方便，我們姑且先錄出帛書《繫辭》第四十二行至四十四行的部分文字：

　　　　善不責（積）不足以成名，惡不責（積）不足以滅身。小人以小善
　　　爲无益也而弗爲也，以小惡[爲无傷而弗去也，故惡責（積）而不可]
　　　蓋也，罪大而不可解也。《易》曰：何校滅耳，凶。君子見幾而作，不位
　　　冬（終）日。《易》曰：'介于石，不冬（終）[日，貞吉。介石如焉]，毋用冬
　　　（終）日，斷可識矣。君子知物知章，知柔[知剛，萬夫之望。若夫雜物
　　　撰德，辨]是與非，則下中教（爻）不備，初，大要。存亡吉凶，則將可知
　　　矣。

　　這一段文字,在通行本中,被切分在第四章和第七章之間,中間插入了大量的儒家説《易》的理論。其實,這段文字本來就是一個完整的段落,它主要是説明君子能見幾而作,能從其端倪辨析事物的是與非,能根據易之初爻推知存亡吉凶。整個段落可以分作三個層次去理解:第一層是例説小人不能見微知著,故以小善爲無益而弗爲,以小惡爲無傷而弗去,以至最終造成惡積而不可蓋、罪大而不可解的惡果。第二層是説君子能"見幾而作,不位冬(終)日",所謂"幾",幾微也,也就是事物發展變化的苗頭。正因爲君子能從事物發展的苗頭中知曉其發展的趨勢和結果,故能成爲"萬夫之望"。第三層是根據《易》之爻象以辨是非的原理來説明見微知著的方法和重要性。這一層中,特別值得注意的是:帛書作"[若夫雜物撰德,辨]是與非,則下中教(爻)不備,初,大要。存亡吉凶,則將可知矣。"而通行本則作"若夫雜物撰德,辨是與非,則非中爻不備,噫亦要存亡吉凶,則居可知矣。"這裏,帛書本中所強調的是以初爻爲推知存亡吉凶的"大要";聯繫上文理解也就是要善于"見幾而作",見微知著以推知事物之"存亡吉凶"。而通行本中則是將"下中爻不備"改成了"非中爻不備"。一字之差,其意思也就相差萬里了。所謂"非中爻不備"乃是漢代流行的以象數解易學派的重要觀點之一,"中爻",也就是六爻中的二、三、四、五爻,這些爻位的中不中,正不正,當不當,應不應,比不比,是象數派易學家辨析是非、判斷吉凶的重要依據。因此,在通行本《繫辭》的第六章中,就加入了大量的以中爻判斷吉凶的言論。諸如:

　　　其初難知,其上易知,本末也。
　　　二與四同功而異位,其善不同,二多譽,四多懼,近也。
　　　三與五同功而異位,三多凶,五多功,貴賤之等也。

　　其實,這些都是漢初以後的易學家們的理論,至少在傳抄帛書《繫辭》的西漢初年,尚没有將這種理論插進《繫辭》中來。此外,通行本中的"噫亦要存亡吉凶,則居可知矣"一句還頗爲費解。其中的"噫亦要"三字就曾令歷代學者爲之困惑。例如尚秉和先生就在

"噫"字下斷句,視其爲發語詞。王引之則認爲:"噫亦,即抑亦也。"
視其爲轉語詞。殊不知這兩個字乃是後人傳抄誤改所至。帛書中
做"初,大要",這不僅可以冰釋後人的誤解,而且其文意亦與該段
開頭的"見幾而作"遙相呼應,構成一個完整的整體。因此,筆者以
爲,從帛書行文的内在聯繫和文意的連貫性上考察,這三千餘字的
帛書《繫辭》乃是一篇首尾完整、内容明確、文思通貫的易學理論專
著,完全没有必要硬要將抄在其後的另一篇古佚書劃定爲它的下
篇。基于上述認識,筆者在編選《繫辭》圖版時,只選取了前三千餘
字共四十七行,而將"子曰:易之義"以下裁斷,視爲另一篇易傳的
古佚書。

二、關于帛書《繫辭》的時代

帛書《周易》釋文刊發後,對帛書《周易》與通行本《周易》的孰
先孰後的問題,曾在學術界引起過熱烈的討論。帛書《繫辭》與通行
本既然有着很大的差異,那麼,對其編抄時代的考證,自然是一個
必須首先解決的問題。對此,于豪亮先生在《帛書周易》一文中已指
出:帛書《繫辭》中的卦名比帛書《周易》更爲古奥,例如帛書《周易》
中的"屯、涣、訟"等卦名基本上與通行本相同,而帛書《繫辭》則分
别作"肫、奂、容"等。這至少可以説明,帛書《繫辭》的傳本不會晚于
帛書《周易》。王葆玹先生在《從馬王堆帛書本看〈繫辭〉與老子學派
的關係》一文中指出:《繫辭》是戰國晚期的作品,帛書《繫辭》的編
定時間至遲也應是在秦代。而根據"重卦"問題上的矛盾説法只見
于《繫辭》通行本,不見于帛書本,與《説卦》一致的"兼三材而兩之"
一節也僅見于通行本,不見于帛書本等方面推論,帛書本的編定時
間肯定早於通行本,而且比通行本更爲可靠。他同時進一步指出:
通行本乃是漢初學者對帛書《繫辭》改編的産物,這些學者將帛書
《繫辭》與《易之義》的部分文字合編在一起,加以增删,便産生了
"伏羲盖卦、文王重卦"的易學史觀。這改編的工作大概是在高后臨

朝稱制的時期完成的。

筆者以爲,于、王兩先生的意見是言之有據,較爲客觀公允的。筆者并不準備去鈎稽典籍來論證帛書《繫辭》的時代,而只是從帛書《繫辭》本身與通行本的文字、語句的差異的分析中,説明帛書本與通行本的先後問題。

(1)帛書《繫辭》保存了較多的戰國古文的形體。例如:

"天尊地庫"的"尊"寫作"𡬆"。

"方以類聚"的"聚"寫作"冣"。

"憂虞之象"的"虞"寫作"虍"。

"悔吝也者"的"悔"寫作"𢠽"。

"俯以觀於地理"的"俯"寫作"頫"。

"知崇禮卑"的"崇"寫作"𡮂"。

"不出户牖"的"牖"寫作"牏"。

"吉凶與民同愿"的"愿"字寫作"𩓥"。

"聰明俊知"的"聰"寫作"𦕡"。

"天垂象"的"垂"寫作"𠂹"。

"掘地爲臼"的"掘"寫作"𢫥"。

"弦木爲弧"的"弧"寫作"𢎜"。

其它諸如"其"作"六"、"於"作"𠄎","聖"作"𦔓"之類,是處可見。由是可知帛書《繫辭》多少保留了戰國古文的一些痕迹和特點,這也就無異於説明它比通行本的傳抄時間更早一些。

(2)帛書本較好地保留了《繫辭》的原始面目,較爲樸實而易于理解,没有通行本那麼多象數理論和玄妙色彩。例如:

"乾坤,其《易》之緼邪",(通行本)韓康伯注:"緼,淵奥也。"虞翻注:"緼,藏也。"孔穎達疏曰:"乾坤是易道之所緼積之根源也。是與易爲川府奥藏。"今人徐志鋭更加以發揮説:"乾坤,非指乾坤二卦,而是指奇偶兩畫,因乾坤爲純陽純陰之卦,歸根結底不外奇偶兩畫,而六十四卦不外是乾坤的奇偶兩畫交錯而成,所以奇偶兩畫有無窮的變化,它藴藏着極其深奥的道理"(《周易大傳新注》,齊魯書社 1986 年 6 月第 1 版)。

這裏且不説徐先生將乾坤二字解爲奇偶兩畫是如何以臆斷做新解，就是韓、虞、孔三位注疏大師的解釋，也是就字釋意，强爲演繹，以至將"縕"這個動詞引申做名詞，解釋爲易道縕積的根源。因此，讀來總有未安之感。今帛書本作"鍵（乾）川（坤），其《易》之經與?"一字之差，竟説明易學家們千百年來費盡心智所作的解説都是徒勞的。原來《繫辭》本來就不玄妙，極其易解。所謂"鍵川，其《易》之經與"，無非是强調指出乾坤乃是易學推衍的核心、綱領，是故《繫辭》開篇就説："天尊地卑，乾坤定矣。"韓康伯亦注明："乾坤，其易之門户。"而帛書《繫辭》中緊接着"鍵（乾）川（坤），其《易》之經與"之後就指出："鍵（乾）川（坤）成列，易位乎其中。鍵（乾）川（坤毀則無以見《易》矣。"顯示出鍵（乾）川（坤）在《易》中的地位和作用。事實上，《繫辭》通篇都是以乾坤爲綱而展開論述易學原理的，帛書本作"鍵（乾）川（坤），其《易》之經與"，也就更易于理解，上下文意也更通暢。

"《易》與天地準，故能彌綸天地之道。"（通行本）

王肅注："綸者，纏裹也"，虞翻："彌，大。綸，絡。謂《易》在天下包絡萬物。"徐志鋭先生依之語譯此句曰："《易》書是以天地爲準則，所以包羅天地萬物的規律。"

其實，《易》並不能包絡天地萬物的規律，而只是足以闡釋天地萬物的規律。帛書《繫辭》作："《易》與天地順，故能彌論天下之道。"這裏雖然只有兩字不同，但讀來宜然理順得多，"《易》與天地順"不僅免去了將介詞"與"改作"以"去理解的麻煩，而且直接明了地説明了《易》能大論天地之道的原因：即《易》，或者説易學理論本身就是順成天地陰陽的規律而形成的，故下文才有"仰以觀於天文俯以察於地理，是故知幽明之故"的發揮和闡述。此外，帛書《稱》中有"知天之所始，察地之理，聖人麋論天地之紀"的記載。"麋"與"彌"本係同聲假借，所謂"知天之所始，察地之理"，正是"《易》與天地順"的絶好注腳，而"麋論天地之紀"與"彌論天地之道"語意全同，由是亦可知帛書本不誤，而通行本顯然是誤抄訛傳的結果。

> 仁者見之謂之仁，知者見之謂之知，百姓日用而不知，故君子之道鮮矣。顯諸仁，藏諸用，鼓萬物而不與聖人同憂，盛德大業至矣哉。（通行本）

> 仁者見之胃之仁，知者見之胃知，百生（姓）日用而弗知也，故君子之道鮮。聖（聖）者仁勇，鼓萬物而不與眾人同憂，盛德大業至矣幾（哉）。（帛書本）

兩相比較，通行本在"顯諸仁，藏諸用"之前缺少主語。舊注以爲是"道"造就萬物而顯示出其仁的功績，但因爲誰也看不到"道"的具體作爲，故其仁都隱藏在各種功用之中，"道"鼓舞推動萬物生長，聖人則吉凶與民同患，所以"道"不與聖人同憂。這種解釋儘管在此處可以勉强說通，但與《繫辭》中其它關于聖人與《易》的關係的闡釋則扞格不通，例如《繫辭》上："聖人設卦觀象，繫辭焉而明吉凶"；"夫《易》，聖人所以崇德而廣業也"；"夫《易》，聖人之所以極深而達幾也"；"子曰：《易》有聖人之道四焉者。"有關《易》與聖人的關係，《繫辭》中還有多處，都將聖人與《易》連在一起，而所謂"道"，正是《易》所推衍的理論支柱，試想："道"不與聖人同憂，那聖人豈不是與"道"、與"易"隔着一層，那所謂"盛德大業"又何從談起呢？今帛書本根本就沒有"顯諸仁，藏諸用"的玄妙用語，而是"聖者仁勇，鼓萬物而不與眾人同憂"，這既使語義豁然貫通，沒有了缺主語的語病，而且與《繫辭》中多次論及的聖人的功德遙相呼應。由是可知帛書本遠較通行本更好地保留了《繫辭》的原貌。

> 聖人有以見天下之賾，而擬諸其形容，象其物宜，是故謂之象。（通行本）

> "聖（聖）人具以見天之下請（情）而不疑（擬）者（諸）其刑（形）容，以馬（象）其物義，是故胃（謂）之馬（象）。（帛書本）

按：這段話在《繫辭》中凡兩見，通行本中，兩處一字不差，帛書本中則"請"字作"業"，"而"字和"疑"字之間有一個字的殘泐空隙，據上引這一段可補一個"不"字。通行本和帛書本的這個差異，正好說明通行本是在帛書本的基礎上加以修飾調整的本子。其次，兩個本子中的一個"不"字的有無卻隱含着意思的根本區別。通行本是：
"聖人有以見天下之頤，而擬諸其形容，象其物宜，是故謂之象。"據
舊注可知，頤，雜亂也。其句意乃是聖人看到天下最雜亂的事物，模
擬其形狀，象其事理，這就叫作卦象。其實，《易》的卦象，極爲簡單，
均由陰、陽二爻組合而成，這陰陽二爻實際上并不能模擬天下萬物
的形狀，而只能涵括天下萬物生長發展的事理。帛書本兩處都做：
"聖人具以見天下之請（情），而不疑（擬）者（諸）其形容，象其物宜，
是故謂之象。"這就頗合易理，所謂"極天下之請（情）存乎卦"，正是
對此的極好注腳。也許有先生會説：《繫辭》中不是接着就説："擬之
而後言，議之而後動，擬議以成其變化"嗎？殊不知帛書本中根本就
不是這麼回事，而是："知之而後言，義之而後動矣。義以成其變
化。"這也就有力地説明帛書本較真實地保存了《繫辭》的本來面
目，而通行本無疑是晚出其後，并多經訛傳臆改的本子。

　　作者簡介　陳松長，1957 年生，湖南新化人。文學碩士。現爲
湖南省博物館館員。合作編著有《湖南省博物館藏古璽印集》和《馬
王堆漢墓文物》，發表有《馬王堆漢墓帛畫"神祇圖"辨正》等論文。

帛書《繫辭傳》與《文子》

李定生

内容提要 本文以帛書《繫辭傳》爲依據,探討它與道家黄老著作《文子》的關係。認爲《繫辭傳》和《文子》一樣,以遠喻近爲之勸,將其學説托古百王之先的帝統伏羲和黄帝,這正是道家托古的傳統;《繫辭傳》的"大桓"即《文子》的"大常之道",就是老子的"常道"。從而説明《繫辭傳》本來就屬道家思想系統。

包括《繫辭傳》在内的《周易》是儒家經典,這已是流傳兩千多年的定論。近年來,陳鼓應先生撰寫多篇文章論證今本《繫辭傳》是道家作品,這是對傳統思想的挑戰,因而引起了學者們的注意。如今帛書《繫辭傳》已經公布,筆者就以之爲依據,探討一下它與道家黄老著作《文子》[①] 的關係。

一、衆所周知,儒家祖述堯舜、憲章文武,而不談以前之古帝王。所以司馬遷作《五帝本紀》,説:"百家言黄帝,薦紳先生難言之。"又相傳宰予問孔子之五帝德及帝系等,儒者或不傳。道家則不同,"能知古始,是爲道紀"(《老子》),由黄帝而神農、及至太昊伏羲氏,這種據近以遠明道同,以遠喻近爲之勸的作法,構成了中國文化中托古的傳統。諸子百家皆托古,然所托之"古"不同。如孔、墨俱道堯、舜,道家則托於太昊、伏羲氏。老子的理想國是"使人復結

---

① 關于《文子》書的年代與性質,筆者有專文討論,將刊于本刊第五輯。

絚而用之,甘其食,美其服,安其居,樂其俗,鄰國相望,鷄犬之聲相聞,民至老死不相往來",《莊子》中將其說成是"至德之世",當伏羲神農之時。《文子》也說:"伏羲氏之王天下也……其民童蒙不知西東,視瞑瞑,行蹟蹟。"《文子》還認爲黃帝雖在伏羲之下,但其"從天地之固然"、"道德上通",與伏羲一脈相承。所以,依托"三皇"成爲道家傳統。

值得注意的是,《繫辭傳》和《文子》一樣,也說"伏羲氏之王天下也",是由自然而治天下的開創者。班固說:"易曰:伏羲氏之王天下也,言伏羲繼天而王,爲百王先,首德始於木,故爲帝太昊。"(《漢書・律曆志》)黃老學家在學統上推老子,爲宏揚其說,以遠喻近爲之勸,將其學說托古百王之先的帝統伏羲和黃帝,把儒家所祖的堯、舜先王降格。所以文子說:"古者三皇,得道之統。"(《道原》)莊子也說:"夫道,……伏羲氏得之,以襲氣母,……黃帝得之,以登云天。"(《大宗師》)《文子》所說"至德之世……河出圖,洛出書,"(《道德》)正是《繫辭傳》所謂"河出圖,洛出書,聖人則之,"始作八卦之所依。

二、通行本"易有太極",帛書本作"易有大恒"。今本"太極"當爲後人所改。有學者以爲"恒"爲"極"字之誤,非是。讀帛書《繫辭傳》,在"易有大恒"前後,有"三極之道"、"極數知來"、"極天下之賾"的"極",都沒有誤寫爲"恒"。再則,"德行恒易以知險"、"德行恒簡以知阻"的"恒",也沒有誤寫成"極",因此,帛書本"易有大恒",本來如此;今本"太極"爲後人所改。

"大恒"即《文子》的"大常之道"。文子在闡述老子"有物混成,先天地生"的"道"時說:"古者三皇,得道之統……大常之常,生物而不有,成化而不宰,萬物恃之而生……""大常之道"就是老子的"常道"。帛書《老子》作"恒道",與帛書《繫辭傳》作"大恒"相一致。帛書《老子》出,解決了一些長期爭論解決不了的問題,但有一點沒有予以足夠的重視。即通行本第二章,有無相生,難易相成,前後相隨下,帛書甲乙本有"恒也"。這就是《文子道原》所謂"夫道,有無相生也，難易相成也"。和"大宰之道"，也即帛書《繫辭傳》的"大恒"。
"故易有大恒，是生兩儀……"是《繫辭傳》說作易之先有玄之又玄
眾妙之門的大恒，大恒生出兩儀。故孔穎達《正義》："大極（大恒已
被改爲太極），謂天地未分之前，元氣混而爲一，即是太初、太一也。
故老子云。道生一，即此太極是也。又謂混元既分，即有天地，故曰
太極生兩儀，即老子云，一生二也。"《周易集解》引虞翻曰："太極，
太一；分爲天地，故生兩儀也。"太一就是大宰之道，即老子的常道。
因此，帛書《繫辭傳》作"易有大恒"，我認爲不但是正確的，而且説
明《繫辭傳》本來就屬道家思想系統。

　　作者簡介　李定生，1930 年生，江蘇金壇人。1961 年畢業於復
旦大學哲學系。現爲復旦大學哲學系、社會學系教授。

帛書《繫辭》和帛書《黃帝四經》

陳鼓應

内容提要 本文從六個方面來論述《繫辭》和《黃帝四經》在重要觀念上的聯繫:一、"天尊地卑,貴賤位矣"這一由天道推衍人事的思維模式本於道家;二、黃老道家與《繫辭》之動靜觀;三、《繫辭》"剛柔相摩"與《黃帝四經》"柔剛相成";四、帛書《黃帝四經》到《繫辭》陰陽觀的發展;五、《繫辭》"三極之道"與先秦道家天地人一體觀;六、《繫辭》尚功思想與稷下道家的關係。從而使《繫辭》道家説有了更充足的證據。

考察帛書《黃帝四經》和《易傳·繫辭》之間在思想上的内在聯繫,是先秦哲學研究中一個新的課題。《黃帝四經》產生於戰國早期之末或中期之初,是現存最早的道家黃老作品[1],而《繫辭》過去則一直被認爲是儒家的重要經典。但是,正如我在以前幾篇文章中反復論證過的,《繫辭》由於其與老莊道家的多方面聯繫,因而并不能被看作是儒家學派之作。通過本文的考察,我們會進一步了解《繫辭》與道家黃老學派的聯繫,同時也使《繫辭》道家説有了更充足的證據。

對于包括《繫辭》在内的《易傳》的學派歸屬,學術界的認識有一個變化的過程。首先是漢儒,提出《易傳》爲儒家宗師孔子之作,

---

① 陳鼓應:《帛書〈黃帝四經〉成書年代等問題的研究》,未刊稿。

其後在近二千年的經學史上，這種說法一直居主導地位，其間雖有學者提出懷疑（如歐陽修），但并無深刻影響。二十世紀三、四十年代間，疑古學風大盛，反映在《易傳》研究上，大多數學者都否認《易傳》孔子作的經學傳統，而以之爲戰國乃至秦漢作品。但是，對其屬于儒家學派這一點，并無疑議。然其中也有新的觀念，就是一些學者如馮友蘭、錢穆、李鏡池等都注意到了《易傳》與道家之關係。不過一般只着重在老莊方面的影響。而帛書《黃帝四經》（即《經法》等四篇古佚書）雖在 1984 年全文公布於世，然多年來學界尚未及留意它與《易傳》間的關係，直至新近胡家聰先生在《道家文化研究》創刊號發表《〈易傳·繫辭〉與道家黃老之學相通》，才有了一個新的開始。我個人在最初討論《易傳》與道家關係時，也僅注意其與老莊的關聯，現在看來，《易傳》與黃老之學的關係，應受到更多的重視。這不僅限于《繫辭》，而且，在即將公布的其他《易傳》古佚書《二三子問》、《易之義》、《要》等作品中，亦可見到它們揉和着黃老道家的觀念。本文僅就《繫辭》吸收《黃帝四經》中的思想觀念或兩者相通之處，加以申論。

從作品中不難看出《繫辭》作者是一位具有博大心胸的思想家，他不僅博覽群書，并以高度的融合力博采衆家之長，《繫辭》作者明顯地繼承了老子的哲學立場和莊子"言意"的主題；并且，他對黃老道家的作品也十分熟悉，在《繫辭》中多處直接或間接地運用了《黃帝四經》的文句，如《經法·六分》："物曲成爲"，《繫辭》作："曲成萬物而不遺"。又如《稱》："聖人廉論天地之紀"，《繫辭》作："故能彌論天地之道"（這兩處引文馬王堆帛書整理小組都曾在注釋中指出），足見《繫辭》與黃老思想的發展軌迹。下面本文將分別從六個方面來論述《繫辭》和《黃帝四經》在重要觀念上的聯繫。

一、"天尊地卑,貴賤位矣"這一由天道推衍
人事的思維模式本于道家

(一)由天道推衍人事的思維模式出于道家

西周以降禮制文化的重要特徵之一,便是努力維護宗法等級制,先秦各家對於墨子指出的"骨肉之親,無故而富貴"的宗法制雖從不同的立場提出挑戰,但對於維持尊卑貴賤的社會倫序卻是共同認可的,這當然包括稷下道家或黃老學派在內(莊周是個特殊的例外)。自老子到黃老道家思想發展的一大特色便是托天道以明人事,這在馬王堆出土的帛書《黃帝四經》書上表現得尤爲突出。例如:《經法・道法》有言:"天地有恒常,貴賤有恒立(位)",作者在提出"貴賤有恒位"的主張時,首先便依托於"天地恒常"的天道法則。又如《君正》有言:"因天之生也以養生,胃(謂)之文;因天之殺也以伐死,胃(謂)之武。"作者在提出"文"、"武"觀念時,乃"因天"而立論,此即依托于天道而立論。《十六經・兵容》有言:"天地形之,聖人因而成之。"這也是"因天"的觀念。再如《前道》所說:"聖人舉事也,闔(合)於天地。"這也是人事依托于天道的思想。總之,托天道以推衍人事是帛書《黃帝四經》的一個重要的思維模式。這一思維模式爲《繫辭傳》作者直接所繼承:《繫辭》首段開頭便說:"天尊地卑……貴賤位矣",這是個明顯的由托天道("天尊地卑")以明人事("貴賤位矣")的思維模式底例證。

這裏我們有必要對儒道兩家的思維方式作一個明確的區分。儒家的創始者孔子,其思維方式是單向的,即其立論僅從人事出發,而道家的創始者老子則不然,其思維方式是雙向的,即不僅以人事探究天道,而且也托天道推衍人事。孔、老這一思想格局,對儒道兩家影響至深且巨,我們從孔孟的思想格局上可以看出他們雖然強調尊卑、貴賤,但僅從人事而立論,稷下道家或黃老則不然。關於這方面,我們可在下文徵引帛書《黃帝四經》著作爲證,并論證它

們和《繫辭傳》思想之聯繫或相通之處。

(二)"天尊地卑"概念較早見於帛書《黃帝四經》

"天尊地卑"一詞,見於《莊子》書中,而這一概念,較早出現在馬王堆出土的帛書《黃帝四經》中。

《莊子・天道》:"尊卑先後,天地之行也,故聖人取象焉。天尊地卑,神明之位也。"爲了確信"天尊地卑"的思想,這裏把它提到"神明之位"的地步,這在莊子學派中是僅見的。從《天道篇》這段文字里,可以看出莊子後學的流派中有吸收稷下黃老思想的成份。這裏,認爲"尊卑先後"的序位是"天地之行",而且爲聖人所"取象"。這一"聖人取象"的觀念,與《繫辭傳》驚人的相同。

"天尊地卑"的觀念,在帛書《黃帝四經》中已有所體現。《十六經・果童》説:"觀天于上,視地于下,……以天爲父,以地爲母。"這裏天在上、地在下的提法,似已隱含天高地卑之意。而《稱》中則明顯地具有這種思想:"天陽地陰,……主陽臣陰,上陽下陰,……貴陽賤陰。"這裏由天地到主臣、上下之間的尊卑貴賤思想表露無遺。

(三)"貴賤位矣"屢見于帛書《黃帝四經》

帛書《繫辭》:"貴賤立(位)矣"的思想,在帛書《黃帝四經》中,早有明確的宣示。《經法・道法》一再宣稱"貴賤有恒立(位)"、"貴賤之恒立(位)",《君正》亦指出"貴賤等"、"貴賤有別",《十六經・果童》進一步強調:"貴賤必諶"——堅稱貴賤的等級是必然的。

道論及其自然無爲説是道家各派的共同主張,但各派間在許多觀點上是有着相當的分歧的。莊子學派和黃老道家雖有所交流,但處世態度上卻有着很大的不同,例如莊子本人主張齊物,他之揚棄貴賤等級的思想,在先秦諸子中是最爲獨特的,而黃老之學則不同,它介入現實,而主張"貴賤有恒位",作爲黃老學派目前發掘的最早的代表作帛書《黃帝四經》便具有這一思想特色,它先於《繫辭傳》,并對《繫辭傳》當有所影響。

二、黄老道家與《繫辭》之動靜觀

（一）天動地靜的觀念見于《黄帝四經》與《莊子》

《繫辭》："天尊地卑……動靜有常，剛柔斷矣。……在天成象，在地成形，變化見矣。"這裏是就天地之道論其動靜、變化的特性。

"動靜有常"，這是說天動地靜各有常性。

吳澄《易纂言》說："天運轉不已，陽常動也。地填凝不移，陰常靜也。"

徐志銳《周易大傳新注》說："古人直觀認爲天圍繞着地轉，天是不停地運動，其性質剛健，地是永恒的靜止，其性質柔順。"

依此，"動靜有常"，即就天動地靜的特性而言。

天動地靜說最早見于帛書《黄帝四經》，其後俱見于《莊子》的《天道篇》和《天運篇》，引證如下：

《經法・四度》說："動靜參於天地"。此處以"動靜"合于"天地"，是則天動地靜之說。

《十六經・果童》謂："地俗德以靜，而天正名以作。"（按："俗"，帛書整理小組云："疑讀爲育。"）"作"，即動。下句："靜作相養"，即靜動相養。此處，"俗（育）德以靜"是就"地靜"而言，"天正名以作"，是就"天動"而言。在《果童》這裏，天動地靜的觀念，至爲明確。這一觀念，在《稱》中再度出現，在這篇的最後一段有這樣的話："天陽地陰，……諸陽者法天，天貴正，諸陰者法地，地之德安徐正靜。"此說陽動法天，陰柔法地而地之德正靜，這也是天動地靜說的表述。

天動地靜說也見於《莊子》外篇，《天運》云："天其運乎？地其處乎？"《天道》云："其動也天，其靜也地。"這與《繫辭》"動靜有常"是同一個思想脈絡。

（二）《繫辭》"待時而動"的觀念屢見於《黄帝四經》

在《易傳》中《彖傳》最重視"時"的概念，《繫辭》繼承了《彖傳》對"時"的認識，也強調了"時"的重要性。《繫辭》說："待時而動"（帛

書本作"待者而童"),又說"變通者趣時也"(帛書本作"變通也者,
聚者也"),但總的來說,這二者對"時"的重視,都可溯源于老子與
黃老道家,《老子》第8章云:"動善時"。黃老之學的先驅者范蠡便
十分重視掌握時機。他說:"夫聖人隨時而行,是謂守時","時不至,
不可強生","聖人之功,時爲之庸(用)"。在《黃帝四經》中更是強調
"時"的重要性,在一萬多字的《黃帝四經》中,"時"字出現達 65 次
之多。如《十六經·觀》的名言"聖人不巧,時反是守……當天時,與
之皆斷,當斷不斷,反受其亂"。這爲司馬談父子作爲道家學說的一
個重要觀點多處引述。司馬談在《論六家要旨》中引用"故曰'聖人
不巧,時變是守。'"司馬遷《史記·春申君傳贊》"語云'當斷不斷,
反受其亂'",《史記·齊悼惠王世家》"嗟乎!道家之言'當斷不斷,
反受其亂'"。由此可見,從老子到黃老,從《彖傳》到《繫辭》,"時"的
概念是沿着同一思想脈絡發展的,即由老子"動善時"到黃老"時反
是守",再到《繫辭》"待時而動",可見道家對"時"的概念的發展綫
索。

此外,《繫辭》還將天地與四時之變、動靜之化并提:"夫鍵
(乾),其靜也圈,其動也榣(搖),是以大生焉。夫川(坤),其靜也斂,
其動也辟,是以廣生焉。廣大肥(配)天地,變通肥(配)四時。"此處
天地、四時、動靜概念之相聯并舉,這也常出現于《黃帝四經》。如:

《經法·國次》:"天地無私,四時不息",這裏,"天地"與"四時"
并舉;

《君正》:"動之靜之,……時也",這裏"動靜"與"時"并舉;

《四度》:"動靜參于天地",這裏"動靜"與"天地"并舉;

《論》:"順四時之變……應動靜之化"這裏"四時"與"動靜"并
舉;

《論約》:"四時有度,天地之……理也",這裏"四時"與"天地"
并舉;

《觀》:"靜作之時,因而勒之,……分爲陰陽,離爲四時",這裏
"動靜"與"四時"并舉;

《十六經·果童》"夫天有□干,地有恒常,……地俗德以靜,而天正名以作,靜作相養",此處"天地"與"動靜"并舉;

《姓爭》:"爭(靜)作得時,天地與之",此處"天地"與"動靜"、"時"并舉;

《兵容》:"天地刑(形)之,聖人因而成之,聖人之功,時爲之庸(用)",此處"天地"與"時"并舉;

《順道》:"大呈(庭)氏之有天下也……不志(識)四時,而天開以時,地成以財",此處"天地"與"四時"、"時"并舉;

《稱》:"天地之道……毋先天成,毋非時而榮"此處"天地"與"時"并舉;

《道原》:"天地陰陽,四時日月",此處"天地"與"四時"并舉。

"天地"、"四時"、"動靜"概念并舉,散見于《黃帝四經》四篇(可證四篇爲一人之作),《四經》中"動靜"出現三、四十次,其中"動"二十七見,"靜"四十四見,"時"約六十五見,由此可見,《繫辭》中"動靜"之間如何適"時"的觀念,正是繼承了《黃帝四經》而發展的。

三、《繫辭》"剛柔相摩"與《黃帝四經》 "柔剛相成"

剛柔對稱,始見于《詩·商頌》"不剛不柔,敷政優優。"又見于《尚書·洪範》"三態:一曰正直,二曰剛克,三曰柔克。"指的是人的品德。到了老子才"第一次用來表述普遍性的哲學原理"[①]。顯然老子對剛柔對立方面的論述以及從普遍意義上的闡述,啓發了《易傳》的作者,在《象傳》中大量引入剛柔,有意地用之來解釋卦象,《繫辭》便繼承了《象傳》以剛柔解《易》的傳統。

《繫辭》與《象傳》以"剛柔"解《易》,得到了老子直接的啓迪,也可能受到范蠡和《黃帝四經》的影響。從有關文獻中,可見一條明晰

[①] 余敦康:《從〈易經〉到〈易傳〉》,《中國哲學》第七輯,北京三聯 1982 年出版。

的思想發展脈絡，范蠡《國語·越語下》"陰陽之恒，順天地之常，柔而不欺，强而不剛"，范蠡是以"剛柔"來説明事物的性質。帛書《黄帝四經》的出土，可以看到"剛柔"的概念一方面繼承范蠡，一方面又對《繫辭》有着十分密切的聯繫。

《繫辭》的開頭，由天之運轉説到其性質之剛，地之静止説到其性質之柔，因而説"動静有常，剛柔斷矣"，這概念正出現在《黄帝四經》中，《經法·道法》云："天地之恒常，四時……柔剛。"

"天動地静"一詞見於《十六經·果童》，而且《四經》作者認爲天動地静爲"天地之恒常"。再則，《道法》這裏由天動地静的"天地之恒常"説到剛柔，與《繫辭》此處"動静有常，剛柔斷矣"，正是同一個思想脈絡。

《十六經·三禁》云："人道剛柔，剛不足以，柔不足寺(恃)。"《四經》作者一方面糾正了老子尊柔抑剛的偏頗，另一方面提出剛柔相濟的觀點，這正是《繫辭》"知剛知柔"之本。

《十六經·觀》"群群□□□□□□爲一囷，無晦無明，未有陰陽……今始判爲二，分爲陰陽，離爲四時，……牝牡相求，會柔與剛，柔剛相成，牝牡若形。"這一段是老子"萬物生成論"的引申。"群群……爲一囷，無晦無明，未有陰陽"，這是老子"混成之道"的一種描述。在生萬物的過程中，道向下落實而分陰陽，所謂"牝牡相求，會剛與柔，是説雌雄在對立中相求，剛柔在對立中交會，新生事物在此相互交冲激蕩中産生，《觀》這裏比《老子》四十二章有若更爲具象的描述。而《繫辭》中所説"剛柔相推而生變化"，"剛柔相推，變在其中矣。"也就是《觀》中"柔剛相成"的一種概括性的表述。

《十六經·姓爭》還有一則"剛柔相成"之説，"剛柔陰陽，固不兩行，兩相養，時相成。"這裏值得注意的是"剛柔"與"陰陽"并舉，這在道家典籍中首見。而這兩個概念對於《易傳》都有深刻的影響。

朱伯崑先生曾説："剛柔是陰陽的另一種説法，孔孟不講陰陽説。①"此説甚確。原始儒家不僅不談陰陽，也不談剛柔，而老子與黃老道家所重視的剛柔與陰陽正爲道家別派的《易傳》所繼承。

四、帛書《黄帝四經》到《繫辭》陰陽觀的發展

《莊子·天下》説"易以道陰陽"，以陰陽變化之道解《易》，正是道家的觀點。朱伯崑先生説："老子的陰陽説在戰國時代起了很大影響，道家老莊學派和黃老學派都以陰陽範疇説明萬物的性質及其變化的過程。……戰國中期和前期，陰陽學説是由道家倡導起來的，而儒家的代表人物，從孔子到孟子都不講陰陽説。"②《繫辭》的陰陽觀正是道家陰陽觀發展到高峰的明證。

《繫辭》"一陰一陽之謂道"，是對於老子陰陽觀和戰國中期南北道家陰陽觀的發展。這裏僅就《繫辭》與《黄帝四經》的陰陽思想發展綫索作論證。

《四經》陰陽并提共四十三見。可證《四經》對陰陽概念的重視程度，在此可作以下兩個重要論證：一是就"萬物生成論"而言，以陰陽作爲基本因素或原質（甚至是動力）。除了上述《十六經·觀》"道"以陰陽爲原質，而創生萬物之外，在《果童》中也有重要論述："陰陽備物，化變乃生"。聯繫上下文意，可知在天地之間，萬事萬物的生存演變都是由于"陰"、"陽"兩種質素相互作用而形成的。另一點是把"陰陽"作爲一個基本因素由自然界擴大化到社會、政治、人事、秩序的安排，作爲一種等級性的合理的説明③。在《十六經·稱》中，"凡論必以陰陽□大義，天陽地陰，春陽秋陰，夏陽冬陰，畫陽夜陰，……主陽臣陰，上陽下陰，男陽女陰，父陽子陰，……貴陽賤陰。"這裏明顯地由自然界的陰陽性質，作爲人類社會、政治與倫理等級秩序劃分的理論基礎。

如前所説，由天道推衍人事是《四經》思維方式的一大特色：它

① ② 朱伯崑：《易學哲學史》上册第二章："易傳及其哲學"。
③ 胡家聰：《〈易傳·繫辭〉思想與道家黃老之學相通》，《道家文化研究》第一輯。

的"貴賤有恒位"的社會倫理的主張,正是由其天道觀而推展出來的。《繫辭》所講:"天尊地卑,貴賤位矣",其繼承《黃帝四經》的思維方式及其社會倫理等級秩序的維護,兩者間思想發展的脈絡是極其明顯的。

五、《繫辭》"三極之道"與先秦道家天地人一體觀

《繫辭》的"三極之道",指天、地、人三者至極之道。"三級之道"今本《繫辭》下作"三材之道",謂:"有天道焉,有人道焉,有地道焉,兼三材而兩之,……三材之道也。"《說卦傳》則作"三才",謂:"立天之道曰陰與陽,立地之道曰柔與剛,立人之道曰仁與義。兼三才而兩之。"今本《繫辭》下所說的"三材之道",不見於帛書本,乃是從古佚書《易之義》中抽出添補的,而《說卦》這段文句更爲完整的出現於《易之義》中。帛書《繫辭》和《易之義》都是從六爻爻位的角度,喻《易》的象徵天、地、人之道。"三極之道"與"三材之道"是異文同義,但原本作"三極",則更接近於道家概念。

道家常用"極"的概念以喻人或天地間最高準則。在中國哲學史上,成爲最高哲學範疇的"無極",始於《老子》(二十八章),"太極"一詞,則見于《莊子·大宗師》。《老子》一書,"極"字六見,如十六章:"致虛極,守靜篤",帛書乙本作:"致虛,極也;守靜,督也。"則"極"已是一個獨立的觀念。六十八章"配天古之極"(按:俞樾疑"古"是衍文),《黃帝四經》等書的"天極"概念,或本於此。老子之後,南北道家都喜用"極"字(《莊子》書中,"極"字約三十見,如"無極"、"太極"、"八極"、"六極"、"北極"等詞。《文子》、《鶡冠子》亦屢見),而《黃帝四經》之重視"極"義,全書達三十三見,除"天極"等概念之外,還提出"發布制度,建立準則"(布制建極)的重要主張。而"三極之道"則更是《四經》思考問題的一個特殊方式。

原始儒家,僅言人事而不及天道。因而思考問題,常囿於政治人倫層面。將宇宙人生作爲一個整體來思考,則是先秦道家思維方

式的一大特點。這種思維方式始于老子,《老子》二十五章有言:"人法地,地法天,天法道,道法自然。""道法自然",即是道性自然,則天、地、人所取法者,自然而已。《莊子》繼之,以爲"三籟"——天籟、地籟、人籟,所發出的盡皆自然的音響,——宇宙間形成一股和諧的交響樂。莊子進而從氣化論立場,來闡釋天、地、人之同質;莊子天人合一思想的基石,以"氣"爲自然界萬有的基本原質。人的生死,即是氣的聚散。所以他說:"游乎天地之一氣,……假於異物,托於同體。"(《大宗師》)又說:"人之生,氣之聚也;聚則爲生,散則爲死。……通天下一氣耳。"(《知北游》)宇宙爲一生生不息的大生命,亦即氣化流行的大過程,其間并無質的基本差異。

　　黄老學派或稷下道家就有着不同的偏向,一方面他們繼承老子的天、地、人爲一體的觀點,另一方面他們又强調三者有着各自不同的職能。如《黄帝四經》,一方面强調"動靜參于天地",另一方面指出"天制寒暑,地制高下,人制取予"——是則認爲天、地、人各有不同的職能。稷下道家的觀點亦同。總之,"三極之道"是先秦道家天地人一體觀的一種特有的思維方式。從稷下黄老到《易傳》可以看出它們之間思想綫索的發展。《十六經·前道》說:"上知天時,中知地利,下知人事。"這一天時、地利、人事的"三極"觀念,到稷下道家有着相同或明確的提法,《内業》說"天之時……地之材……人之謀。"而《樞言》則進一步說:"天以時使,地以材使,人以德使。"[1]《樞言》此說,即爲古佚書《易之義》所本。《樞言》的"人以德使",《易之義》的作者便更爲具體地說成"人之道曰仁與義"。《説卦》全文照抄《易之義》這句話,而不見于帛本的《繫辭》下,抄錄《易之義》時,行文略微簡化而已。總之,自《黄帝四經》至《彖傳》、《繫辭》而《易之義》或《説卦》,可以看出它們同一思想的脈絡。

---

　　[1]　《管子》四篇:《内業》、《心術》上下和《白心》之外,《樞言》與《宙合》等篇,亦被學者們認定是稷下道家之作。

六、《繫辭》尚功思想與稷下道家的關係

尚功思想在齊國有很長的歷史淵源，從姜太公治齊開始，便以"尊賢上功"（《呂氏春秋·長見》）爲立國方針，管仲相齊，"九合諸侯，一匡天下"（《史記·齊太公世家》），管仲之尚功自不待言。被視爲稷下論叢的《管子》，其"尚功"之言，遍及全書。《管子》一書中"功"字多達二百六十見，大談謀功之道，亟言"厚功大業"，稷下和黃老道家自不例外。

尚功思想之爲道家學說的一大特點（莊子例外），自老子、范蠡、《黃帝四經》至稷下道家皆然。老子講求功成之道，《老子》言"功"凡七見，他重視"有功"（第二十二章），但又一再強調"功成而不居"（見于第二、九、十七、二十四、三十四、七十七各章）。這是由于老子目擊世亂之根源在于人們肆意伸展其占有欲，因而曉示世人"功成名遂"之後，便要適時身退，并且提出"不爭"的主張，要人收斂占有的衝動。《黃帝四經》作者則認爲該爭時還得爭取，不然就達不到成功的目的，因而說"作爭者凶，不爭亦毋以成功"（《經法·姓爭》）。同時認爲"聖人之功，時爲之庸，因時乘□，是必成功"（《十六經·兵容》），即要人掌握時機，因天時以功用之義。并且進一步提出："國富民強，功得而財生"（《經法·六分》）的主張。這個主張在《繫辭》中得到了巨大的回響，《繫辭》說"盛德大業至矣哉，富有之胃大業，又說"有功則可大"，這與前引《黃帝四經》的"功得而財生"無疑是同一思想環境下的產物。《史記》對于稷下學宮以及孔孟儒學思想的發生環境曾做過如下的經濟社會的分析："齊帶山海，膏壤千里……臨淄與海岱之間一都會也，其俗寬緩闊達，……大國之風也"，"而鄒、魯濱洙、泗，猶有周公遺風，俗好儒，備于禮，故其民齪齪。"（《貨殖列傳》）真可謂洞察清明，一針見血。儒學的發源地魯國，到了戰國時代已淪爲小國而每況愈下，拘于禮教的儒者，其心態之"齪齪"，當然不能產生"功得"、"財生"、"富有"、"大業"這種

開放社會的思想格局的。而《繫辭》盛贊的這種"盛德大業"的昂揚精神,正是當時積極向上的齊國社會形態的寫照．而《黃帝四經》這種"功得財生"的功利思想也正是當時時代的反映。

總之,自《黃帝四經》暢言"功得而財生",到《繫辭》之推崇"富有大業",其思想脈絡之聯繫是至爲鮮明的。

《繫辭》與《黃帝四經》在上述幾方面的關聯,已足能反映出黃老道家對《繫辭》形成的影響。但是,我們也并不能就此得出這樣一種結論,認爲《繫辭》就是《黃帝四經》的直接發展。應該承認,《黃帝四經》和《繫辭》是兩種不同性質的作品,前者爲有系統思想的經世之作,而後者在形式上則是一部解《易》作品。《繫辭》之吸收、融納《黃帝四經》的思想,只是局限於其對《周易》的解釋範圍内。所以,儘管它發揮了《黃帝四經》中某些重要的觀念,但是,對于《四經》中"道生法"的主題則未顧及。從這我們也可以看出它們之間的差異。當然,本文之作,重點在于強調二者間的異中之同,以進一步闡明《繫辭》與道家之關係。

帛書《周易》所屬的文化地域及其與
西漢經學一些流派的關係

王葆玹

内容提要 本文從研究馬王堆三號漢墓主人的籍貫入手,説明帛書《周易》所隸屬的文化地域主要是陳,與齊楚文化也有密切的關聯。帛書《周易》的核心部份是《易經》和《繫辭》,編撰者是陳地老子學派的人物。帛書《周易》的外圍部份由《易之義》、《要》、《二三子問》和《繆和》諸篇組成,這些佚書原與陳、齊文化無關,而是出自荀子學派的人物之手,是西漢經學當中魯學一派所傳習的典籍。荀子所定居的蘭陵原是魯邑,這正是西漢魯學的發源地域。魯學一派對於古文經學的形成頗有推動作用,而魯學的代表作《要》篇兼講象、數、德,正是費氏古文《易》學的思想來源。

　　帛書《周易》出於楚地墓葬,給人的感覺像是楚文化的產物。然而戰國晚期楚文化的中心地域不斷東移,而秦末與西漢的齊楚學者又多處於頻繁的流動狀態,僅根據帛書的出土地點便對它的文化背景作出結論,似是不足取的。也即是説,如何對帛書《周易》各篇所屬的文化地域作出判斷,仍是一個有待解決的重要問題。進一步説,這一問題又與西漢經學流派的問題相關聯,因爲西漢經學中的齊學和魯學正是按其流行地域而劃分的,關於帛《易》所屬文化地域的研究,勢必使關於西漢《易》學的研究獲得進展。當然,帛書《周易》尚未全部發表,不過,僅根據已公佈的部份以及韓仲民、廖名春兩先生對《要》篇等佚書的介紹,已可作出如下的推斷:一、帛書《周易》乃是儒道兩家易學作品的集合,這種集合的工作是由陳地老子學派的人物完成的。《易經》和《繫辭》是帛書《周易》的核心部份,兩者分別是老子學派所傳習的經書和傳書。二、帛書《周易》的外圍部份,由出於儒家的《易之義》、《要》、《二三子問》及《繆和》諸篇組成,這些原本與道家無關,是戰國秦漢經學中魯學一派所傳習的典籍。三、魯學對古文經學運動頗有促進作用,而魯學一派所傳習的《要》篇恰是西漢費氏古文《易》學的思想來源。

　　首先讓我們看一看馬王堆三號漢墓的墓主人的籍貫。大家知道,帛書《周易》的字體與馬王堆帛書《老子》乙本接近,其中的《易經》屢出"國"字,無"邦"字;各篇屢見"盈"、"恒"兩字,未避西漢惠、文兩帝名諱,由此可以推斷帛書《周易》各篇多是劉邦稱帝以後、惠帝即位以前的抄本。這些帛書都出於馬王堆三號漢墓,墓主人是軑侯利倉之子、利豨之弟,入葬時間爲漢文帝十二年(前168)。馬王堆二號漢墓出土"長沙丞相"、"軑侯之印"、"利倉"三印,是《史記》關於軑侯利倉的記載的見證。據《史記·惠景間侯者年表》,利倉於漢惠帝二年四月(前193年四月)始受封爲軑侯。《漢書·高惠高后孝文功臣表》還提到他封侯的原因:"以長沙相侯,七百戶。"可見在漢惠帝二年以前,利倉已是長沙國的丞相。長沙國建立於漢高帝四年九月,正好是劉邦稱帝的前一個月,而且《史》、《漢》諸《表》沒有提到利倉以前的長沙國丞相,那麼可以肯定,利倉擔任長沙丞相是從劉邦稱帝的前一個月開始的。帛書《繫辭》等書既是劉邦稱帝以後、惠帝即位以前的抄本,它的抄寫時間自然是在利倉爲長沙國丞相的任期之內。可以推測,這抄寫工作乃是由利倉安排進行的,而將帛本《易經》、《繫辭》、《易之義》等著作編排在一起,接連地抄寫下來,也有可能是出自利倉的意願。利倉死後,這些抄本由他的次子繼承,因而成爲三號漢墓的隨葬品。這樣看來,帛書《周易》的形成,與利倉其人有很大的關係。在《史》、《漢》書中,利倉僅載入諸表,未載入列傳,除了他的姓名、爵位、受封年、卒年及職位之外,唯一可以推究的，便是他的籍貫問題。

在中國歷史上，"利"是稀姓，而在漢代，姓利的人物卻有三位，即是利幾、利倉和利乾（利倉子孫未計算在內）。據《史記·高祖本紀》，利幾原是項羽部下，被項羽封爲陳公，在項羽敗亡之前投靠劉邦，被劉邦封爲潁川侯。在高帝五年秋季，利幾反叛，失敗後不知所終。又據《元和姓纂》等書所引《風俗通》佚文，漢代又有利乾，爲中山國相，年代與生平不詳，其爲西漢人還是東漢人，亦不可考。假若利乾爲東漢人，便有可能是利倉的後裔，那麼可確定爲西漢利氏的，便僅有利幾、利倉二人。筆者在《從馬王堆帛書本看〈繫辭〉與老子學派的關係》一文中，曾推斷利倉籍貫與利幾相同，都在春秋陳國故地。而王利器先生在這之前已發表《試論軑侯利倉的籍貫》一文（見《中國文化》第四期），推斷利倉的籍貫在西漢江夏郡竟陵縣。今按王利器先生的文章的確有很多精辟的見解，例如說："在姓氏作爲氏族社會標識的最初發展和形成的過程中，其定居是比較集中的"，因而承認利幾和利倉有可能是同族或同鄉，這無疑是正確的。又例如說，西漢列侯奪爵以後，"除因其情節嚴重，特別注明其爲遷徙某地者而外，在當時的具體安置是：一、停留原國；二、徙居三輔；三、徙居諸侯王國；四、放回原籍。"這也是可以成立的。但王利器先生在此基礎上，根據利倉六世孫利漢由竟陵復家的情況，斷定利倉後人利扶[①] 奪爵以後即被安置在竟陵，屬於"放回原籍"之類，這卻有些勉强。《漢書·高惠高后文功臣表》說，利倉以後的第三世軑侯利扶在漢武帝元封元年（前110）奪爵失侯，其後人利漢在漢宣帝元康四年（前62）以竟陵縣簪褭的身份受詔"復家"[②]。從奪爵到復家，前後相距五十八年之久，軑與竟陵又都在江夏郡之內，位置接近，利扶奪爵之後的安置辦法顯然是"停留原國"，亦即留在原來的軑國之內。經過五十多年，利扶的後人移居軑地附近的

---

① "扶"，《史記》作"秩"。
② "簪褭"，是西漢時期民爵中的一種，爲二十等爵中的第三等。"褭"字又寫作"裊"。

竟陵，乃是情理中的事，因而利渋在復家時已是竟陵縣的簪裹了。
這裏問題的症結，在於王利器先生相信利倉受封軑侯乃是"衣錦還
鄉"，認爲"這是漢家對利蒼的特意安排"。其實西漢初期的分封制
與當時的公卿制度是一樣的，漢初的公卿制度是以"布衣卿相"的
新格局來取代貴族專權的舊格局，而漢初的分封制度也是以布衣
封侯的新局面來取代七國公侯世襲的舊的局面。既是以布衣的身
份封侯，封地便必須遠離其原籍所在地，否則其布衣的身份將受到
封國內臣民的恥笑，難於達到控制侯國的目的。再説，除被削平的
異姓王之外，劉邦屬下的蕭何、曹參、王陵、周勃、樊噲、夏侯嬰、周
緤、任敖等等均爲沛人，封地與其原籍的一致性顯然是很難實現
的。陳平與張蒼爲陳留郡陽武縣人，但兩人的封地卻都在中山國之
內；灌嬰爲梁國睢陽縣人，他的封地卻在潁川郡潁陰縣。利倉既爲
軑侯，他的籍貫便不大可能在軑國或軑國附近的地區，也就是説，
不大可能在與軑地同郡的竟陵縣。在這情況下，最好的選擇便是承
認利倉的籍貫與利幾相同。利幾既被項羽封爲陳公，籍貫便應當在
陳國故地，因爲項羽所封的王公多數是戰國時代王公的後裔，至少
封地與其籍貫應保持一致。利倉爲陳人，他一定知道戰國秦漢之際
廣泛流傳的老子生于陳地的傳説，這種情況使《路史》的一句話有
了特殊的意義："老子之後有利氏。"這句話當然是不足憑信的，但
它至少説明歷史上的利氏家族曾有意識地攀附老子爲祖先。這種
攀附先哲的作法很可能與利倉及其子孫有關，利倉一族出身於陳
地并生活在朝廷尊崇黃老的時代，極有可能尊崇老子并成爲老子
學派的成員或支持者，正是在這樣的政界人物的主持或影響下，才
產生了帛書《周易》這一以道家著作爲核心部份的編纂本，并與《黃
帝四經》、《老子》等道家典籍安放在一處。

　　將帛書《周易》所隸屬的文化地域限定在陳地，是一種很靈活
的作法，因爲這與那種認爲帛書《周易》屬於齊文化的説法并無很
大的矛盾。戰國時期齊國的王族即是春秋時期陳國公族的後裔，而
戰國中期齊國稷下的老子之學，原本也是發源於陳地。很多學者堅

持帛書《周易》屬於南方楚文化的系統，這與筆者的意見也可以相容，因爲陳國在戰國時期以前已被楚國吞併。時至戰國晚期，楚國不斷遭受秦軍的逼迫，政治文化中心逐漸東移。《史記·楚世家》説，楚國郢都被白起攻破以後，楚頃襄王遂“東北保於陳城”；《白起列傳》也説，郢都被攻破以後，楚王“亡去郢，東去徙陳”；《漢書·地理志》“壽春”之下説：“楚考烈王自陳徙此。”可見自楚頃襄王二十一年至考烈王二十二年，陳國原來的都邑一時成爲楚國的首都，而陳地在這段時間以後，一直是楚國文化的中心地域。那種認爲帛書屬於楚文化的説法，對於筆者關於帛書《周易》爲陳地老子學派編纂本的論斷絶無妨礙作用，而有支持作用。

　　陳地老子學派收錄原本與道家無關的《易之義》、《要》和《二三子問》，當是由於道家一貫有兼綜儒墨名法的寬容精神。《易之義》、《要》和《二三子問》稱頌周文王和武王的“盛德”，引述相傳是出自孔子的一些言論，自然是出自儒者的手筆。這些儒者的籍貫，不大可能是在陳地。李學勤先生注意到帛書《周易》中的繆和其人可能即是《漢書》裏的穆生，是非常敏鋭的。《漢書·楚元王傳》説：“(楚)元王既至楚，以穆生、白生、申公爲中大夫。高后時，浮丘伯在長安，元王遣子郢客與申公俱卒業。”這段話的上文還指出，楚元王“少時嘗與魯穆生、白生、申公俱受《詩》於浮丘伯。伯者，孫卿門人也。及秦焚書，各別去。”由這段話可以知道，在秦代焚書以前，申公可能已超過二十歲，而穆生的年齡又超過申公，那麽帛書《周易》中的《繆和》一篇之出於穆生，從時間上説并非没有可能。《荀子》有“善爲《易》者不占”的名言，帛書《繆和》之前的《要》篇則有輕視占筮、重視德義的思想，因而《繆和》與《要》篇之出於穆生，從思想上説也不是没有可能。當然，荀子重禮，這一點在帛書《繆和》、《要》等篇中表現得不夠明顯，不過荀子門下既然可以有韓非、李斯那樣的人物，可以作出“焚書坑儒”的事情，那麽帛書《要》、《繆和》諸篇的思想與荀子的距離便不是太遠，而是太近了。在這裏，還有一個聯結點，即帛書《要》、《易之義》、《二三子問》與《繆和》諸篇都没有被

包括在西漢官方所尊崇的《易傳》十篇之中，而荀子、浮丘伯以及繆
生等人也沒有被包括在西漢官方《易》學的傳承譜系之內①。穆生
在楚元王死後，曾引述"知幾其神"一節，此節僅見於通行本《繫辭》
而不見於帛書《周易》，然而穆生的引述乃是漢文帝時的事，當時帛
書《周易》的改編和通行本《繫辭》的纂集工作，都已完成了。講到這
裏，可以作一初步的推斷，帛書《周易》中的《易之義》、《要》、《二三
子問》和《繆和》四篇，都有可能是荀子學派的作品。它們的作者之
一，即是荀子的再傳弟子穆生。

　　《漢書·楚元王傳》說穆生是魯人，《史記·儒林列傳》提到"蘭
陵繆生"，可能是穆生的子侄之輩。不過，這一蘭陵即是荀子晚年所
定居的蘭陵，過去被公認是楚邑，這卻值得作一番推敲。今按《續漢
書·郡國志》說蘭陵縣屬東海郡，縣中有次室亭，劉昭注引《地道
記》說："故魯次室邑。"元魏人酈道元作《十三州志》說："蘭陵，故魯之
次室邑。其後楚取之，改爲蘭陵縣。漢因之。"（見《太平寰宇記》卷
二十三）這與《史記·春申君列傳》的下述說法正好相合："春申君
相楚八年，爲楚北伐滅魯，以荀卿爲蘭陵令。"玩味這段話的意思，
春申君"以荀卿爲蘭陵令"一事，乃是楚人北伐滅魯的結果，可見酈
道元等人的記載是正確的，戰國晚期的蘭陵，在過去的確是魯邑。荀
卿晚年定居講學的地區既可說是楚國文化的地域，又可說是魯文
化的地域。在滅魯以前的楚國疆域之內，陳地是與蘭陵比較接近的
地方。在陳地老子學派與兼重禮與刑法的荀子學派之間，也有着微
妙的相通之處。假若帛書《要》、《易之義》和《二三子問》出自荀子後
學之手，那麼這些著作被陳地老子學派編入一部以道家著作爲核
心部份的《周易》書中，便是合乎情理的事。

　　論定帛書《要》等富於儒學特色的幾篇佚書出於荀子學派，而
荀子晚年所定居的蘭陵原是魯邑，這對經學的研究有莫大的意義，

────────────

　　① 《史》、《漢》所載這一傳系包括馯臂子弓，有的學者說這就是荀子所推崇的仲
弓。其實這祇是臆測，《史記》說馯臂子弓位於孔子之後第三代，《漢書》說在第四代，這
與荀子的時代十分遼遠，因而《史》、《漢》所載傳系無論如何是與荀子無關的。

因爲經學中魯學一派的祖師正是荀子。《漢書·儒林傳》說,漢宣帝時的丞相韋賢和名儒夏侯勝都認爲:"穀梁子本魯學,公羊氏乃齊學也",這種看法絕不是個別魯地學者的偏見,因爲西漢官學中的《詩》、《論語》也都有齊魯之分,而且戰國時期齊、魯兩國文化的差別懸殊,兩國的儒學也有着派系上的鴻溝,這種學派分歧延續到西漢,絕不會很快地泯滅。西漢前期和中期的經學分裂爲齊學和魯學,顯然是很自然的事情。尤爲值得注意的是,《穀梁春秋》是魯學的代表作品,傳習《穀梁》的瑕丘人江公是魯人,他的老師正好是傳授《魯詩》的申公。上文已指出申公是荀卿的再傳弟子,而魯學爲何竟以曾在齊國稷下"三爲祭酒"的荀子爲祖師,過去一直使人迷惑不解,現在證實荀子晚年定居、著書、教學的地方蘭陵,原來是魯國的地域,遂使西漢經學中的魯學傳系得以澄清。這一傳系即是以魯地蘭陵爲中心地域的荀學傳系,在《易》學方面則有穆生,以帛書《要》等佚書爲其典籍;在《春秋》方面則有江公,以《穀梁傳》爲其代表作;在《詩經》方面則有申公,其經典有《魯詩》及《魯故》、《魯説》等。

　　西漢時期的魯學與古文經學,可以說有着千絲萬縷的聯繫。例如《漢書·儒林傳》說,著名學者尹更始傳習《穀梁春秋》,屬於魯學一派,他又"受《左氏傳》",傳授了翟方進、房鳳等人,成爲古文經學創始階段的關鍵人物。劉向是一位《穀梁》學者,他的兒子劉歆卻是古文經學的主要創始者。而在隸屬於魯學的帛書《要》篇與古文《易》學之間,也有着類似的關係。《要》篇記載,孔子"老而好《易》",子貢問他:"夫子亦信其筮乎?"孔子回答:"《易》,我後其祝人矣,我觀其德義耳也。幽贊而達乎數,明數而達乎德,……贊而不達於數,則其爲之巫;數而不達於德,則其爲之史。……吾求其德而已,吾與史巫同涂(途)而殊歸者也。"這一席極爲重要的議論,使我們聯想到費直的《易》學。《漢書·藝文志》說,劉向以中秘古文《易經》核校其它各種《易經》傳本,唯有費直所用的《易經》與古文經完全相同,這顯示出費直所用《易經》雖爲今文,卻是古文《易經》的最忠實的、直接的隸寫本,《後漢書·儒林傳》聲稱費氏學爲古文《易》學,當是合理的。《漢書·儒林傳》又説,費直"長於卦筮,亡章句,徒以《彖》、《象》、《繫辭》十篇《文言》解説上下經",這與《要》的思想風格很相似,《要》篇承認占筮是必要的,費直則有"長於卦筮"的優點;《要》篇認爲"數"比"贊"重要,"德"比"數"重要,費直則忽視章句訓詁,以傳解經,顯露出關於《易傳》所謂"卦德"的高度重視。《要》篇所謂的"贊",是個意義含混的概念,魏晉隋唐諸家或釋爲"佐"、"助",或釋爲"告"、"白",最準確的解釋出於《説文解字》:"贊,見也。"而《繫辭》又有"見乃謂之象"的論斷,再考慮《要》篇中的"德"、"德義"、"易道"諸詞的意思接近,因而可以明白《要》篇所謂的"贊"、"數"、"德",即是歷代《易》學家所謂的"象"、"數"、"理",其概念關係當如下圖:

這種由象闡發數,由數闡發道德義理的《易》學思想,似乎正是費直《易》學的特點。在東漢末期,馬融、荀爽以費氏《易》學爲依據,企圖超越以往那種專講象數的《易》學,并爲魏晉時期玄學派的《周易》義理之學奠定了基礎。假若費直本人不注重義理,似不大可能被後來的《周易》義理學派奉爲祖師。這即是説,費直《易》學與《要》篇之學乃是一脈相承的。《漢書》説費直所依據的《易傳》包括《彖》、《象》、《繫辭》十篇《文言》",其中的"文"字或説爲"之"字之誤,但這説法缺乏版本依據,乃是囿於傳統的一種臆測。費直所用來解經的十篇顯然是不包括《文言》的,甚至也有可能不包括《雜卦》,因爲揚雄還根據當時流行的一部《易序》斷言:"《易》損其一",意即在費直、揚雄的時代,十翼還缺少一篇,這一篇很可能是《雜卦》。那麼,費直所依據的《易傳》系統,很可能包括《要》和《易之義》等佚書在内。

　　通過以上的研究，可以粗略地勾畫出戰國秦漢《易》學分野的
輪廓，當時的《易》學流派很多，而與哲學有關的則可能主要有儒道
兩家，道家《易》學史上的人物有顏闒、司馬季主、淮南九師及利倉
等人，以帛書《易經》和《繫辭》爲其經書和傳書。儒家《易》學有魯
學、齊學及古文經學三派，其中的魯學以孔子爲其淵源，以荀子爲
其祖師，以穆生爲其重要的代表人物，以《易之義》和《要》等佚書爲
其代表作品。古文《易》學則受魯學影響，以《要》篇爲其思想來源，
以費直爲其主要的代表人物。至於齊學，可能與西漢官方田何
《易》學傳系有關，這是有待於繼續研究的。

帛書《二三子問》簡説

廖名春

馬王堆三號漢墓所出土的帛書《周易》經文之後，緊接着的是帛書《易傳》①。帛書《易傳》的第一篇頂端塗有墨丁標誌，以"二三子問曰"開頭，無篇題，未記字數。按照先秦古書定名的慣例，我們稱之爲《二三子問》。

《二三子問》共三十六行，按每行約七十二字計算，共二千六百餘字。

于豪亮先生曾將這篇帛書分爲兩篇，認爲自"二三子問曰"至"夕沂若厲，無咎"止爲一篇，其後至"小人之貞也"又另爲一篇②。這是有問題的。事實上，儘管"夕沂若厲，無咎"這一句後還剩三字的空位，書寫者就另起一行了，但這并不能説明這是兩篇帛書。從內容上來看，它們前後的關係是不可分割的。前者論述的是乾卦九二、九三爻辭之義，後者緊接着闡發乾卦九五爻辭之旨。再遠一點看，前者講了乾卦的初九、上九、坤卦的上六、六四，後者講了坤卦的初六、六二、六三、六五。它們是交叉論述乾、坤兩卦，怎能在"夕沂若厲，無咎"處把它們分成兩篇呢？帛書每行字數的多少是較爲隨便的。像一段話書寫完了，尚剩一兩字空，再寫下一段話時，往往就另起一行。不過這裏的空稍留多了一點。所以，"夕沂若厲，無咎"并不是篇與篇的分界，而只是兩小節之間的分界，將《二三子

---

① 從李學勤説，見《從帛書〈易傳〉看孔子與〈易〉》，《中原文物》1989 年第 2 期。
② 《帛書〈周易〉》，《文物》1984 年第 3 期。

問》分成兩篇，其理由是不能成立的。

　　《二三子問》文中以圓點分爲三十二節。第一節文字較長，論述"龍之德"；第二至第四節、第九至第十七節論述乾、坤兩卦的爻辭；第五至第八節依次論述蹇、鼎、晉三卦的卦爻辭；第十八至第三十二節末尾依次論述了屯、同人、大有、謙、豫、中孚、小過、恒、解、艮、豐、未濟十二卦的卦爻辭。從總體上看，其論述是以今本卦序爲準的，與帛書本《六十四卦》的卦序并不相同。

　　《二三子問》解《易》有一明顯的特色，就是只談德義，罕言卦象、爻位和筮數。這一點，不但迥異於《左傳》、《國語》的易説，同今本《易傳》諸篇也頗有不同。總的説來，其説同《彖傳》、《大象》、《文言》、《繫辭》較爲接近，尤近於《文言》、《繫辭》中的"子曰"。

　　《二三子問》有一半的篇幅是論乾坤兩卦，另一半則論及蹇、鼎、晉等十五卦。這種重視乾坤兩卦的思想同今本《易傳》的《繫辭》、《文言》是一致的。

　　《二三子問》首節重點論述"龍之德何如"；《文言》解釋乾卦初九、九二兩爻，劈頭就引"子曰"："龍德而隱者也"，"龍德而正中者也"。這説明，《二三子問》的"龍德"説，與《文言》的關係是很密切的。

　　釋乾卦的初九爻辭；《二三子問》認爲其寓意是"大人安失（佚）矣而不朝"，"其行滅而不可用也"，這與《文言》"潛之爲言也，隱而未見，行而未成，是以君子弗用也"説同。釋乾卦上九爻辭，説"此言爲上而驕下，驕下而不殆者，未之有也。聖人之立正也，若逝木，俞高俞畏下"。而《文言》則説："貴而無位，高而無民，賢人在下位而無輔，是以動而有悔也。""亢之爲言也，知進而不知退，知存而不知亡，知得而不知喪。其唯聖人乎！知進退存亡而不失其正者，其唯聖人乎！""爲上而驕下"就是"高而無民"，"聖人之立正也，若逝木，俞高俞畏下"就是"知進退存亡而不失其正者，其唯聖人乎"。兩者思想如出一脈，是顯然的。

　　釋坤卦上六爻辭與諸説皆不同。《二三子問》訓"戰"爲"接"，同於《説文》"戰者接也"之訓。以"龍"爲"聖人"之喻,以"野"爲"民"之喻。認爲"此言大人之廣德而施教於民","言大人之廣德而下綏(接)民也"。可見所謂"戰",既非指爭戰之戰,亦非指龍在原野上交合之"接",而是指聖人、大人與民的接交。所謂"其血玄黄",是"見文也",指"聖人出法教以道(導)民",這就是所謂文明。《二三子問》這一説解,較之諸家之説更具有德治主義與民本思想,合乎儒門説《易》的傳統。

釋蹇卦六二爻辭論述了難與不難的辯證關係,説:"王臣蹇蹇者,言其難也。夫唯智(知)其難也,故重言之,以戒今也。君子智(知)難而備[之,則]不難矣;見幾而務之,[則]有功矣,故備難[則]易。"這與《彖傳》的"蹇,難也,險在前也;見險而能止,知矣哉!……蹇之時用大矣哉"有着内在的聯繫。

釋鼎卦九四爻辭説:"此言下不勝任也。非其任而任之,能毋折乎?"與《繫辭》"言不勝其任也"説同中有異。《繫辭》主要是就德與知、力與位、謀與任的關係而言,是講用人得當的問題。而《二三子問》則是講君民關係問題,認爲百姓的負擔過重,就會"下不用則城不守,師不戰,内亂□上",就會危及君主的統治,使君主得不到好下場。爲此它舉了"晉屬王(實爲楚靈王)路其國,蕪其地,出田七月不歸,民反諸雲夢,無車而獨行……饑不得食六月"的歷史事實加以證明。這種解釋,貼合爻辭之義,具有鮮明的民本主義思想。

釋晉卦卦辭説:"此言聖王之安世者也。聖人之正(政),牛參弗服,馬恒弗駕,不夏(擾)乘牝馬……粟時至,芻菜不重,故曰'錫馬'。聖人之立正(政)也,必尊天而敬衆,理順五行,天地無困,民□不傷,甘露時雨聚降,剽(飄)風苦雨不至,民心相醖以蒔,故曰'番(蕃)庶'……"這是以"聖王"釋"康侯",將"錫馬"理解成聖王安世的仁政,將"蕃庶"説成是惠民、仁民。這種訓釋不但異於《彖傳》和《大象》,與後人的公侯蒙天子賜以衆多車馬説[1]、康侯用成王賜給

---

① 孔穎達《周易正義》。

他的良種馬來繁殖説①，也皆不同。

其釋坤卦六四爻辭説："此言箴小人之口也。小人多言多過，多事多患……"這與《小象》的"慎不害也"、《文言》的"蓋言謹也"説同，而《荀子·非相》以此爻辭形容"腐儒"，其意正相反。這一段話，據《説苑·敬慎》、《孔子家語·觀周》、《太公·金匱》記載，係孔子觀周所見到的太廟前金人之銘，定縣八角廊四十號漢墓所出竹簡《儒家者言》中也有"之爲人也多言多過多事多患也"之句②。孔子觀周爲孔子中年時事，其晚年治《易》，取金人之銘入於《易》説，是很自然的。由此看，《二三子問》的"子曰"，是有來源的，是不能輕易否定的。

其釋謙卦卦辭説："上川（坤）而下根（艮），川……也，根，精質也，君子之行也……吉，嗛也；凶，橋（驕）也。天亂驕而成嗛，地避驕而實嗛，鬼禍驕福嗛，人惡驕而好[嗛]……好，美不伐也。夫不伐德者，君子也。其盈如……而再説，其有終也亦宜矣。"這與《彖傳》、《大象》之説同，尤近於《彖傳》。《彖傳》的"盈"《二三子問》皆作"驕"，這是否係避漢惠帝劉盈諱所致？從後文的"其盈"來看，可知不是避諱，是原文本來就作"驕"。出於同一抄手的帛書《繆和》篇中，也有相同的一段話，"子曰：天道毀盈而益嗛地道……好溓"。也不避盈諱，其説更近於《彖傳》。從表達來看，似乎《二三子問》説更原始。亂，治也。"亂驕"同"虧盈"、"毀盈"義同；"成嗛"即"益嗛"；"實嗛"即"流謙"；"禍驕"即"害盈"。這種義同而表達有異的現象，應是孔子易説有不同傳本造成的。

其釋豫卦六三爻辭説："此言敬樂而不忘惪（德）也。……"這與《大象》的"先王以作樂崇德"説同。其釋未濟卦辭説："此言始易而終難也，小人之貞也。"與《彖傳》"不續終也"同。《戰國策·秦策》、《史記·春申君列傳》、《新序·善謀》記黃歇説秦昭王，皆云未濟卦

卦辭"此言始之易終之難也"①。其説與《二三子問》全同。黄歇非易
家，其説必有所本。《二三子問》説稱"子曰"，黄歇稱引孔子的《易》
説，就孔子及其學説在戰國中後期的地位和影響而言，這是非常可
能的。

值得注意的是，《二三子問》解《易》是以"二三子"發問、孔子答
疑的形式進行的。"二三子"之稱習見於《論語》等書，通常是指孔子
的弟子。像《二三子問》這樣的問答體文章形式，一般認爲早於有篇
題的專題論文。從帛書《易傳》諸篇來看，有篇題記字數的帛書，如
《要》、《繆和》、《昭力》皆置於後，無篇題、不記字數的帛書，如《二三
子問》、《繫辭》皆置於前。尤其《二三子問》，緊接《六十四卦》經文，
居諸篇之首。這説明，在帛書《易傳》諸篇中，《二三子問》地位最爲
突出，時間也當較早。從思想内容而言，它充滿了敬天保民、舉賢任
能、進德修身的思想，這與孔子的基本思想是很接近的，與荀子"明
於天人之分"、"性惡"諸説倒有一定距離。因此，它不可能是荀子一
系學者的作品，當是孔子弟子保留下來的孔子説《易》的遺教。對於
孔子《易》説和一般傳《易》經師的《易》説，帛書《易傳》是很注意區
分的。這一點，我們只要看看《二三子問》，再看看《繆和》、《昭力》，
就會明白。

《二三子問》所稱引的《周易》經文，與今本《周易》和帛書本《六
十四卦》都有一些不同。如其引同人卦六二爻辭説："同人於宗，貞
閵。"較今本和帛書本都多出一"貞"字。其稱引大有卦六五爻辭説：
"絞如，委如，吉。"較今本少"厥孚"二字，帛書本這二字作"闕復"。
其稱引謙卦卦辭説："嗛，亨，君子有冬，吉。"今本、帛本皆無"吉"
字，但《韓詩外傳》卷三、卷八稱引，皆同於《二三子問》。從文義來
看，"亨"而"有終"，加一"吉"字，更爲恰當。其稱引未濟卦卦辭説：
"未濟，亨，[小狐]涉川，幾濟，濡其尾，無逌利。"較今本、帛本多出
"涉川"二字。這種異文，看來也不是無心之誤。因爲《史記·春申

① 楊樹達《周易古義》(上海古籍出版社 1991 年版)頁 81 云此係"黄歇説頃襄
王"，誤。應係頃襄王時黄歇説秦昭王。

君列傳》和《新序・善謀》記黃歇説秦昭王所引，也皆有"涉水"二字。"涉水"即"涉川"，黃歇所引與《二三子問》同。由此看來，《二三子問》所據之《周易》經文，既非全同於今本《周易》，更非帛書本《六十四卦》，而是一卦序同於今本，但卦爻辭稍有區別的另一古本。帛書《周易》的經、傳，它們雖同寫於一張黃帛上，但它們并非爲一統一整體，各自都有不同的來源。

最後應當指出，《二三子問》雖然是孔子《易》説的遺教，但它寫成時，也受了戰國黃老思想的影響。如其論豐卦卦辭就提到了"黃帝四輔，堯立三卿"之語。先秦儒家尊崇堯、舜，《論語》、《孟子》、《荀子》諸書對堯的推崇盈篇累牘，但從不提黃帝，更不會將黃帝置於堯前。此外，《二三子問》多次提到"精白"這一概念，如"精白柔和而不諱賢"，"尊威精白堅强，行之不可撓也"，"其占曰：能精能白，必爲上客；能白能精，必爲□□故以精白長衆……"。"占"當爲解《易》的一種文辭，類似歌謠，句式整齊，講究押韵（白、客同爲鐸部），如後世之《易林》。孔子引"占"語以解艮卦卦辭，恐不足信。因爲占辭的内容頗合黃老之言。帛書《經法・道法》云："故能至素至精，浩彌無刑，然後可以爲天下正。"《道原》云："服此道者，是胃能精。"《淮南子・精神訓》云："抱素守精。"精白，可能意同精素，素本義爲白色的生絹。能精能白，與《道原》能精説用語同。所以，精白這一概念，很可能源於道家，而被孔子後學摻入孔子《易》説中①。

---

　　① "精白"這一概念同"精素"的聯繫，承蒙陳鼓應先生提示并從《黃帝四經》中找出例證，特此致謝。

帛書《易之義》簡説

廖名春

　　在帛書《繫辭》的同一幅帛上,有一篇緊接《繫辭》,另起一行,頂端塗有墨丁標志,以"子曰易之義"開始的佚書。這篇佚書儘管斷爲兩截,但開頭四、五行尚清楚,爾後便有幾行殘缺,到十四、五行以後便趨於完整,至最後一行又有殘缺。但仍可清楚看出下一行有墨丁標志,説明緊接它的是帛書《要》篇。

　　我們在釋文時,將這篇佚書定爲四十五行。這是最低估計,因爲中間幾行已缺,其行數也有可能會多出二至三行,但決不會低於四十五行。因此,釋文的第九至第十四行的行數和拼接可能是有問題的。該佚書和其它帛書一樣,每行字數不定,平均起來,每行約七十餘字,共三千一百字左右。

　　這篇佚書的定名較爲複雜。先前人們都將它歸入帛書《繫辭》中,認爲它是帛書《繫辭》的下篇①。後來韓仲民提出了不同意見,從墨丁作爲分篇的標志出發,認爲它顯係另一篇佚書②。張立文則據其首句"子曰易之義"將其定爲《易之義》③。也有人稱之爲《子曰》④。筆者釋文時採用了張先生的定名,因爲它合乎先秦古書定名的慣例。不過,筆者懷疑該佚書也可能和《要》、《繆和》、《昭力》一

---

① 如于豪亮《帛書〈周易〉》,《文物》1984年第3期。
② 《帛書〈繫辭〉淺説》,《孔子研究》1988年第4期。
③ 《〈周易〉帛書淺説》,《中國文化與中國哲學》1988年號。
④ 《馬王堆漢墓文物綜述》,見《馬王堆漢墓文物》,湖南出版社1992年。

樣,也有它的原名。只是因爲最後一行殘缺而失落了。如果能將最後一行的殘片找到,我們也許會有新的發現。

《易之義》文中以圓點隔開爲若干章節。由於文時有殘缺,加之書寫者有很大的任意性,其確實數目尚不清楚。從其內容看,其第一至第二行說陰陽和諧相濟,是《易》之精義.其第三行至第十行歷陳各卦之義,其解釋多從卦名入手。從第十三行至第十五行左右,爲今本《說卦》的前三章,內容較爲完整,但"天地定立(位)"四句,卻根據帛書卦序對《說卦》文進行了改造。自第十六行至第二十一行左右,闡述鍵川之"參說"。自第二十二行至第三十四行,分別闡述鍵川之"羊(詳)說"。從第三十四行至第四十五行,爲今本《繫辭下》的第六章、第七章、第八章、第九章(依朱熹《本義》所分)。

應該指出的是,釋文第四十四行、第四十五行的內容可能會有問題。從照片上看,第四十四行的"德□之事;不仁者殹,不從也。從也者,嗛之胃也。"與第四十五行的"剛,故鍵;故命之鍵也。卦"似乎是《要》篇的文字誤拚入《易之義》中,如果將這些文字清除出去,結尾的兩行就應該是:

> 當。疑(擬)德占之,則《易》可用矣。子曰:知亐(者)觀六(其)緣(彖)辤而說過半矣。《易》曰:"二與四同[功異位,其善不同,二],多譽,四多畏,近也、近也者,嗛之胃(謂)也。《易》曰:柔之[爲道,不利遠者;其]要无[咎,其用]柔若[中也。《易》]曰:三與五同功異立(位),六(其)過入,[三]多凶,五多功,[貴賤]之等。

這樣,《易之義》的結尾就很可能與今本《繫辭下》的第九章的結束差不多了。這種處理與釋文的處理到底哪一種正確?只有俟諸來日的再次目驗原件了。

《易之義》的後面部分同於今本《繫辭下》的第六、七、八、九章,以致人們把它誤認爲《繫辭傳》的下篇。其實,它是稱引《繫辭》、改編《繫辭》以敷衍成文的。除了它引《繫辭》之文多次稱爲"《易》曰"之外,從其行文風格上,我們也可以得到印證。今本《繫辭下》第六章的開頭幾句是:

　　　　子曰:乾、坤,其《易》之門邪? 乾,陽物也;坤,陰物也。陰陽合德
　　而剛柔有體,以體天地之撰,以通神明之德。

　　而《易之義》卻作:

　　　　子曰:《易》之要可得而知矣。鍵川也者,《易》之門户也。鍵,陽物
　　也;川,陰物也。陰陽合德而剛柔有體,以體天地之化。

　　　　又口能斂之,無舌ні,言不當其時,則閉慎而觀。……龍七十變
　　而不能去其文,則文其信於而達神明之德也。

《繫辭》的"以體天地之化,以通神明之德"是相對成文,"體天地之
化"承"剛柔有體"而言,"通神明之德"承"陰陽合德"而言,上下文
有密切的聯繫。而《易之義》卻將這兩句話割裂開,在中間塞入一大
段文字,以"則文其信於而"接"達神明之德也",顯然不通。這種改
動《繫辭》而成文的痕跡是非常清楚的。

　　《繫辭》這章的後一段論證卦爻辭辭理遠大,其文曰:

　　　　其稱名也,雜而不越,於稽其類,其衰世之意邪? 夫《易》,彰往而
　　察來,而微顯闡幽。開而當名辨物,正言斷辭則備矣。其稱名也小,其
　　取類也大,其旨遠,其辭文,其言曲而中,其事肆而隱。

　　而《易之義》卻作:

　　　　其辯名也雜而不戌,於指易□,衰世之勳與?《易》□□而[察]來
　　者也。微顯贊絶,巽而恒當。當名辯物,正言巽聲而備,本生(性)仁
　　義,所以義剛柔之制也。其稱名也少,其取類也多,其指朙,其發文,
　　其言曲而中,其事隱而單。

這裏的"本生仁義,所以義剛柔之制也"一語,顯然是《易之義》作者
插入文中的。

　　在今本《繫辭下》的第七章與第八章之間,《易之義》較《繫辭》
多出一句:

　　　　子曰:渙而不救則比矣。

《繫辭》三陳九卦的最後一句是"巽以行權",《易之義》則作"渙以行
權",所以它以"子曰:渙而不救則比矣"緊接。這句話應是《易之
義》作者所增入的,決非《繫辭》原文所有。因爲它既不合"三陳九
卦"的體例,又與第八章接不上,純係對引文"渙以行權"作注釋,

　　在今本《繫辭下》第八章與第九章之間，《易之義》又多出"□□无德而占，則《易》亦不當"一語，這一句也是突如其來，與上下文意不連貫，也當屬《易之義》作者增改《繫辭》文之例。所以，從上述事實看，《易之義》與《繫辭》決非同一時代的產物，我們只能説《易之義》摘引《繫辭》而成文。

　　《易之義》同於《説卦》前三章的文字也屬援引。這從它改動了"天地定位"等句的順序以迎合帛書《六十四卦》的卦序可以看得很清楚。《易之義》在列舉易卦時，一般是以通行本卦序爲準的。如其第三至四行，它歷數各卦是從乾到需，再到訟、師、比、小畜、履、益（實爲泰）、否；第三十九至四十一行三陳九卦時，它雖將最後一卦巽改爲渙，但其順序也還是遵從通行卦序的。唯獨"天地定位"一段，它卻按帛書卦序編排。我們知道，《説卦》這一段的原文與六十四卦的卦序是無關的，因此不可能是《説卦》改動了《易之義》"天地定位"段的次序，而只能是《易之義》改動了《説卦》的原文。

　　在《易之義》關於卦義的闡述中，我們可以獲得很多啓示。其一是《易之義》的作者似乎讀過《彖傳》。其第四行説：

　　　　益者，上下交矣。

由上下文可知，《易之義》在這裏歷陳各卦之義是以通行本卦序爲序的，所以它上文從乾數到需、訟、師、比、小畜、履，下面緊接以否。很明顯，這一益字乃是泰字之誤。《彖傳》云：

　　　　泰，小往大來，吉，亨。則是天地交而萬物通也，上下交而其志同
　　也。……

《易之義》以"上下交"釋泰卦，顯然同於《彖傳》"上下交而其志同也"之説。

　　在數"剛之失"時，《易之義》又談到了"鄭（豐）之虛盈"。而《彖傳》説：

　　　　日中則昃，月盈則食；天地虛盈，與時消息，而況於人乎？況於鬼
　　神乎？

由此看，《易之義》的作者是受了《彖傳》的影響的。

其二，《易之義》似乎存有井田制的痕迹。中國是否存在過井田制度？近代以來一直存在着爭論。孟子"周人百畝而徹"（《孟子·滕文公上》）之説，一直有人存疑。而《易之義》論述井卦的得名，卻説：

井者，得之徹也。

《繫辭下傳》也説：

井，德之地也。

井，居其所而遷。

《易之義》所記略同。從這些記載來看，井田制作爲土地制度存在過，是無疑的。不然，《繫辭》就不會以"德之地"作比，《易之義》更不會將井卦與徹法聯緊在一起，説井卦的得名是由於"徹"。當然，人們也許會以爲《易之義》此説同於《雜卦》"井通"之説。"徹"乃"通"之同義詞，但有沒有可能《雜卦》之"通"源於《易之義》之"徹"呢？這是很有可能的。因爲一者《易之義》明言"井者，得之徹也"，如果説"井者，得之通也"，就很費解了。二來《繫辭》和《易之義》都將井和地連在一起，有助於支持井田説，因此，《易之義》的這一記載應該説與孟子説是一致的，是先秦存在過井田制度，井田制度曾經以徹法的形式存在過的一個證據。

關於《周易》的歷史，《易之義》也有一些有價值的記載。它説：

《易》之用也，殷之無道，周之盛德也。恐以守功，敬以承事，知以辟患……文王之危知，史説之數書，則能辯焉。

這告訴我們，《周易》的興起，與周文王是有密切關係的。《周易》原是一種數書，但爲周文王所借助，就溶入了"恐以守功，敬以承事，知以辟患"的哲學思想，具有了"能辯"的功能。將這些記載與《繫辭》、特別是與帛書《要》結合在一起，我們對《周易》的性質及其歷史就會有嶄新的認識。

《易之義》雖然綜合了各家之説，但也有它的鮮明的主體思想，就是強調陰陽和諧相濟。它認爲陰陽各有其長，各有其失。君子處世不宜動而不靜，亦不可靜而不動，應該柔而反於方，剛而能讓。這種重視陰陽和諧,剛柔相濟的思想雖然也是出於以義理説《易》一途,但與"天尊地卑"説是有明顯距離的,所以,《易之義》的《易》説并非純粹的儒家思想,與戰國後期黄老思想倒很相近。説它編成於一個受到黄老思想影響的儒生之手,應是可信的。

　　後記　本文交稿後,筆者又從帛書照片中找出一殘片。此殘片有兩行文字,一行有"四多瞿."三字,可接在第四十四行"[二]多譽"之後;一行有三字,可接在第四十五行最後,其第一字尚未識出,第二、三字似數字。據其位置,疑第一字爲篇題之殘,第二、三字爲所記字數之殘。

帛書《要》簡説

廖名春

帛書《要》篇同帛書《繫辭》、《易之義》、《繆和》同寫在一幅帛上。它緊接《易之義》,另起一行,頂端有墨丁標志。文末有標題《要》,并記字數"千六百冊(四十)八"。後接《繆和》篇。

同《易之義》一樣,《要》每行字數不等,平均行約七十來字。從其自計字數推算,《要》篇應大致有二十四行。《要》篇的前幾行,大多已殘缺。特別是前三行,釋文無一字。其實除篇首的墨丁外,第一、二行可能仍有文字殘存,而被收入《易之義》釋文的最後兩行中去了,詳見《帛書〈易之義〉簡説》。

《要》篇文中以囗點隔開分爲若干章節。由於第一至第八行殘缺過多,分章情況尚不清楚,但自第九行起,分章情況就鮮明了。第九行(包括第八行的一部分)至第十二行"此之胃也"可能屬一章,其内容主要是今本《繫辭》下篇第五章的後半部分(依朱熹《本義》所分)。從第十二行"夫子老而好《易》"至第十八行"祝巫卜筮其後乎"爲一章,記載孔子晚年與子貢論《易》之事。從第十八行的最後兩字至第二十四行末爲一章,記孔子給其門弟子講述《周易》損益二卦中的哲理。

《要》篇的篇名與其體裁形式及作者的易學思想密切相關。作者認爲,學《易》不在於占筮求福,而在於觀其要。《易》之要,不在於筮數,而在於其德義,在於蓍、卦之德,六爻之義,這就是神、智和變易的哲學思辨。在這幾篇帛書裏,作者對"要"這一概念格外重視。

帛書《繫辭》説：

> 初,大要。存亡吉凶,則將可知矣。

《易之義》説：

> 子[曰]:《易》之要可得而知矣。

《要》説：

> 子曰:吾好學而龜(緣)則要,安得益吾年乎?

由此可見,學《易》要得其"要",這是孔子的遺教,這可能就是該篇以"要"名篇并通篇記叙孔子論《易》的重要言論的原因。

《要》篇的内容,以後兩章最具學術價值。孔子與《周易》及其《易傳》的關係問題,過去一直存在着争議。《要》篇的記載,應該是很具有説服力的。"夫子老而好《易》,居則在席,行則在橐"之説與《史記·孔子世家》、《田敬仲完世家》、《論語·述而》的記載可以印證;"孔子緣(籀)《易》至於損、益一卦,未尚(嘗)不廢書而莫(嘆)……"之説與《淮南子·人間訓》、《説苑·敬慎》、《孔子家語·六本》的記載也可相互支持;其"夫子"、"子贛"、"二三子"以及《詩》、《書》、《禮》、《樂》之稱説明其所記載孔子事蹟的真實性是難以懷疑的。李學勤先生曾指出:《要》篇所記孔子、子貢之間發生的對話,恰合於孔子晚年與子貢的情事①。從《要》篇"不可以水火金土木盡稱也"一語來看,其材料來源肯定早於戰國末年。因爲先秦秦漢時,五行的排列主要有兩種方式:一種是水火木金土,一種是以土居五行之中。前者見於《尚書·洪範》,五者之間并没有相生相勝的關係,是一種較早的觀念。後者見於《管子·四時》,用的是木火土金水的五行相生説,重點是要論證五行中土居中央的重要性。認爲春爲木,夏爲火,秋爲金,冬爲水,而又在夏秋之間加上季夏爲土,而且説：

> 中央曰土,土德實輔四時人出。

又説：

---

① 《從帛書〈易傳〉看孔子與〈易〉》,《中原文物》1989 年第 2 期。

　　　　其德和平用均,中正無私。

這是齊國的陰陽家爲齊國的當政者作爲黄帝後裔應當位居中央成
爲天子制造輿論而編造出的①。《墨子·經説》也論及五行,以"金
水土火木"爲序,認爲五行并無常勝的關係。鄒衍在齊主張木火土
金水五行相生説,在燕主張五行相勝説,變木火土金水爲土木金火
水,其實五行相勝説實從五行相生説化出,只不過是向相反的方向
推衍而已。由此可知,以土居五行之中的排列是戰國末期人們的創
造。《要》篇水火金土木五行的排列既没有五行相生的觀念,也没有
五行相勝的觀念,無疑是屬於早期的五行概念。《左傳》文公七年
"六府"其排列是水火金木土谷,其排列也近於《尚書·洪範》和
《要》。由此看來,《要》篇的材料來源是較早的,其關於孔子論《易》
的事蹟是可信的。

　　從《要》篇所載史實我們可知孔子對待《周易》的態度曾經有過
相當大的變化。從"夫子老而好《易》"而遭到其得意門生子貢的激
烈反對的情況看,孔子晚年以前對《周易》肯定是不重視的,他以前
恐怕也是視《周易》爲卜筮之書的,孔子對《周易》的這種批評態度
在以子貢爲代表的弟子中肯定是根深蒂固了。所以當孔子一反常
態,"老而好《易》,居則在席,行則在橐"時,子貢就反詰他:

　　　　夫子它日教此弟子曰:德行亡者,神靈之趨;智謀遠者,卜筮之

　　蔡。賜以此爲然矣。以此言取之,賜緍(緡)行之爲也,何以老而好之

　　乎?

"何以老而好之乎"和"老而好《易》"含義相同,強調的是孔子"老"
之前并不好《易》,是至"老"後才有此行爲的。這與《史記·孔子世
家》、《田敬仲完世家》"孔子晚而喜《易》"的記載相同。孔子自己也
承認,《要》篇説:

　　　　子曰:《易》,我後其祝人矣。

這一"後"字,其意思與"老而好《易》"、"晚而喜《易》"完全是一致

────────────
① 孫開泰:《鄒衍的思想與齊文化的特點》,《管子與齊文化》1990年。

的。但是,孔子認爲他學《易》較祝巫也有領先的地方,這就是他"求其德",探求《周易》的哲理。認爲《周易》有"古之遺言",有古代聖人的遺教,《易》具有"剛者使知瞿(懼),柔者使知剛,愚人爲而不忘(妄),慚(慚)人爲而去詐(詐)"的功能。在這方面,他非常自信,認爲"祝巫卜筮其後乎"。

孔子對《周易》態度的變化對於認識孔子思想的發展和解決某些經學史上的懸案是有啓發的。熊十力先生曾説孔子四十歲以前是"述",以君君臣臣……五倫爲主,四十歲後是"作",以廢除帝制、選賢與能爲主。而這一思想上的大轉變則是他"卒以學《易》"的結果①。這種説法近於戲言,但説孔子學《易》而致思想有了變化,似乎也有幾分道理。比如《論語・公冶長》曾載:

> 子貢曰:夫子之文章可得而聞也,夫子之言性與天道不可得而
> 聞也。

因此,人們留下了"子罕言天道"的印象。但戰國秦漢時人們又習稱孔子作《易傳》。《易傳》是講天道的,豈不與子貢説相迕? 但從《要》篇的記載來看,這種矛盾就好理解了。孔子晚年以前不重視《周易》,不言天道也在理中;"老而好《易》",開始研究天道,甚至説"後世之士疑丘者,或以《易》乎",這時作《易傳》也并非沒有可能。這樣,《論語・公冶長》和《要》篇子貢的話就聯緊起來了。

孔子以"六經"傳世。但"六經"的次序古文家和今文家各有一套。今文家的次序是,《詩》、《書》、《禮》、《樂》、《易》、《春秋》;古文家的是《易》、《書》、《詩》、《禮》、《樂》、《春秋》②。過去人們多信今文家之説,認爲古文家説是起於劉歆的改動。甚至有人懷疑先秦是否有《周易》存在。因爲先秦諸子除《莊子》將《詩》、《書》、《禮》、《樂》、《易》、《春秋》并稱外,《荀子・儒效》、《商君書・農戰》皆只稱《詩》、《書》、《禮》、《樂》、《春秋》,不及《易》。從《要》篇的記載來看,"六經"的這兩種排列和《荀子》、《商君書》言"五經"而不及《易》甚至

---

① 《乾坤衍》第二分。
② 周予同《經今古文學》。

《孟子》不提及《易》都是有原因的。孔子“老而好《易》”而子貢又持激烈的批評態度。這説明孔子晚年以前教授學生的，可能没有《周易》；到其晚年“好《易》”以後，將《周易》列入了“六經”，可能還有很多像子貢那樣的弟子不理解，認爲孔子是“用倚（奇）於人”，逆背了其“它日”之教。所以，《易》在“六經”中地位不顯，荀子列數五經而不及《易》，孟子根本未提，都在情理之中。《要》篇説：

> 《易》有君道焉，五官六府，不足盡稱之；五正之事，不足以至之；而《詩》、《書》、《禮》、《樂》，不[足]百扁（篇），難以致之。

這説明，《易》是在《詩》、《書》、《禮》、《樂》等難以致“天道”、“地道”、“人道”等的情況下，才爲孔子列入學習對象的，因此，《易》在孔子眾多弟子中，其影響自然難與《詩》、《書》、《禮》、《樂》相比。但是，由於孔子“老而好《易》”竟到了“居則在席，行則在囊”的地步，給其晚年弟子留下了大量的《易》教，其晚年的追隨者雖有子貢那樣的批評者，但可能也不乏與夫子同樣嗜《易》者（如商瞿之類）。這一幫弟子在傳授“六經”時，以《易》置諸經之首，也是完全有可能的。因此，與其懷疑古文家説，還不如以《要》篇提供的綫索爲據，將“六經”的兩種不同次序視爲孔子弟子間的不同傳承爲是。

帛書《繆和》、《昭力》簡説

廖名春

帛書《繆和》、《昭力》與帛書《繫辭》、《易之義》、《要》同寫在一幅寬約四十八厘米的黄帛上。

《繆和》緊接《要》,另起一行,頂端塗有墨丁標誌,以"繆和問於生生曰"開頭,以"觀國之光,明達矣"作結,最後空一字格,有篇題"繆和"二字。未記字數。

《昭力》緊接《繆和》,也另起一行,但頂端没有墨丁標志,以"昭力問曰"開頭,以"良月幾望,□□之義也"作結,後空一字格,有篇題"昭力"二字,最後又空一字格,記字數"六千"。于豪亮先生説,此篇甚短,所記字數應是兩篇字數的總和,甚是①。

具體説來,《昭力》共十四行,其中末尾一行只二十二字,其餘十三行平均字數爲七十左右,共九百三十字左右。《繆和》共五千零七十字左右,其行數約七十,每行平均字數也是七十左右。兩篇相加,其行數應在八十四行左右②。

《繆和》、《昭力》雖然各自名篇,但從内容來説,它們實即一體,猶如一篇文章的上下兩篇。《昭力》篇首没有墨丁標志,而最後所記字數"六千",實又包括了《繆和》在内,就是這一道理。

與帛書《二三子問》、《易之義》、《要》一樣,《繆和》、《昭力》大體

---

① 《帛書〈周易〉》,《文物》1984年第3期。
② 《繆和》的拼接尚未最後確定,故這裏所説的只是一種大體估計,最後結果應以釋文爲準。

上也是以問答的形式解《易》。兩篇共約二十七段，段與段之間用黑色的小圓點斷開。其中《繆和》約二十四段，第一至第五段是繆和向先生問《易》，討論了渙卦九二爻辭、困卦卦辭、□卦、謙卦九三爻辭、豐卦九四爻辭之義。第六至第八段是呂昌向先生問《易》，討論了屯卦九五爻辭、渙卦六四爻辭、蒙卦卦辭之義。第九至第十段是吳孟向先生問《易》，討論了中孚卦九二爻辭、謙卦卦辭之義。第十一段是張射向先生問《易》，也是討論謙卦的卦辭之義。第十二段是李平向先生問《易》，討論了歸妹卦上六爻辭之義。第十二段至第二十四段解《易》的形式爲之一變，它們不再是問答體，而是直接以"子曰"解《易》和以歷史故事證《易》。其中第十二至第十八段每段皆以"子曰"開頭，依次闡發了復卦六二爻辭，訟卦六三爻辭、恒卦初六爻辭、恒卦九三爻辭、恒卦九五爻辭、坤卦六二爻辭之義。第十九段至第二十四段則先叙述一個歷史故事，再引《易》爲證，這種形式，與《韓詩外傳》解《詩》如出一轍。具體説來，第十九段是以湯田獵德及禽獸的故事來闡明比卦九五爻辭之義；第二十段是以魏文侯禮過段干木事來闡發益卦九五爻辭之義；第二十一段是以吳太子辰歸（餽）冰八管，置之江中，與士人共飲，因而士人大悦，大敗荆人的故事來闡明謙卦上六爻辭之義；第二十二段是以倚相説荆王從越分吳事闡明睽卦上九爻辭之義；第二十三段通過沈尹樹（戌）陳説伐陳之利闡明明夷卦六四爻辭之義；第二十四段通過史黑（默）向趙間（簡）子分析衞不可伐之事闡明觀卦六四爻辭之義。這種大量地用歷史故事來解説《周易》卦爻辭之旨的方法，可以説開了以史證《易》派的先河。

《昭力》共三段，都是以昭力問《易》，先生作答的形式出現的。第一段是闡發師卦六四爻辭、大畜卦九三爻辭及六五爻辭的"君卿王王之義"，第二段是闡發師卦九二爻辭、比卦九五爻辭、泰卦上六爻辭的"國君之義"，第三段是闡述"四勿之卦"之義。與《繆和》等比較，《昭力》解《易》綜合性强，《繆和》與《二三子問》等，一般是就具體的一卦一爻之義進行討論，而《昭力》則揉合數卦數爻之辭，闡發它們的共同意義。

《繆和》解《易》,不言數,只有一處分析了明夷卦的上下卦之象,其餘都是直接闡發卦爻辭的德義。《昭力》則全是談卦爻辭的政治思想。這種傾向,與帛書《二三子問》、《繫辭》、《易之義》、《要》是完全一致的。不同的是,《二三子問》、《要》是直接記載孔子師徒論《易》的言行,而《繆和》、《昭力》則很少提到孔子,其思想具有較强的綜合性,具有戰國末期學術的特點。

如第二段:

繆和問於先生曰:凡生於天下者,無愚知(智)、賢不宵,莫不願利達顯榮,今《周易》曰:"困,亨;貞,大人吉,無咎;又(有)言不信。"敢問大人何吉於此乎?子曰:此聖(聖)人之所重言也,曰又(有)言不信。凡天之道壹陰壹陽、壹短壹長、壹晦壹明,夫人道□之。是故[湯困於呂],文王絇(拘)於牖(羑)里,[秦繆(穆)公困]於[殽,齊桓(桓)公]辱於長鈞(勺),戉(越)王句踐困於[會稽],晉文[公困於]驪氏。古古(第一個"古"字疑有誤)至今,柏(伯)天[下]之君,未嘗遐困而能□□曰美亞[惡]不□□□也,□困之爲達也,亦……《易》曰:困,亨;貞,大人吉,無[咎;又(有)言不信,此之]胃(謂)也。①

"壹陰壹陽"即《繫辭》的"一陰一陽"。"壹晦壹明"又見於帛書《經法·論》:"天明三以定二,則壹晦壹明。"後一段又見於《説苑·雜言》:

孔子遭難陳、蔡之境……孔子曰:"……吾聞人君不困不成王,列士不困不成行。昔者湯困於呂,文王困於羑里,秦穆公困於殽,齊桓困於長勺,勾踐困於會稽,晉文困於驪氏。夫困之爲道,從寒之及煖,煖之及寒也,唯賢者獨知而難言也。《易》曰:"困,亨;貞,大人吉,無咎;有言不信。"聖人所與人難言信也。

《説苑》所載的這一段話屬於《繆和》所謂"人道"的内容,但比較之下,《繆和》的理論性更强,它的"人道"内容是從"天之道壹陰壹陽、壹短壹長、壹晦壹明"中推衍出來的。所以,這種《易》説,顯然交雜

① 方括符之内的文字,係筆者據上下文及文獻所補。所引《繆和》、《昭力》文字,尚未最後定稿,應以釋文爲準。下同。

着儒家思想和黄老思想。

《繆和》篇以很大的篇幅,突出論述了爲上者要"以又(有)知爲無知也,以又(有)能爲無能也,以又(有)見爲無見也","聰明夐(睿)知(智)守以愚……强□守以□,……貴□守以卑"(第十段)的謙德。如第十一段:

> 張射問先生曰:自古至今,天下皆貴盛盈,今《周易》曰:"嗛(謙),亨,君子又(有)冬(終)。"敢問君子何亨於此乎?子曰:……問是也。……夫耵(聖)君卑豊(體)屈眾以鄰孫(遜),以下其人,能至(致)天下之人而又(有)之……子曰:天之道崇高神明而好下,故萬勿(物)歸命焉;地之道精傳(專)以尚而安卑,故萬勿(物)得生焉;耵(聖)君之道尊嚴夐(睿)知(智)而弗以驕人,嗛(謙)□比德而好後,故……[故《易》曰:嗛(謙),亨,君子又(有)冬(終)。子曰:嗛(謙)者,溓然不足也;亨者,嘉好之會也。夫君人者以德下其人,人以死力報之,其亨也不亦宜乎?子曰:天道毀盈而益嗛(謙),地道銷[盈而流]嗛(謙),[鬼神害盈而福嗛(謙),人道亞(惡)盈]而好溓(謙)。溓(謙)者,一物而四益者也,盈者,一物而四損者也。

這些段話,與《韓詩外傳》卷三所記最爲接近:

> 成王封伯禽於魯,周公誡之曰:往矣!子其無以魯國驕士。……吾聞德行寬裕,守之以恭者,榮;土地廣大,守之以儉者,安;祿位尊盛,守之以卑者,貴;人眾兵强,守之以畏者,勝。聰明睿智,守之以愚哲。博聞强記,守之者,智。夫此六者,德也。夫貴爲天子,富有四海,由此德也。不謙而失天下、亡其身者,桀、紂是也。可不慎歟!故《易》有一道,大足以守天下,中足以守其國家,小足以守其身,謙之謂也。夫天道虧盈而益謙,地道變盈而流謙,鬼神害盈而福謙,人道惡盈而好謙。是以衣成則必缺衽,宮成則必缺隅,屋成則必加措,示不成者,天道然也。《易》曰:"謙,亨,君子有終,吉。"《詩》曰:"湯降不遲,聖敬日躋。"誡之哉!子其無以魯國驕士也。

《説苑・敬慎》有兩條類似的記載,一條同於《韓詩外傳》的上説,另一條則稍有變化:

> 韓平子問於叔向曰:"剛與柔孰堅?"對曰:"臣年八十矣,齒再墮而舌尚存。老聃有言曰:'天下之至柔,馳騁乎天下之至堅。'又曰:

'人之生也柔弱，其死也剛强。萬物草木之生也柔脆，其死也枯槁。'
因此觀之，柔弱者，生之徒也；剛强者，死之徒也。夫生者毁而必復，
死者破而愈亡，吾是以知柔之堅於剛也。"平子曰："善哉！然則子
之行何從？"叔向曰："臣亦柔耳，何以剛爲"平子曰："柔無乃脆乎？"
叔向曰："柔者，紐而不折，廉而不缺，何爲脆也。天之道，微者勝。是
以兩平相加，而柔者克之；兩仇爭利，而弱者得焉。《易》曰：'天道虧
滿而益謙，地道變滿而流謙，鬼神害滿而福謙，人道惡滿而好謙。'夫
懷謙不足之柔弱而四道者助之，則安往而不得其忘乎？"平子曰：
"善。"

這種貴謙思想，文獻一說是周公之語，一說是叔向之語，但周公和
叔向時怎會引《彖傳》語爲《易》呢？所以，應當以帛書所載爲是，是
傳《易》於繆和、吳孟、張射等人的先生之語。這裏的"子曰"，應即
"先生曰"，是歐陽修所謂的"講師之言"。這位先生講謙德，可以說
揉合了儒家思想和道家思想。所以文獻有的將其歸結爲周公、孔子
之說（如《韓詩外傳》卷三、卷八），有的以老子貴柔思想解之（如上
引《說苑·敬慎》語）。

　　從上述文獻記載的比較看，《彖傳》在《繆和》寫成時早已流傳
於世了。"天道毁盈而益嗛"這四句話，《韓詩外傳》和《說苑》各有兩
處引用，都稱之爲《易》。而"聰明叡（睿）知（智）守以愚"等類似之
語，也見於《韓詩外傳》和《說苑》，它們卻不以《易》稱之。這說明《繆
和》"天道毁盈而益嗛"四句話與其它解《易》之語有着很不相同的
地位。從帛書《二三子問》也有這幾句話來看，《繆和》顯係暗引《彖
傳》。在帛書《繆和》、《二三子問》寫作時，《彖傳》的内容雖然還没有
像西漢初的《韓詩外傳》和西漢末的《說苑》那樣被尊以爲經，但它
的影響卻已經是相當大的了，否則，帛書解《易》就不會一再地引用
它。

　　《文言》的"元、亨、利、貞"四德說，歐陽修《易童子問》以爲係
《左傳·襄公九年》所載魯穆姜之語。《繆和》第七段先生解渙卦六
四爻辭說：

　　　　元者，善之始也。

上引第十一段"子曰"解謙卦卦辭説：

> 亨者，嘉好之會也。

前者，《左傳》作"元者，體之長也"，《文言》作"元者，善之長也"；後者，《左傳》、《文言》均作"亨者，嘉之會也"。《繆和》解"元"字，用"善"而不用"體"，用"始"而不用"長"；解"亨"字，用"嘉好"而不用"嘉"。應該説，它不是取於《左傳》，而是取於《文言》。很可能，它也看到了《彖傳》"大哉乾元！萬物資始，乃統天"之語，乃將"長"改爲"始"。

《繆和》、《昭力》所載《周易》經文，與通行本也有一些不同。蒙卦卦辭通行本作：

> 蒙：亨。匪我求童蒙，童蒙求我；初筮告，再三瀆，瀆則不告。利
> 貞。

《繆和》第八段稱引和解釋此條卦辭，告字皆作吉，與帛書《六十四卦》、漢石經同。看來，今本之"告"當屬"吉"形近而訛。

大畜卦九三爻辭通行本作：

> 九三，良馬逐，利艱貞，曰閑輿衞，利用攸往。

《昭力》第一段引後一句作：

> 《易》曰：闌輿之衞，利又（有）攸往。

"闌"，與今本"閑"通。今本的"曰"字，用在此處，殊爲不通。《釋文》引鄭玄曰"人實反"，則鄭玄以"曰"爲"日"。《集解》引虞翻注亦作"日"。《程傳》亦依"曰"解，《本義》也以爲"當爲日月之日"。《昭力》引無"曰"字，多一"之"字，文從字順，足證今本之"曰"字有誤。

此外，今本以卦九五爻辭的"王用之驅，失前禽，邑人不誡，吉"，《昭力》第二段引用無"用"字。今本泰卦上六爻辭"勿用師，自邑告命，貞吝"，《昭力》引"貞吝"爲"吉"。今本歸妹卦六五爻辭"帝乙歸妹，其君之袂，不如其娣之袂良；月幾望，吉"，《昭力》引從"良"前斷句，變成"良月幾望，吉"。前二種異文，就是與帛書《六十四卦》也不合，值得探討。

《繆和》第十九至二十四段載有六個歷史故事。這些歷史故事

雖大多見於《呂氏春秋》、《賈誼新書》、《説苑》、《新序》、《韓詩外傳》、《大戴禮記》等書，但仍提供了許多新的信息。如第十九段記湯網開三面，德及禽獸，感化的諸侯有"四十餘國"。而《呂氏春秋·孟冬紀·異寶》和《新序·雜事》都説是"四十國"，《賈誼新書·諭誠》則只説"士民聞之"、"於是下親其上"。比較而言，《繆和》所載最詳。第二十段記魏文侯過段干木之閭而式（軾）事，《新序·雜事》、《史記·魏世家》、《藝文類聚》所引《莊子》都有類似記載。但《繆和》點出了"其僕李義"之名，而其它文獻都只云"其僕"。可見《繆和》的作者更清楚、更接近於此事。不然，它就不會保留下這些細節的真實。第二十一段記吳舟師大敗楚人，"襲其郢，居其君室，徙其祭器"，與《左傳》、《史記》同，但"太子辰歸（餽）冰八管"，置之江中與士同飲，因而使士氣大振之事，卻爲史籍所無。不管其所載是否有誤①但它確實爲這一段歷史提供了新的材料，是很值得珍視的。

　　第二十二段所記與《韓非子·説林下》、《説苑·權謀》所載更有較大不同。第一，《韓非子》和《説苑》都説是越破吳後，"又索卒於荆而攻晉"；而《繆和》卻説是越"環周（舟）而欲均荆方城之外"。顯而易見，"索卒"或"請師"攻晉只是藉口，越藉勝吳之餘威脅迫楚國，要將其方城之外的勢力範圍據爲己有才是目的。《繆和》所記更近於歷史的真相。第二，《韓非子》只説"起師"，不言數目；《説苑》説"請爲長轂千乘，卒三萬"；而《繆和》則説"請爲長轂五百乘以往分於吳地。君曰：善。遂爲長轂五[百乘]……"，所載更爲詳實。第三，從"而不爲者，請爲君取之。……越王曰：天下吳爲强，吾既已戔（踐）吳，其餘不足以辱大國之人，請辭。又曰：人力所不至，周（舟）車所不達，請爲君取之"等語來看，楚、越兩國又就分吳事進行了外交交鋒，而《繆和》的這種記載也不見其它史籍。第四，《説苑》説楚"遂取東國"，《韓非子》説越"乃割露山之險五百里又賂之（楚）"；而《繆和》則記爲"（越）遂爲之封於南巢至北蘄南北八百里"。《史記·

---

① 于豪亮先生認爲《繆和》所載"太子辰"與《史記》、《左傳》不合；夫差這時并非爲吳王。見《帛書〈周易〉》，《文物》1984年第三期。

楚世家》云：

　　　　是時越已滅吳而不能正江淮北；楚東侵，廣地至泗上。

《越世家》也説：

　　　　句踐已去，渡淮南，以淮上地與楚。

由此可見，楚分吳所得的東國，其具體範圍就是從“南巢至北蘄南北八百里”，這與《史記》所説的“江淮北”、“泗上”或“淮上地”·是一致的。

　　第二十三段記楚取陳，同于《呂氏春秋·似順》、《説苑·權謀》、《楚史檮杌》，但更爲詳實。主張伐陳之人，《繆和》説是沈尹樹（戌），《説苑》、《楚史檮杌》説是楚莊王，《呂氏春秋》説是“寧國”。“寧國”係涉上文“國寧”而誤，《呂氏春秋》説不可信。從《繆和》所説的“遂舉兵伐陳，有之”來看，不似楚莊王十六年時楚“破陳，即縣之”事，因不久“莊王乃復陳後”。據《繆和》所載沈尹樹（戌）事蹟，可知此係指楚靈王七年楚滅陳爲縣事。諸書所載之的“莊王”很可能係“靈王”之誤。

　　第二十四段記趙簡子將襲衛事，《呂氏春秋·召類》、《説苑·奉使》也有類似的記載。但《繆和》所記與其不同點有二：一是《繆和》説“［使史黑（默）往睹之，期以］卅日，六十日後反（返）。問（簡）子大怒，以爲又（有）外志也”，而它書皆説“期以一月，六月而後反”，又無簡子大怒等情節。“六十日後反”較之“六月而後反”應更合乎實際。二是它書都説蘧伯玉、史鰌、孔子、子貢在衛，而《繆和》在這四人之外又多出“子路爲浦（蒲）”。據《史記·孔子世家》，孔子在衛時，“孔子弟子多仕於衛”。《仲尼弟子列傳》又説“子路爲蒲大夫”。由此看來，《繆和》的記載是有根據的。

　　《繆和》的史事記載也有錯誤，于豪亮先生已指出了一些。但從時間上看，它所記的史事最晚也爲戰國初期之事。而且，它往往比《呂氏春秋》、《韓非子》所載更爲詳實。如果它不是在《呂氏春秋》、《韓非子》之前寫成的話，是很難做到的。由此可知，無論從史學的角度，還是從易學的角度，我們都應該重視《繆和》、《昭力》這兩篇帛書的價值。

帛書《繆和》、《昭力》中的
老學與黃老思想之關係

陳鼓應

這期《道家文化研究・馬王堆帛書專號》首次公佈了陳松長、廖名春整理的帛書《二三子問》、《易之義》、《要》的釋文。由于整理工作十分艱難，另兩篇古佚易説《繆和》、《昭力》的釋文尚未定稿，待完成後本刊將予以公佈。近日，我從廖名春處讀到了這兩篇古佚易説釋文的初稿，爲了一睹古佚易説的全貌，特地請廖名春撰寫了這兩篇易説的簡説，使讀者對此有一個概况的認識。

《二三子問》、《易之義》、《要》這幾篇古佚易説，若從學派性質來看，是屬于儒家的作品，雖然其中有些許黃老思想成份；而《繆和》、《昭力》這兩篇古佚易説，就出現了相當濃厚的黃老思想成份。從這兩篇帛書中，我們一方面可以看到黃老道家在戰國後期易説中的影響；另一方面也反映了戰國後期各家融合的一種時代特點——主要以老子和黃老思想爲主體，而融合了儒家、法家乃至縱橫家的思想。本文就以這兩篇帛書與老學與黃老思想的關係，談一些自己的觀點。

翻開這兩篇帛書，首先引起我興趣的是其中出現頻率高達近三十次之多的"子曰"的詞字。這裏的"子曰"明確的是指易師之言。例如《繆和》開篇便是"繆和問于先生曰"，繼之以"呂昌問先生曰"、"吳孟問先生曰"、"李平問先生曰"、"張射問先生曰"，然後便是"先生曰"的回答。在這樣的師生問答中，頻頻出現的"子曰"以稱呼易師之言。《昭力》的形式也是如此。這種高頻率出現"子曰"的情況在《繫辭》中同樣可以看到。歐陽修稱《繫辭》中的"子曰"爲"講師之言"。這兩篇古佚易說的出土爲歐陽修之說提供了有力的佐證。關于此點,本文不展開討論,僅就這兩篇帛書中的老子與黄老思想的成份作如下逐條的對比説明。

1."貴　言"

《繆和》説:"有言不信"、"聖人之所重言也"。這是老子與黄老的"貴言"思想。《老子》説:"信言不美,美言不信"(八十一章)、"悠兮其貴言"(十七章)。《黄帝四經》也説:"事必有言,言有害,曰不信"(《經法·道法》)、"不言而信"(《經法·名理》)。

2."無　心"

《繆和》説:"[不]可以有心,有心矣,凶[咎]産焉"。這是源于老子的"無心"説。帛書《老子》云:"聖人常無心"(四十九章)。《莊子》也説"無心而不可與謀"(《知北游》)、"無心得而鬼神服"(《天地》)。"貴言"、"無心"也是"無爲"的組成部分。

3.施德不求報與功成而不居

《繆和》:"君人者,有大德于[人]而不求其[報]"、"是故聖君……[有]大德于[人]而不求其報也"。這種施不求報的思想是對《老子》"生而弗有,爲而弗恃,功成而不居"(二章)思想的申衍。老子還説:"報怨以德"(六十三章)、"聖人既以爲人……既與予人……"都是一種偉大的施與行爲,而與尼采所宣説的:"贈與的道德"相通,也爲當代哲人埃里克·弗洛姆(Erich Fromm)所盛贊的。

4.守德得道,不爭而勝

《昭力》在論征國取天下之道時説:"上征衙國以德……衙國以

德者……是故……城郭弗修,五[兵]弗乀(乀、贮),而天下皆服焉
……上征術兵師弗用……不戰而盛(勝)之謂也"。這是本于《老
子》的"以無事取天下"(五十七章)、"天之道,不爭而善勝"(七十三
章)的思想。

5.尚謙崇柔

①守愚持拙

《繆和》:"以有知爲無知也"、"聰明睿知,守以愚"。此源于《老
子》的"知者不言"(五十六章)、"知不知,尚矣"(七十一章)、"聖人
自知不自見"(七十二章)、"大巧若拙"(四十五章)。

②光而不耀

《繆和》:"以有能爲無能也,以有見爲無見也"。"君子……明焉
[不自顯]。"這是對《老子》"聖人……光而不耀"(五十八章)、"不自
見,故明;不自是,故彰;不伐,故有功"(二十二章)、"自見者不明,
自是者不彰,自伐者無功"(二十四章)思想之繼承。

③進退有節,不敢爲先

《繆和》:"進退無節……則不吉"、"聖君之道……[謙]德而好
後"、《昭力》:"用兵而弗先"。此在于老子與黄老。《老子》説:"進道
若退"(四十一章)、"是以聖人後其身而身先"(七章)、"欲先民,必
以身後之"(六十六章)、"不敢爲天下先"(六十七章)、"用兵有言:
吾不敢爲主,而爲客;不敢進寸,而退尺"(六十九章)。《黄帝四經》
説:"非進而退"(《稱》)、"聖人不爲始"(《稱》)、"大庭氏之有天下也
……常後而不先……弗敢以先人……戰示不敢"(《十六經·順
道》)。可見《昭力》、《繆和》的"用兵"思想承繼老子與黄老道家。

④反對自大驕人

《繆和》:"處上位[者],白[尊]而不知皿("血"字之訛,讀
爲"卹")下……必凶"、"夫務尊顯者,其心有不足也。君子不然
……聖也不自尊"、"聖君之道,尊嚴睿知而弗以驕人,謙[也]"、《昭
力》:"君之自大而亡國……君以[驕]人爲德,則失"、"國之興,必在

君之不知(疑爲“自”誤)[大]也”。此亦本于《老子》“聖人……自愛不自貴”(七十二章)、“富貴而驕,自遺其咎”(九章)、“果而勿驕”(三十章)、“以其終不自爲大,故能成其大”(三十四章)、《黄帝四經·稱》亦云:“[驕溢]人者,其生危”(《荀子·榮辱》;“橋泄者,人之殃也”乃本于黄老)。可見它們在思想上的承續性。

⑤謙卑遜下

《繆和》:“君子處尊卑卑,處貴卑賤”、“君子之所以折其身,且夫川者,下之爲(謂)也……能下人若此,其吉也”、“强[剛]守以弱,貴[顯]守以卑。若此,故能君人”、“聖君卑體屈衆以鄰(臨)遜,以下其人,能至天下之人而有之”、“天之道崇高神明而好下,故萬物歸命焉;地之道精傳(專)以尚而安卑敬,萬物得生焉;聖君之道尊嚴睿知而弗以驕人,謙[也]”、“謙者,潇然不足也”、“君人者,以德下其人,人以死力報之”、《昭力》云:“其人遜戒在前,何不吉之有?”謙卑遜下,爲老子的獨特思想。《老子》:“貴以賤爲本,高以下爲基”(三十九章)、“江海之所以能爲百谷王者,以其善下之,故能爲百谷王。是以聖人欲上民,必以言下之”(六十六章)、“强大處下,柔弱處上”(七十六章)、“知其雄,守其雌”(二十八章,按:漢河上公注云:“雄以喻尊,雌以喻卑。人雖知自尊顯,當復守之以卑微,去之强梁,就雌之柔和”)、“廣德若不足”(四十一章)、“善用人者,爲之下。是謂不爭之德,是謂用人之力”(六十八章)。黄老道家也繼承此德行,如《黄帝四經》云:“以强下弱”、“以貴下賤”(《經法·四度》)、“君子卑身以從道”(《十六經·前道》)、《慎子》亦謂:“君人者,好爲善以先下”(《民雜》)。

6.天道、地理、人心

《繆和》:“古之君子……上順天道,下中地理,中[合]人心”,這顯然是襲用《黄帝四經》語。《十六經·前道》:“治國有前道,上知天時,下知地利,中知人事”、《果童》:“觀天于上,視地于下,而稽之男女”、《經法·四度》:“參于天地,合于民心”(帛書二篇的“民”字幾乎都改作"人";《四經》的"男女"與"民"、"人"等同)。

7. 陰陽、晦明

《繆和》:"凡天之道,一陰一陽,一短一長,一晦一明,夫人道[則]之"。這思想明確地繼承帛書《黃帝四經》。《四經》有言:"天有恒干,地有恒常,合[此恒]常,是以 有 晦 有明,有陰有陽"(《十六經·果童》)、"天明三以定二,則一晦一明,[刑德相養,陰陽相成]"(《經法·論》)、"天有恒日(即恒道),民自則之"(《十六經·三禁》)。《繆和》的"長短"即《四經》的"贏絀"。兩者用語、概念皆相同。

8. 動靜、名功

《繆和》:"君能令臣,是以[動]則有功,靜則有名"。《四經》:"贏極必靜,動極必正"(《經法·亡論》)、"靜作得時,天地與之"(《十六經·果童》)、"名功相抱,是故長久;名 功 不 相抱,是謂失道"(《經法·四度》)、"功不及天,退而無名;功合于天,名乃大成"(《經法·論約》)。《繆和》動靜、名功的概念與《四經》有內在聯繫。

9. 名、實

《繆和》:"大者,求尊顯之名;細者,欲富厚安幣[之實。名]實是以皆……"。《四經》:"美惡有名……情偽有實"(《經法·四度》)、"名實相應則定,名實不相應則靜(爭)"(《經法·論》)。名、實概念二者相同。

10. 禁伐當罪

《繆和》:"……以義付之,以荆炆(當即"刑殿")當罪而人服君"。《四經》:"禁伐當罪,必中天理"(《經法·四度》)、《管子》:"審刑當罪,則人不易訟"。

11. 群臣比周，擅權外志

《繆和》：“比［周］相譽，以奪君明，此古之亡國敗家之法也……群臣虛位皆有外志”。《黃帝四經》：“謀臣在外位者，其國不安……群臣離志，大臣主，命曰壅塞”（《經法·六分》）、“六危：……二曰大臣主，三曰謀臣［外］其志……王曰左右比周以壅塞”、“一人擅主，命曰蔽光”（《經法·亡論》）、“臣有兩位者，其國必危”（《稱》）。

12. 財與身

《繆和》：“諸侯無財而後有財，今吾君無身而後有財”。《四經》：“賤財而貴有知，故功得而財生；賤身而貴有道，故身貴而令行”（《經法·六分》）。

13. 趨時取福

《繆和》：“古之君子，時福至唯取，時亡則以須……走（趨）其時唯恐失之。故當其時而弗能用也，至于其失也……何無悔之有？……賁（奔）福而弗能蔽（《小爾雅·廣言》：“蔽，斷也”。此言福吉來至而不能當機立斷去取得）者。害，［辭］福者死。故其在時也……夫福之于人也，既（即）焉不可得而賁（奔）也……言于（如也）能賁（奔）其時，慎（疑“悔”字之訛）之亡也”。此與范蠡（《國語·越語下》、《四經》、《文子》等關于趨時取福的説法完全一致。《四經》：“因天時，與之皆斷、當斷不斷，反受其亂。天固有奪有予，有祥［福至也而］弗受，反隨以殃”（《十六經·兵容》）、“聖人……不爲得，不辭福。因天之則，失其天者死”（《稱》）、《國語·越語下》：“得時無怠，時不再來。天予不取，反爲之災。嬴縮變化，后將悔之”、《文子·符言》：“遵天之道……不棄時，與天爲期。不爲得，不辭福，因天之則”。

14. 重合詞句舉隅

帛書《繆和》、《昭力》二篇,有許多詞句與帛書《黄帝四經》完全一致,這絕非偶然巧合。如:當罪、黔首、比周、請(情)僞、生人(生民)、陰謀、盛盈,等等。兩者甚至在句法、協韵上也多有相同處。

通過以上簡單類比,可見在立論所使用的字詞、語句上,看出《繆和》、《昭力》二篇與老子、黄老著作多有雷同之處;而敕以構成老子、黄老思想的一系列概念、範疇乃至習語幾乎都在數千字的這兩篇帛書易説中重出了。這種語言形式和思想内容的重合現象,可以看出《繆和》、《昭力》與老子道家或黄老思想的的脈絡發展。

1993.7.21 于北京大學哲學系

論《黃帝四經》產生的地域

王 博

内容提要 關於《黃帝四經》產生的地域，主要有齊、楚兩説。本文在評述齊、楚説的基礎上，提出《黃帝四經》當產生於越國的淮南之地，與范蠡、孫子等有密切關係。

關於《黃帝四經》產生的地域，學界迄今尚無統一的看法。從已經發表的文章及著作來看，有認爲是鄭國或韓國法家作品的，有認爲是西楚淮南人作品的，有認爲是齊國作品的，也有認爲是越人作品的。而目前的情形，則以齊和楚的主張者爲多。

考察《黃帝四經》產生的地域及作者，主要地當然也要從内證出發。在這方面，龍晦先生所作的努力最值得重視①。龍晦先生認爲，《黃帝四經》乃是西楚淮南人的作品，其證據主要有以下幾點：

第一，《十六經·三禁》云："剛强而虎質者丘"，此中"丘"字用法乃是西楚淮南人之方言。

第二，《十六經·果童》云："黃帝於是辭其國大夫，上於博望之山。"而博望之山正在淮南。如果古佚書四篇不是出自西楚淮南地區的人，那博望山就很難解釋。

第三，《稱》中"兩虎相爭，奴（駑）犬制其餘"句，既見於《戰國策·楚策》，又見於《史記·春申君列傳》，乃是楚地之諺語。

---

① 龍晦：《馬王堆帛書〈老子〉乙本卷前古佚書探源》，《考古學報》1975年第2期。

　　第四，《黃帝四經》與《管子》、范蠡、《淮南子》等文句、思想均很接近。管仲爲潁上人，范蠡或云南陽人、或云徐人，徐正在西楚；《淮南子》作於淮南。《黃帝四經》既然與之相似，作者可能便是同一地域之人。

　　第五，《黃帝四經》與《淮南子》押韻情況一致。

　　以上的五點證據是有力的，特別是在其他學者没有提出可靠理由支持其觀點時，就更是如此。譬如唐蘭先生主張《黃帝四經》爲鄭國人或是韓國法家的作品，其根據就并不充分。不過，這種看法對後來學者影響不大，因而此處我們就不多討論。

　　現在我們主要分析一下學界中兩種代表性的意見：即以《黃帝四經》爲齊或是楚的作品。首先來看一下前一種意見，其證據歸納起來大約有如下的幾種：

　　第一，《黃帝四經》爲黃老學派作品，而從郭沫若先生起，學術界中就有一個很流行的看法，認爲黃老之學事實上是培植於齊，發育於齊，昌盛於齊的。根據這種看法，《陳侯因㟱敦》中齊威王要"高祖黃帝，邇嗣桓文"，乃是黃老之學要托始於黃帝的主要原因[①]。

　　第二，在田氏代齊之後創立的稷下學宫中，很多著名的稷下先生如田駢、慎到、接子、季真、環淵等，都是學黃老道德之術的。説明黃老思想在齊有很大的勢力。而在稷下學者所著的《管子》一書中，黃老思想確實占有重要位置，且與《黃帝四經》有很多相同或相似之處。這表明它們可能是同一地域的作品。

　　第三，《黃帝四經》除了强調道外，還主張以法度治國，這當是吏治改革背景下的產物。齊國在威王時曾任用鄒忌爲相，實行變法，正具備這樣的背景。

　　這些理由看起來持之有故，但仔細分析起來，卻都是很不充分的。郭沫若先生關於黃老之學的看法是在四十年代所著《十批判書》中提出來的。當時《黃帝四經》尚未發現，《管子》乃是研究黃老

　　① 見《郭沫若全集》歷史編第二卷，人民出版社，1982年。

之學時最早的材料，這就不能不給研究者以很大的限制。另外，《陳侯因資敦》中齊威王"高祖黄帝"固然是古器物銘文中記載諸侯國君以黄帝爲高祖的唯一材料，但卻不能據此就得出戰國時只有齊國才以黄帝爲高祖的結論。事實上，就文獻記載來看，從春秋後期起，黄帝已被認爲是姬周甚至虞、夏、商、周四族的祖先。《國語·晉語》四記司空季子云："黄帝之子二十五人……黄帝爲姬，"此是以黄帝爲姬姓周族之祖先。《周語下》中記太子晉有"黄炎之後"的説法，以鯀、禹爲黄帝後代。更詳細地，則有《魯語上》記載展禽的話説：

> 有虞氏禘黄帝而祖顓頊，郊堯而宗舜，夏后氏禘黄帝而祖顓頊，郊鯀而宗禹；商人禘舜而祖契，郊冥而宗湯；周人禘嚳而郊稷，祖文王而宗武王。

展禽此處乃是論祭祀之語。祭祀在古代是非常重要的，與戰爭一起被稱爲"國之大事"。祭祀一般要遵循一定的規則，即所謂"神不歆非類，民不祀非族"，或者如展禽所説："非是族也，不在祀典。"因此，從展禽上所論祀典中可以看出，當時人已經把虞、夏、商、周都納入到黄帝的譜系裏了。以後齊威王（有虞氏之後）之"高祖黄帝"，還是承此而來。

正因爲如此，所以戰國時很多諸侯國君都把世系接到黄帝那裏。如秦祖顓頊爲黄帝之孫，故秦靈公於戰國早期即作吳陽上畤祭祀黄帝；越王句踐爲夏后氏之苗裔；其他如韓、魏、魯爲姬姓，與黄帝同，故晉太康二年在汲郡發現的魏國史書《竹書紀年》，據參加整理的和嶠説，即是起自黄帝的。齊國的情況要複雜一些，周初分封時，乃是由太公望立國。太公望乃姜姓炎帝之後，因此齊君本是以炎帝爲高祖的。但是，從春秋末到戰國初，姜氏政權漸漸被田氏所取代，而齊威王時剛剛取代不久，因此，他之高祖黄帝，標明世系，可能具有與姜齊劃清界限的意義，另一方面，也是爲了與其他諸侯國認同，以便在爭霸鬥爭中取得一合理地位。

其次，就《黄帝四經》與《管子》中的相似處而言，我在前已發表的文章中已指出《管子》乃是沿襲《黃帝四經》的。這裏就有兩種可能性：二者或是同一地域的作品，或者《黃帝四經》從外域傳至齊，從而在稷下學宮中產生了重大影響。考慮到較早學黃老道德之術的學者如慎到、環淵等皆非齊人，且慎到很明確受到了《黃帝四經》之影響，那麼，後一種可能性還是相當大的。

當然，我們之所以這樣說，還有其他的理由。例如，《黃帝四經》中所表現出的一些觀念與齊俗、與《管子》是不同的。下面我舉兩點來說明。

1、《十六經》中有兩處論及黃帝伐滅蚩尤之事。《五正》云：

黃帝於是出其鏘鉞，奮其戎兵，身提鼓鞄，以遇蚩尤，因而擒之，帝箸之盟，盟曰：反義逆時，其刑視蚩尤。反義倍宗，其法死亡以窮。

《正亂》亦云：

於是出其鏘鉞，奮其戎兵，黃帝身遇蚩尤，因而擒之。剝其□革以爲干侯，使人射之，多中者賞。翦其髮而建之天□，曰蚩尤之旗。充其胃以爲鞠（鞫），使人執之，多中者賞。腐其骨肉，投之苦醢，使天下喋之。

蚩尤在我國的古史傳說中乃是一個有名的部落首領。宋羅泌《路史·後紀四》記："蚩尤姜姓，炎帝之裔也，"可知蚩尤爲炎帝後代。史傳他與黃帝對抗且被殺。我國古代炎、黃二族文化頗多差異，此王獻唐先生著《炎黃氏族文化考》言之甚詳。譬如對蚩尤，炎、黃二族就有不同的態度和評價。

黃帝族的看法，我們可以在《尚書》、《逸周書》及《山海經》中看到。《尚書·呂刑》云：

若古有訓，蚩尤惟始作亂，延及於平民，罔不寇賊鴟義奸宄，奪攘矯虔。苗民弗用靈，制以刑……

《逸周書·嘗麥解》云：

昔天之初，誕作二后，乃建殺典。命赤帝分正二卿，命蚩尤於宇少昊，以臨四方，司□□上天未成之慶。蚩尤乃逐帝，爭於涿鹿之阿，九隅無疑，赤帝大懾，乃悅於黃帝，執蚩尤，殺之於中冀，以甲兵釋怒。

《山海經‧大荒北經》亦云：

> 蚩尤作兵伐黃帝，黃帝乃令應龍攻之於冀州之野。應龍畜水，蚩
> 尤請風伯雨師從大風雨。黃帝乃下天女曰魃，雨止，遂殺蚩尤。

可以看出，這些記載與《黃帝四經》基本上是一致的，雖然細節有所
不同，但是蚩尤都是一個反義倍宗的形象。

然而，這樣一個被黃帝族視爲反義倍宗者，在炎帝族的人們看
來，卻是一個值得崇敬的英雄。《史記‧封禪書》載齊人祀八神之事
云：

> 八神將自古而有之，或曰太公以來作之，齊之所以爲齊，以天齊
> 也。其祀絕莫知起時。八神：一曰天主……二曰地主……三曰兵主，
> 祠蚩尤。蚩尤在東平陸監鄉，齊之西境也。四曰陰主……五曰陽主
> ……六曰月主……七曰日主……八曰四時主……

太公與蚩尤皆爲炎帝裔，因此，有人說祭祀包括蚩尤在內的八神是
太公所作，是頗有道理的。要之，無論其爲何人所作，齊人之祭祀蚩
尤爲兵主是無疑的。而且，把蚩尤與天、地、日、月、四時等并祀，可
見其在齊人心目中地位之崇高。戰國時期，姜齊雖爲田齊所取代，
但長期以來形成的傳統是很難改變的，而且田氏也并不想完全排
斥姜氏傳統，這從齊威王要效法齊桓公，及稷下學者托名管仲立言
便可看出。不過，終究也有一些改變。《管子‧五行篇》說：

> 昔者黃帝得蚩尤而明於天道，得大常而察於地利。得奢龍而辯
> 於東方，得祝融而辯於南方，得大封而辯於西方，得后土而辯於北
> 方。黃帝得六相而天地治，神明至。蚩尤明乎天道，故使爲當時……

在這裏，蚩尤作爲明天道者而成了黃帝的六相之一，其形象與《尚
書》、《逸周書》及《山海經》中顯然不同。

除了《五行》篇外，《管子‧地數》篇中還有關於蚩尤的記載，其
文曰：

> 修教十年，而葛盧之山發而出水，金從之。蚩尤受而制之，以爲
> 劍、鎧矛、戟，是歲相兼者諸侯九。雍狐之山發而出水，金從之。蚩尤
> 受而制之，以爲雍狐之戟、芮戈，是歲相兼者諸侯十二。

此是說蚩尤善爲兵器，與戰爭有密切關係，這和齊人以蚩尤爲兵主

的説法相合。

要之，從《史記·封禪書》和《管子》來看，在齊人的心目中，蚩尤乃是兵主及黄帝的六相之一。這與《黄帝四經》以蚩尤爲反義倍宗，且被黄帝誅死，顯然是不同的。因此，《黄帝四經》當非齊人作品。

2、從前蒙文通先生曾經指出："總的説來，北方的道家不反對仁義，南方的道家反對仁義，在這一根本差別下，就處處都有殊異了。"① 如老子、莊子屬南方道家，故要絶仁棄義；而楊朱爲北方道家，則不反仁義。拿這一點來衡垯，《黄帝四經》與北方齊國産生的《管子》四篇即有很大差異。概括地説，《管子》四篇一般是道、德、仁、義、禮、法并提，不反仁、義，而《黄帝四經》則主要講道和法，却絶少或根本不涉及仁、義和禮。

我們先來看一下《管子》四篇。《心術上》説：

> 虚無無形謂之道，化育萬物謂之德，君臣父子人間之事謂之義，登降揖讓、貴賤有等，親疏之體謂之禮，简物小大一道、殺戮禁誅謂之法。

又説：

> 禮者因人之情，緣義之理，而爲之節文者也。故禮者謂有理也。理也者，明分以論義之意也。故禮出乎理，理出乎義，義因乎宜者也。

《心術下》云：

> 凡民之生也，必以正平。所以失之者，必以喜樂哀怒。節怒莫若樂，節樂莫若禮，守禮莫若敬。外敬而内靜者，必反其性。

這裏提到了禮樂，而在《内業》與此相似的一段話中，還提到了詩：

> 凡人之生也，必以平正。所以失之，必以喜怒憂患。是故正怒莫若詩，去憂莫若樂，節樂莫若禮，守禮莫若敬，守敬莫若靜。内敬外靜，能反其性，性將大定。

在另一處提到了仁義：

---

① 蒙文通：《古學甄微》巴蜀書社，1987 年。

　　天仁地義,則淫然而自至神明之極,照乎知萬物。

可以看出,《管子》四篇雖爲道家作品,但其中卻頗吸收了儒家的一些觀念。不僅談到了仁、義、禮,而且還講樂和詩。這當是齊國道家的特點。

　　但是,《黄帝四經》則不然。它基本上不談仁、義,更不必説什麽禮、樂、詩了。據筆者粗略地統計,《經法》、《稱》、《道原》三篇中均未提及仁、義和禮,《十六經》中"仁"字出現一次,作"體正信以仁,慈惠以愛人"(《順道》),"禮"字不見,"義"字出現了幾次,但均指義兵而言,没有什麽哲學上的意義。

　　因此,從對待仁、義、禮的態度上來看,《黄帝四經》和《管子》四篇等是有很大差異的。據此來推測,《黄帝四經》很可能是南方的作品,而不是北方齊地的作品。

　　《黄帝四經》在某些詞句的用法上與長沙子彈庫戰國楚帛書是很相似的。子彈庫帛書發現於三十年代盜掘的一座楚墓中,墓的年代可能是戰國中期或中晚期之際;因而帛書的年代不會晚於戰國中晚期。帛書的内容共分三個部分,李學勤先生分别題名爲《天象》、《四時》和《月忌》[1]。《天象》的一開始就説:

　　　惟□□四月,則贏絀不得其當,春夏秋冬,□有常,日月星辰,亂
　　逆其行。贏絀逆亂,卉木亡常。[2]

"贏絀"一詞,古書多見,而以南人作品居多。如《國語·越語下》:"贏絀變化,後將悔之。"《鶡冠子·世兵》:"早晚絀贏,反相殖生。"而《黄帝四經》中的《稱》篇也有"贏絀變化,後將反施"之語。又前引《天象》中所用"當"、"常"、"逆"、"亂"等詞,《黄帝四經》也多用。

　　《天象》部分的第二章中,經常有"德匿"一詞出現,來指天所具有的兩種性質。文中有"惟天作福,神則格之;惟天作妖,神則惠之。"之語,其中"作福"即"德","作妖"即"匿"。"德匿"其實就是"德

---

　　① 李學勤:《長沙楚帛書的古史和宇宙觀》,見《楚史論叢》,湖北人民出版社,1984年。
　　② 本文所引子彈庫楚帛書釋文據李零先生《長沙子彈庫楚帛書研究》,中華書局。

虐"，《國語・越語下》云："德虐之行，因以爲常，"《黃帝四經・十六
經》中也有此詞，如《觀》："天地已成而民生，道順無紀，德虐無刑，"
《果童》："靜作相養，德虐相成。"《天象》強調要"飲敬惟備，天像是
則"，即要法天德虐之行，《黃帝四經》也是如此，故説"〔德虐之行〕，
因以爲常，其明者以爲法而微道是行。"

　　此外，《天象》中還有"五正"的提法："群神五正，四興失詳。建
恒懷民，五正乃明。""五正"與群神連稱，意義比較顯豁，當即《左
傳・昭公二十九年》記載蔡墨所説的五行之官，"木正曰句芒，火正
曰祝融、金正曰辱收，水正曰玄冥，土正曰后土。"但"五正乃明"中
之"五正"，則與此不同，當是"五行之政"之義，因爲"古代典政之官
叫正、官所司政事也叫正。"[1]　在《十六經》、《鶡冠子》、《管子》中也
有"五正"的提法。《十六經・五正》云："黃帝問閹冉曰：吾欲布施五
正，焉止焉始？"又云："五正既布，以司五明。"《鶡冠子・度萬》云：
"天地陰陽，取稽於身，故布五正以施五明。"《管子・四時》講春夏
秋冬四時皆"發五正"。《鶡冠子》中的"五正"顯然是從《十六經》而
來，《管子》中的"五正"，李學勤先生認爲可能和《十六經》、《鶡冠
子》不是一個系統[2]。就《十六經》來説，"五正"可能和子彈庫帛書
中"五正乃明"中之"五正"同義，指五行之政，而且，"五正既布，以
司五明"，好像也與"五正乃明"有些聯繫。

　　子彈庫帛書《四時》篇對於我們準確地把握《黃帝四經》也很重
要。《十六經・果童》有一句，叫"天有恒幹，地有恒常"，也見於《行
守》。此中之"幹"，高亨、董治安認爲是法則，"法則是物的主幹，所
以稱'幹'。"[3]高振鐸則據《後漢書・律曆上》"大橈作甲子"注中引
《月令章句》的話"大橈探五行之情，占斗綱所建，於是始作甲乙以
名日，謂之幹。作子丑以名月，謂之枝。枝幹相配，以成六句，"[4]認

①　同前李零書，第 60 頁。
②　李學勤：《鶡冠子與兩種帛書》，《道家文化研究》，第一輯。
③　高亨、董治安：《〈十六經〉初論》《歷史研究》1975 年第 1 期。
④　高振鐸：《對"〈十六經〉初論"的質疑》，《吉林師大學報》，1978 年第 2 期。

爲幹是天幹,即十幹:甲乙丙丁戊己庚辛壬癸。但若結合子彈庫帛書來看,以上兩種解釋恐怕都有問題。帛書《四時》説:

> 長曰青榦,二曰朱□獸,三曰榦黄□,四曰墨□。

比照帛書四邊上的畫,可以知道所謂青榦、朱□獸、榦黄□、墨□即是指四木而言。值得注意的是這裏面的"榦"字,就是木的意思,與《説文》:"榦,築牆耑木也。从木倝聲"略合。《四時》篇裏説有四天榦,分別代表著四時。從這來看《黄帝四經》"天有恒榦"的説法,就是天有四時的意思。

　　以上《黄帝四經》與子彈庫戰國楚帛書的相關之處,有助於説明《黄帝四經》爲南方作品。不過,究竟是否楚人作品,我們目前還不能確定。因爲即以子彈庫楚帛書而論,它所叙述的東西就有很多與《黄帝四經》不同甚至對立之處。例如,《黄帝四經》中的《十六經》叙述了黄帝和力黑、果童等大臣的故事,并寫到黄帝與炎帝後裔蚩尤之間的戰爭及蚩尤兵敗身亡的命運。這顯然是站在黄帝族的立場上、以黄帝爲中心寫成的。子彈庫楚帛書則不然,它没有言及黄帝,卻可能講到了伏羲和女媧,更值得注意的是它提到了炎帝、祝融和共工。《四時》篇説:

> 炎帝乃命祝融,以四神降,奠三天,□□思敦,奠四極,曰:"非九
> 天則大側,則毋敢叡天靈(命)。"帝允,乃爲日月之行。

李學勤先生説:"楚帛書中出現炎帝、祝融,是很有興趣的。傳説炎帝即厲山氏、烈山氏,《國語·魯語》注:'烈山氏,炎帝之號也,起於烈山,《禮·祭法》以烈山爲厲山也。'前人據此認爲炎帝在厲,即今湖北隨縣北,可見炎帝所在有在江漢一帶之説。祝融按《國語·鄭語》之説,其後有八姓,羋姓爲其中之一,故祝融是楚的遠祖。帛書《四時》章述及炎帝、祝融,頌揚了他們奠定三天、四極,爲日月之行的功績,這個傳説正體現了楚人的古史觀念。"[①]

　　帛書《四時》接著説:

---

　　① 參見李學勤:《楚帛書中的古史與宇宙觀》,《楚史論叢》,湖北人民出版社,1984年。

共攻（工）□步十日，四時□□，□神則閏，四□毋思，百（?）神風

雨，晨神亂作，乃□日月，以傳相□思，有宵有朝，有晝有夕。

這裏又談到共工，也不是偶然的，乃是直承炎帝、祝融的。《山海經・海內經》說：

炎帝之妻赤水之子听訞生炎居，炎居生節并，節并生戲器，戲器

生祝融。祝融降處於江水，生共工。

共工是祝融之子，因而也屬於楚的先祖系列。其降處於江水，也與楚人生活於長江流域相合。值得注意的是，這裏以共工爲掌天時曆法者，是他將一天分爲宵、朝、晝、夕四個階段。而在《十六經》中，共工則被看作是與蚩尤一類"反義倍宗"的人物。《正亂》說：

正禁，流醢，亂民，絶道，反義逆時，非而行之，過極失當，擅制更

爽，心欲是行。其上帝未先而擅興兵，視蚩尤共工。

《正亂》章提及共工，過去并沒有引起學者很多的注意。依漢人舊說，蚩尤是"炎帝之后諸侯共工"。現在把它拿過來和子彈庫帛書相比較，就可以看出，它們關於共工形象的看法是不一致的。其中子彈庫帛書提及了楚之先祖祝融、炎帝等，而不談黃帝，與《楚辭》近似。蕭兵先生曾說，《楚辭》"基本上沒有出現黃帝的形象以及炎黃、黃蚩大戰故事"。因而，子彈庫帛書和《楚辭》一起，應是代表了楚人的傳說，它們和《黃帝四經》當非同一地區的作品。從這來看，《黃帝四經》可能不是楚人所作。

《黃帝四經》是南方作品，作者卻不是楚人。從各方面的情況來推測，它很可能是戰國中期以前越國人的作品。類似相同的觀點在十年以前就曾由魏啓鵬先生提出過，但并未引起學界的重視。現在在評議諸說的基礎上，把它重新提出來，當然要做一個較詳細的說明。

越滅吳後，在戰國初年，乃是包括中原各國在內的一個大國，越王句踐并曾一度取得霸主地位。在句踐滅吳爭霸的過程中，范蠡起了很關鍵的作用。值得注意的是，《黃帝四經》中的很多思想都和范蠡一致，而且，在范蠡那裏本來是一些具體的提法，到《黃帝四

經》那裏就被普遍化了①。例如,《國語·越語下》記范蠡對勾踐的話說:

> 王其且馳騁弋獵,無至禽荒;宫中之樂,無至酒荒。

在《黄帝四經》中,這已被概括化爲"王術"。《經法·六分》説:

> 知王術者,馳騁馳獵而不禽荒……不知王術者,馳騁馳獵則禽荒。

范蠡的思想主要記載於《國語·越語下》,在唐蘭先生所列的"《老子》乙本卷前古佚書引文表"中,就可以找出《黄帝四經》與《越語下》相同或相似的文句十六處,其中《經法》兩處,《十六經》十一處,《稱》三處,囿於篇幅,此不引出。

另外,在清人馬國翰所著《玉函山房輯佚書》所輯的《范子》佚文中,也有一些與《黄帝四經》相似的文字或想法,如:

1、《范子》:"掩目别白黑,雖時時一中,猶不知天道論陰陽,有時誤中耳。"

《稱》:"凡論必以陰陽□大義。"

2、《范子》:"天者陽也,規也。地者陰也,矩也。"(《文選》注引)

《稱》:"天陽地陰……諸陽者法天……諸陰者法地。"

3、《范子》:"度如環,無有端。周迴如循環,未始有極。"(《文選》注引)

《十六經》:"道有原而無端。"(《行守》)

"天道環周"、"天稽環周。"(《姓爭》)

4、《范子》:"德取象於春夏,刑取象於秋冬。"(《太平御覽》卷二十二引)

《十六經》:"春夏爲德,秋冬爲刑。"(《觀》)

5、《范子》:"直木先伐。"(《太平御覽》引)

《十六經》:"直木伐。"(《行守》)

6、《范子》:"爭者事之末也。"(白居易《六帖》引)

---

① 參見李學勤:《范蠡思想與《黄帝書》》,《浙江學刊》1990 年第 1 期。

《十六經》：“作爭者凶。”（《五正》、《姓爭》）

范蠡，太史公《素王妙論》以爲南陽人，《列仙傳》說是徐人。徐人，有學者以爲即是夏禹妻族涂山氏的後裔，屬於夏文化的範圍之内。昭公三十年（公元前五一二年），吳滅徐，范蠡此後可能先赴南陽宛地，故有南陽人、宛人（《吳越春秋》）的說法。後又赴越，越乃夏後，與徐淵源頗深，故范蠡欲助越滅吳，以報滅國之仇。惟其有如此之動機，故助句踐滅吳後，能功成身退，浮於五湖。

范蠡“與句踐深謀二十餘年”，滅吳後雖然去越，但越“王命工以良金寫范蠡之狀而朝禮之，浹日而令大夫朝之，環會稽三百里者以爲范蠡地，曰：‘後世子孫，有敢侵蠡之地者，使無終没於越國，皇天后土、四鄉地主正之。’”因此，范蠡的思想在越國必定會有很大的影響。《黄帝四經》受范蠡思想極大影響，應是其爲越人作品的一個有力證據。

另外，《黄帝四經》中的《十六經》托名黄帝，而吳越確有依托黄帝的傳統。從目前的材料來看，最早依托黄帝的思想家當是孫武。今傳《孫子兵法‧行軍篇》中曾講到處山之軍、處水上之軍、處斥澤之軍、處平陸之軍如何扎營才有利，最後歸結說：“凡此四軍之利，黄帝之所以勝四帝也。”這顯然是依托之辭。而在山東銀雀山竹簡《孫子兵法》中，更有被題爲“黄帝伐赤帝”的一節：

孫子曰：[黄帝南伐赤帝，至於□□]，戰於反山之原，右陰，順術，倍（背）□，大威（滅）有之……東伐□帝……北伐黑黄……西伐白帝……已勝四帝，大有天下……天下四面歸之。

這裏黄帝“已勝四帝，大有天下”及“天下四面歸之”的形象，與《十六經》中黄帝的形象非常接近。《立命》章云：

昔者黄宗質始好信，作自爲象，方四面，傅一心，四達自中，前參後參，左參右參，踐立（位）履參，是以能爲天下宗。

《果童》章云：

黄帝[問四]輔曰：唯余一人，兼有天下。

《黄帝四經》是道家著作，但是其中出現的黄帝形象大都與戰爭有關，這與兵家《孫子兵法》中的黃帝是很相似的。我猜想它可能受到了《孫子》的影響。這樣説，當然還有別的證據。例如，《孫子》中有些詞句和《黃帝四經》非常接近：

1、《孫子·計篇》："道者，令民與上同意者也，可與之死，可與之生，民弗詭也。"

《經法·君正》："若號令發，必究而上九，壹道同心，[上]下不赾，民無它[志]，然後可以守戰矣。"

2、《孫子·計篇》："天者，陰陽、寒暑，時制也；地者，高下、遠近、險易、廣狹、死生也。"

《稱》："天制寒暑，地制高下。"

3、《孫子·計篇》："將者，智、信、仁、勇、嚴也。"

《十六經·順道》："體正信以仁，慈惠以愛人，端正勇。"

4、《孫子·勢篇》："奇正相生，如環之無端。"

《十六經》："天稽環周"（《姓爭》）、"道有原而無端"（《行守》）。

此外，《孫子》中所用的一些概念或表達的一些想法後來也被《黃帝四經》所繼承。如《孫子·形篇》説：

兵法：一曰度，二曰量，三曰數，四曰稱，五曰勝。地生度，度生量，量生數，數生稱，稱生勝。

"度"、"量"、"數"、"稱"等，在其他子書中并不常用。《孫子》這裏使用了，《黃帝四經》中也經常使用，如"度量已具"（《經法·道法》）、"日信出入，南北有極，[度之稽也。也。月信生信]死，進退有常，數之稽也。列星有數，而不失其行，信之稽也。"（《經法·論》）"應化之道，平衡而止。輕重不稱，是謂失道。"《黃帝四經》中還有一篇篇名就叫"稱"。另外，《孫子》説："地生度"，《黃帝四經》就説"地之度"。這些都表明《黃帝四經》和《孫子》當有某種淵源關係。

又如《孫子·行軍篇》説："令之以文，齊之以武，是謂必取。"主張用文和武的兩手來管理軍隊，就能使之成爲一支必勝的力量。《黃帝四經》也主張人主要用文和武兩方面，而且把它們提高到治國方略的高度。《經法·君正》説：

因天之生也以養生,謂之文,因天之殺也以伐死,謂之武。[文]
武并行,則天下從矣……審于行文武之道,則天下賓矣。

《經法·四度篇》說:

因天時,伐天毀,謂之武。武刃而以文隨其後,則有成功矣。

此外,《黄帝四經》中非常重視的"形名"概念,在《孫子》中也有
出現。《孫子·勢篇》說:"鬥眾如鬥寡,形名是也。"曹操注云:"旌旗
曰形,金鼓曰名。"衡之於《軍爭篇》:"《軍政》曰:'言不相聞,故爲鼓
金;視不相見,故爲旌旗。'夫鼓金旌旗者,所以一人之耳目也;人既
專一,則勇者不得獨進,怯者不得獨退,此用眾之法也。故夜戰多火
鼓,晝戰多旌旗,所以變人之耳目也。"曹操的解釋是可信的。"形
名"在《孫子》中雖然只是"旌旗金鼓"之義,供士兵在作戰中統一行
動之用,但是,它之中已經包含了"標準"、"法則"的意思在内。《黄
帝四經》正是把"形名"的這種意義進一步抽象、概括出來,并以之
爲認識事物、治理國家的根本原則。《經法·道法》說:

虛無有,秋毫成之,必有形名。形名立,則黑白之分已。故執道者
之觀於天下也,無執也,無處也,無爲也,無私也。是故天下有事,無
不自爲形名聲號矣。形名已立,聲號已建,則無所逃迹匿正矣。

"形名"和"聲號"連用,似乎還能顯示出一些它和"金鼓旌旗"
之聯繫。但是,在這裏,"形名"乃是一個普遍的標準或法則,依着
它,黑白才能以區分,萬物也才能在天下中得到一個合理的安頓。

孫武的祖先本是陳國的公子完,算起來和老子還是同籍貫。公
子完因内亂逃至齊,其後有田書、被景公賜姓孫氏,孫武即是田書
的後代。孫武雖是齊人,但是他的建功立業卻主要是在吳國、吳王
闔閭時。《史記·孫子吳起列傳》說:"(吳)西破强楚,入郢,北威齊
晉、顯名諸侯,孫子與有力焉。"孫子死於吳國,《史記集解》引《越絕
書》云:"吳縣巫門外大冢,孫武冢也,去縣十里。"其思想在吳國必
有很大影響,後吳被越所滅,因而,他的思想被越人所作《黄帝四
經》吸取,當是很自然之事。

除孫武依托黄帝外,前面已提到的范蠡與"黄帝"的關係似亦

頗密切。范蠡與《黄帝四經》在思想上的聯繫已見上述，另外，古書中還有直接把他和黄帝聯繫起來的記載。《太平御覽》卷四百七十二引《太史公素王妙論》云：

> 黄帝設五法，布之天下，用之無窮。蓋世有能知之者，莫不尊親。如范子可謂曉之矣。子貢、呂布韋之徒頗預焉。自是以後無其人，曠絕一百有餘年①。

子貢是孔子弟子，《尸子》中曾記載他向孔子請教"黄帝四面"之問題，呂布韋之徒稱道黄帝，從《呂氏春秋》中即可看出。由此來看，太史公説范蠡（范子）得黄帝五法，恐怕不是虛言。當然，這絕不是什麼黄帝傳下來的，而是范蠡依托黄帝的。

孫武、范蠡，一在吳、一在越，由他們的依托黄帝，我們可以瞭解吳越地區乃是有此傳統的。他們依托黄帝的原因，一方面由於吳越兩國國君據傳都是黄帝後裔，吳爲太伯（周文王之伯父）之後，與周同姓姬，而《國語·晉語四》記載司空季子説"黄帝之子二十五人……黄帝爲姬，"是吳與黄帝同姓。又越王句踐爲夏后少康之後。此於《史記》及《吳越春秋》有載，而夏又爲黄帝之後，《國語·魯語》説"夏后氏禘黄帝而祖顓頊"可證。另一方面，黄帝乃霸主象徵，他們之依托黄帝也是要完成霸主之業。

前面曾説過，《黄帝四經》中使用了一些方言，還出現了一個地名，這些都是我們判斷其產生地域的重要因素。《十六經·果童》提到"博望之山"，一名天門山，又叫東梁山，在今安徽省當塗縣西南，已在長江的南遊，與江蘇鄰近。學者謂此處言黄帝"上於博望之山，"與漢人田千秋所言"蚩尤叛父，黄帝涉江"爲同一故事，是很正確的。當塗地區在戰國早中期的歸屬，應該是越國。據董楚平先生説："從當塗到鎮江，商周時期是同一文化區，是周人初'奔'之地，是早期吳文化最密集、最發達的地區"② 因而，當塗從一開始就是吳文化範圍，而且可能還是中心地區，吳於公元前 473 年滅於越，

① 《玉函山房輯佚書》，上海古籍出版社，1990 年，第 2865 頁。
② 董楚平：《吳越文化新探》，第 156 頁。

越塗有吳人故地，因此博望之山所在的當塗地就成了越地。

　　龍晦先生曾據《黄帝四經》中方言、諺語、用韵等特點，判定其作者是西楚淮南地區的人，淮南即是淮河以南到長江（當塗）以北的區域。這一帶在春秋以前本是群舒分佈之地，春秋時期，多數被楚所滅或臣服於楚。但此地區距吳很近，因而春秋末期當吳強大起來後，首先便攻取此一地區。據《左傳》記載，魯成公七年（前584），吳曾入州來（今安徽鳳臺），到公元前519年以後，州來便完全成吳地。公元前518年（昭公二十四年）吳滅巢及鍾離（今安徽鳳陽東北）公元前512年，吳滅徐。這之後，淮河中下游及淮南江北之地幾盡爲吳所有。後來越滅吳，此地便成爲越土。《史記·越世家》稱：

　　　句踐已平吳，乃以兵北渡淮，與齊晉諸侯會於徐州……句踐已
　　去，渡淮南，以淮上地與楚，歸吳所侵宋地於宋，與魯泗東方百里。當
　　是時，越兵横行於江淮東，諸侯畢賀，號曰霸王。

此言"以淮上地與楚"等，則淮南爲越土無疑。大概一直到楚威王破越後，淮南江北之地才又歸楚，而在戰國早中期《黄帝四經》寫作的時代，它仍然是越地。

　　因此，《黄帝四經》基本上可以被確定爲戰國中期以前越國的作品，這樣，才可以解釋清楚一些問題。不過，由於作者生活的淮南之地與楚、三晉等地密邇，而且後來又并入楚國，所以《黄帝四經》也表現出與這些地區文化的聯繫，如它與子彈庫楚帛書的某些相似處，以及與戰國後期楚國作品《鶡冠子》的諸多相同處。值得注意的，《鶡冠子》的作者可能也生活在淮河流域，董楚平先生曾指出，1982年紹興發現徐國銅器，其中湯鼎上的銘文大用韵語，而"作爲此銘重心的誓詞二句，以'俗'、'辱'爲韵。《鶡冠子·泰鴻》叶錄、辱、足、欲、撲、濁。是其證。"①《鶡冠子》的作者很可能生活於原徐國地域即淮河流域，或即徐人後裔，故用韵與徐器一致。

　　《黄帝四經》與老子、范蠡等的思想聯繫是顯而易見的，除此之

① 董楚平，《吳越文化新探》浙江人民出版社，1988年第218頁。

外,它和鄭國的列子可能也有一定的關係。唐蘭先生本來曾推斷
《黄帝四經》可能是鄭國作品,因證據不足而未引起學界廣泛承認。
本文雖也不同意唐説,不過,它與列子的聯繫卻是不容忽視的。首
先,《呂氏春秋·不二》、《尸子·廣澤》等都説“列子貴虛”,而《黄帝
四經》同樣貴虛,以虛無形爲道的最大特點;其次,《戰國策·韓策》
記載:“史疾爲韓使楚。楚王問曰:‘客何方所循?’曰:‘治列子圉寇
之言。’曰:‘何貴?’曰:‘貴正。’王曰:‘正亦可爲國乎?’曰:‘可。’王
曰:‘楚國多盗,正可以圉盗乎?’曰:‘可。’曰:‘以正圉盗,奈何?’頃
間有鵲止於屋上者,曰:‘請問楚人謂此鳥何?’王曰:‘謂之鵲。’曰:
‘謂之烏,可乎?’曰:‘不可。’曰:‘今王之國有柱國、令尹、司馬、典
令,其任官置吏,必曰廉潔勝任。今盗賊公行,而弗能禁也,此烏不
爲烏,鵲不爲鵲也。’”從這可以看出,列子有貴正的思想,而所謂
正,也就是以名稽實,烏必爲烏,鵲必爲鵲。這種正名的思想可能是
鄭國的傳統思想,據説春秋末期鄭鄧析即好形名,列子之後,申不
害的思想亦以形名爲主。而《黄帝四經》中“刑名”、“正名”的内容也
非常重要,這點我們下一章還會涉及。第三,《列子》一書,前人多疑
其僞,但嚴靈峰先生著《〈列子〉辯誣及其中心思想》一書,力辯其書
不後於《莊子》,并反駁了以《列子》爲僞書者的主要意見。許抗生先
生亦撰文,肯定《列子》基本上爲先秦作品,其中或有後人添加的部
分①。我同意許先生的意見,認爲《列子》書主要部份不僞,即爲列
子及其弟子所作。關於《列子》書大旨,劉向《列子序》曾説:“其學本
於黄帝、老子,號曰‘道家’。”這是把列子歸入黄老學派,雖未必恰
當,但其書屢言黄帝,卻是事實。如《天瑞篇》曾兩次引《黄帝書》,一
引黄帝:

　　《黄帝書》曰:穀神不死,是謂玄牝。玄牝之門,是謂天地之根。綿
　綿若存,用之不勤。

　　《黄帝書》曰:形動不生形而生影,聲動不生聲而生響。

---

　　① 許抗生:《〈列子〉考辨》,《道家文化研究》第一輯。

　　黄帝曰：精神入其門，骨骸反其根，我尚何存？

第一句是《老子》第六章的話，此處引爲《黄帝書》，説明此時信奉老子學説的人已經依托黄帝，因此，把《老子》稱爲《黄帝書》。第二句話的意思與《經法·名理》、《管子·心術上》等言"若影之象形，響之應聲也"意近，可能即後者之所本。第三句話的意思與《管子·内業篇》所説"天出其精，地出其形"略同。

　　另外，《列子》八篇中第二篇即《黄帝篇》其中講到有關黄帝之故事，其形式與《黄帝四經》頗爲相邇，即依托黄帝立言；又《黄帝篇》提到的力牧、太山稽，也見於《黄帝四經》，此外再不見於任何現存先秦古籍。有關黄帝的故事本來即是依托，而《黄帝四經》和《列子》在此方面又十分接近，表明二者之間可能存在密切聯繫。

《稱》篇與《周祝》

李學勤

内容提要　馬王堆帛書《老子》乙本卷前佚書第三篇《稱》，體裁類似格言匯編。本文認爲其年代早于《慎子》。而與《老子》、《逸周書・周祝》一脉相承。《周祝》是祝的文辭，祝史又彼此相通，故《老子》和《稱》的特點實對道家出于史官之說有所印證。

1973 年底，湖南長沙馬王堆三號漢墓出土了大批帛書及若干竹木簡。第二年，組織成立了馬王堆漢墓帛書整理小組，集中一批學者，負責這些珍貴材料的整理研究工作。由于當時的歷史條件，被稱爲《老子》甲本和《老子》乙本的兩件帛書首先得到發表，唤起海内外學術界的廣泛重視。最近在長沙召開的"中國馬王堆漢墓國際學術討論會"上，湖南省博物館印發了李梅麗所編《馬王堆漢墓研究目録（1972 年－1992 年）》，略加翻閲便可看出，《老子》甲、乙本及卷上佚書的研究論著爲數特多，而且持續不衰。

帛書《老子》甲本後面的佚書，可視爲在《老子》之後附抄。《老子》乙本的佚書與之不同，位于《老子》之前，就不能認爲是附抄的，它祇能是重要性不下于《老子》的道家典籍。唐蘭先生等數位學者對這項佚書作了深入研究，提出其係《黄帝四經》之説，但仍有一些學者持有異議。有關討論經過,可看劉翔所撰評述①。評述中説,爲了便于進一步討論,這項佚書暫以稱做《黄帝書》爲好。《黄帝書》和《老子》同抄,正表現着黄老道家的特色。

《黄帝書》的研究,大多集中于其前兩篇,即《經法》和《經》,而其第三篇《稱》,討論的作品最少。這種情形,對于《黄帝書》的深人探討,顯然是一個重要的障礙。如前文所論,《黄帝書》四篇本爲一體,其著作年代容有不同,各篇間的思想聯緊卻是易見,所以在研究中實不可有所偏廢。

《稱》這一篇的特點,在于其體裁與其他三篇均有差别。有學者認爲這一篇"是一種語錄匯編體"②,但細看其文字風格,尚有異于《論語》及後世的語錄。篇中不少地方,似乎是輯錄當時的格言,甚至流行的俗諺。例如:

　　兩虎相爭,奴(駑)犬制其余。《史記·春申君列傳》載,黄歇上書

秦昭王,云:"天下莫强于秦、楚,今聞大王欲伐楚,此猶兩虎相與鬥。兩虎相與鬥,而駑犬受其弊,不如善楚。"就是引用了這樣的話。

由此我們可以知道,《稱》篇之所以題爲"稱",是因爲"稱"訓爲言(《禮記·射義》注)或述(《國語·晉語》注),并不是像一些作品理解的,是度量的意思。所謂"稱",就是指語句的匯集。

篇中有一些段落,已知是引自前人的。如有的是援引《國語·越語下》所記范蠡的言論,這個問題下面我們在討論《黄帝書》與范蠡關係時再仔細論述。另外有若干語句,則爲一些本于黄老的作品所引用,唐蘭先生已指出過不少例證③。如《稱》篇有:

　　聖人不爲始,不剬己,不豫謀,不爲得,不辭福,因天之則。
《文子·符言》與《淮南子·詮言》則云:

　　不爲善,不避醜,遵天之道;不爲始,不專己,循天之理;不豫謀,

　　① 劉翔:《馬王堆漢墓帛書"黄帝書"研究評述》,《中國文化與中國哲學》,東方出版社,1986年。
　　② 吳光:《黄老之學通論》,第134頁,浙江人民出版社,1985年。
　　③ 唐蘭:《馬王堆出土〈老子〉乙本卷前古佚書的研究》,《考古學報》1975年第1期。

不棄時,與天爲期;不求得,不辭福,從天之則。

兩相對比,《文子》、《淮南子》的文字顯然較爲規整,不像《稱》篇的樸質。

值得特別提到的,是帛書有些地方與《慎子》有關,如:

故立天子[者不使]諸侯疑焉,立正嫡者不使庶孽疑焉;立正妻者不使婢妾疑焉。疑則相傷,雜則相方(妨)。

《慎子·德言》云:

立天子者不使諸侯疑焉,立正妻者不使嬖妾疑焉,立嫡子者不使庶孽疑焉。疑則動,兩則爭,雜則相傷。

語句的次第比帛書合理,似亦經過潤飾。又如《稱》篇有:

天有明而不憂民之晦也,百姓闢其户牖而各取昭焉,天無事焉;地有[財]而不憂民之貧也,百姓斬木刈薪而各取富焉,地亦無事焉。

《文子·符言》作:

天有明,不憂民之晦也;地有財,不憂民之貧也。

是對帛書文字的簡化,而《淮南子·詮言》作:

天有明,不憂民之晦也,百姓穿户鑿牖,自取照焉;地有財,不憂民之貧也,百姓伐木芟草,自取富焉。

更近于帛書原文。《慎子·威德》篇則云:

天有明,不憂人之闇也;地有財,不憂人之貧也;聖人有德,不憂人之危也。天雖不憂人之闇,闢户牖必取己明焉,則天無事也;地雖不憂人之貧,伐木刈草必取己富焉,則地無事也;聖人雖不憂人之危,百姓準上而比于下,其必取己安焉,則聖人無事焉。

于天、地之外,又增加聖人,文句的排比也更爲整齊,無疑是在《稱》篇文字基礎上做了較多的加工,與《文子》、《淮南子》的簡鍊不同。以上的例子説明,《稱》篇的年代很可能早于《慎子》。

按《史記·孟荀列傳》,慎到係趙國人,在齊稷下,與田駢齊名,至湣王時而去,其人"學黄老道德之術"。前人考證,估計《慎子》年代爲公元前 350 至 275 年①。由此看來,《稱》篇的寫成當不遲于戰

---

① 錢穆:《先秦諸子繫年》,第 618 頁,中華書局,1985 年。

國中期。

《稱》篇的體裁,和常見的子書論議文體很不一樣,因而有學者根據這種特點認爲它不是一種嚴格意義的著作。美國葉山教授在1992年8月在長沙舉行的"中國馬王堆漢墓國際學術討論會"上提出的論文説,《稱》篇不能被認爲是一部書的一個連貫渾成的組成部分,它更像是從較早的文獻或口傳中輯集的格言,其他篇章的作者由之獲取靈感。這意味其他篇章的年代要比這些格言爲晚①。這個見解很重要,值得仔細考慮。

帛書《稱》篇的這種體裁,在先秦典籍中并不是唯一的。其實,最現成的一個例證就是道家的《老子》。研究古代文體的著作,如譚家健、鄭君華《先秦散文綱要》即已指出:

> 《老子》吸收了大量來自人民群衆的格言諺語。春秋時期的其它著作如《詩經》、《易經》、《國語》、《左傳》中,早已不乏其例,而且業已用"故曰"、"諺曰"、"古人有之曰"等標明。《老子》把這類東西吸收過來,加以改造融化,納入自己的體系,……

書中舉出的例子有:

> 合抱之木,生于毫末,九層之臺,起于壘土,千里之行,始于足下。(六十四章)
>
> 圖難于其易,爲大于其細。天下難事必作于易,天下大事必作于細。(六十三章)
>
> 師之所處,荆棘生焉。大軍之後,必有凶年。(三十章)
>
> 善人者,不善人之師;不善人者,善人之資。(二十七章)
>
> 知足不辱,知止不殆。(四十四章)②

所加評論,這裏便不多引了,看這些例子,容易得到和《稱》篇類似的印象,其間的一脈相承,是明顯的。

另外還有一篇體裁近似的作品,是《逸周書》所收的《周祝》③。

---

① 葉山:《馬王堆黄老帛書性質的一些看法》(Robin D. S. Yates,Some Comments on the Nature of the Huanglao Silk Manuscripts from Mawangdui),"中國馬王堆漢墓國際學術討論會"論文。
② 譚家健、鄭君華:《先秦散文綱要》,第93頁,山西人民出版社,1987年。
③ 這一點承譚家健先生指示。

這篇文字很少人注意，需要在這裏作一介紹。《周祝》是《逸周書》七十一篇（今存五十九篇）的第六十七篇，其文體恰與《稱》篇類似，是把許多格言、諺語式的詞句串連集合在一起。下面錄其篇首一部分，聊示其例：

日：維哉其時告，汝不聞道，恐爲身災，讙哉民乎！朕則生汝，朕則刑汝，朕則經汝，朕則皁汝，朕則亡汝，朕則壽汝，朕則名汝。（"告"、"道"，幽部韵；"乎"、"汝"，魚部韵。）

故日：文之美也而以身剝，自謂智也者故不足。角之美殺其牛，榮華之言後有茅。（"剝"、"足"，屋部韵。）

凡彼濟者必不息，觀彼聖人必趣時。（"息"、"時"，之部韵。）

石有玉而傷其山，萬民之患故在言。（"山"、"言"，元部韵。）

時之行也勤以徙，不知道者福爲禍。時之從也勤以行，不知道者以福亡。（"行"、"亡"，陽部韵。）

故日：肥豕必烹，甘泉必竭，直木必伐。（"竭"、"發"，祭部韵。）

……

這些語句，正如葉山教授對《稱》篇的論斷一樣，沒有連貫渾成的有機聯繫。因此，對《周祝》的研究，將有助於我們認識《稱》篇的性質。

這裏需要提出的問題是，該篇爲什麼題爲《周祝》？這種體裁和內容與"祝"有什麼關係？

《逸周書》的最末一篇《周書序》，對全書各篇均有題解，但對《周祝》祇説："民非后罔×，后非民罔與爲邦（類似的話見古文《尚書》的《大禹謨》、《太甲》、《咸有一德》，又《禮記·表記》引《太甲》等），慎政在微，作《周祝》"，沒有提供更清楚的綫索。同書第六十六篇《殷祝》，《周書序》也祇説："夏多罪，湯將放之，徵前事以戒後王也，作《殷祝》"，僅表明該篇乃周人追述。

朱右曾《逸周書集訓校釋》説："《儀禮》有商祝、周祝，謂習於商周之禮者，在《周禮》則喪祝之職也。……此及下篇（指《周祝》）蓋商祝、周祝之所記，故以名篇。"這個看法雖未全中的，但頗有啓示，就是兩篇均與當時的祝有關。《殷祝》篇固然以叙事爲主，講述了湯放桀的故事，然而篇末云：

……然後湯即天子之位，與諸侯誓曰：“陰勝陽即謂之變而天弗
施，雌勝雄即謂之亂而人弗行，故諸侯之治政，在諸侯之大夫治與
從。”（“行”、“從”，東陽合韵。）

這段話與《尚書》的誓體不同，而與《周祝》頗爲相似，可知兩篇之所
以名“祝”，確和其體裁的特點有關。

祝是古代社會中一種特殊人員。《説文》云：“祝，主贊詞者。”
《周禮》所載祝官，有大祝、小祝、喪祝、甸祝、詛祝五職。祝的職守在
于文辭，故《周禮·大祝》云：

大祝掌六祝之辭，以事鬼神示，祈福祥，求永貞，一曰順祝，二曰
年祝，三曰吉祝，四曰化祝，五曰瑞祝，六曰筴祝；掌六祈，以同鬼神
示，一曰類，二曰造，三曰檜，四曰禜，五曰攻，六曰説。

在這些祭祀性的活動中，祝的作用無不與文辭有關。具體的例證，
不妨舉《大戴禮記·公冠》所記①：

成王冠，周公使祝雍祝王，曰：“達而勿多也。”祝雍曰：“使王近
于民，遠于年，嗇于時，惠于財，親賢使能。”（“時”、“財”、“能”，之部
韵。）

由此可以看到祝辭的體例。

實際祝所掌的文辭還遠不限于祭祀一類禮儀所用之辭。《大
祝》云：

作六辭，以通上下親疏遠近，一曰祠（辭），二曰命，三曰誥，四曰
會，五曰禱，六曰誄。

鄭玄注解釋“一曰祠（辭）”爲交接之辭，“會”爲會同盟誓之辭，禱爲
賀慶言福祚之辭。賈公彦疏進一步説明：

此六者惟“一曰”稱“辭”，自余“二曰”已下不稱辭，而六事皆以
“辭”目之者，“二曰”已下雖不稱“辭”，命、誥之等亦以言辭爲主，故
以“辭”苞之。

原來當時的命、誥等等生人之間使用的文辭，也是由祝官寫作的。
祝的職掌文辭，涵義確實相當廣泛。

---

① 原作《公符》，從王聘珍《大戴禮記解詁》改正。

　　瞭解了這一點，我們不難對《周祝》之所以具有那樣的體裁特點有所認識。祝是專掌文辭的，他們在工作之中，積累輯集一些格言諺語，正是其職業的需要。《周祝》篇，以及文末誓辭與之近似的《殷祝》篇，來源或即如此。

　　《周祝》開篇即說"聞道"，《殷祝》也談到陰陽、雌雄等範疇，很值得注意。這可能對道家的《老子》、《稱》篇何以采取類似的體裁給予暗示。

　　據《周禮》所述，當時有卜、祝、巫、史等官，和《左傳》定公四年所記"祝、宗、卜、史"大體相應。但考之各種典籍，這幾種人物又每每相兼互通，這個問題前人有過不少討論。孫詒讓《周禮正義》稱：

　　　凡祝官亦通稱祝史，《燕禮》"祝史立于門東，北面東上"，賈彼疏以爲祝及大史。胡匡衷云：祝史即祝官。祝謂之史者，《周禮》"大祝掌六祝之辭，以事鬼神示"，"作六辭，以通上下親疏遠近"。古者通謂掌文辭之官爲史，故祝稱祝史。《金縢》云"史乃册祝"是也。卜筮之官亦稱史，以兆卦亦有繇詞故也。《大射》"司射獻釋獲者，大史既受，獻于其位下"，又云："祝史、小臣師亦就其位而薦之"，則祝官亦兼有史可知。《左傳》多謂掌祝者爲祝史，昭十七年"魯祝史請所用幣"，十八年"鄭使祝史徙主祈于周廟"，哀二十五年"衞侯因祝史揮以侵衞"，是可證也。

祝與史的相通，于此得到充分的證明。

　　《漢書·藝文志》："道家者流，蓋出于史官，歷記成敗存亡禍福古今之道，然後知秉要執本，清虛以自守，卑弱以自持，此君人南面之術也。"衆所周知，老子本係史官，《史記》本傳說他是"周守藏室之史"，《張蒼傳》說是"柱下史"，不過《漢志》所論還不能單由老子曾任史職這一點去理解。班固實際是說，道家其所以有他們那樣的思想，直接導源于史的經驗。史職在于記述歷代的"成敗存亡禍福古今之道"，而當時流傳的格言諺語又常即這種"古今之道"的凝結。我們看《周祝》和《稱》都一開始便論"道"，《周祝》說：

　　　故日之中也仄，月之望也食，威之失也陰食陽，善爲國者使之有行，是彼萬物必有常，國君而無道以微亡。（"仄"、"食"，之部韵；

“陽”、“行”、“常”、“亡”,陽部韵。)

　　　用彼大道知其極,加諸事則萬物服;用其則必有群①,加諸物則
爲之君,舉其脩(條)則有理,加諸物則爲天子。(“極”、“服”,之部韵;
“群”、“君”,文部韵;“理”、“子”,之部韵。)
已能看出所謂“道”與“君人南面之術”的關係。

　　同樣的思想,在《稱》篇裏也貫徹着。例如篇首所説:
　　　道無始而有應,其未來也無之,其已來如之。有物將來,其形先
之。建以其形,名以其名。其言謂何?
　　　環□傷威,弛欲傷法,無隨傷道,數舉三者,有身弗能保。何國能
守?(“道”、“保”、“守”,幽部韵。)

　　雖係兩章,但均以問句結尾,實係一體。所論亦由“道”而至“君
人南面之術”.因此,《稱》這一篇,粗看似乎凌亂無序,細細吟味,卻
始終沿着道家的思想軌道展開。它之成爲《黄帝書》這部重要典籍
中的一篇,并不是偶然的。

　　作者簡介　李學勤,1933年生,北京人。現任中國社會科學院
歷史研究所所長、研究員,中國先秦史學會會長、中國古文字研究
會理事等。主要著作有《殷代地理簡論》、《中國青銅器的奥秘》、《東
周與秦代文明》、《周易經傳溯源》等。

---

① “其”字下疑脱一字。

馬王堆帛書《老子》乙本

卷前古佚書并非《黃帝四經》

裘錫圭

内容提要　本文指出四篇佚書體裁不同,篇幅長短懸殊;第二篇屢次提到黃帝,其他三篇則一次不提;原來不像是一部書。從内容看,其思想有積極進取精神,"撮名法之要"的特點很明顯,同《隋書·經籍志》以之與《老子》並提,並許之爲"最得""去健羨、處沖虚"之"深旨"的《黃帝四經》顯然不能相合。魏晋以前古書所引黃帝之言都不見于四篇佚書,這也可以證明它們並非《黃帝四經》。

馬王堆帛書出土後不久,參加帛書整理工作的唐蘭先生,就在《文物》編輯部組織的關于帛書内容等問題的一次座談會上,提出了帛書《老子》乙本卷前的四篇古佚書(下文簡稱"四篇佚書"),就是久已失傳的道家要籍《黃帝四經》的看法(《座談長沙馬王堆漢墓帛書》,《文物》1974 年第 9 期)。接着,他又在《考古學報》1975 年第 1 期上,發表了《馬王堆出土〈老子〉乙本卷前古佚書的研究》一文。在此文第一部分"古佚書四篇的書名問題"節中,對上述主張作了比較細緻的論述(此文已收入文物出版社 1976 年出版的《馬王堆漢墓帛書——經法》,請看 150—154 頁。下文引此書時簡稱"經法")。唐先生的這篇文章産生了很大影響。陳鼓應先生在即將發表的《關于〈黄老帛書〉四篇成書年代等問題的研究》一文中説:

　　唐文發表以後,有些學者提出了不同的看法……都未能爲學界

　　所接受。從目前來看，仍然是唐蘭先生的説法論據爲最强，影響也最
　　大，爲多數學者所接受。如余明光先生著书即以《黄帝四經》爲名，後
　　又撰文加以考證。現在看來，《經法》等四篇就是《漢书·藝文志》記
　　載的《黄帝四經》，應無大問題。
由此可見唐説已被很多學者視爲定論。

　　我從一開始就不相信唐説。我發表在《中國哲學》第二輯（1980
年）上的《馬王堆〈老子〉甲乙本卷前後佚书與道法家》，初稿寫于
1975 年（參看 68 頁拙文之首的"説明"）。在這篇文章裏，已經簡略
地提到了我不相信四篇佚书是《黄帝四經》的理由（上引书 75 頁，
亦見江蘇古籍出版社 1992 年出版的拙著《古代文史研究新探》562
頁）。現在我準備比較詳細地陳述一下我的理由，供關心這一問題
的學者參考。

　　上引陳文對唐説的論據作了很好的概括。陳先生指出，唐先生
的主要論據爲：

　　　　第一，四篇雖體裁各別，但互爲聯繫，構成一個整體。且一共四
　　篇，與《黄帝四經》篇數相合；第二，帛书抄寫于漢文帝初期，處在宗
　　黄老的氣氛中，抄在《老子》前面的四篇有關黄帝之言，祇有《黄帝四
　　經》才能當之；第三，《隋书·經籍志》云："漢時諸子道书之流，有三
　　十七家……其《黄帝》四篇、《老子》二篇，最得深旨"，此所謂《黄帝》
　　四篇，顯然指《黄帝四經》而言。這更可證明抄在《老子》前面的四種
　　古佚书爲《黄帝四經》。

如果對有關情況仔細考察一下，就會發現唐先生的意見是大有問
題的。

　　我們先從四篇佚书的形式方面來考察。

　　唐先生自己也承認"四篇體裁各別"（《經法》151 頁）。此外，除
第一、二兩篇字數相近外，它們的篇幅也長短懸殊。第一篇《經法》
長達五千字，末一篇《道原》祇有四百六十四字（据各篇末尾原來所
記的字數）。這跟作爲《老子》上下篇的《道經》和《德經》，體裁既同，
篇幅也相差不遠的情況，截然不同。很難想象與《老子》二篇齊名的
《黄帝四經》，竟會由這樣四篇在體裁和篇幅上如此不一致的文章

組成。四篇佚書中，第二篇《十大經》屢次提到黄帝，其他三篇則一次也没有提到黄帝。從這一點看，它們也不像是構成《黄帝四經》的四個部分。

抄在馬王堆帛書《老子》甲本卷後的佚書也是四篇，但是原來顯然並不屬于同一部書。抄在乙本卷前的四篇佚書原來並不屬于同一部書的可能性，自然也是很大的。我們不應該不顧體裁，篇幅等方面存在的問題，僅僅因爲這四篇的思想一致，就認爲它們原來是一部書。

總之，我認爲從形式上看，四篇佚書原來不像是一部書，更不像與《老子》齊名的《黄帝四經》。它們大概是帛書的主人爲了學習黄老言而抄集在一起的。

唐先生認爲，處在宗黄老的氣氛中，抄在《老子》前面的四篇有關黄帝之言，衹有《黄帝四經》才能當之。這一説法似乎有些武斷。我在上文引過的那篇拙作中曾指出，按照《漢書・藝文志》對道家的評論，"莊子無疑是道家中的'放者'，甚至老子也不能看作道家正宗"；西漢時代最流行的道家思想，是那種"因陰陽之大順，采儒墨之善，撮名法之要"的道家思想；四篇佚書所反映的正是這種思想（《古代文史研究新探》第 557 等頁）。所以它們即使不是《黄帝四經》，也還是有資格抄在《老子》之前的。而且當時把這四篇抄在《老子》之前，也可能并無深意。也許帛書主人在抄了這四篇之後，才想到要抄《老子》。甚至有可能是由于看到抄剩的帛的面積還很大，才把《老子》抄上去的。

下面再從四篇佚書的内容方面來考察。

我認爲唐先生引用過的《隋書・經籍志》的那段話，足以説明四篇佚書從内容上看決不可能是《黄帝四經》。唐先生引用這段話的時候作過删節。現在把全文抄錄在下面：

> 漢時諸子道書之流有三十七家，大旨皆去健羨、處沖虚而已。其
> 《黄帝》四篇、《老子》二篇，最得深旨。

唐先生認爲《黄帝》四篇就指《黄帝四經》，并指出"在《經籍志》裏，

《黄帝四篇》已不見著錄，這一節可能是根據劉宋時的王儉《七志》
或梁代的阮孝緒《七錄》"(《經法》153頁)。這是很正確的。但是他
引用這段話的時候刪去了"大旨皆去健羨、處沖虛而已"一句，並把
這段話用作抄在《老子》前面的四篇佚書應爲《黄帝四經》的證據，
則是不妥當的。

　　前面已經説過，四篇佚書所反映的思想，是曾經風行於西漢時
代的、"撮名法之要"的那種道家思想。這也就是當前很多學者名之
爲"黄老"的那種思想。這種思想跟《老子》的思想是有相當明顯的
區別的。唐先生在他的文章的第三部分"古佚書四篇是法家重要著
作"節中，已經對四篇佚書與《老子》在思想上的相異之處作了很好
的説明。他説(見《經法》158—161頁)：

　　　《老子》在政治上是消極的，這本《黄帝四經》(引者按：指四篇佚
　　書，下同)則比較積極。……《老子》講道而不講法，這本《黄帝四經》
　　則首先講"道生法"。……法家思想是很明確的。《老子》經常講"道"
　　而不講"理"，這本《黄帝四經》卻非常注重理。……這是從老子的侈
　　談天道進一步來研究人事了。

　　　《老子》儘管也講到名，但認爲"無名天地之始，有名萬物之母"，
　　主張"鎮之以無名之樸"，"始制有名，名亦既有，夫亦將知止，知止所
　　以不殆"。這是倒退的哲學。古佚書四篇是進取的。它把"刑(形)"和
　　"名"對稱。……可見用審名察形的辦法來明曲直，知得失，就可以立
　　法，用法來治國……

　　　　……………

　　　《老子》講德而不講刑，四篇古佚書把"德"和"刑"對立，稱爲"刑
　　德"……

　　　……《老子》强調"不爭"……這是片面的、倒退的哲學。古佚書
　　四篇比它强，它儘管也説："柔節先定，善予不爭"(167行)，但反復
　　强調"作爭者凶，不爭亦毋以成功"(107行，又94行略同)。爲亂首
　　是不好的，但到了一定的時機，該爭的還得要爭，如果還不爭，就是
　　失敗主義，就是"當斷不斷，反受其亂"(90、117行)。……

這些意見是中肯的。此外，《老子》反戰，《經法》、《十大經》則時常把
征戰當作正面的事情來説。這跟主張"不爭亦毋以成功"是一致的。

這一點在有些研究四篇佚書的文章裏已經提到，可以補充唐文。

　　魏晉以後，"老莊"是道家思想的主流，"撮名法之要"的那種道家思想已經不再被重視。像四篇佚書這樣，顯然具有積極進取精神的、"撮名法之要"的道家著作，不論是劉宋的王儉、梁代的阮孝緒，還是任何一個魏晉南北朝時代的學者，都決不會以之與《老子》相提並論，並許之爲"最得""去健羨、處沖虛"之"深旨"。所以，根據上引《隋書·藝文志》的那段話，完全可以斷定四篇佚書決非《黃帝四經》。

　　我們還可以從古書引黃帝之言的情況來進行考察。

　　古代託名黃帝的著作很多，時代較早的除《素問》、《靈樞經》等醫書外都已亡佚。魏晉以前的古書引用了一些黃帝之言，顯然大都是出自現已亡佚的那些託名黃帝的著作的。這些黃帝之言，有些出自兵法、數術等類著作，有些雖出自道家著作但已知其非《黃帝四經》（如黃帝巾几銘、金人銘，顯然出自《漢書·藝文志》著錄的《黃帝銘》），此外尚有以下諸條：

　　黃帝曰：一者，階于道，幾于神。（《六韜·文韜·兵道》）

　　黃帝有言曰：上下一日百戰。（《韓非子·揚權》）

　　黃帝言曰：聲禁重，色禁重，衣禁重，香禁重，室禁重。（《呂氏春秋·去私》）

　　黃帝曰：帝無常處也，有處乃無處也。（同上《圜道》）

　　瞀得學黃帝之所以誨顓頊矣：爰有大圜在上，大矩在下。汝能法之，爲民父母。（同上《序意》）

　　黃帝曰：芒芒昧昧，因天之威，與元同氣。（同上《應同》。又見《淮南子·繆稱》及《泰族》，"因天之威""繆稱"作"從天之道"，王念孫謂"道"本當作"威"，後人所改。《文子·符言》引此語，稱"道曰"，"因天之威"作"從天之威"。同書《上仁》引此語，稱"道之言曰"。"與元同氣"兩篇皆作"與天同氣"。）

　　嫫母執乎黃帝，黃帝曰：屬女德而弗忘，與女正而弗衰，雖惡奚傷？（《呂氏春秋·遇合》）

　　黃帝曰：四時之不正也，正五穀而已矣。（同上《齊時》）

　　黃帝曰：日中必熭，操刀必割。(《賈誼新書·宗首》，亦見《漢書·賈誼傳》)

　　黃帝曰：道若川谷之水，其出無已，其行無止。(《賈誼新書·脩政語上》)

偽書《列子》曾引"黃帝書"，我們也引錄於此，以供參考：

　　黃帝之書云：至人居若死，動若械。亦不知所以居，亦不知所以不居。亦不知所以動，亦不知所以不動。亦不以衆人之觀易其情貌，亦不謂衆人之不觀不易其情貌。獨往獨來，獨出獨入，孰能礙之？(《力命》)

　　黃帝書曰：谷神不死，是謂玄牝。玄牝之門，是謂天地之根。綿綿若存，用之不勤。故生物者不生，化物者不化。自生自化，自形自色，自智自力，自消自息。謂之生死形色智力消息者，非也。(《天瑞》)

　　黃帝書曰：形動不生形而生影，聲動不生聲而生響，無動不生無而生有。……黃帝曰：精神人其門，骨骸反其根，我尚何存？(同上)

　　《漢書·藝文志》諸子略道家部分著錄了有關黃帝的書五種，以《黃帝四經》四篇爲首(其餘四種是：《黃帝銘》六篇、《黃帝君臣》十篇、《雜黃帝》五十八篇、《力牧》二十二篇。又陰陽家有《黃帝泰素》二十篇，小說家有《黃帝說》四十篇)。上引《隋書·經籍志》語，以《黃帝四經》與《老子》二書爲道家著作的代表。可見在古人心目中，《黃帝四經》是道家黃帝書中最重要的一種。他們引用黃帝書時，決不會少用《黃帝四經》。所以在上錄古書所引黃帝言中，至少有一部分應該是出自《黃帝四經》的。這些引文的思想，絕大部分合乎《隋書·經籍志》所說的"去健羨、處沖虛"之旨。這更使我們相信，其中一定含有引自《黃帝四經》的內容。可是這些引文在四篇佚書中卻一條也沒有出現。根據這一點，也可以斷定四篇佚書并非《黃帝四經》。

　　李學勤先生在《新發現簡帛與秦漢文化史》(見黑龍江教育出版社1989年出版的《李學勤集》)和《論新出簡帛與學術研究》(《傳統文化與現代化》1993年創刊號)等文中，稱四篇佚書爲"黃帝書"。這當然比稱它們爲"黃帝四經"合理。可是除《十大經》外，其他三篇並無是黄帝書的確據。我們認爲就目前的研究情況來説,最好仍稱這四篇佚書爲"馬王堆《老子》乙本卷前佚書"或"《經法》等四篇"。

1993 年 3 月 2 日寫畢

作者簡介 裘錫圭,1935 年生于上海。復旦大學歷史系畢業,現任北京大學中文系教授,著有《文字學概要》及古代語文、歷史等方面的論文多篇。

楚帛書與《道原篇》

饒宗頤

　　馬王堆出《老子》乙本，卷前古佚書首《經法》，末爲《道原》，凡四百六十四字。《道原》起段言開闢，四字爲句，"濕濕夢夢，未有明晦"，頗近《楚繒書》"夢夢墨墨"、"未有日月"之語。又云："天弗能復（覆），地弗能載……鳥得而蜚（飛），魚得而游，獸得而走"。以至"是故上道高而不可察也，深而不可測也"。則居然《淮南子·原道訓》："夫道者覆天載地，高不可際（按"際"即《道原》之"察"），深不可測，獸以之走，鳥以之飛，麟以之游，鳳以之翔"之句法也。故知《道原》即《淮南·原道訓》之張本；此戰國以來黃老之恒言也。其言"恒先之初，迵同大虛，虛同爲一，恒一而止"。迵字見《太玄·達》云："中冥獨達，迵迵不屈"。通也。《史記·倉公傳》："診其脈曰迵風"。《索隱》訓迵爲洞。《説文》迵，迭也；《玉篇》迵，通達也，是"迵同太虛"，猶言"洞（通）同大虛"矣。《道原》又云："大迵无名"。《莊子·大宗師》："離形去知，同於大通"。故大迵猶言大通也。馬王堆本《繫辭傳》正以迵爲通字，如"迵變之謂乎"、"往來不窮之胃迵"是。迵字見馬王堆《易經》鍵（乾）川（坤）二卦。迵九，見群龍无首·吉。迵六，利永貞。今本作用九、用六。

　　《道原》篇陳"大迵"之義，所云"迵同太虛"，同字爲動詞，即"同天"也。同天本墨家之説。《墨子·尚同》云："察天下之所以治者何也？天子唯能壹同天下之義，是以天下治也；天下之百姓，皆上同于天子，而不上同于天，則菑猶未去。今若天飄風苦雨，溱溱而至者，此天之所以罰百姓之不上同于天也"。依墨者義,不特天子同天,百姓既上同于天子,亦須上同于天,始不遭天罰。《呂氏春秋‧有始覽‧應同篇》引黄帝曰:"芒芒昧昧,因天之威,與元同氣。故曰同氣賢于同義,同義賢于同力,同力賢于同居,同居賢于同名。帝者同氣,王者同義,霸者同力,勤者同居則薄矣,亡者同名則觕矣"。威者,《春秋元命苞》云:"顓頊併荷上法月,無不錄威,咸紀以理陰陽"。此所謂同者,尚有等差。同氣為帝,其境界亦最高。表之如下:

> 帝——同氣
>
> 　王——同義
>
> 　霸——同力
>
> 　　勤者——同居
>
> 　　亡者——同名

《淮南子‧泰族訓》引此云:"黄帝曰芒芒昧昧,因天之威,與元同氣,故同氣者帝,同義者王,同力者霸,無一焉者亡。"減去勤者、亡者。《道原》稱:"唯聖人能察無刑(形),能聽天聲,知虛之實,後能太虛。乃通天地之精,通同而無間,因襲而不盈,服此道者是胃(謂)能精。""通同而無間",即"迵同太虛"之"迵同",此處變文作通同,可知迵即通。無所不同謂之"通同",亦即所謂"大迵"也。"通同"于太虛,當即"同氣",惟聖人能之,此聖人即帝是也。《應同篇》"凡用意不可不精。夫精,五帝三王之所以成也。成齊類同皆有合。故堯為善而衆善至,桀為非而衆非來。"《商箴》云:"天降災布祥,並有其職"。按類即"召類",其言曰"類同相召,氣同則合,聲比則應"。召類與應同取義甚近。故知《黄帝書》所云"與之同氣",言帝者上與元氣同,此其智者為至精,而所同者亦至精。《道原》與《經法》、《十大經》、《稱》四篇,唐蘭以為即《黄帝四經》,雖乏確據,然《道原》之"迵同太虛",即《黄帝書》之"同氣",可證其與戰國時之所謂黄帝思想正息息相關也。

《堯典》:"曰若稽古帝堯"。鄭玄注云:"稽古同天,言堯同于天也。"孫星衍謂鄭意蓋以堯稱帝,故為同天;同天之意,因帝號而生。

然《皋陶謨》亦稱曰稽古，而皋陶非帝也。《逸周書·寤儆解》、《武穆解》、《鬼谷子·捭闔篇》，俱有"稽古"之語。按"稽古"之義，似本諸道家。道家原出于史，故重稽考古道。今《道原篇》云："明者因能察極，知人之所不能知，人（疑衍）服人之所不能得，是胃（謂）察稽知□極。聖王用此，天下服"。又曰："前知大古，後□精明，抱道執度，天下可一也。觀之大古，周其所以，索之未无，得之所以"。以較《老子》："能知古始，是謂道紀"。義正沂合無間。道家之學，必從知大古、觀大古下手，此即所謂稽古也。如是可爲聖王。觀之于大古，大古，未始有也；索之于未無，未無，則有也。《老子》"恒无欲以觀其妙，恒有欲以觀所噭"（據馬王堆乙本）。"觀大古之無，所以周其理；索未无之有，所以得其故，有無兼致力焉"。此"兩者同出，異名同謂"（據乙本）。有與無異名而實同出，此處之"同"，即《道原》之"通同"，如是乃能得其大通，而可抉道之原矣。所謂"同天"者，"抱道執道，而天下可一"之方也。依《墨子》義，帝可同天，賢聖以至百姓亦皆同天。是知以同天限于帝，此自戰國人之説耳。

《道原》又云："上信天事，則萬物周偏，分之以其分，而萬民不爭，授之以其君，而萬物自定"。周偏即周遍，《莊子·知北遊》所謂"周偏咸三者，異同實，其指一也"。知周于萬物而授之以名者，黄老先言無名，而實授以名，"古无有刑（形）"，"大迥无名"，此无名者，萬物（天地）之始也；授以名者，萬物之母也。必授之以名而後萬物自定，其義至精。此黄帝之辨名正物，所以爲文明之母也。《呂氏·有始覽》云："天地合和，生之大經也，以寒暑、日月、晝夜知之，以殊形、殊能、異宜説之。夫物合而成，離而生，知合、知成、知離、知生，則天地平矣。平也者，皆當察其情、處其形"。又云："天地萬物，一人之身也，此之謂大同。眾耳目鼻口也，眾五穀寒暑也，此之謂眾異，則萬物備也。天斟萬物，聖人覽焉，以觀其類"。此説"大同"之義，高誘注云："以一人身喻天地萬物。《易》曰：近取諸身，遠取諸物，故曰大同也"。是非萬物周偏，"察稽□極"而何？大同者，斯乃知識之極致，正所謂"通同而无間"，能"通天地之精"，則道家果真

棄"知"也耶？此非上知，不足以盡之。是又《道原篇》之精義，可與
《老子》發揮旁通者也。《說文》："同、合會也"。金文《不嬰毁》："我
大同迹迮女"。"大同"一詞見此，亦以"同"爲動詞，大同猶大合也。
《潛夫論·卜列》"故鴻範之占，大同是尚"。《洪範》："汝則從，龜從，
筮從，卿士從，庶民從，是之謂大同"。《禮運篇》論大同小康之異制，
大同爲"大道之行，天下爲公"，僅論人道而不涉天道，則爲後出之
義。其言"大道既隱，天下爲家，大人世及以爲禮，城郭溝池以爲固，
禮義以爲紀"。此即老氏"失道然後德，失義然後禮"。禮者，固忠信
之薄也。大道不行，然後禮義以爲紀，蓋仍因道家之說。

　　道墨皆言稽古同天，儒家承之。仲尼信而好古，亦沿前說，蓋因
而非創。至《商君書》乃力言反古（參孫星衍《帝堯皋陶稽古論》），漢
武帝遣齊王閎云"朕承天序，惟稽古建爾國家"顏注"考于古道"，可
見《道原篇》不得爲法家說明矣。《老子》乙本所以次《道原》于其書
之前者，誠可深長思。夫"惟聖人能察无形，能聽无聲，知虚之實，後
能大虚"。觀事于未有之前，察虚之爲實，觀有于無，得道之本，此之
謂道原。

帛書《道原》和《老子》論道的比較

胡家聰

内容提要 帛書《道原》論道淵源于老子哲學,但其中也有若干差異。第一,《道原》說道"恒一而止"、"精靜不熙",以道爲靜止的;而《老子》則講道"周行而不殆","大曰逝,逝曰遠,遠曰反",以道爲運動的。第二,《道原》描述道體生化天地萬物是形象的、低層次的;而老子的描述則是哲學概括性的。本文還附帶比較了《道原》和稷下道家的有關論述。

帛書《道原》前一部分表述"道"的本體論當淵源于老子哲學。但表述怎樣,是否合于老子的本義?這裏作些比較研究。由于帛書黄老學派承繼稷下道家,所作比較亦參照稷下道家之言。

爲醒目起見,列表如次。

帛書《道原》	《老子》哲學或稷下道家
(1)恒無之初,迵同大(太)虛。虛同爲一,恒一而止。濕濕(《説文》淫字,"幽淫也"。淫、濕通)夢夢(通冥),未有明晦。神微周盈,精靜不臥(熙)。古(故)未有以(用也),萬物莫以。古(故)無有刑(形)。大迵無名。	(1)有物混成,先天地生。寂兮寥兮,獨立而不改,周行而不殆,可以爲天地母。吾不知其名,强字之曰"道",强爲之名曰"大"。大曰逝,逝曰遠,遠曰反。(《老子》第二十五章)

帛書《道原》	《老子》哲學或稷下道家
（2）天弗能覆，地弗能載。小以成小，大以成大。盈四海之內，又包其外。在陰不腐，在陽不焦。一度不變，能適規（蚑，讀歧）僥（蟯，讀鬧）。鳥得而蜚（飛），魚得而流（游），獸得而走。萬物得之以生，百事得之以成。人皆以（用也）之，莫知其名。人皆用之，莫見其刑（形）。 （3）一者其號也，虛其舍也，無爲其素也，和其用也。是故上道高而不可察也，深而不可則（測）也。顯明弗能爲名，廣大弗能爲刑（形），獨立不偶，萬物莫之能令。天地陰陽，〔四時〕日月，星辰雲氣，規（蚑）行（蟯）重（動）（指動物之類），戴根之徒（指植物之類），皆取生，道弗爲益少；皆反焉，道弗爲益多。堅强而不損（匱），柔弱而不可化。精微之所不能至，稽極之所不能過。	（2）"道"生一，一生二，二生三，三生萬物。萬物負陰而抱陽，冲氣以爲和。（《老子》第四十二章） "道"冲，而用之或不盈。淵兮，似萬物之宗。（《老子》第四章） "宙合"之意，上通于天之上，下泉（原作泉，據《管子集校》王引之説改，泉古原字，及也，至也）于地之下，外出于四海之外，合絡天地以爲一裹，散于無間，不可名而止（原作山，據《管子集校》改），是大之無外，小之無内。（《管子·宙合》） （3）"道"之所言者，一也，而用之者異。（《管子·形勢》） 天之道，虛而無形，……遍流萬物而不變。德者，道之舍，物得以生，生得以職（執也，秉也）道之精。故德者，得也。……無爲之謂道。舍之之謂德。故道之與德無間。（《管子·心術上》） 凡人之生也，天出其精，地出其形，合此以爲人。和乃生，不和不生。（《管子·内業》） "道"者，一人用之，不聞有餘；天下行之，不聞不足。……小取焉，則小得福；大取焉，則大得福。（《管子·白心》）

上引帛書《道原》與老子和稷下道家學說對照，大體上相合。這裏，從比較研究中提出若干問題進行討論。

（一）《道原》表述"有物混成，先天地生"的"道"之原始性狀，是否不折不扣地符合老子學說的本來涵義呢？

實際上，《道原》開頭所說"道"的原始狀態那段，衹說了它混沌一體，"迥同太虛"（據《淮南子·詮言》："洞同天地，渾沌爲樸，未造而成物，謂之太虛。"）衹是變了個名稱叫"太虛"。說原始道體"未有明晦"，是指天地未生，也是對的。但我們要問：這個"渾沌爲樸"的"太虛"是動的、還是靜的呢？原文說："虛同爲一，恒一而止"，"神微周盈，精靜不熙"。顯然，這種"止"、"靜"的說法，都表示在《道原》作者看來，原始的混沌本體是靜止的。這就與老子所說"周行而不殆"，"大曰逝，逝曰遠。遠曰反"的循環往復轉動的原意不合。

按：帛書甲乙本均無"周行而不殆"一句，但都有"大曰逝，逝曰遠，遠曰反"據筆者理解，"大曰逝，逝曰遠，遠曰反"正是指"先天地生"的原始道體"周行而不殆"而言的。如果混沌的道體并不循環往復地"周行"，那怎麼說得上"大曰逝，逝曰遠，遠曰反"呢？"反"，不正指龐大無邊的道體循環轉動，離去很遠又返回原處嗎？《老子》先秦傳抄本甚多，帛書甲乙本無"周行而不殆"，可能抄漏了。

然而，《道原》作者把原始道體說成是"恒一而止"，"精靜不熙"，而不是"周行而不殆"；對于"大曰逝，逝曰遠，遠曰反"也未作解釋，我以爲并不合于老子"道"的本意，這是"走了神"。

黃老著作另一部《文子》，其《道原》說得更是"離格"。作者講過了"有物混成，先天地生……"以後，竟然跳出來推動天地運轉的"三皇"，原文說："古者三皇，得道之統，立（位）于中央，神與化游，以撫四方。是故能天運地塘，輪轉而無廢。"本來，老子哲學以天文學爲科學依據[1]，是堅持無神論的。但他的後輩道家，竟造出了"三

---

[1] 老聃是史官，與太史在一起工作。古時傳統，太史經管天文曆法，兼管記載史事。如此傳承，到西漢司馬遷時仍是這樣。老子熟悉天文曆數，深懂自然規律，才能作出自然無道的哲學概括。

皇"成爲宇宙的推動者,真是荒謬可笑。

（二）《道原》對于原始道體怎樣生化天地萬物描述得怎樣呢?如與老子的"道生一,一生二,二生三,三生萬物。萬物負陰而抱陽,冲氣以爲和"相比,老子用的是哲學概括,《道原》用的是形象描述,請看第(2)段所言,諸如:"天弗能覆,地弗能載",到底天與地怎樣生成的,并未説清;"小以成小,大以成大",這裏的"小、大"是否指天地萬物,詞意含混;"在陰不腐,在陽不焦",儘管用了"陰、陽"二字,也無"萬物負陰而抱陽,冲氣以爲合"的涵義;"一度(指"道")不變,能適蚑蟯……"到末尾,雖講萬物化生,是怎樣化生、基于甚麼因素化生,都没有講清楚。與老子的"道生一,一生二,二生三,三生萬物,萬物負陰而抱陽,冲氣以爲和"的哲學概括相比,老子用"一、二、三"數字概括,表示由簡單到複雜,很高明;而《道原》所用形象描述卻是低層次的,作者想説清又説不清楚(我們不苛責古人,現代的科學家也難以説清)。從"用"的角度,所引《道原》後兩句:"人皆以之,莫知其名;人皆用之,莫見其形",當淵源于老子的:"道冲,而用之或不盈。淵兮,似萬物之宗"。所引《道原》文中"盈四海之内,又包其外",正與稷下道家《宙合》所論相合,即"上通于天之上,下泉于地之下,外出于四海之外,合絡天地以爲一裹。……是大之無外,小之無内"。

（三）第(3)段文字的整體,是講天地萬物化生以後"道"的性狀,與第(2)段有些重複。請注意開頭幾句:"一者,其號也;虛,其舍也;無爲,其素也;和,其用也",這四句有綱要性質,當淵源于稷下道家。請看對照表,第一句"一者,其號也",稷下道家承繼老子哲學,亦將"道"稱作"一",如"道之所言者一也,而用之者異"(《形勢》);又如"執一不失,能君萬物。……得一之理,治心在于中,治言出于口,治事加于人,然則天下治矣"。這裏把"執一"用于君主南面之術。第二、三句"虛,其舍也;無爲,其素也",如與所引《管子·心術上》對讀便使人豁然開朗,意即"天之道"是"虛而無形"的,它"遍流萬物而不變"(不變,是説道的統一性、永恒性);"德"乃是"虛而無形"的"道之舍"。因此,"物得之以生,生得以職道之精"。"無爲之謂道"(正指"無爲其素也",自然無爲乃是道的本質),"舍之之謂德",所以"道、德"兩者分不開。第四句"和,其用也"應怎樣理解?請看對照表的《管子·內業》:"凡人之生也(不僅是人,所有生物均如此),天出其精,地出其形,合此以爲人。和乃生,不和不生。"這裏"和乃生",正指"和,其用也",深一層領會其實質,恰是老子所説"萬物負陰而抱陽,冲氣以爲和"變換了另一種説法。這個"和"字很重要,《道原》作者自然懂得老子的本義,但表述卻没有《內業》説得那麼清楚。至于第(2)段最後,萬物"皆取生,道弗爲益少;皆反爲(指由生到死,返回本根),道弗爲益多",這與《管子·白心》所言:"道者,一人用之,不聞有餘;天下行之,不聞不足"文意一致。最後"堅强而不撌(匱),柔弱而不可化……"也説的是"道"的特性。

作者簡介 胡家聰,1921年生,北京人。現任中國社會科學院政治學所研究員。發表有《管子》研究論文三十餘篇。

《黄老帛書》哲學淺議

蕭萐父

漢代學者已有定稱（"黄老之家"、"黄老之義"、"黄老之術"）的黄老學，其傳世經典爲《老子》及淵源于老學而後出的《黄帝書》。司馬遷稱：漢初，由于竇太后好《黄帝》、《老子》言，"帝及太子、諸竇，不得不讀《黄帝》、《老子》，尊其術"（《史記·外戚世家》）。關于《黄帝書》，據《漢書·藝文志·諸子略》在"道家類"著錄了五種：《黄帝四經》四篇、《黄帝銘》六篇、《黄帝君臣》十篇、《雜黄帝》五十八篇、《力牧》二十二篇；此外，在"陰陽家類"、"兵陰陽類"、"小説家類"、"天文類"、"五行類"、"醫經類"、"經方類"、"神仙類"等託名黄帝的論著尚有二十一種，除"醫經類"中的《黄帝内經》一種尚存外，其餘全都在東漢以後陸續亡佚。一九七三年長沙馬王堆三號漢墓出土、與《老子》乙本合卷的帛書《經法》等四篇古佚書，據考，正是晚周至秦漢流行的《黄帝書》的重要部分①，補足了這一時期哲學史料的重要環節。就《經法》等四篇的主要内容看，與司馬談在《論六家要旨》中對道家思想的概要，正相契合，所引"聖人不巧（按《史記·自序》作"朽"，據《漢書·司馬遷傳》校改），時變是守"一語，正出于《十大經·觀》。

---

① 唐蘭等考訂這四篇即《漢書·藝文志》所藏的《黄帝四經》。這四篇帛書，出土時瀧有篇名及字數而無統一書名，現姑名爲《黄老帛書》，待後確考。

這四篇佚書——《經法》、《十大經》①、《稱》、《道原》,其思想内容和文字結構,都首尾一貫,自成體系,因而可以作爲一個整體來加以研究。本文即想探討一下《黄老帛書》的哲學思想。

《黄老帛書》對老子哲學的"道"範疇,特別是包容于其中的關于"獨立而不改,周行而不殆"的客觀規律性的涵義,給予了進一步的發揮,把"道"看作是客觀存在的天地萬物的總規律。

首先,帛書論述了"道"的根本性質是"虚同爲一,恒一而止"、"人皆用之,莫見其刑[形]"(《道原》)。"道"作爲規律,是看不見的,寓于虚而普遍起作用,守恒而穩定。

> 虚無刑[形]其裻[督](人體八脈,督脈居脊中)冥冥,萬物之所從生。(《經法·道法》)

> 恒無之初,迥[洞、通]同太虚。虚同爲一,恒一而止。濕濕夢夢,未有明晦。……古[故]無有刑[形],大迥無名。天弗能復[覆],地弗能載,小以成小,大以成大,盈四海之内,又包其外。在陰不腐,在陽不焦,一度不變,能適規[蚑]僥[蟯],鳥得而蜚,魚得而流[游],獸得而走,萬物得之以生,百事得之以成。人皆以之,莫知其名,人皆用之,莫見其刑[形]。(《道原》)

這是對作爲普遍規律的"道"的一些樸素説明,從"恒無之初"以來,"道"就貫通于整個宇宙的發展之中,"道無始而有應"(《稱》),"通同而無間,周襲而不盈"(《道原》),在一切大小事物中普遍而恒常地起着作用,是萬物所以生長、百事所以能成的總根據。這個"道",又可稱爲"一":

> "一"者,其號也……夫爲"一"而不化,得道之本,握少以知多。(《道原》)

> "一"者,道其本也。……"一"之體,察于天地;"一"之理,施于四海。……夫唯"一"不失,"一"以騎[趣]化,少以知多。夫達望四海,困極上下,四鄉[向]相枹[抱],各以其道。夫百言有本,千言有要,萬言有蔥[總],萬物雖多,皆閱一空[孔]。(《十大經·成法》)

---

① 此據唐蘭等釋本。另張政烺、裘錫圭對比帛書中的"六"、"大"二字,認爲應作《十六經》。

這是説,雜多事物中有根本之道,即"一";萬物都受一個總規律支配,如出一孔。把握了它,就可以"握少以知多"。

其次,帛書還反復强調了"道"的客觀必然性,認爲:"道之行也,繇[由]不得已"。(《十大經·本伐》)規律是事物之間的客觀必然聯繫,帛書顯然吸取了當時的天文、曆算的科學成就,指出:

> 天執一以明三:日信出信人,南北有極,[度之稽也。月信生信]
> 死,進退有常,數之稽也。列星有數,而不失其行,信之稽也。(《經
> 法·論》)

> 四時有度,天地之李[理]也。日月星晨[辰]有數,天地之紀也。
> 三時成功,一時刑殺,天地之道也。四時時有定,不爽不代[忒],常有
> 法式,□□□□,一立一廢,一生一殺,四時代正,冬[終]而復始。
> (《經法·論約》)

這些自然規律的客觀性和必然性,可從它們有"度""數"可考,有"法式"可循而得到證明。它們獨立于人的意識之外,"獨立無偶,萬物莫之能令"(《道原》)。

至于社會生活,同樣有其客觀規律。按帛書的觀點:"極而反者,天之性也"。(《經法·論》)"極而反,盛而衰,天地之道也,人之李[理]也"。(《經法·四度》)物極必反,初看作是天道、人事共同的最根本的規律。儘管"極而反"的客觀規律是同一的,但"人之理"有一個"審知順逆"的問題。這又是"天道"和"人道"的重要區別。《經法》首篇指出:

> 天地有恒常,萬民有恒事,貴賤有恒立[位],畜臣有恒道,使民
> 有恒度。天地之恒常:四時、晦明、生殺、蝚[柔]剛。萬民之恒事:男
> 農、女工。貴賤之恒立[位]:賢不宵[肖]不相放。畜臣之恒道:任能毋
> 過其所長。使民之恒度:去私而立公。

這是說,除自然有其"恒常"規律外,人類社會諸方面還有特定的"恒事"、"恒位"、"恒道"、"恒度"。這裏,把男耕女織的自然經濟的基礎上建立的封建等級制以及所謂"畜臣"、"使民"的一些重要規範,都看作具有客觀規律的性質,認爲這些"人事之理",也是"順則生,理則成,逆則死"。如果違背這些規律,就會"亂生國亡"。(《經

法·論約》)但是,這些社會規律的表現是極其複雜的,"或以死,或以生,或以敗,或以成,禍福同道,莫知其所從生";"絕而復屬,亡而復存,孰知其神?死而復生,以禍爲福,孰知其極?"因而,憑主觀,看表面,是找不出規律性的。必須認真清除各種主觀偏見,即所謂"見知之道,唯虛無有",做到"無執"、"無處"、"無爲"、"無私",徹底虛心地體察情況,纔能認識客觀規律。同時,還要認真發揮認識的能動性,所謂"反索之無刑(形),故知禍福之所從生"(《經法·道法》)。即運用抽象思維能力,探索事物的内在規律性。

由此,《黄老帛書》系統提出了"執道"、"循理"、"審時"、"守度"的思想。

所謂"執道",即認識和掌握客觀事物的普遍規律。帛書反復强調"執道"的重要性,如説:

故唯執道者,能上明于天之反,而中達君臣之半[畔],圉密察于
萬物之所終始,而弗爲主,故能至素至精。恬[浩]彌無刑[形],然後
可以爲天下正。(《經法·道法》)

"執道者"纔能明白天道"極而反"的法則,了解社會生活中君道和臣道的區分,周密觀察各種事物的變化過程,而不抱先人爲主的成見。這樣,就能認識精深,思路開闊,成爲天下是非的準絕。"執道"要從根本上著眼,"執道循理,必從本始"。(《經法·四度》)"執道"的關鍵一環,在審定"形名","刑[形]名已定,逆順有立[位],死生有分,存亡興壞有處;然後參之于天地之恒道,乃定禍福、死生、存亡、興壞之所在。是故萬舉不失理,論天下而無遺策"。(《經法·論約》)這個"天地之恒道",也就是"極而反"——任何事物都依一定條件而向相反方面轉化的辯證法則。帛書試圖用"天稽環周"、"時反以爲幾"、"瓶紃變化,後將反施"等來表達這一辯證法則的内容。

所謂"循理"就是具體地"審知順逆"。"物各合于道者,胃[謂]之理;理之所在,胃[謂]之順。物有不合于道者,胃[謂]之失理;失

理之所在,胃[謂]之逆。順逆各自命也,則存亡興壞可知"。(《經法·論》)可見,理是道的具體化。這和韓非的"萬物各異理而道盡,稽萬物之理"(《解老》)的觀點是一致的。帛書强調社會政治爭門中的各種順逆問題的複雜性,提出"順逆同道而異理,審知順逆,是胃[謂]道紀",也就是要求根據道的原則來具體研究和處理這些複雜的順逆關係。它分析當時社會生活中最重要的順逆,是所謂"四度"問題,即要正確認識和處理君臣、賢不肖、動靜、生殺四者的順逆關係。"審知四度,可以定天下,可安一國";如果處理不當,造成"君臣易位"、"賢不肖並立"、"動靜不時"、"生殺不當",就會招致"身危爲僇"、"國危破亡"的"重殃"。(《經法·四度》)帛書作者認爲,"四度"等社會生活之理,表現爲"法"。"法"是道所派生,是道和理的社會表現;執道循理,就必須立法。帛書開宗明義就提出了"道生法"的命題:

> 道生法。法者,引得失以繩而明曲直者也。故執道者,生法而弗敢
> 犯也,法立而弗敢廢也。□能自引以繩,然後見知天下而不惑矣。
(《經法·道法》)

稷下學者曾提出過"法出乎權,權出乎道"(《管子·心術上》)的觀點,韓非也提到"以道爲常,以法爲本"(《韓非子·飾邪》),但韓非更重視法術勢三結合的君主權力;而帛書則强調"道生法","法"是社會規律的客觀表現,立法者也必須"自引以繩","生法而弗敢犯","法立而弗敢廢",帛書並概括出了"法度"這一範疇,用以指新的政治法權原則:

> 法度者,正[政]之至也。而[能]以法度治者,不可亂也。而[能]
> 生法度者,不可亂也。精公無私而賞罰信,所以治也。(《經法·君
> 正》)

建立統一的法度,"精公無私"地遵守執行,這是帛書爲統治者提供的國策。

所謂"審時",即處理各種順逆矛盾必須掌握事物變化發展的轉折點,做到"靜作得時"。帛書一再强調:"聖人不巧,時反是守"

（《十大經・觀》）；"聖人之功，時爲之庸"（《十大經・兵容》）。善于掌握和利用時機，是聖人成功的關鍵。但時機是客觀地存在于事物的變化之中，"其未來也，無之；其已來，如之"。不能靠主觀的臆測或僥倖去掌握，而袛能"不割[專]已，不豫謀，不爲得，不辭福，因天之則"。（《稱》）所以説："王者不以幸[倖]治國，治國固有前道"（《十大經・前道》）。這個"前道"，就是全面了解天時、地利、人事，"當天時，與之皆斷。當斷不斷，反受其亂"。（《十大經・觀》）"時若可行，亟應勿言。時若未可，塗其門，勿見其端"。（《稱》）應當奪時而動，見幾而作，果斷行事。帛書更進一步指出：

> 明明至微，時反以爲幾。天道環圓，于人反爲之客。爭[靜]作得時，天地與之。爭不衰，時靜不靜，國家不定。可作不作，天稽環周，人反爲之圆。靜作得時，天地與之；靜作失時，天地奪之。（《十大經・姓爭》）

這裏的"幾"，指事物在發展中轉折的契機。這種契機。或矛盾轉化中的關鍵時刻，是"明明至微"，即極不明顯，卻又明顯地存在着。"天道"獨立地不斷地運行，但是人們如果按照天道運行的規律，"靜作得時"，掌握了時機，就可以使客觀的天道爲人所利用，變爲人所支配的"客"（即認識和改造的客體）。反之，如果爭奪不止，時當靜不靜，事可作不作，人們在"天道環周"面前，"靜作失時"，不善于掌握時機，人就會反而成爲"天道"所支配的客體，處于被動地位。動靜"得時"或者"失時"，是人能夠在客觀規律面前發揮能動性、獲得主動權的關鍵。

所謂"守度"，是觀察變化、掌握時機中的重要一環，即注意事物變化中的數量關係及其一定的限度。帛書突出地闡述了"度"的概念，強調了"守度"或"處于度之內"的重要性，得出了"過極失當，天將降殃"的重要論斷。它指出，任何"動于度之外"而希圖僥倖成功的事，都必然失敗，"功必不成，禍必反自及也"。袛有"處于度之內""靜而不移"，纔能"已諾必信"（《經法・名理》）。所謂"度"，也是一定的數量標準。因而統一度量衡標準，是當時社會經濟生活中的重大問題，帛書强調："八度者，用之稽也"。即規、矩、曲、直、水平、尺寸、權衡、斗石等，都要確立統一的"度"，做到"輕重不爽"，"少多有數"，就可以"度量已具，則治而制之矣"。(《經法·四度》)推而廣之，自然事物和社會生活的各方面，都有其特定的"度"，特別是使民要有"恒度"，賦斂更要"有度"，如果"變恒過度"、"過極失當"，就會使事情走向反面，造成嚴重後果。它警告說：

　　黃金珠玉臧[藏]積，怨之本也。女樂玩好燔材[疑爲蓄財]，亂之

　基也。守怨之本，養亂之基，雖有聖人，不能爲謀。(《經法·四度》)

　　以上幾個環節，表明《黄老帛書》對規律的客觀性和必然性以及人對客觀規律的掌握和利用問題，作了較切實的論述。

　　此外，《黄老帛書》還以"凡論必以陰陽明大義"(《稱》)爲綱，闡述了樸素辯證法的矛盾觀，並富有特色地提出了以柔克剛的"守雌節"思想。

　　"凡論必以陰陽明大義"，是帛書廣泛論及自然和社會各個領域大量的陰陽對立事象所概括出的思想原則，即是說，客觀事物無不具有陰陽對立的兩個方面，因而，我們觀察事物也必須堅持陰陽對立的觀點。帛書明確指出：

　　觀天于上，視地于下，而稽之男女。夫天有[恒]斡，地有恒常，合

　□□(疑奪"兩""日"二字)常，是以晦有明，有陰有陽。夫地有山有

　澤，有黑有白，有美有亞[惡]。地俗[育]德以靜，而天正名以作。靜作

　相養，德瘧[虐]相成，兩若有名，相與則成，陰陽備物，化變乃生

　(《十大經·果童》)

　　這是説，遠觀天地，近察男女，看出一個普遍永恒的法則，即"合兩日常"，矛盾着的對立面是永遠結合着的，"兩相養，時相成"，是相養相成的。正因爲陰陽備于一物，所以"化變乃生"。以"陰陽備物"爲内因的一切事物的"化變"，表現爲新陳代謝的客觀法則。因而，帛書作者認爲，對待新舊事物的矛盾轉化的正確態度應當是："不臧[藏]故，不挾陳。鄉[嚮]者已去，至者乃新，新故不槮[摻

糾],我有所周"。(《十大經》結語)這是説,對新舊事物的代謝,不應當去保留舊事物,陳舊的東西已經過去,新生的事物就會到來,舊東西和新事物不會老是糾纏在一起,所以應當捨故趨新,歡迎變化,周流不息。

既然新舊事物的轉化是必然的,因而帛書作者在考察社會矛盾運動時作出了兩方面的結論。

一方面,肯定了矛盾對立的必然性,明確指出:自然界和人類社會本來充滿着"謀相覆傾"的衝突,這是"天制固然",無可憂患。"天地已定,規[蚑]僥[蟯]畢挣[爭]。作爭者凶,不爭亦毋以成功"。這是自然界的生存鬥爭。至于人人類社會,"天地已成,黔首乃生。勝[姓]生已定,敵者□生爭,不諶[戡]不定"。(《十大經·姓爭》)祇能用正義鬥爭去戰勝非正義鬥爭。因而,正義戰爭,特別像黄帝征蚩尤之類的"伐亂禁暴"的戰爭,是必要的。

另一方面,又肯定了在促進矛盾轉化的過程中,新生的一方必須以弱勝强,因而取勝的策略應當以"雌節"爲主。老聃貴柔,基于"反者道之動,弱者道之用"的觀點,提出了"知其雄,守其雌"的原則。帛書發揮了這一思想,製定了"雄節"和"雌節"這一對特殊範疇,用以區分兩種鬥爭的策略和方式。凡盛氣凌人,驕橫自恃的,稱爲"雄節";凡外示柔弱,謙慎自恃的,稱爲"雌節",帛書分析:"夫雄節者,浧[滿]之徒也;雌節者,兼[謙]之徒也"。(《十大經·雌雄節》)認定憑雄節取勝,並非是福,取勝的次數愈多,招致的禍殃愈大,"凶憂重至,幾于死亡";反之,據雌節而暫時失敗,必將受賞,失敗的次數越多,越是積德。"凡人好用雄節,是胃[謂]方[妨]生",雄節實是"凶節";"凡人好用雌節,是胃[謂]承祿",雌節乃是"吉節"。(同上)例如,"大墓[庭]之有天下也,安徐正靜,柔節先定",結果是"單[戰]朕[勝]于外,福生于内,用力甚少,名殸[聲]章明,順之至也"。(《十大經·順道》)所以説:"辯[辨]雌雄之節,乃分禍福之鄉[向]"。(《十大經·雌雄節》)"以剛爲柔者栝[活],以柔爲剛者伐。重柔者吉,重剛者滅"。(《經法·名理》)

帛書這一雌雄、柔剛之辨的思想，源于老子。由于估計到了新舊事物的矛盾轉化總是遵循着"極而反，盛而衰"的客觀規律，而新事物由弱小到強大的發展又總是經歷着迂迴曲折的道路，所以帛書把守雌節的主要原則看作是"卑弱主柔，常後而不失[先]"(《十大經·順道》)，強調"聖人不爲始"，"短者長，弱者強，羸絀變化，後將反佢[施]"(《稱》)，即是說，不應當去先發首創，而應當利用強弱轉化的客觀法則，後發制人。以軍事鬥爭爲例，帛書反復指出："以有餘守，不可拔也；以不足功[攻]，反自伐也"。(《經法·君正》)在戰爭的策略上，更要"立于不敢，行于不能，單[戰]示不敢明勢不能。守弱節而堅之，胥雄節之窮而因之"(《十大經·順道》)所謂"不敢"、"不能"，一方面是使自己永遠處于不自滿狀態，堅持雌節，謙虛謹慎，留有餘地；另一方面是向敵人示之以弱，助長其驕橫自滿，使之由強變弱，自取敗亡。

總起來，《黃老帛書》把樸素辨證法的矛盾轉化觀運用于社會現實的觀察，即肯定"今天下大爭"，"不爭亦無以成功"，要當機立斷，敢于鬥爭；又強調堅守"雌節"，"弗敢以先人"，留有餘地，後發制人，即要注意策略，善于鬥爭。這兩方面的結合，就理論思維水平來說，繼承老子而高于老子。就其現實意義來說，實際指導了漢初幾十年"清靜無爲"的政治而發揮了鞏固新興封建政權的歷史作用。

作者簡介 蕭萐父，1924 年生，四川成都人。現任武漢大學哲學系教授、博士生導師，中國哲學史學會副會長。著有《中國哲學史》等。

馬王堆帛書《經法・大分》及其他

李學勤

内容提要　馬王堆帛書《老子》乙本卷前佚書的第一篇《經法》第四章，釋文原題爲《六分》。本文通過字形和文義的分析，提出章題應改爲《大分》。同時論證了佚書第二篇當題爲《經》，其末章則應題作《十大》，與《大分》可以互相比證。

　　本文所想討論的，是著名的馬王堆帛書《老子》乙本卷前佚書第一篇《經法》的第四章，發表時原題爲《六分》。至于這裏爲什麼要改稱爲《大分》，正是本文要說明的事情。

　　《老子》乙本卷前佚書，在整個馬王堆帛書中發表最早，并且一開始就有學者撰著專文研究。唐蘭先生親身參加這部分帛書的整理注釋，他在 1974 年的論文中首先提出佚書是《黄帝四經》，隨後又有文申論。四篇佚書可稱爲《黄帝書》，與二篇《老子》合抄，即成爲"黄老帛書"①，文獻中常見的"黄老"之語，即本于此。

　　"黄老帛書"自公佈以來，在海内外引起對黄老之學的熱烈討論，討論中産生的種種見解，已爲很多學術史、思想史、文化史以及文獻學的作品所吸收。不過，和所有古代文獻一樣，帛書的内涵在不同學者心目中會有不同的理解，同時還有一些問題，隨着討論的深入逐漸提了出來，有待于考慮和解決。這些問題，每每是在帛書

---

① 任繼愈主編：《中國哲學發展史》（秦漢）第 102 頁，人民出版社，1985 年。

整理之初難于想到的，甚至有的看似簡單的問題也是如此。

這裏想談的，其實祇涉及帛書上的一個字，僅僅是由于帛書的抄手有所不慎，纔導致了反覆和爭論。大家知道，馬王堆帛書《老子》乙本及卷前佚書，抄寫十分整齊，字體相當秀麗，已爲書法界交口稱道。同出的還有幾種帛書，如《周易》經傳、《相馬經》、《五星占》和所謂《刑德》乙等，審其字體，也出于同一抄手。因爲《五星占》篇内已經有漢文帝三年的紀年，而出帛書的馬王堆三號墓下葬于文帝十二年，所以這位抄手抄寫這些帛書的時間當在墓主死前不久。也就是說，它們乃是當時的一批"新書"。如果允許我們猜想，或者墓主是專門請了這個抄手，爲他抄錄了若干書籍，以備閱讀庋藏，現在我們看到的大約祇是其一部分。這種情形，雖然比不上河間獻王的搜集書籍，卻也具體而微。

這位抄手看來是職業的抄書人，他所寫出的帛書無不工整端麗，顯示出書法的水平，可是仔細讀來，又不難發現書内錯譌百出，表明抄手并不是那樣負責任的。最典型的例子，是他竟把《周易》中的"象"這一極爲要緊的字，統統抄成了"馬"字，既不能用通假解釋，也絕無義理之可言，祇能說是形近致譌能了。應當說明，我們一望而知帛書是："指象爲馬"，是由于大家都熟悉今傳本《周易》，而那些没有今傳本的佚書，中間到底有多少譌字，恐怕不容易推求清楚。另外顛倒衍漏等等錯誤，必然也有不少。說不定有些我們認爲大有奧義可尋的地方，正出于抄手的粗心大意。

帛書《黄帝書》中，有兩個字不時淆混，就是"大"和"六"，值得我們詳細分辨和研究。大家知道，在漢以來的隸書裏，這兩個字是不會淆混的。"大"字的結構是三筆，一横一撇一捺[①]；"六"字的結構則是四筆，較早的是一撇一捺又一撇一捺，較晚的是一點一横又一撇一捺，和今天的楷書一樣[②]。然而自漢初上溯，戰國文字和秦文字的這兩個字，結構卻頗相近似。例如在戰國時期的楚文字中，

---

① 洪鈞陶：《隸字編》第 362—364 頁，文物出版社，1991 年。
② 同上，第 210—212 頁。

“大”和“六”都是四筆,有些彼此難于區別①;在秦文字中,亦有類似的問題,兩字都是四筆,而“大”字的末筆也有斷開的②。帛書抄手所根據的底本,很可能是用這樣的字體書寫的,在抄手的筆下出現差錯混淆,實在是意料中事。

這名抄手所寫出的“大”和“六”,一般説是已經有分別的,“大”字是三筆,“六”字是四筆——一撇一捺又一撇一捺,合于隸書的規範。祇是“大”字的末筆有的仍是斷開的,這也是字形過渡中不可避免的現象。

“大”、“六”淆混的問題,比較突出的是在《黄帝書》第一篇《經法》的第四章,整理小組釋文題爲《六分》③。章文多次出現“大”、“六”二字,現在把其中主要的摘記出來:

帛書第二三行上:“凡觀國,有六逆”,“六”字四筆,明確無誤。

二三上至二三下:“雖强大不王”,“大”字三筆,末筆連,無誤。

二四下:“大臣主,命曰壅塞”,二六上:“國將大損”,二六下:“主暴臣亂,命曰大荒”、“國無小大,有者滅亡”,從文義看都是“大”字,均三筆,末筆連,無誤。

二七上:“凡觀國,有大順”,“大”字三筆,末筆連,由字形看確係“大”字。但與二三上“凡觀國,有六逆”句,及下面二八上“六順六逆”句聯繫,“大”應爲“六”字之誤,釋文的意見是正確的。

這一點還可以從“六順六逆”的内容得到證明。查該章原文,所謂“六逆”是:

(一)嫡子父,大臣主;

(二)謀臣在外位;

(三)臣不失處(按“處”訓斷決,見《漢書·谷永傳》注。“臣不失處”意味有斷決之權);

---

① 湖北省荆沙鐵路考古隊:《包山楚简》圖版一二二、一二四,文物出版社,1991年。特别是 248 简的“大”和 91、118 简的“六”。
② 張世超、張玉春:《睡虎地秦简文字編》第 745、1003 頁,日本中文出版社,1990年。特别是 5、12、4、24、21、29 的“大”和 6、14、15、12、10、7,的“六”。
③ 國家文物局古文獻研究室:《馬王堆漢墓帛書》(壹),文物出版社,1980 年。

（四）主失位（帛書原誤爲“臣失處”）；

（五）主暴臣亂；

（六）主兩。

所謂“六順”是：

（一）主不失其位（與六逆之四相對）；

（二）臣失其處（與六逆之三相對）；

（三）主惠臣忠（與六逆之五相對）；

（四）主主臣臣，上下不赾（與六逆之一相對）；

（五）主執度，臣循理（疑係與六逆之六相對）；

（六）主得□，臣輻屬（疑係與六逆之二相對，“謀臣在外位”指謀臣與他國勾結，不輻屬本國之主）。

足知“六順”、“六逆”的“六”字都是準確的。

二八上：“六順六逆□存亡□□之分也”，因句中有缺字，理解不免困難。“六順六逆”的“六”字，都作四筆。“逆”下一字，從文理說，很像是“者”字，但看帛書殘筆，實際并不是“者”，釋文没有在該字下加標點，是審慎的。“亡”下兩字，釋文補以“興壞”，應該是接近原義的。

問題是在二八下的幾句，釋文作：“主上者執六分以生殺，以賞□，以必伐。天下太平，正以明德，參之于天地，而兼覆載而無私也，故王天[下]。”“賞”下一字，或補爲“信”[1]，或補爲“罰”[2]。這裏的“六”字，細看與二八上相隔十幾個字的“六順六逆”兩個“六”字頗有不同，上面是一橫，左面的撇也是接連的，右面的捺則是斷的，總的説來，它更接近於“大”字。

章末三五下的標題，作“大分”，“大”字三筆，所寫的無疑是“大”而不是“六”字，其末筆也是接連的。

既然兩處——二八下和三五下都是“大分”，那麼這一章的標題究竟是“六分”還是“大分”，就需要斟酌了。這個問題的關鍵，是

---

[1]　馬王堆漢墓帛書整理小組：《經法》第17頁，文物出版社，1976年。
[2]　余明光：《黃帝四經與黃老思想》第254頁，黑龍江人民出版社，1989年。

對二八上上面引過的一句的理解。該句:"六順、六逆□存亡□□之分也",大意還是清楚的,即"觀"或者説考察一"國",存在"六順"或"六逆"的徵象,是決定其存亡興衰的"分"。"六順"、"六逆"彼此相對,有"六順"則存則興,有"六逆"則亡則衰,這是"分",但不好説是"六分"。因此,接着的一句"主上者執六分以生殺"云云,是否當爲"六分"也應重新考慮。

其實,"大分"一詞在戰國到漢的文獻中曾再三出現。例如《荀子·勸學》云:

> 禮者,法之大分,類之綱紀也。

楊倞注:

> 禮,所以爲典法之大分,統類之綱紀。類,謂禮法所無,觸類而長者,猶律條之比附。

同書《非十二子》:

> 苟以分異人爲高,不足以合大衆,明大分。

注:

> 既求分異,則不足合大衆;苟立小節,故不足明大分。大分,謂忠孝之大義也。

《漢書·百官公卿表》:

> 故略表舉大分,以通古今,備溫故知新之義云。

由此可見"大分"的意思是大義、要領①。"六順"、"六逆"是一國存亡興衰的關鍵,做君主的必須把握這樣的要領,去施行生殺、賞罰、征伐等政事。所以,把帛書這一章的"六分"改讀爲"大分",連同章題也改正爲《大分》,恐怕是必要的。

談到《經法》的《大分》這一章,有一點要附帶説的,是此章有明引《老子》及《易傳》之處。章文云:"王天下者有玄德",係襲用《老子》語,如王弼本五十一章:

> ……道之尊,德之貴,夫莫之命而常自然,故道生之,德畜之,長之育之,亭之毒之,養之覆之,生而不有,爲而不恃,長而不宰,是謂

_____

① 參見《辭源》"大分"條。

玄德。

又六十五章：

> 古之善爲道者，非以明民，將以愚之，民之難治，以其智多，故以
> 智治國國之賊，不以智治國國之福。知此兩者亦稽式，常知稽式，是
> 謂玄德。……

章文云："唯王者能兼覆載天下，物曲成焉"，係用《易傳》語，見《繫辭上》：

> 範圍天地之化而不過，曲成萬物而不遺。①

而"覆載"一語又係來自儒書，如《禮記·中庸》云"天之所覆，地之所載"，《孔子閑居》云："天無私覆，地無私載"。後者所說三王均奉此種無私之德，尤與《大分》王者能兼覆載天下相近。有關這方面的問題，在此不能詳說，下面讓我們再回到本文的主題上來。

"大"、"六"二字的混淆，還見于《黄帝書》第二篇的篇末標題。這處標題，在帛書釋文原發表時曾釋爲"十大經"，後改爲"十六經"，而剛剛出版的裘錫圭先生《古代文史研究新探》又提出"細按字形，恐仍當釋爲'十大經'"②。這個問題，需要仔細考察一下。

所討論的標題，在帛書第一四二行上至下。先釋"大"改釋"六"的字，係三筆，末筆斷開，與上述《大分》章二八下的"大"一樣。再看和此字距離不遠的一三七上、下有"大"字，除末筆接連外，與此相似，而在一四二下的"六"字殘筆，則作四筆。因此，此字仍應釋"大"。

關于這處標題應該怎樣讀，最好對照這卷帛書（包括《黄》、《老》）其他各處標題來考慮。按這一帛書的抄寫體例，標題在本文之末，本文的末一個字與標題第一個字之間要留出空隙，姑名之爲"題空"。題空所佔位置，各篇章情形不一，略述如下：

《黄帝書》的《經法》篇各章，題空一般較小，前六章都空一字，後面《亡論》、《論約》空一字半，祇有末一章《名理》空二字。這末一

---

① 參見《馬王堆漢墓帛書》（壹）釋文第50頁。
② 裘錫圭：《古代文史研究新探》第571頁注①，江蘇古籍出版社，1992年。

章的章題下面有篇題和全篇字數：

　　　名理經法凡五千

"理"字和"經"字間相當靠近，這是在七七下，竟比七六下相接的兩個字的間隔還略密一些。但"經法凡五千"五字寫得較小，所以和"名理"兩字的區別是明顯的。

　　"名理"兩字上面的題空處帛有缺損，不過一定是空二字，因爲再上的本文末字"亡"是韵腳，不可能再有別的字了。

　　第二篇各章，題空仍以空一字爲多，空一字半的有三章，即《果童》、《姓爭》、《雌雄節》；空二字的有一章，即《兵容》。其末章的題空爲空三字，云：

　　　　十大經凡四千……六

"千"和"六"之間，從旁邊的第一四三行上、下的字數看，衹有一個半字的位置，同時細看在"千"字下那個字上端殘筆，此處最可能是"五十"合文。

　　第三篇《稱》不分章，題空爲空三字。第四篇《道原》也不分章，題空爲空二字。

　　《老子》的《德》篇，題空係空三字；《道》篇，題空約爲空二字。

　　以上各篇篇末的題空，位置都比較大，這是由于篇末這一行下方都是空白，以致抄寫到此在利用空間上就寬展不少。

　　對照第一篇《經法》與第二篇篇末標題的格式，可以看出它們最好標點爲：

　　　《名理》。《經法》，凡五千。

　　　《十大》。《經》，凡四千[五十]六。

《名理》、《十大》是章題，《經法》、《經》是篇題，合乎所謂大題在下。

　　《十大》作爲《經》篇末一章的標題，解決了這一章獨缺標題的困難。冠以數字的標題，在先秦子書中頗爲多見，如《管子》之《七法》、《五輔》、《八觀》、《四稱》、《九變》、《九守》、《孫子》之《九變》、《九地》、《墨子》之《七患》、《三辯》、《文子》之《十守》，《韓非子》之《二柄》、《八姦》、《十過》、《三守》、《六反》、《八説》、《八經》、《五蠹》

等等,不一而足。直到漢初的《新書》,還有《五美》、《六術》之目。

分析《經》篇這末一章,可以看出確可劃爲十句雖互有聯繫,又各成格言的話,且能以韻脚來判定:

(一)"欲知得失,請必審名、察形。""名"、"形",古耕部韻。

(二)"形恒自定,是我愈靜。""定"、"靜",耕部韻。此語與上同韻,但意義有別。

(三)"事恒自施,是我無爲。""施"、"爲",歌部韻。此語與上意聯,而韻脚已轉。

(四)"靜翳不動,來自至,去自往。""動"、"往",東、陽合韻。

(五)"能一乎?能止乎?"

(六)"能毋有己,能自擇而尊理乎?"以上二句,"止"、"己"、"理",之部韻,押韻同,但意義則兩者不同。

(七)"紆也毛(應爲屯字之誤)也,其如莫存。""屯"、"存",文部韻。

(八)"萬物群至,我無不能應。"此句無韻。

(九)"我不藏故,不挾陳,鄉者已去,至者乃新。""陳"、"新",真部韻。

(十)"新故不翏,我有所周。""翏"、"周",幽部韻。

所謂"十大"當即指這十句話,因其價值重大,故題爲《十大》。《荀子・性惡》注:"大,重也。"

把《十大》作爲《經》篇末章的標題,修正其釋讀,也解決了該篇章數的疑問。《經》篇共十五章,可以其總字數來印證。關于字數,過去的釋文前後也有更改,《經法》本作"凡四千□□六"[1],唐蘭先生一篇論文中作"凡四千三(?)□(百)六□(十)四"[2],《馬王堆漢墓帛書》(壹)則作"凡四千六□□六"[3]。如前所說,經再三觀察,此處似以作"凡四千五十六"可能爲大。唐先生在那篇論文中指出,

[1] 同前引《經法》第88頁。
[2] 唐蘭:《〈黃帝四經〉初探》,《文物》1974年第10期。
[3] 《馬王堆漢墓帛書》釋文第79頁。

《經法》共七十七行,《十大經》共六十五行,每行字數由六十餘字至七十餘字不等,假設以每行六十五字估算,《經法》約五千零五字,《經》約四千二百二十五字,均與所記字數相距不遠。所以,帛書原文是没有大的缺失的。

帛書《黄帝書》的第二篇標題爲《經》,和《墨子》有《經》類似。後者《莊子·天下》稱之爲"墨經",《晉書·魯勝傳》則云"上下經"。學者已指出,《經》篇《前道》章"治國固有前道,上知天時,下知地利,中知人事"曾爲《黄帝内經·素問》兩次引用,見其《氣交變大論》、《著至教論》①。前者云:"上經曰:夫道者上知天文,下知地理,中知人事,可以長久。"稱"上經"與《魯勝傳》"上下經"同例,足證帛書此篇爲《經》,且可分稱上下。《前道》是此篇的第十二章,因而所謂"上經"恐怕不是將此篇剖爲兩篇,而是此篇與其他文字合列,各爲上或下的意思。這個問題,在没有更新的材料以前,恐怕是很難有答案的,容當後論。

對照《十大》,《經法》篇《大分》這一章的標題似乎更能確定了。

<hr>

① 《馬王堆漢墓帛書》釋文第 76 頁,參喬李學勤:《范蠡思想與帛書〈黄帝書〉》,《浙江學刊》1990 年第 1 期。

帛書"十四經"正名

高　正

　　1973 年湖南長沙馬王堆三號漢墓出土的"黄老帛書",是戰國黄老學派的代表作,這基本已成定論。唐蘭先生生前認爲,列于帛書《老子》乙本之前的四篇古佚書,就是《漢書·藝文志》所著錄的《黄帝四經》,這種可能性的確很大。四篇古佚書中,列于《經法》之後、《稱》和《道原》之前的這部分文字的總篇題,最初被轉寫爲《十大經》,後來又改稱《十六經》,似皆誤。

　　這部分文字共有十四篇,另附一則簡短的後記,具有總括性質。後記的最末一句似應是:"十四經凡四千□□六"。"四"字在湖北望山第二號戰國墓出土竹簡中作"⿱",在戰國布貨中作"⿰"。與"大"(戰國盟書中作"大")、"六"(河南信陽長臺開戰國楚墓出土竹簡中作"⿱")形體相近,轉寫隸定時極易致誤。此處似應原作"四",可能在帛書傳抄過程中,從戰國文字轉寫爲漢隸時,由于形近而致誤。故似以作"十四經"爲是,亦正與篇目相符。除去後記中最末一句的九個字,其餘全部正文連同十四個小篇題在内的字數,共爲四千二百零六個,可推知所缺二字爲"二百"。後記中稱"四千二百六",而不稱"四千二百零六",這是古人的習慣。

　　此帛書中字數準確可考的《道原》篇末尾所標的字數,顯然是減去計數數字"四百六十四"五字本身而計算的;而篇題字數在計數時則包括在内。然後記末句中的"十四經"三字,也被當作計數數字而減去了。所以,雖然"十四經"今被用作篇名,而在後記中,則更像是總計各自具有篇題的十四篇經文的稱呼，并不是作爲專門的篇名。當然，這合一篇後記的十四篇經文，古人顯然是作爲一個整體來看待的。由此觀之，關于這部分文字篇章有所散佚或有所增益的猜測，似均根據不足。

　　作者簡介　高正，1954年生，江蘇泰州人。北京大學古文獻研究所碩士，現任中國社會科學院哲學研究所助理研究員。著作有《〈荀子〉版本源流考》等。

董仲舒和黄老思想

[美]薩拉·奎因*

一、引　言

　　1973 年，考古學家在長沙馬王堆發掘出了四篇手抄的古代文
獻，唐蘭認爲它們就是已經佚失了很久的《黄帝四經》，不過一般還
是稱之爲《黄老帛書》。它們的發現，使湮没了幾個世紀之久的黄老
傳統得以重見天日。圍繞着它，中國學者已經提出了許多問題，如
什麼是黄老學説？它是如何形成的？它的代表者是誰？在過去的
二十年裏，一些文章和某些已出版的著作已經提出了這些問題，本
文想通過考察黄老傳統對西漢最主要的儒家學者——董仲舒（公
元前 179—104）的影響，來弄清它在歷史上的發展。根據司馬談
（卒于公元前 110 年）在《史記》中的記載和《黄老帛書》，我想討論
以下諸點：黄老思想影響董仲舒的陰陽宇宙論形成的特殊方式，董
仲舒接受并提倡的黄老價值觀及黄老統治術，以及這個儒家學者
在漢代初期爲黄老思想取得的成就作出了什麼貢獻。探討這些問
題，不僅爲了解黄老學説的歷史，同時也爲我們了解西漢時期儒學
的正統性和調和性的本質，提供了一個新的視角。

　　在簡要地回顧董氏的政治生涯後，我將轉向保存在《春秋繁

＊ 本文作者薩拉·奎因（Sarah A. Queen），美國康涅狄格大學剛教授。1991 年在哈
佛大學歷史和東亞語言系獲哲學博士學位。主要從事董仲舒思想的研究。——譯者注

露》以及《漢書》中的宇宙論的材料。從後者中，我們更可發現以綜
合各家爲主旨的黄老道家的影響。有關他生活的歷史事實及保存
下來的文獻記載都表明，在其一生中，董仲舒經歷了從一個道家中
心的調和體系、一個自然中心的神學，以及一個老子中心的哲學，
到一個儒家爲中心的調和體系、一個經典中心的神學、以及一個孔
子中心的政治哲學的轉變。然而，在他生活的這兩個階段裏，黄老
傳統都在一些很重要的方面影響了董氏的思想。

二、歷史的證據：景帝和武帝統治時期

　　董仲舒生活的政治環境提示我們，在其早年，他完全生活在黄
老思想的氛圍中。漢景帝時期（公元前 157—141），董氏被任命爲
春秋公羊學派的博士。這時，他才發現了一些把聰明才智投入到研
究儒家經典中去的人。他的學生中，有胡毋生——也是一個《春
秋》學大師，以及轅固生，一個《詩經》專家。但是，董氏同時也和黄
老人士如司馬談的老師——黄子等保持聯繫。在景帝殿前進行的
黄子和轅固生的爭論，表明黄老和儒家間的學術交流是很普遍的。
　　此時，皇帝和他的母親竇太后（卒于公元前 135 年）都支持道
家學者。《史記》曾記載"景帝不任儒者"；"竇太后好黄老之術"；所
以，儘管有黄老之外的各派學者在朝廷中任職，但他們幾乎都沒有
機會得到提升。在這樣一個學術及政治氛圍中，董氏很可能以一個
黄老思想擁護者的身份出現，甚至可能已經寫了一些受其影響的
早期作品。面對皇室對黄老學者優遇有加的風尚，一個初到朝廷中
的年輕學者，大概不會與這種政治趨向相逆而動。同時，也不排除
董氏對黄老學說的愛好是出于嚴肅的興趣，而非政治形勢所導致。
與他之前的許多儒者相似，董氏可能直覺地認爲，道家傳統在某些
方面能夠豐富并支持他自己的觀點和想法。
　　公元前 141 年，在新任丞相衛綰的建議下，皇帝把朝廷中精通
中不害、韓非、蘇秦、張儀學說的學者清除了出去。公元前 136 年，

或許是董氏向皇帝建議的結果,皇帝縮小了儒學博士的活動範圍。他將博士人數限制到五位,每個人分別負責《易經》、《書經》、《禮》和《春秋》公羊學的解釋。公元前131年,當皇帝的舅父田蚡任丞相時,皇帝聽從了他"絀黄老刑名百家之言"的建議。公元前124年,武帝建立了太學,博士們在這裏指導學生們研讀經典文獻。研究《春秋》的一個學生公孫弘建議皇帝轉而支持儒家學者,他是從一個平民升爲國家的三大臣之一的。

時至今日,董氏向皇帝呈交的那些著名的對策,仍然是中國歷史學家們最爲熟悉的作品。這些資料中,保存有他以重塑作《春秋》的孔子爲素王這一基礎的改革運動的重要理論。但是,董仲舒的那些我們不大熟悉的作品又怎麼樣呢?

三、文獻的證據:景帝統治下的黄老思潮

在一篇長文中,我曾對《春秋繁露》中包含的董仲舒所撰寫的材料以及這些材料在不同程度上的可靠性和撰寫日期都作了論證。在該文中,我認爲有兩類著作都包含許多黄老思想。第一類,我稱之爲黄老篇章,幾乎全部都在書的第六卷和第七卷,它們主要探討專門的治國之術。它們將儒家、道家、墨家、名家及法家的思想結合的方式,與司馬談對黄老的論述是一致的。儘管這一類著作中可能包含某些董仲舒最早撰寫的黄老文章,但是,關于治國之術的多種觀點,缺乏對儒家經典的引用以及達到政治合理性的多種途徑,都顯示出這些資料要比目前認識到的更爲複雜。第二類材料,由于其中對陰陽宇宙論的重視,我稱它爲陰陽類篇章,這主要是指書的十一、十二、十三和十七卷。這些篇章列舉了各種宇宙圖式來支持統治者應更重視德而不是刑的政治主張。這組文章看起來有些是董仲舒的作品,另一些則由他的學生們寫成。在下面的討論中,我們將集中在那些有助于弄清董氏的陰陽宇宙論和黄老學説的關係的材料,而把那些更有問題的材料撇在一邊。

在探討陰陽類篇章的宇宙論和政治方面的見解之前，我想勾
畫一下黃老帛書的某些明顯特征。在《經法》部分，宇宙論的、心理
學的和政治的興趣結合起來，構成一個綜合的世界觀，這是非常明
顯的。《經法》篇的《道法》部分一開頭就宣稱"道生法"。自然界是
可以信賴的、不變的和有秩序的，因爲它由永恒的和固定的法則與
規律所控制。《論約》説：

　　　始于文而卒于武，天地之道也。四時有度，天地之理也。日月星
　　辰有數，天地之紀也。三時成功，一時刑殺，天地之道也。四時而定，
　　不爽不忒，常有法式。一立一廢，一生一殺，四時代正，終而復始。
自然界的這些性質——它的永恒性、規則性和可預知性——構成
了人類文化的標準。《論》説：

　　　日信出信人，南北有極，度之稽也。日信生信死，進退有常，數之
　　稽也。列星有數，而不失其行，信之稽也。
雖然《經法》的綜合性哲學部分地吸收了道家和法家的觀念，但是，
與它們不同，《經法》尋求在自然界内部爲政治生活提供一個倫理
的基礎。因此，《經法》的道并未像在較早的道家作品中那樣超越倫
理學。而且，也不像較早的法家作品那樣，只是單純服務于統治者
的政治技巧——統治者利用這些技巧來操縱他的臣民和加强他的
權力。《經法》的聖主被認爲是按照宇宙的法式來治理國家的。用
《經法》的術語來説，他必須"順天"。另外，如果他不能順天的話，災
難就是不可避免的。《國次》警告説：

　　　天地無私，四時不息。天地立，聖人故載。過極失當，天將降殃。

　　那麽，聖人如何才能認識自然界的法則，以便他能建立一個公
正而無偏見的準則呢？《經法》提出了一條建立在一系列的沉思活
動之上、通向自然界的法則的明確的認識論途徑。《論》中有一段話
説："靜則平，平則寧，寧則素，素則精，精則神。至神之極，見知不
惑。帝王者，執此道也。"統治者具備了這種神秘的直覺能力以後，
就可以按"宇宙的法則"來行事。因爲當他運用各種政治技巧如刑
和德時，它們必定是公正和有益的。正因爲它們與宇宙的法式相一

致，并以修養後的心靈爲基礎，《經法》所講的政治技巧才不會與宇宙論的和心理學的基礎相背離。

《春秋繁露》中陰陽類的章節，如其名稱所示，主要關心的是統治者與自然界的關係。這些部分，與《經法》最強調聖主必須順天道的思想是完全一致的。如44章説："惟人道可以参天"，45章説："聖人視天而行"。這些章講順天、配天、合天、参天等，與《經法》是非常接近的。和《經法》相似，它們也强調天的規則性、永恒性、公正性和單一性。例如45章説："天之道，有序而時，有度而節"。49章説："天道之常，一陰一陽"。50章開始就説："天道大數，相反之物也，不得俱出，陰陽是也。"77章也説："是故時無不時者，天地之道也"。

更特別的是，這些章中有許多部分都一致堅持統治者必須使自己因時，《經法》中有這種思想，而司馬談在關于道家的有名的論述中也提及此。這些文章還沿用了《稱》中提到的許多按陰陽分類的事物。而且，與《稱》一樣，董氏認爲無論自然界中對陰和陽的運用爲統治者如何處理人類社會中的陰陽事物提供了一個終極標準。董仲舒還在新的方向上發展了這些觀點，這顯示出他爲適應自己的需要，而對傳統進行了創造性的改造。《十六經·觀》説："春夏爲德，秋冬爲刑。先德后刑以養生"。在春季和夏季，統治者必須用德，而在秋季和冬季，他必須用刑，因此，先德后刑的主張，必須被理解爲是一個現世的主張。德和刑，以及擴大來説，陰和陽，在政治和宇宙中都享有平等的位置。

在董仲舒看來，自然界的這兩個主要成份——陰和陽，并不享有本體論上的平等性，陽很明白地是天所寵愛的。43章説："物隨陽而出入，數隨陽而終始，三王之正隨陽而更起。以此見之，貴陽而賤陰也"。這種關于自然世界的主張，是這類文章中每一篇的中心，它支持這樣一種政治模式：統治者應該更多地依靠德來移風易俗，而主要的不是依靠刑罰的威懾力量。他必須調整刑德，使之符合自然界中的陰和陽。董仲舒説：

　　　　天出陽，爲暖以生之；地出陰，爲清以成之。不暖不生，不清不
　　　成。然而計其多少之分，則暖暑居百，而清寒居一。德教之與刑罸，猶
　　　此也。故聖人多其愛而少其嚴，厚其德而簡其刑，以此配天。(《春秋
　　　繁露》第十二卷五十二章)

　　因爲天不僅規定了自然世界中陰和陽的量，而且和諧地結合
了一年之中陰陽的運動，所以，董仲舒把特定季節中陰和陽的位置
或者它們的運動方向看作是天更喜歡德而非刑的宇宙論的證據。

　　在爲政治統治而解釋自然模式時，董仲舒也注意到了四季的
更一般的性質。不同季節的特性爲某一形式的統治提供了自然的
類似物。在這些情形下，自然模式發揮了重要的調節功能，限制和
引導了統治者的情緒反應。董仲舒說：

　　　　四肢之答各有處，如四時；寒暑不可移，若肢體。肢體移易其處，
　　　謂之壬人；寒暑移易其處，謂之敗歲；喜怒移易其處，謂之亂世。明王
　　　正喜以當春，正怒以當秋，正樂以當夏，正哀以當冬。上下法此，以取
　　　天之道。春氣愛，秋氣嚴，夏氣樂，冬氣哀。愛氣以生物，嚴氣以成功，
　　　樂氣以養生，哀氣以喪終，天之志也。(《春秋繁露》第十一卷四十四
　　　章)

這段話使我們想起了自然界提供統治模式的黄老理想。同時，天所
具有的擬人的性質也顯示出董仲舒對黄老宇宙論的關鍵成份也進
行了創造性的改變。董和他的學生不僅不從自然界内部，而且也從
通過自然界來顯示其意志的天中引出統治模式。如這段話所表明
的，自然界已經完全失去了其神妙和無爲的性質，它具有意志，這
使之與單純的自然界又區分了開來。此外，天意說明了天爲什麽熱
愛，養育及維護在它之下的一切有生命的事物這一事實。董說："察
于天之意，無窮極之仁也"。(同上)

　　最後，應該指出的是，陰陽類的章節并沒有設定只有那些心靈
修養到神明狀態的人才能認識宇宙的法式。實際上，很重要的是，
這些章節沒有使用"神"這個詞，表現出董仲舒與道家的一個本質
的差別。關于宇宙圖式的知識比《經法》中要少得多。一個人只需
要觀察天之大數，就可以辨別出天德的人類對應物。如董所說："見

天數之所始,則知貴賤逆順所在。知貴賤順逆所在,則天地之情著,聖人之寶出矣"。(《春秋繁露》第十一卷四十三章)

　　重要的是,在聖人的作品中保存了天則。與《經法》不同,這些章節中有一些對儒家經典的引用,并表現出要調和一個本質上是黄老對宇宙的看法和儒家經典傳統的傾向。如下述諸例所表明的,征引儒家經典是爲了給較早叙述的許多對宇宙的看法提供權威性。例如,55章發揮了順天的基本觀念,開頭即宣稱"聖人副天之所行以爲政"。然後,就主張在統治者的"四政"——慶賞罰刑——和天的"四季"——暖暑清寒——之間建立一種可比較的關係。這一篇是這樣結束的。

　　　慶爲春,賞爲夏,罰爲秋,刑爲冬。慶賞罰刑之不可不具也,如春
　　夏秋冬不可不備也。慶賞罰刑,當其處不可不發,若暖清寒暑,當其
　　時不可不出也。慶賞罰刑各有正處,如春夏秋冬各有時也。四政者,
　　不可以相干也,猶四時不可相干也。四政者,不可以易處也,猶四時
　　不可易處也。故慶賞罰刑有不行于其正處者,春秋譏也。

在這一章中,董仲舒不僅援引儒家作品來支持本質上是黄老的主張——統治者爲政必須要與自然界的四季相一致,而且,他還堅持認爲這實際上是孔子賞罰理論中的一個根本原理。

　　董仲舒還認爲,《春秋》中表現出了天賦予陽以支配的、首要的地位,而只賦予陰以從屬的和次要的地位的傾向。他説:

　　　故陽氣出于東北,入于西北,發于孟春,畢于孟冬,而物莫不應
　　是,陽始出,物亦始出,陽方盛,物亦方盛,陽初衰,物亦初衰。物隨陽
　　而出入,數隨陽而終始,三王之正隨陽而更起。以此見之,貴陽而賤
　　陰也。故數日者,據晝而不據夜;數歲者,據陽而不據陰。不得達之
　　義。是故春秋之昏禮也,達宋公而不達紀侯之母。紀侯之母宜稱而
　　不達,宋公不宜稱而達。達陽而不達陰,以天道制之也。(《春秋繁
　　露》第十一卷四十三章)

在這裏,董氏認爲《春秋》之筆法,其不直接地指出屬于陰類的事物或人的做法,反映和證明了扶陽抑陰的宇宙的等級制度。在記載一個婚禮時,只指明了男方宋公,而未指出女方紀侯之母。《春秋》通

過這樣一個特定的人類事件説明了天道的普遍性。另一章的結尾
説：

> 故常一而不滅，天之道。事無大小，物無難易。反天之道，無成
> 者。是以目不能二視，耳不能二聽，一手不能二事。一手畫方，一手
> 圓，莫能成。人爲小易之物，而終不能成，反天之不可行如是。是故古
> 之人物而書文，心止于一中者，謂之忠；持二中者，謂之患。患，人之
> 中不一者也。不一者，故患之所由生也。是故君子賤二而貴一。人孰
> 無善？善不一，故不足以立身。治孰無常？常不一，故不足以致功。詩
> 云：上帝臨汝，無二汝心。知天道者之言也。(《春秋繁露》第十二卷五
> 十一章)

董援引《詩經》來證明自然界的統一性——這也是道家影響董的宇
宙論的一個方面。

　　就這些篇章幾乎都運用儒家經典來指出宇宙真理和經典真理
的根本一致性而言，以及就它們都暗示通過閲讀儒家經典可以掌
握這些真理而言，這些材料預示了在董仲舒以後的學術發展變得
越來越重要的主題。然而，如上述諸例所顯示的，以經典爲依據的
知識仍然從屬于自然界，後者仍然是這些篇章論述的中心。儘管認
爲儒家經典教義中掌握着解釋宇宙終極真理的鑰匙的這一想法，
隨着歲月流逝和政治形勢的變化，而變得越來越顯著，但是，一個
儒家"正統學説"的系統闡述者尚未登上舞臺。

四、武帝時期建立一個以經典爲基礎的"正統學説"

　　公元前 141 年，當董仲舒當面向武帝提出關于政治、歷史和宇
宙的觀點時，他以經典爲基礎的正統學説看起來已經形成了。正是
在他生活中這個最關鍵的時刻，他要求武帝能黜在孔子的六藝之
外的全部其他學説。在董仲舒的傳記材料中，保存了關于他的改革
計劃的最清楚的説明。董仲舒致力于改變景帝的做法，并在儒家經
典和學説的基礎上爲漢朝創立一種唯一的社會、政治秩序。
　　更重要的是，董仲舒所建立的體系強調了經典和宇宙之間的

聯繫。他對武帝解釋說:"臣謹案《春秋》之中,視前世已行之事,以
觀天人相與之際,甚可畏也。"(《漢書·董仲舒傳》)董仲舒對《春
秋》的解釋使這部經典變成了天的法式的體現,當然,天的法式是
經過儒家學說過濾,并與人類世界相關的。下面的這段話是一個很
突出的例子,說明董仲舒既接受儒家關于人類文化的預設,又采納
道家對自然界的看法的調和立場:

> 孔子作《春秋》,上揆之天道,下質諸人情,參之于古,考之于今。
> 故《春秋》之所譏,災害之所加也;《春秋》之所惡,怪異之所施也。書
> 邦家之過,兼災異之變,以此見人之所為,其美惡之極,乃與天地流
> 通而往來相應,此亦言天之一端也。(《漢書·董仲舒傳》)

把儒家的經典轉移到中心舞臺後,董仲舒宣稱《春秋》特別地包含
有宇宙的真理,它們通過人類歷史的動態畫面和人類聯繫的變化
的背景而表現出來。然而,只有以一種特殊的方式來讀《春秋》,才
能使這些聯繫明白起來。董仲舒說:

> 《春秋》之道舉往以明來,是故天下有物,視《春秋》所舉與此比
> 者,精微眇以存其意,通倫類以貫其理,天地之變,國家之事,粲然皆
> 見,亡所疑矣。(《漢書·五行志》上)

這裏,董仲舒提出在閱讀《春秋》所記載的事件時,要使用類比推
理。通過以這種方式來閱讀《春秋》,人類社會和天之間的聯繫就可
以清楚地建立起來。那麼,董仲舒是如何來描述天的性質的呢?

這個時期,當董仲舒集中精力構建一個以經典為基礎的神學
時,黃老思想還繼續影響着他的宇宙論主張。如下面這段來自于他
的傳記的文字所顯示的,董仲舒所描述的天繼續保留了我們在他
的早期論述中看到的許多特性:

> 臣聞天者群物之祖也,故徧覆包函而無所殊,建日月風雨以和
> 之,經陰陽寒暑以成之。故聖人法天而立道,亦溥愛而亡私,布德施
> 仁以厚之,設誼立禮以導之。春者天之所以生也,仁者君之所以愛
> 也;夏者天之所以長也,德者君之所以養也;霜者天之所以殺也,刑
> 者君之所以罰也。由此言之,天人之征,古今之道也。(《漢書·董仲
> 舒傳》)

天以其在自然界中的公正的、有條理的、不變的和根本的地位繼續
爲人類制度提供最終的標準。然而，在同時，董仲舒也描述了一個
對于人類社會各種行爲都很敏感的人格化的天。他説：

　　國家將有失道之敗，而天乃先出災害以譴告之，不知自省，又出
怪異以警懼之，尚不知變，而傷敗乃至。以此見天心之仁愛人君而欲
止其亂也。自非大亡道之世者，天盡欲扶持而全安之，事在强勉而已
矣。强勉學問，則聞見博而知益明；强勉行道，則德日起而大有功：此
皆可使還至而有效者也。《詩》曰"夙夜匪解"，《書》云"茂哉茂哉！"皆
强勉之謂也。(《漢書·董仲舒傳》)

在這段話中，統治者并不服從于自然的非人格化的法則；相反地，
他隸屬于一個人格化的天。另外，天之回應統治者，并不是按照固
定的法則或模式，而是按照他統治的具體的情形。天由于具有一個
"仁愛之心"的擬人的性質，因而能夠有目的地控制自然界來表現
它的不滿。當意識到他已經偏離了合理的原則後，統治者必須要進
行自我檢討以改正其行爲。如果他不能悔改，天災就會相應地增
大，使人更加敬畏。即便如此，天也不會因爲統治者的犯罪而遺弃
他。天和統治者的關係不是一個"完全不同的"東西和人類"創造
物"，而是父親和兒子的關係。如果統治者最終面臨傷敗的話，那完
全是他采取的行爲的結果，而不是天罰的結果。

五、結　論

　　歷史的和文獻的證據都表明，董仲舒受到了黄老學説的影響
并利用了其中一些觀點。陰陽類的篇章足以説明董仲舒所經歷的
"異端"階段。這些篇章以其對黄老思想的有選擇的接受、一致的想
法、對政治事務的特別重視、以及大量地征引儒家經典，表現出一
個儒家學者正與黄老思想進行一場創造性的對話。這些文章還反
映出董仲舒早期生涯中的學術傾向和政治形勢。作者努力想證明
儒家經典中的教訓如何能支持那些從自然界中引出的永恒真理和

倫理準則。經典仍是自然界的門徒，這反映出當時黃老思想的影響和力量。一個想要把儒家經典抬高到其他各家之上的帝王尚未出現。

當武帝繼位後，他支持董仲舒要建立一個以孔子所作的經典爲基礎的神學的努力。然而，董仍然繼續擁護某些黃老的信念和主張。很顯然，在他反對那些與自己的根本信念冲突的內容的同時，董仲舒也有意識地吸收黃老思想，選擇那些可以加強和擴大儒家經典的權威性的原理。例如，他繼續信奉自然界爲人類文化提供法式這一根本的黃老信念。還有，董認爲，陰和陽在自然界和人類社會中都不是同等的成份。在自然界中，與陰相比，天賦予陽一個更高貴和更重要的地位。同樣，統治者也必須在刑和德中給予德一個更高貴和更重要的地位。

董仲舒從根本上反對與自然觀相聯繫的道家知識論。對于道家學者的沉思工夫和達到"神明"的途徑，他代之以遵循經典和對經典真理的掌握。董仲舒認爲，只有孔子所作的經典才提供了理解宇宙的鑰匙。此外，這些保存了孔子微言大義的作品需要一批從事專門研究的學者來解釋。他們的任務很明顯，就是像以前的孔子那樣，根據人類歷史的變動的形勢和人類聯繫的變化的背景來闡明宇宙的法式。

董仲舒關于宇宙的看法根本上是黃老關于自然界和儒家關于天的理解的結合。他一方面把天描寫成一個由永恒的法則控制的非人格化的、有規則的和可預知的自然運動的東西，另一方面，又把天描寫成一個人格化的、具有神的反應方式，有意志因而可以干涉自然法則的東西。所以，在他對《春秋》中所記載的災異的多種解釋中，他運用了上面所說的兩種對天的認識，而沒有任何明顯的矛盾。

最後，董仲舒反對黃老的統治理想。統治者不能是一個無爲的、無所事事的、和只具有沉思能力的安靜的人。他必須有爲、積極主動；否則，當他偏離了天的正確準則時，他就無法重新回到這裏

來。最後，統治者應是一個儒家聖人，他通過道德榜樣來治理國家，
而不能是運用神秘莫測的權力、按無爲方法來統治的道家神秘主
義者。董認爲，在這樣的一個統治者保護下，在保存了先聖智慧的
儒家經典的指導下，人道就可以與天相參。運用本質上是道家的關
于宇宙的看法，但賦予它以儒家的價值，董仲舒建立了一個以經典
爲基礎的綜合的正統學說。這是漢朝留給我們的一份永恒遺産。

（王少凱　譯）

書《馬王堆老子寫本》後

饒宗頤

龔定庵云：“《道經》、《德經》，唐人所分。《老子》本不分章，亦不分上下篇，亦無《道德經》之名。”（《定盦年譜外紀》）然《漢書·魏豹傳》已引老子《道經》，《田橫傳》引老子《德經》，《北齊書·杜弼傳》云弼表上老子注言竊惟道德二經（俞正燮《癸巳存稿·十二道德經》條），俱可證龔説之非。勘以新發見漢惠時馬王堆之《老子》寫本，則其分道德爲二，由來久矣。惟馬王堆乙本，以《德經》列前，《道經》居後。二經之末分記：“《德》三千卌□。”“《道》二千四百廿六。”（《文物》1974 年第 11 期）説者據此輒謂古本《老子》宜以《德經》在前，然馬王堆甲本則無此計字數之二行，疑此乃偶見之例。按《老子》本書，如下篇屢言：“道生之，德畜之。”無不先道而後德。韓非《解老》，非論列全經，其先解《德經》首章，自是隨手摘舉，不足援之以證《老子》全書之必先德而後道也。或云以德列前，蓋法家之《老子》本子如此（高亨説），不悟法家正本道以立法之體，故韓非書有《主道》、《守道》等篇，而不聞作《主德》、《守德》。即《馬王堆老子》乙本卷前古佚書，且有《道原》一篇，其言曰：“得道之本，握少以知多；得事之要，操正之政（正）畸（奇）。前知大古，后□精明，抱道執度，天下可一也。”此與《老子》“能知古始，是謂道紀”之説正合。又《經法篇》首分爲“道經”，開卷即云：“道生法”。“□執道者，生法而弗敢犯殹（也）。”是即法必本於道之理。法由道而生，法家不特不貶道，而實尊道。法家之解老，自宜以道爲先，豈有反以德居前之理？故

知《馬王堆老子》本之先德後道,殆寫經者偶然之例,若持此以論法
家本悋,彌見其齟齬而已。

　　道德經雕板,實起于後晉。《舊五代史·晉書·高祖紀五》:"是
時帝好《道德經》,嘗召(崇真大師張)薦明講説其義。所令薦明以
道、德二經雕上印板,命學士和凝别撰新序,冠于卷首,須行天下。"
所刊之本正分爲道、德二經。(《舊五代史·僧侶傳三》杜光庭嘗以
道、德二經注者多,著廣代義八十卷。亦以道、德分爲二。)

關于帛書《老子》[*]

——其資料性的初步探討

[日]金谷治

内容提要　本文通過文獻的考證，認爲不能僅以帛書來確定
"道經"、"德經"的先後；甲乙本也未必有直接的關係，它們當是更
早版本的不同傳本；推斷在戰國時期，已經有了各種版本的《老子》
流布，因此其成書當上溯到更早的時期；此外，對現行本《老子》的
分章和排列，也提出了獨特的看法。

　　馬王堆第三號漢墓的發掘，在那裏發現已結成團狀的帛書，是
1973 年 12 月的事。此後，那帛書通過特殊的技術被仔細地解開，
最后判明是包含兩種《老子》、《易經》、《戰國策》以及其他古佚書，
總字數達十二萬字的二十餘種古書，其概況的首次發表是在 1974
年的夏天。雖說對于日本的考古學者訪華團有異例的處置，但不久
到了秋天，《文物》第七期終于在日本流布開來，那《發掘簡報》和數
枚帛書的照片，令人奪目。此後，由于中國研究者們的不懈努力，成
果不斷發表，報導開始集中在《老子》和古佚書《黄帝四經》等，不久
就移向了《戰國策》和其他佚書。其間，在 1974 年 9 月，《老子甲本
及卷後古佚書》、《老子乙本及卷前古佚書》這兩册大型綫裝本，以

---

　　* 本文譯自《中國哲學史的展望和摸索》(創文社，東京，1976 年版)。作者爲日本東
北大學、追手門學院大學名譽教授。—— 譯者注

《馬王堆漢墓帛書（壹）》之名，由文物出版社出版，使人有帛書《老子》的資料性整理已大致結束之感。

這兩册書，刊登了兩種帛書《老子》及與之相連的古佚書的全部實物照片；并載有把古體字移寫成的今體字，加上使人易讀的句逗；還有對古佚書加以簡單注釋的全部"釋文"；在卷末還附錄了題爲《老子古今本對照》的把甲本、乙本和傅奕古本分別排列的本文對照表。照片大致鮮明，與《釋文》的活字相對照，雖說其判讀尚有難以首肯之處，但對于讀者的閱讀，并無大的不便。對于把完全粘着結成團的東西整理到這樣程度，無論怎麼說，必須表示敬意。在《老子》的版本對照中，把傅奕古本作爲"今本"（在今日通行這樣的意義上）的代表，那是由于認爲，甲、乙本的異同，在今本中，和傅奕本最爲相近之故，這樣的判斷，在一定程度上是正確的①。就對照而言，和更爲一般的通行本——河上公本、王弼本的異同表也是需要的，而這是由此而可做的簡單得多的必要處置。但不管怎麼說，研究帛書《老子》的基礎資料，可以說在這裏業已具備了。

筆者在此想要做的，就是在這樣的基礎上，通過這兩册的基礎資料，特對帛書《老子》的内容加以檢討，對其資料的性質，加以斟酌探索。這兩册資料，或是由于發行部數的關係，或是由于別的理由，流通似不太廣②。聽說最近預定改版，如果這是事實的話，恐怕對《釋文》要再加以檢討了吧！然而，即使如此，《老子》本文的照片，當不會有本質性的變更，現在以此爲基礎對内容加以探討，當然也就不會是無意義的吧！總之，筆者認爲，中國研究者也好，海外研究者也好，研究帛書《老子》的共同基盤，儘管還不充分，但可以說現在已經大致形成了。因此，爲推進這初步的檢討，在至今爲止中國

① 在《文物》雜志 1974 年第九期的座談中，張政烺氏提出："帛書本《老子》的字句和唐代傅奕據古本校定的《道德經古本編》近似。傅本主要的根據是項羽妾本，卽北齊武平五年徐州項羽妾墓出土的寫本。二者年代相當，所以字句大體相同。"這裏說"一定程度"。是因爲字句的簡略處，和龔龍碑相同處也不少。
② 筆者先是蒙和光大學宮川寅雄教授的盛情，得以借覽所藏本并允許攝影，後來東北大學的關晃教授作爲訪華紀念，寄贈了一本給我，對于二氏，深表謝意。

研究的基礎上，想進而對其成果在可能進行學問性檢討處檢討之，批判之，并提出筆者自身的新的想法。以下，便對若干問題分別加以整理和檢討，以求使全體的資料性更加明晰。

一、甲本和乙本的關係

甲本和乙本不是一個本子，從其字體和樣式的不同來看，這是非常明確的。甲本是在寬約二十四厘米的帛中，用近于篆書的古文字書寫，而乙本是在寬約四十八厘米的帛中用隸書書寫的。書寫的年代，甲本不避高祖劉邦的"邦"字，以此爲主要理由，被認爲最遲也是高祖時（紀元前約 206—195 年間）或高祖成爲皇帝以前的作品；與此相對，乙本把"邦"字改爲".國"字，而又不避惠帝劉盈的"盈"字諱，因此被認爲是惠帝，呂后的時代（紀元前約 194 到 180 年間）或這以前高祖時的東西。不管怎麼説，甲本較古，乙本較新，是不同時代由不同人書寫的兩種文書，這是很明白的。然而，這兩種《老子》的關係，還有值得斟酌探討的問題。那就是有關內容的異同。

首先，兩者在各處類似之點很多。作爲新發現帛書最顯著的特色而被鼓吹的，是上下編順序的例置，這出乎意料的異同，兩本是一致的。還有，各章的順序①如後面將要談到的，和今本相比，三個地方有變化，這三個地方，甲、乙本也都是一樣變化的；字句順序有變化的地方，甲、乙本也大致是相同的。更加細微之處，在歷來通行本中完全未見的那些字句的異同處，可以認爲兩本一致的例子也不少。應當説，兩者之間有着密切的關係。

在此，儘管由于重視其密切的關係，也可考慮二者之間有相承關係，或懷疑乙本是否係甲本的抄本，但好像并非如此，因爲兩者在内容上還有着明顯的相異之處。比如，助詞的有無，假借字的不

---

① 帛書中未分章，如後所述，這裏稱章，稱第幾章，俱是依據今本的權宜稱謂。

同,這樣的地方相當多,僅此,已可使二者之間的相承關係之説有疑問,還可以進而指出更大的不同。第六十七章的"夫唯大,故不肖"(河上公本)這一句,只有乙本相反,作"夫唯不宵(肖),故能大",甲本反而和現在的通行本相同(缺"夫唯大"三字,但可以這樣判斷)。第四十五章的"大直若屈,大巧若拙,大弁若訥"(河上公本)三句,甲本中,除了通用的假借字的不同,只有第三句作"大贏如炳"不同;而在乙本中,有缺字頗多之處,留有"……□巧如拙,□□□絀",如把在空白之處可加入的字數一并加以考慮的話,似和《韓詩外傳》卷九所引的"大直若詘,大弁若訥,大巧若拙,其用不屈"這樣的四字句相一致,這也是只有乙本和現通行本不同的例子。還有,在第六十六章中,"處上而民不重,處前而民不害"(河上公本)二句,乙本與今本的順序相同,甲本則相反,這也是甲、乙兩本的不同之處。

　　總之,作爲整體,在與今本的重要異同之處,甲乙兩本一致處甚多,就此而言,兩者屬于同一系統是明確的,但在另一方面,也有可説明二者不是直接相承關係,也并非由甲本變化而成爲乙本的關節點。也就是説,兩者是同一系統的異本,如果是這樣的話,其祖本的存在,就可以上溯到戰國時代了。

二、上下編的逆順

　　今本的上、下編,即道編和德編,在甲、乙本中正好相反,德編在前,道編在後,這已是很有名的事了。對于這是否係《老子》本來的形態,中國的研究者中,有兩種看法。一是《文物》1974年第九期的張政烺氏之説及在《考古》1975年第一期中也可見者,認爲"古本本來就是如此。"新發現的兩種資料都是同樣的順序這一事實,有力地支持了這一説法,作爲證明這一説的其他材料,可以舉出《韓非子》的《解老篇》和《喻老篇》中的順序,也是德編在前,道編在後,此外,據張氏之説,前漢嚴遵《道德真經指歸》的序文中,舉出了章數,云"上經四十","下經三十有二",説明也是以德編作爲上經。第二説則與此相反,是在《文物》1974 年十一期中可以看到的高亨氏和池曦朝氏之説。認爲原書的編次難以論定,同時以爲,在戰國時代,恐怕有以道經在前的法家傳本和以德經在前的法家傳本這樣兩種版本,作爲筆者的想法,如要選擇的話,似以後一説爲勝。因爲第一説所舉的理由,未必就是那樣具有決定性的根據。

第一説最主要的理由,殆是《韓非子》的存在,以及可以説《解老》、《喻老》中的順序和甲、乙本一致吧!確實,《解老篇》中最初列舉的是相當于今本開始的第三十八章,相當于上編最初部分的第一章在後半部才出現。但是,其從上編引用的只有兩條或三條,多數是引用下編;此外,其順序也還多有不可解之處。如以今本的章次來表示的話,《解老編》的順序是:

38、58、59、60、46(? 顧廣圻云,爲十四章)14。

25(有非引用之疑)、1、50、67、53、54。

能否確實依照《老子》版本的順序來解説,無疑尚有疑問。《喻老篇》的情況與此也完全相同,其順序是:

46,54,26,36,63,64,52,71,64,47,41,33,27,

更加零亂,完全無法認爲是按照版本順序而來的。當然,因爲有像甲、乙本那樣把德編放在前面的版本存在,《解老》的作者曾加以參考的可能性是有的,其可能性甚至很大,然而把這種可能性作爲絕對性的因素來認識的話,那麽,《解老》也好,《喻老》也好,内容的順序就太過于任性了吧!本來,被作爲論據的,下編在前,上編在後那樣的事實,無論在《解老篇》或《喻老篇》中都是不存在的,只要看一看上面所列的數字順序便明白了。儘管如此,如果仍想把《解老篇》中的順序作爲表示本來的《老子》順序的根據的話,那也就成爲必須設想有與今本,與甲、乙兩本内容順序都不相同的《老子》存在了吧!總之,認爲《韓非子》中的引用書和甲、乙本之間有某種程度的關係是可能的,而以此爲根據,認爲甲、乙本的順序便是《老子》的原型,那必須説,理由是很薄弱的。

　　關于張氏指出的《道德真經指歸》的情況，是過去未被注意、由
于這次版本的發現而開始明確起來的重要情況，但這是在甲、乙本
書寫以後時代的事。即使版本的順逆狀況可成爲當時通行的證明，
這要作爲肯定就是原本形態的證明，也仍是困難的。這樣，留下的
最有力的理由，就是作爲現存最古版本而出現的甲、乙兩本都是同
樣順逆這一點了。這當然是重要的事實。但僅以這一點，作爲因此
這兩本之形便是本來形態的證明，也仍是困難的吧！結果，在目前
階段，關于原初形態的判斷，不得不暫時保留。在當時，也存在上下
編的順序和今本相同版本這樣的積極性證據，出于意外，非常之
少。但是"道德"這樣的説法，《史記》的《六家要旨》中，在説明道家
的意義上被使用，再上溯，被認爲與此有關聯的作品，《莊子》中也
可見，所以，在道編和德編并列的場合，可以説當然有和那個説法
相同順序的版本，這樣的想象，也是説得過去的。

　　《老子》的内容，并非首尾完整的論文，而是由短篇章句匯集而
成，所以，可以説，上下編的順序等，并不是如我們所想象那樣深刻
問題的可能性也是存在的①。如果將這樣一些可能性也加以考慮
的話，如上所述，高亨氏等的説法，相對而言，應當説是略勝一籌的
了。

　　但是，關于高亨氏等認爲的將德編放在前面的新出资料是法
家的傳本，將道編放在前面的今本是道家傳本，有兩個系統的想
法，雖説是頗令人感興趣的見解，但似也還有檢討的餘地。一般説
來，"道"的概念多屬于宇宙論和本體論的範疇，"德"的概念多屬于
人生論和政治論的範疇，因此，以那一方面爲重點來决定上編，法
家和道家是有差別的，這在一定程度上是可以理解的一種假説。帛
書乙本前面聯载有《經法》等法家色彩很强的资料，也可以支持這

_____

　　① 關于這一點應注意的是，據甲本、德編和道編的開頭，分別有着區分的黑印，而
這樣的符號，和與之相聯的古佚書在開頭所加的符號是相同的。也就是説，德編和道編
的關係，在某種意義上，是和另外的書同樣來處覽的，這或是表示作爲簡冊而别行，甚
至很可能是作爲别卷的。《理惑論》云"道德經三十七章"，也説明了這一點。而如考慮到
這樣的體裁，不也就可以認爲上下編的倒置更換，并非是那麼具有意義的事了嗎？

一想法，但問題是，兩者是否能就這樣簡單地整理劃分呢？如仔細地看看帛書的內容，比如，第二十八章中"知其雄，守其雌"云云句的下面，有"知其白，守其辱，爲天下治（谷）"句，是改變了今本的帛書僅有的順序，而這和《莊子·天下編》引用的卻是相合的。也就是說，如果被視作帛書特點的異同處和道家文獻中的引用相一致的話，不能說帛書不是道家版本的問題不也就出現了嗎？反之，第三十八章"上德無爲而無以爲"下面的三字，《韓非子·解老編》引用作"無不爲"，嚴遵本的傅奕本也相同，然而帛書和通行本相同，卻和《韓非子》不同，這也是不能簡單地把帛書確定爲是法家傳本的理由吧！這一點還有待今後的檢討。

總之，到漢初爲止諸書中有多種多樣的引用形態，認爲當時《老子》的版本已被整備成單一形態的想法，恐怕是不確的吧！正如從甲本和乙本的關係中已可想象的那樣，可以認爲，在戰國末期已經有若干種的異本在流行，如果將此和當時書籍的樣式以及《老子》的特殊內容一并加以考慮的話，可以說那是非常自然的情況。

三、關于甲本的圈點（分章問題）

帛書《老子》的甲、乙本都沒有分章，這是周知的事實。昔說認爲，《老子》分爲八十一章乃始于河上公本，那是因爲傳說河上公係漢文帝時的人物，而關于其起源，還有問題。前面已說到過，嚴遵的《老子》分爲七十二章，這殆是現今已明確了的最初分章吧！《漢書·藝文志》中載："老子傅氏經説三十七篇"，《牟子理惑論》中曰"老子道經亦三十七章"，這是只作爲今本的上編才和八十一章本的數目相合的例子，而易縣的景龍碑，則分爲六十四章（見武內義雄·岩波文庫本《老子序》）。總而言之，現今的八十一章，并非原始的東西，也沒有特別的理由。注意到今本分章不合理的先學們的立場，可以證明這一點。高亨、池曦朝兩氏的論文中也提出了這一點。今本的一章可以進而分爲二的較好例子，有第二十九章；今本的兩

章合爲一章較好的例子,有第十八、十九兩章;一章中的句子重新
加以剗分爲較好的例子,有可把第二十章的首句歸到第十九章的
最後。筆者也曾有過新的分合的想法,其中的一部分,擬在下面的
論述中涉及。

　　在上述情況的基礎上,在這裏要提出的,是只和甲本有關的圈
點,即"・"印的問題。甲本中本來有剗分句讀的點,此外,少數地方
有約占一個字位置的小的圈點。這一情況,知道的人不太多,中國
的研究者似也未特加注意,而在出版的基礎資料的釋文中,其《凡
例》裏説道:"帛書中所見的特殊符號,只有節或句前的囤黑點這一
種,在釋文中保留",保存了那些圈點。然而,那些圈點是否只表示
區分句節這樣的意思呢? 如對那些圈點所在之處一一加以檢討的
話,在那些場合,它似乎并不僅僅只限于表示區分句節這樣的意
義。所有一共十六個地方,爲數很少,接在它下面的,必定是一句的
區分點,而且多和今本分章的開頭處一致。這或是最古的分章標記
吧! 順便提一下,與甲本同時出土,而且同樣是半幅(幅約 24 厘
米)的帛中用類似的篆體書寫的《戰國策》中,也有同樣的圈點,那
是明顯地表示故事變更的符號,也就是分章的標記。

　　現在,如果依照現行本的分章,把有圈點的場所和一章開始部
分相一致處按甲本的順序列出的話,則有:

　　46,51,53,57,63,80,69,73,75,76,1 這樣十一處,而在章中
間的,則有:

　　46,51,81,72,75。

　　每章各一處。81 和 72 兩章,只在中間有圈點,而這兩章都是
章首有缺字部分,所以,在那裏也有圈點的可能性是存在的。這樣,
如果把缺字部分也考慮進去的話,可以認爲,圈點的數目,還要稍
微多一些吧!

　　在此首先的問題,是現行章節中間的那些圈點,它們儘管和現
行八十一章的分章不同,但似當視爲是古時候的章節區分標記吧!
先看第五十一章,以"道之生而德畜之"開頭的句子,稱贊了"道之

尊,德之貴",在"恒自然也"結束以後,有一圈點。接下去,是以"道
生之畜之長之遂之"開頭,以"此之謂玄德結束"。也就是説,把第五
十二章視作是將道與德并列并加以頌揚之章和只舉出道的作用并
將它稱爲玄德之章這樣兩章的可能是存在的,甚至可以説這或許
正是古時正確的形態吧!現行的通行本中,在圈點處有"故"字,將
兩者聯繫起來,此後又作"道生之德畜之"多一"德"字以和最初之
文相呼應①,如采用今本的形式視作一章也是可以的。然而因爲從
甲、乙本的形態看來,當視作兩章,所以圈點處有着分章的意義是
明確的,其次在八十一章中,此章開頭,缺字甚多,祇餘下中間十幾
個字,在"聖人無積"前有圈點。武内義雄在《老子研究》中,關于這
一章,認爲"河上公本,是以顯質章爲題,作爲一章,然而是由有聯
繫的三節匯集而成的吧!"其所説的第二節,恰好就在這個圈點處
斷開。這是據姚鼐《老子章義》之説。如平心讀此章,確實在此文意
可以分斷,加有圈點的意味是很顯然的。

　　這兩個例子,雖和現行本的分章不同,但是依照甲本的圈點也
可以分章,所以,這裏的圈點和前面的十一例相同,也可認爲是表
示分章。關于餘下的三章,實際上并不像這樣清楚。第四十六章中,
"天下有道……"和"天下無道"句相接的後面有圈點,以"罪莫大于
可欲……"開始;在第七十二章中,"毋閒(狎)其所居"的前面有圈
點,只有最初的兩句被分離開。這兩章,如果以圈點分章的話,前面
的部分就令人感到過短。在第七十五章中,"民之巠(輕)死,以其求
生之厚也"前面有圈點,這裏也和其前面的"人之饑也……""百姓
之不治也……"的句法相似,如要分章,尚可斟酌。但是,在這些地
方,儘管不明確,有着就在那裏分章也可以的文句縫隙,則是没有
疑問的。在第七十五章中,儘管句法相似,然而圈點後集中在生死
問題上,和其前面的意思,内容有着變化;關于第七十二章,姚鼐的
《老子章義》使最初的兩句獨立,正好是在圈點處將一章分開。這樣

────────

　　① 乙本中當然没有圈點,但没有"故"、"德"二字和甲本同。還有,無"德"字的版
本,除御注本,敦煌一本以外,碑石文也甚多。

的分章,我們能否完全接受姑且不論,質言之,甲本的圈點,并不是無意思地加上去的東西,視之爲分章的標記也是有着充分理由的,這一點,現在也可以明確了吧!

第二個問題,是爲什么這樣散漫地加上圈點呢?如果是分章標記的話,圈點當有更多。即使把缺字的部分也都包括進去加以考慮,"十六"這個數字無論如何也太少。現在應當有的地方卻没有,這也是問題。中國的研究者對圈點未加以特别的注意,也有這方面的理由吧!

但是,正如已檢討過的那樣,圈點并非無意義地加上去的這已是很明確的了,以此爲基礎,當可解決上述問題。也許祗不過完全是想象,比如,甲本所據的底本,已經有了分章,甲本的抄寫人,祗迻録了部分的圈點,便是設想之一。如果説是甲本的抄寫人按照自己的想法來加上圈點的話,比如,是新加上的資料,或者説是有别的什么理由而必須這樣加上,比起這樣的看法來,上述設想有着更多的必然性吧!圈點集中在德編,道編中只有最初的第一章中有圈點,這一現象更使人産生一種想象,那就是抄寫人把分了章的版本置于前面,恐怕對那些分章的標記不重視,大多省略了,而有時則隨意地加上,到了後半的道編,干脆就省略了吧!

總之,如果把甲本的圈點作爲分章符號的話,那麼,《老子》的分章在漢初便已經有了。如果認爲筆者的想象是正確的話,那麼,那種版本的存在當可上溯到戰國時期。試想一下,即使從片斷的《老子》内容來看,這些章節的區分也可以説多是在原初便已有的,因此,在一定程度匯總以後,在很早時期便試加以分章,那也可以説是一種自然的過程吧!在戰國末期,《老子》已經具有與現今大致相同的内容并廣泛流行,在那些版本之間,道編和德編的前後有着變化;文句的順序有着異同;分章的標記有的存在,有的則不存在;或者若干的文章有着出入;像這樣存在着多種多樣的差異,就是根據新出的資料可以想象的狀況吧!分章標記的有無,當然也表示出甲、乙兩本是不同的本子。

四、分章順序的不同

作爲帛書和今本的大差別,可以指出,在分章的順序上有着三個不同之處:

其一,是今本的第四十章和第四十一章被倒置。在甲本中,第四十一章全部欠缺,只有第四十章的一部分殘存,而從其殘字的位置來考慮,可以想象它和乙本是一樣的。其二,是今本的第八十章和第八十一章這兩章,按其順序插入到第六十六章和第六十七章之間。其三,是今本的第二十四章插入到第二十一章和第二十二章之間。這些,甲、乙本的順序都相同,是很清楚的。在此,想對這樣的順序不同,略加檢討。

首先是第一個不同,按現行本的章數,則成爲:39,41,40,42這樣的順序。關于這一點,高亨氏等的論文中,已經作爲"帛書本可以訂正今本章次之誤的例子舉出。其大意曰:

> ……第四十章那段文字是講宇宙本體的"道",第四十二章那段文字也是講宇宙本體的"道"。"天下萬物生于有,有生于無",是說宇宙萬物生于有形的天地,有形的天地生于無形的道。"道生一(疑當作太一),一生二,二生三,三生萬物",是說道是個最大的整體"一",道生天地("二"),天地生陰氣、陽氣、和氣("三"),陰氣、陽氣和氣生萬物。都是說明宇宙形成的過程。這兩段文字緊密相聯,當是《老子》書的原樣。今本把第四十一章那段文字插入這兩段中間,則文意隔斷,可見是錯誤的。

這一論斷,完全正確。但這裏論說的只是第四十章和第四十二章的關係,筆者進一步考察,第四十一章如放在第四十章的前面,第四十一章的結尾和第四十章最初兩句的連續是非常順當的。也就是說,第四十一章以"上士聞道,勤能行之"開頭,以"夫唯道善始且善成"結束,所說的不是宇宙論的道,而是實踐性的道,而第四十章的開頭曰:"反也者道之動也,弱也者道之用也",同樣是說明實踐性的道,其意義密切相聯,記得武内博士說過,今本第四十章最初的兩句和後半的“天下之物生于有……”這兩句，其意思的連續性不好。[1] 把這作爲同一章還不如將它一分爲二，以前半部和第四十一章相聯，其意思更通順。第四十章和第四十一章的順逆，帛書比今本爲佳，從這一點上也可以看出吧！

第二，依 66，80，81，67 的順序，德編的末尾，就不是“信言不美”這一章，而是以第七十九章的“天道無親，常與善人”結束。這一不同，要決定與今本間的優劣，很難找到根據。因爲，正如今本中從第七十九章到八十、八十一這樣順序的意義很難特別加以考慮一樣，第六十六章之後插入這兩章的意義也很難理解。如從德編末章變化這一點上來看，也許和上、下編的逆順有關，但總之，只能説是不清楚而已。

而第三，按今本的章數來説是變成 21，24，22，23，25 這樣的順序。這裏第二十四章和第二十二章的連接是非常好的，甚至可以合爲一章。也就是説，第二十四章中有曰：“自見者不明，自伐者無功、自矜者不長”（據乙本）。第二十二章中，則反過來，曰：“不自視故章，不自見也故明，不自伐故有功，弗矜故能長。”（“弗”下脱“自”字）。同樣的事，在前面是否定性的説法，指“餘食贅行”者，後者是肯定性的説法，指理想的“聖人”。今本中，文章的順序相反，而且中間夾入第二十三章以“希言自然”爲首的很長的一段，其連續的意義完全被破壞了。

實際上，先學們也曾注意到這些關連的問題。魏源的《老子本義》承襲吴澄的分章方法，把今本的第二十三和二十四章視爲一章，作爲承受第二十二章的內容；指出：前面的第二十二章，説的是有道者的事，後者[譯者按，即第二十三、第二十四章]説的是進反道“之失”，因此，“自見者”等句，在前面是肯定性的説法，在後面則是否定性的説法。在這以前，姚鼐等也説過，第二十二章以後諸章可合爲一章。武内博士在介紹這些説法的同時，認爲“俱係無理”而

---

[1] 見武内義雄《老子研究》下卷第四十章。

不從之，也是因爲中間夾有第二十三章相當長的文字之故吧！如依帛書的順序，把第二十四章移到第二十二章之前的話，那種無理的狀況就完全消除，這兩章原來是作爲一章而連續的東西就很明確了。帛書的順序勝于今本，在這裏和在第四十章那裏是同樣的。

通過上述三個地方的檢討來看，其中一處可以説是不明，共餘兩處説它們勝于今本是有充分理由的。這説明，帛書中分章順序的不同，決不是偶然，無意義而變成那樣的。它肯定是保持了更古時代以來正確傳承的結果，而如果是這樣的話，那種合理的順序爲什麼會變成今本那樣的順序了呢？這又成了新的問題，而且，因爲這問題尚不能十分明確，所以，也就不能消除其他部分中像這樣的變更在帛書以前便存在的可能性。在這裏所説的帛書順序的不同，非但不能認爲這便表示了古時候《老子》的正確形態，相反倒可以認爲，它暗示出有更多的順序異同的存在吧！

五、字句的異同

正如人們所説的那樣，帛書《老子》的内容和現今八十一章的内容基本一致，雖有編、章的順序的差別和字句的異同，并不影響對《老子》思想本質的理解。但是，那些字句的異同，在版本的校勘上具有重要意義，則尚未被言及。高亨氏等的論文中，舉出了：今本第二十一章"自古及今，其名不去"作"自今及古，其名不去"；今本第四十五章的"躁勝寒，靜勝熱"的"熱"作"炅"；今本第十章"滌除玄覽"的"覽"作"監"這樣三個例子，認爲從意義和押韻上看，以帛書爲佳；認爲："帛書可以訂正今本章次文字之誤的地方很多，需要細致地校勘"。此後，以高亨氏爲首的中國研究者，恐怕一定取得了眾多的校勘成果吧！筆者在此，也想列舉一些帛書字句主要的優點。①

---

① 日本人關于帛書《老子》的研究，這以前有今枝二郎《關于馬王堆出土〈老子〉古寫本》(《大正大學研究紀要》第六十一輯)，介紹了與今本的主要異同。

　　首先，在帛書中，甲、乙本都有幾處完全少了一句，其中，特別想談談因沒有這樣的句子，文章顯然變得順當的地方。

　　(1)第三十八章中，無"下德爲之而有以爲"一句。這一章，今本中承以"上德不德，是以有德。下德不失德，是以無德"(河上公本)爲始的句子後，有："上德無爲而無以爲(《韓非子》作"無不爲")，下德爲之而有以爲"，對應得很好，也可認爲帛書中無下面"下德"一句是脱誤。但是，按今本那樣，會令人感到困惑的是，這句"下德"的説明和下文中"上義"的説明是相同的文字。在這一章中，正如從"失道而後德，失德而後仁，失仁而後義，失義而後禮"這樣的説法中可知的那樣，是從德到禮，有階段地一個階段一個階段地離開了道的意思。因此，從德到仁，從仁到義，是有階段的，在上仁、上義、上禮這樣不斷下降的階段前面，即使有"下德"這一名稱的根據，也是和"上義"相同之詞，可以説是不可理解的。因此，在先學們中間，也曾多次提出過今本中"下德"句有誤，并改正其文字的説法。陶鴻慶作"爲之而有不爲"，吴侗作"爲之而無不爲"，而馬其昶作"無爲而有以爲"，再加上圍繞這些的贊同或否定之論，解釋分歧甚衆①。總之，這是使先學們傷腦筋的句子。

　　現在如依帛書將此"下德"句除去的話，問題就一下子解決了。上德無爲而無以爲，上仁爲之而無以爲，上義爲之而有以爲，上禮爲之而莫之應……，這樣，就形成了明確的階段。雖説也有因前面有上德和下德之對，所以，下面也應有其對這樣的想法，但第二次出現的"上德"，即使從其句法上來説，也是視之爲和下文的"上仁"，"上義"，"上禮"相對應爲佳；最初的"下德"，正如王弼的注中也已經説過的那樣，是總括"上仁"以下之德的詞。這樣的話，第二次出現的"下德"句完全除去，也就不存在什麼麻煩了。沒有此句的版本，雖説只有帛書，但這看來是有充分理由的。

　　(2)第七十三章中，無"是以聖人猶難之"句。甲本中係缺字部

---

　　① 傅奕本和范應元本作"爲之而無以爲"，但這也和"上仁"句的説明一樣，沒有解決問題。

分,不清楚有無,而在乙本中"天之所亞(惡)孰知其故"之後,立刻
接"天之道不單(戰)而善朕(勝)",中間無此句。如從今本,前後都
是有韵之句而獨此句無韵;此外,"天之所惡"之後,與"天之道"相
連部分,因這一句的存在而意義受到阻隔。實際上與此相同的句子
在第六十三章也有,在那裏較爲平穩,此處,無這一句的版本,儘管
爲數不多,也有如嚴遵本、景龍碑本、道德真經次解本、敦煌一本
等,可見已有無此句爲佳之説。馬叙倫氏曾説過第六十三章殆有錯
簡,朱謙之氏贊成,武内博士也有同樣説法。新出的帛書中没有此
句,也就給了這些説法以有力的左證。

　　(3)第二十三章的末尾,無"信不足焉,有不信"句。這一章,甲
乙本基本相同。中間的文字與諸本間多有異同,帛書在校勘上的作
用是不言而喻的,而無這最後的兩句,是帛書獨有的特色。這句話,
一般認爲是和此章開頭的"希言自然"相對應的,同句在第十七章
中也有,因此是在詞語上有着關係,但照今本那樣理解,中間的"同
于道"、"同于德"等文字則過長,而如果不那樣看,則和中間的文字
連續不好,末句是游移的。朱謙之在《老子校釋》中,或正是爲此,認
爲,此二句在第十七章中也可見,恐錯簡重出。帛書中無此句,殆可
證明此説。關于此章,還有可斟酌之處,而依照帛書,除去末句,懸
案大致可解決。

　　(4)第三十章中,無"大軍之後,必有凶年"句。這兩句,在景龍
碑、龍興觀碑、敦煌一本等版本中也没有,據嚴可均説,或係是上文
"師之所處,荆棘生焉"的注文而混入本文之中的。此外《漢書·嚴
助傳》所載淮南王的上書中,"師之所處"二句,作爲"老子所謂"是
引用體,"大軍之後"的兩句,雖説是與此幾乎相同的話,然而并未
被作爲老子的話,這一點也已經由勞健氏和木村博士所指出。在帛
書中,甲、乙兩本都無此句,與淮南王上書完全相合,那上書中所顯
示的和"師之所處"句的關連性,也是形成混入本文這一狀況的因
素吧。

　　其次,想列舉一些字句有異同,特别是可認爲比今本爲佳的例

子,高亨氏等已舉者則不再涉及。

(1)第五十一章"物形之,勢成之"的"勢"字,甲乙本都作"�┴",──此句前,有"道生之,德蓄之"句。這是説,萬物生成的根源在道,在德的作用,然而承此之後,是説,萬物作爲物而成形,是自然的勢使之完成,或是自然之勢造成的。這是一般的解釋。但是,實際上,這個"勢"字在《老子》中,僅見于此。[①] 僅見于此,雖説未必就成爲否定它的理由,但是如果考慮和在帛書中首次出現的"�┴"這個詞的優劣的話,事情就很清楚了。"�┴"作爲用具之意,在《老子》中多次出現,與"物"的對應關係也自然,物是成形顯現出來的東西,�┴是完成的東西,勢的思想的展開,在和慎到、韓非的關聯上有着重要的意義,這以前已有叙述。[②] 這裏《老子》的話,與此殆無關係吧!"勢"和"�┴"相比較時,從意義上説,"�┴"字爲佳這是明顯的。還有,此章的下文中,可以再看到"德生之,德蓄之"之句。依從帛書,除去"德"字,可將此另作一章,這在前面,已經談到過了。

(2)第十五章開始的"古之善爲士者"的"士",作"道",(據乙本,甲本缺字);最後的"夫唯不盈"作"夫唯不欲盈"──此章的其他地方也有異同,可論述處很多,但最單純明快的,就是這兩點。開始的"士"作"道"者,只有傅奕本,與《後漢書‧黨錮傳》注的引用相合。河上公注中作"謂得道之君",俞樾據此,懷疑"士"字或爲"上"字之誤,而如果作"爲道者",問題就解決了。這裏的"道"字,據朱謙之氏之説,和章末句"保此道者"的道是對應的。帛書的出現,便是這一説的新的左證。

在章末,承"保此道者,不欲盈"句後,今本作"夫唯不盈……"。因此,以前雖有作"不盈"者,但從意義上,也作"不欲盈"這樣的理解。從意味充足上説,有"欲"字者較佳,是很明白的事。還有,上文中有甚相似的句法:有"古之善爲道者……深不可志(識)。夫唯不

---

① 實際上,如據傅奕本,第三十一章中也有"勢"字,但一般認爲是混入的注文,帛書本中亦無。
② 見拙稿《關于慎到的思想》。

可志"這樣的反復句式。承前面的"不欲盈",這樣的反復較佳,從句形上也可以這樣説吧!這也是帛書的優點。

(3)第二十八章中,包含"知其白守其黑,爲天下式","知其榮守其辱,爲天下谷"一系列句子、前後逆順,還有,"榮"字作"白"字(據乙本,甲本不明)——作爲其結果,"知其白守其辱,爲天下谷"句和最初的"知其雄守其雌,爲天下鷄(谿)"有了聯繫,恰好和《莊子・天下篇》中所引的老聃的話相一致,關于這一點,易順鼎和武内義雄博士也説過,包含"爲天下式"的句子,白和辱相對的意思,是難以接受之處,所以,可認爲是由于斷開了白和黑、榮和辱這兩者的結果而產生的後人附加文字。帛書的文字與此説相比,雖還留有疑問,但至少與今文相比,可以認爲是更接近于《莊子》引用中近于原形的形態。

(4)第三十章的"果而不得已"和"果而勿强"之間,有"居是胃(謂)"三字,過去少數的版本在此也有異同,景龍碑和傅奕本中有"是"字,范應元的古本中有"是謂"二字。總之,有這些字和下面的句子,就成爲和上面相區别的總括性之語,而像今本那樣没有這些字,就没有了區别,俞樾認爲,從意義上説,有"是"字爲佳,贊成此説者也甚多,而據帛書,合于范應元,取"是謂"二字,也是可以的吧!

還有,第三十一章"夫佳兵者不祥之器"中没有"佳"字也是應當注意的,對此,因今枝氏已經論及,故省略。

帛書字句的異同非常多,以上只是據我個人的看法,談了可認爲顯然是帛書爲佳的主要幾處。而且,在異文中間,尚難以解釋之處也不少。比如,第二十四章和第三十一章中,都是"有道者"變爲"有欲者"。意思上令人有完全相反之感。因甲本、乙本俱是如此,這是必須還應加以考慮的。此外,也有可認爲明顯脱字、誤字處,作爲古寫本來説,是常有的,也是自然的。

對帛書《老子》全面性的資料性質的探討,其最基礎的部分,在此告一段落。也有尚未充分斟酌,只是限于提出問題之點,而包括那些問題性在內，也是帛書《老子》的性質。帛書無論怎麼説，是最古的寫本，它作爲資料的貴重性，無論怎麼强調也都不爲過。上述的檢討也充分説明了這一點，但是，正像還有許多的資料一樣，將它絕對化那就會犯很大的錯誤。上述的探討當也可説明這一點。《老子》原本的形成，尚有很多不清楚的地方，如上所述，也難以把帛書當成其原形。總之，作爲秦漢之際那個時期的《老子》帛書是很重要的。

加上這樣的作爲資料的帛書《老子》，《老子》思想史的研究會怎樣變化呢？這是以後研究的問題。

（李慶譯）

帛書《周易》與卦氣說

邢 文

内容提要 學術界探討已久的《周易·説卦》諸章的矛盾問題,并未因帛書《周易》的出現而最後解決。通過帛書《周易》與卦氣説的比較研究,我們在認識到漢代學術史上存在一種重編《周易》卦序之風的同時,發現帛書《周易》六十四卦下卦于八經卦的取序,與世傳本《説卦》"帝出乎震"章以後諸章強烈相關。依據帛書《周易》卦序,認爲《説卦》前三章與"帝出乎震"章以後各章在思想内容上可以統一,至少是有理由的。

一

時代相近的理論,往往更具可比性。結合漢代易學的主要學説研究馬王堆漢墓帛書《周易》,應該能受到更多的啓示。這當是帛書《周易》研究的一個重要方面。

二

卦氣説是漢代易學的重要理論。從孟喜的四正卦、十二辟卦、六十卦配七十二候,到京房的"分六十四卦,配三百八十四爻,成萬一千五百二十策,定氣候二十四,考五行于運命,人事天道日月星辰局于指掌"(《京氏易傳》卷下),卦氣説融天文曆法、陰陽五行、人事災異的占算爲一體，形成了易學、占候之術與宇宙圖式的統一。這一學説對于漢代學術影響至廣，不論是揚雄的《太玄》、劉歆的《三統曆》，還是《易緯》《稽覽圖》、《乾鑿度》、《通卦驗》、《是類謀》，以至馬融的經説、鄭玄的"五行説"，荀爽的"乾升坤降説"，甚至丹家的《周易參同契》等等，無不稱引或發展卦氣説。

文獻記載表明，卦氣説有古遠的傳統。

《歸藏》爲"三易"之一，《周官》太卜曾掌。古人或以爲黃帝之《易》，或以爲商人之《易》①。晉干寶《周禮注》引《歸藏》："復子，臨丑，泰寅，大壯卯，夬辰，乾巳，姤午，遁未，否申，觀酉，剝戌，坤亥。"② 與孟喜的十二辟卦説相同。

《周易》列"三易"之末，其《坤·上六》："龍戰于野，其血玄黃。"尚節之指爲卦氣説中辟卦坤居亥之證。《周易尚氏學》引荀爽説："消息之位，坤在于亥，下有伏乾，陰陽相和。故曰：'龍戰于野'。"③ 如果不從辟卦坤居亥位來看，上六純陰無陽，既不可言"龍"，更不能"戰"，也就無所謂陰陽相和、其血玄黃。

《歸藏》、《周易》而外，又有《左傳》。《焦氏易詁》舉成公十六年晉楚之戰，晉侯"筮得'復'，曰：'南國蹙，射其元，王中厥目'"，即以"復"居正北、辟于子，斷定十二辟卦自古有之④。

辟卦是卦氣説的基本内容之一。以十二辟卦代表一年十二月，即孟喜卦氣説中的十二月卦説，一般認爲出于已佚的《孟氏章句》。⑤ 據《舊唐書》所記，其月卦順序如下：

① 杜子春云："《連山》，宓戲；《歸藏》，黃帝。"《周禮注疏》卷二十四鄭玄注引，第164頁，《十三經注疏》本。《山海經》："伏羲氏得河圖，夏后因之，曰《連山》；黃帝氏得河圖，商人因之，曰《歸藏》；列山氏得河圖，周人因之，曰《周易》。"王應麟《玉海》卷三十五引，第17頁，江蘇古籍出版社、上海書店1987年12月聯合出版。
② 尚秉和《焦氏易詁》卷八引，第239頁，中華書局1991年12月版。又馬國翰輯《歸藏》："子復，丑臨，寅泰，卯大壯，辰夬，巳乾，午姤，未遁（朱太史曰："《歸藏》本文作'遂'。"），申否，酉觀，戌剝（朱太史曰："《歸藏》本文作'僕'。"），亥坤。（徐善《四易》）"《玉函山房輯佚書·一》，第35頁，上海古籍出版社1990年12月版。
③ 尚秉和《周易尚氏學》卷二，第37頁，中華書局1980年5月版。
④ 同前。尚秉和《焦氏易詁》卷八引。
⑤ 參見《新唐書》卷二十七上，第598頁。

辟卦配月表

月中	四正卦	中卦
十一月中	坎初六	辟復☷☳
十二月中	坎六三	辟臨☷☱
正月中	坎九五	辟泰☷☰
二月中	震初九	辟大壯☳☰
三月中	震六三	辟夬☱☰
四月中	震六五	辟乾☰☰
五月中	離初九	辟姤☰☴
六月中	離九三	辟遯☰☶
七月中	離六五	辟否☰☷
八月中	兌初九	辟觀☴☷
九月中	兌六三	辟剝☶☷
十月中	兌九五	辟坤☷☷

（資料來源:《舊唐書·曆志三》)①

表中，從"復"卦到"坤"卦，清楚地表明了陽息、陽消的過程，反映了陰陽二氣的消長。從上表我們可以看出：十二月卦說至少在形式上是對六十四卦中部分卦卦序的重排。

馬王堆帛書《周易》不同于世傳本的基本特征之一，即在其特殊的卦序。

帛書《周易》發表前後，學者們發表的論文、專著，都指出其卦序的特殊性②。李學勤先生尤其強調帛書卦序的思想意義③。繼續

---

① 《舊唐書》卷三十四。按:《舊唐書》中華書局點校本第 1236 頁"九月中、兌六五"係"九月中、兌六三"誤。
② 饒宗頤:《略論馬王堆〈易經〉寫本》,《古文字研究》第 7 輯(1982 年 6 月)。于豪亮:《帛書〈周易〉》,《文物》1984 年第 3 期。張政烺:《帛書〈六十四卦〉跋》,《文物》1984 年第 3 期。李學勤:《馬王堆帛書〈周易〉的卦序卦位》,《中國哲學》第 14 輯(1984 年 5 月)。朱伯崑:《易學哲學史》上冊,北京大學出版社 1986 年 11 月版。
③ 李學勤:《周易經傳溯源》第四章,第 206 頁,長春出版社 1992 年 8 月版。

考察可以發現,不衹是帛書《周易》,漢易卦氣説中多見頗具思想意義的對于《周易》卦序的重排。

孟喜卦氣説以四正卦以外的六十卦,按辟(君)、公、侯、卿、大夫五等爵位,配一年二十四節氣中每氣的初、次、末三候共七十二候,概如下表(表中,始卦、中卦、終卦依次配初、次、末三候;四時卦及各氣三候從略):

孟氏卦氣、卦序簡表

恒氣	月中、節	始卦	中卦	終卦
冬至	十一月中	公中孚	辟復	侯屯(内卦)
小寒	十二月節	侯屯(外卦)	大夫謙	卿睽
大寒	十二月中	公升	辟臨	侯小過(内卦)
立春	正月節	侯小過(外卦)	大夫蒙	卿益
雨水	正月中	公漸	辟泰	侯需(内卦)
驚蟄	二月節	侯需(外卦)	大夫隨	卿晉
春分	二月中	公解	辟大壯	侯豫(内卦)
清明	三月節	侯豫(外卦)	大夫訟	卿蠱
谷雨	三月中	公革	辟夬	侯旅(内卦)
立夏	四月節	侯旅(外卦)	大夫師	卿比
小滿	四月中	公小畜	辟乾	侯大有(内卦)
芒種	五月節	侯大有(外卦)	大夫家人	卿井
夏至	五月中	公咸	辟姤	侯鼎(内卦)
小暑	六月節	侯鼎(外卦)	大夫豐	卿渙
大暑	六月中	公履	辟遁	侯恒(内卦)
立秋	七月節	侯恒(外卦)	大夫節	卿同人
處暑	七月中	公損	辟否	侯巽(内卦)

白露	八月節	侯巽(外卦)	大夫萃	卿大畜
秋分	八月中	公賁	辟觀	侯歸妹(内卦)
寒露	九月節	侯歸妹(外卦)	大夫無妄	卿明夷
霜降	九月中	公困	辟剝	侯艮(内卦)
立冬	十月節	侯艮(外卦)	大夫既濟	卿噬嗑
小雪	十月中	公大過	辟坤	侯未濟(内卦)
大雪	十一月節	侯未濟(外卦)	大夫蹇	卿頤

（資料來源：《舊唐書·曆志三》）

其中，每月月首稱"節"，月中稱"中"，每年二十四節氣，按此分作中氣、節氣兩類。

每年從冬至初候開始，以"中孚"卦相配，即唐僧一行《卦議》所謂："據孟氏，自冬至初，中孚用事"①，此説有五行學説痕迹。《淮南子·天文》以冬至"德氣爲土"②。土居中，"五常"配"信"③，《易傳》也以"孚"爲有信義④。所以，"中孚用事"的思想意義是明顯的。坎、震、離、兑四正卦，依次主四方四時⑤，與辟、公、侯、卿、大夫六十卦一樣，從不同的卦序編排，反映出陰陽二氣的消息盈虚。可以説，孟氏卦氣説在一定意義上正是孟喜出于對某種規律性的感悟，重排卦序的結果。

京房易學，更是如此。

京房的八宫卦説，是地道的卦序重排。京氏以乾、震、坎、艮、坤、巽、離、兑八經卦的重卦爲"八宫"（即"八純"），每宫卦各領七卦。七卦中，前五卦稱"一世"至"五世"，第六、七兩卦稱作"游魂"、"歸魂"，如下表：

---

①⑤僧一行：《卦議》，《新唐書》卷二十七上引。
② 劉文典：《淮南鴻烈集解》卷三，第113頁，中華書局1989年5月版。
③ 《漢書》卷二十一上。
④ 《序卦》："節而信之，故受之以中孚；有其信者必行之，故受之以小過。"

八宮卦次表

世(游、歸)	八宮卦							
世爻八純	乾	震	坎	艮	坤	巽	離	兌
一世	姤	豫	節	賁	復	小畜	旅	困
二世	遁	解	屯	大畜	臨	家人	鼎	萃
三世	否	恒	既濟	損	泰	益	未濟	咸
四世	觀	升	革	睽	大壯	無妄	蒙	蹇
五世	剝	井	豐	履	夬	噬嗑	渙	謙
游魂	晉	大過	明夷	中孚	需	頤	訟	小過
歸魂	大有	隨	師	漸	比	蠱	同人	歸妹

(資料來源:惠棟《易漢學》卷四)

京房對于卦序的重排,是其對于卦爻象陰陽消長變化認識的反映。以乾宮八卦爲例,《京氏易傳》卷上釋作:

乾:"純陽用事";

姤:"陰爻用事","陰遇陽";

遁:"陰爻用事,陰蕩陽","陰來陽退也";

否:"內象陰長,天氣上騰,地氣下降";

觀:"內象陰道已成";

剝:"柔長剛減、天地盈虛","天氣消滅";

晉:"陰陽返復,進退不居,精粹氣純,是爲游魂";

大有:"卦復本宮曰大有,內象見乾是本位。"

這解釋了乾宮八卦,從純陽氣盛("乾"卦),至陰漸生而浸陽("姤"至"剝"卦),以至陽不可盡剝、復游居外卦四位("晉"卦),和陰退陽伏、陽歸本位、內卦變"乾"("大有"卦)的過程。

乾宮陰息陽消,坤宮陽息陰消,其餘諸宮類似。不難發現,京房此說烙有孟喜十二辟卦陰陽消長思想的印記。但京氏推演陰陽消息,重排全部卦序,自成體系。

　　京氏的卦序體系，還在其諸世之分。《京氏易傳》卷下指出："一世二世爲地易，三世四世爲人易，五世六世（按"六世"係"八純"訛）爲天易，游魂歸魂爲鬼易。"這反映了《易傳》的思想。《繫辭·下》有："易之爲書也，廣大悉備，有天道焉，有人道焉，有地道焉。"《說卦》："昔者聖人之作易也，將以順性命之理。是以立天之道曰陰與陽，立地之道曰柔與剛，立人之道曰仁與義。"《繫辭·上》又有："精氣爲物，游魂爲變，故知鬼神之情狀。"

　　元人胡一桂《周易啓蒙翼傳》外篇所記京房世卦起月例①，實即京房八宮卦卦氣說。朱伯崑先生評之："不僅同卦象不符，亦同一年節氣的變化相矛盾，表現了邏輯思維的混亂"②，指明其某些特征。胡氏所記的來源尚須考察。從目前資料來看，這一八宮卦卦氣說于本文討論的京房卦序思想，意義不是太大，故識此備考。

　　京房卦氣說中，八卦卦氣說比較重要。八卦卦氣說以坎配十一月，震配二月，離配五月，兌配八月，乾、坤、巽、艮四卦則各配十月、七月、四月、正月。此中，十一月坎在子，五月離在午，"龍德十一月在子在坎卦左行，虎刑五月午在離卦右行"，"陰從午，陽從子，子午分行。子左行，午右行，左右凶吉，吉凶之道，子午分時。"（《京氏易傳》卷下）這種卦氣說，以從子左行至午爲陽氣興盛的過程，從午右行至子爲陰氣興盛的過程，雖然僅在于八卦，但也是京氏陰陽五行思想的一種反映，可以說明八宮卦說卦序排列的某種思想基礎與思想傾向。

　　此類對于六十四卦卦序的再認識與重排，在漢易卦氣說中并非僅見于孟、京二家。試舉《易緯·稽覽圖》以概其餘：③

　　　小過，蒙，益，漸，泰（寅）。需，隨，晉，解，大壯（卯）。豫，訟，蠱，革，夬（辰）。旅，師，比，小畜，乾（巳）。大有，家人，井，咸，姤（午）。鼎，豐，渙，履，遯（未）。恒，節，同人，損，否（申）。巽，萃，大畜，賁，觀

　　①　惠棟：《易漢學》卷五引。
　　②　朱伯崑：《易學哲學史》上冊第123頁。
　　③　鄭康成注：《易緯·稽覽圖》卷下，第1頁，武英殿聚珍版《易緯八種》同治十二年本。

(酉)。歸妹，無妄，明夷，困，剝(戌)。艮，既濟，噬嗑，大過，坤(亥)。未濟，蹇，頤，中孚，復(子)。屯，謙，睽，升，臨(丑)。坎(六)，震(八)，離(七)，兌(九)。

已上四卦者，四正卦爲四象。每歲十二月，每月五月(按"月"字當作"卦")，卦六日七分。每期三百六十六日，每四分(按"六日"當作"五日"；"四分"當作"四分日之一"。)

可以見其與孟京卦氣説的不同。

就現象而言，各家卦氣説對于卦序的重排，是共同的特徵。

馬王堆帛書《周易》，是《周易》卦序重排後的一種傳本。

帛書本《周易》卦序與京房八宮卦説卦序，最可比論。

如所周知，帛書《周易》六十四卦上卦的取卦順序是：乾、艮、坎、震、坤、兌、離、巽。此八經卦可與京房"八純"、《説卦》"父母六子"説，就卦序比較如下：

帛書、八純卦序比較表

序號	帛書	《説卦》	八純	《説卦》
1	乾	父	乾	父
2	艮	少男	震	長男
3	坎	中男	坎	中男
4	震	長男	艮	少男
5	坤	母	坤	母
6	兌	少女	巽	長女
7	離	中女	離	中女
8	巽	長女	兌	少女

帛書卦序與八純卦序的相似之處，可歸納爲兩點加以討論：

一、帛書《周易》上卦所取經卦的順序，與京房八宮卦的排序、都充分反映了八卦取象、陰陽交錯對立的觀念①；

　　二、帛書的這一卦序與八純卦序，都采用了"父母六子"的排序方式，反映了《説卦》"父母六子"的取象觀念與排列順序（在"六子"排序上，帛書取"少男"至"長男"，八純取"長男"至"少男"）。

　　第二點認識也許更爲重要。因爲，帛書易卦的這種排序説明：帛書《周易》的卦序，包含了今本《説卦》"帝出乎震"章以後諸章的部分思想内容。

　　張政烺先生曾指出帛書的這種卦序與北周衛元嵩《元包》的八卦次序相合②

太陰弟一　　　太陽弟二

（坤母）　　　（乾父）

少陰弟三　　　少陽弟四

（兑少女）　　（艮少男）

仲陰弟五　　　仲陽弟六

（離中女）　　（坎中男）

孟陰弟七　　　孟陽弟八

（巽長女）　　（震長男）

《元包》作于公元六世紀中期，包含有《説卦》"父母六子"的觀念并不奇怪。坤、乾兩卦而外，其六子順序與帛書完全相同，或許暗示着兩者的某種共同來源。李學勤先生早已明確衛元嵩的以坤先乾是模仿《歸藏》③，《周易經傳溯源》又立專節比較帛書《周易》與《歸藏》卦名，這是深富啓示意義的。

　　帛書《周易》下卦所取經卦的順序是：乾、坤、艮、兑、坎、離、震、巽。

　　世傳本《説卦》有：

　　　　乾，健也。坤，順也。震，動也。巽，入也。坎，陷也。離，麗也。艮，

_____

　　①　此點如能參見李學勤先生《周易經傳溯源》第四章第四節中《帛書卦序》一節的圖示與論述，意義會非常顯露。

　　②　前引《帛書〈六十四卦〉跋》。

　　③　前引《馬王堆帛書〈周易〉的卦序卦位》。

止也。兌,説也。

乾爲馬。坤爲牛。震爲龍。巽爲鷄。坎爲豕。離爲雉。艮爲狗。
兌爲羊。

乾爲首。坤爲腹。震爲足。巽爲股。坎爲耳。離爲目。艮爲手。
兌爲口。

乾,天也,故稱乎父。坤,地也,故稱乎母。震,一索而得男,故謂
之長男。巽,一索而得女,故謂之長女。坎,再索而得男,故謂之中男。
離,再索而得女,故謂之中女。艮,三索而得男,故謂之少男。兌,三索
而得女,故謂之少女。

乾,爲天,爲圜,⋯⋯爲衣,爲言。坤,爲地,爲母,⋯⋯爲帛,爲
漿。震,爲雷,爲龍,⋯⋯爲鵠,爲鼓。巽,爲木,爲風,⋯⋯爲楊,爲鸛。
坎,爲水,爲溝瀆,⋯⋯爲蒺藜,爲桎梏。離,爲火,爲日,⋯⋯爲科上
槁,爲牝牛。艮,爲山,爲徑路,⋯⋯爲虎,爲狐。兌,爲澤,爲少女,
⋯⋯爲常,爲輔頰。

上引《説卦》五章,連續采用了一個相同的卦序:乾、坤、震、巽、坎、
離、艮、兌。

對照帛書《周易》下卦所取經卦序列,并將京房八純排列方式
略作調整,可作如下比較:

帛書、八純《説卦》五章卦序比較表

序號	帛書	《説卦》五章	(序號) 八純	
1	乾(父)	乾(父)	(1)乾(父)	
2	坤(母)	坤(母)		(5)坤(母)
3	艮(少男)	震(長男)	(2)震(長男)	
4	兌(少女)	巽(長女)		(6)巽(長女)
5	坎(中男)	坎(中男)	(3)坎(中男)	
6	離(中女)	離(中女)		(7)離(中女)
7	震(長男)	艮(少男)	(4)艮(少男)	
8	巽(長女)	兌(少女)		(8)兌(少女)

上表表明:

　　一、京房八宮卦的排列，係嚴格按照《説卦》五章的經卦卦序推演而成；

　　二、帛書《周易》下卦所取經卦的順序，與《説卦》五章的卦序，有很强的可比性：(1)如分八卦爲四組，兩者均取互爲對象(天地、山澤、水火、雷風)的經卦爲一組；(2)兩者都按"父母六子"的排序方式排列各組經卦(在"六子"排序上，帛書取序由少至長，《説卦》五章取序由長至少)。

　　帛書《周易》六十四卦下卦于經卦的取序，和《説卦》五章經卦卦序的對比，説明了一個令人驚訝的問題：帛書《周易》的卦序，不僅僅依據帛書《繫辭》："天地定立(位)，[山澤通氣]火水相射，雷風相榑(薄)"，而且與世傳本《説卦》"帝出乎震"章以後諸章(即本文所謂《説卦》五章)强烈相關。

　　可以説，帛書易卦上卦所取經卦的順序，基于"天地定位"章的思想觀念；其下卦所取經卦的順序，含有《説卦》五章的思想內容。如此，帛書《周易》的卦序可以視作"天地定位"章和《説卦》五章有關思想內容諧和、統一的反映。

　　基于上述，最遲始于宋代的、中外學者對于傳世本《説卦》諸章的文獻學的考察①，當有重新認識的必要。事情很清楚：雖然馬王堆帛書《周易》的有關傳文衹包括世傳本《説卦》的前三章，但世傳本"帝出乎震"章後《説卦》五章的思想內容，在帛書卦序中仍然有着明確的反映。因此，不論"帝出乎震"章是否另有來源，依據帛書《周易》的卦序，認爲世傳本《説卦》前三章和本文所引《説卦》五章在思想內容上可以統一，至少是有理由的。

三

　　卦序是卦氣說的一大關捩。通過對卦氣說的考察，我們發現漢

---

①　參見李學勤《周易經傳溯源》第四章第四、五兩節有關部分。

代學術史上存在一種重編《易》卦的風氣。這種重排卦序之風是自
覺或不自覺的。目前很難判斷影響漢易卦氣說甚巨的孟、京卦氣
說,其始作是否出于對于某種規律性的感悟而重排卦序的動機。但
是,各家卦氣說起碼在形式上存在重編卦序的現象,而且這種對于
卦序的重編,都有其相當的思想意義,或者說都有一定的學術淵
源。舉犖犖大者而言,孟喜以"四正卦"配四時,以"中孚"爲首,分五
等爵位,重排了其餘六十卦;京房以八純統領八宮,重排了全部六
十四卦,《京氏易傳》完全依此展開;《易緯·稽覽圖》以"四正卦爲
四象",按十二支重排了其餘六十卦;更有好深湛之思的揚子雲,借
鑒卦氣說的圖式,撇開六十四卦,重編《太玄》八十一首,其起于
"中"首、終于"養"首的順序,正透出了卦氣說起于"中孚"、終于
"頤"卦的消息。馬王堆帛書《周易》的出土,爲這種重排卦序之風的
存在,提供了考古學上的證據。如此,將來若有更新卦序的《周易》
傳本的發現,應該是不奇怪的①。

　　比較馬王堆帛書《周易》與漢易卦氣說,其卦序特征相近的部
分,反映了相似的思想來源。帛書《周易》的卦序表明:儘管世傳本
《說卦》前三章在思想特徵上與《繫辭》各章完全和諧,帛書本《繫
辭》也衹包括世傳本《說卦》的前三章,但是,《說卦》前三章與"帝出
乎震"章以後的《說卦》五章在思想上仍有可以統一的因素。因此,
學術界探討已久的《說卦》前三章與"帝出乎震"以後各章的"矛盾"
問題,並沒有因帛書《周易》(包括傳文)的出現而最後解決。相反,
帛書《周易》的卦序特徵,對我們以往考慮這一問題的思路,提出了
疑問。

　　應該看到,帛書卦序在與《說卦》五章相關的同時又同中見異。
尚節之從先、後天卦位說傳流的角度,對世傳本《說卦》"天地定位"
章和"帝出乎震"章的並存作有解釋②。如果世傳本《說卦》各章是
不容割裂、沒有錯簡的一種完善的《說卦》傳本,帛書卦序與《說卦》

　　① 後周衛元嵩《元包》即此類傳本,其卦序排列與卦氣說直接有關。
　　② 尚秉和:《周易尚氏學》第9頁,《焦氏易詁》第258頁。

五章的相關關係或已表明：帛書《周易》與世傳本《説卦》另有某種共同的來源。衛元嵩《元包》八卦卦序除以坤先乾外，餘皆合于帛書，希望是探究這一問題的綫索之一。

作者簡介　邢文，1965 年生，南京人。經濟學學士，藝術類文學碩士。現在中國社會科學院研究生院歷史系，從李學勤先生攻讀博士學位，研究方向爲先秦、秦漢學術文獻。主要論著有《中國糧食統計簡史》（上）、《"五僧"説》等。

前黃老形名之學的珍貴佚篇

——讀馬王堆漢墓帛書《伊尹·九主》

魏啟鵬

内容提要 《伊尹·九主》是帛書《老子》甲本後的四種古佚書之第三種,乃《漢書·藝文志》道家《伊尹》五十一篇中之佚篇。其明分守,繩法則,審名命,暢論君人南面之正道與失誤,對《申》、《韓》、《呂覽》、《管子》及黃老帛書等都有深刻的影響。佚篇的重要概念和用語,可與西周金文、《國語》、《左傳》印證,其成書年代當不晚于春秋末期。黃老形名之學的理論基礎是道、天道、執一無爲;而伊尹學派則以商周天命觀爲理論依據,故應區別,稱之爲前黃老形名之學。

黃老帛書自發現以來,引起國内外學術界的高度重視,十八年間,興趣不衰,討論熱烈,或認爲成書戰國,或斷言出自秦漢,迄無定論。問題的最終解決,一方面期待于地下古文獻新的發現和公布,另一方面則需要探討黃老形名之學形成和傳承的歷史淵源。如果説前者之期,爲考古發現,難以預卜,那麽後者作爲一個重要的學術史課題,遲早應提上研究日程。同墓出土的另一種古佚書《伊尹·九主》,李學勤先生早在 1974 年第 11 期《文物》以筆名凌襄專文講疏,指出該書爲《漢書·藝文志》所載《伊尹》五十一篇之佚篇,屬黃老形名之學;亡佚時間很早,劉宋時裴駰作《史記集解》,祇引

《別錄》，已不能以《九主》原文糾正誤字，唐人則對"九主"本義已經完全不能理解，可見此佚書彌足珍貴，有重要學術意義。遺憾的是，據湖南省博物館 1992 年 8 月統計帛書研究論著，《九主》論文僅凌襄先生此篇，其後未見踵事增華之作，反映出思想史、學術史研究界對此書價值缺乏估計。應臺北左松超教授稿約，筆者不揣譾陋，作帛書《伊尹·九主》校箋事竣，深感《漢志》列《伊尹書》爲道家書目之首，是很有道理的。此書確爲探索道家，包括黃老之學歷史淵源的重要著作。

　　《史記·殷本紀》載："伊尹處士，湯使人聘迎之，五反然後肯往從湯，言素王及九主之事。"司馬遷記爲滅夏之前事，而帛書載伊尹論九主乃湯滅夏桀之後，總結正定明分，加強王權，防止重蹈夏桀覆轍的經驗教訓。帛書整理小組指出，《九主》的發現，可以糾正劉向《別錄》釋"九主"之義的錯誤。伊尹輔湯滅夏，又助湯制定治國之法度，後太甲悖亂湯之典刑，伊尹放太甲于桐宮而代其政事，這些事迹先秦兩漢各種學派多有傳述。甲骨文的研究也發現，卜辭中亦載其名，又稱作尹或黃尹。祭祀伊尹的卜辭多見于廩辛至文武丁時期，爲五個受祭先臣之首，配祭于二十三個先公先王。可見，伊尹的業績和思想在歷史上有過深遠的影響。當然，由于年代久遠，傳承紛紜，以至源流窳變的情況也是有的。陳奇猷先生《呂氏春秋校釋》，即本《漢志》所分，認爲《先己》、《論人》、《恃君》、《長利》、《知分》、《贊能》屬道家伊尹學派之言，《本味》則爲小說家伊尹派之言。凌襄先生亦指出，馬國翰所輯《伊尹書》，除《九主》外，其他涉及伊尹的段落，"其思想傾向很不一致。例如《說苑·臣術》一段，所謂伊尹的話有'大夫之事常在于仁'，'列士之事常在于義'，'道德仁義定而天下正'，與《九主》的思想截然相反。"總之，帛書《九主》之可貴，正在于它展示了《漢志》道家《伊尹》部份重要內容，可以幫助我們藉一斑而窺全豹，爲餘書所不能及。

　　帛書《九主》開篇提出"繩商（謫）"臣主之罪的必要性之後，就論述"法君者，法天地之則"的內涵：

　　□□四時，眨生萬物，神聖是則，以配天地。禮數四則，曰天綸。

　唯天不失企，四綸【是】則。古今四綸，道數不代。聖王是法，法則明
分。

　　首句闕文，殆可補爲“天正四時”，同墓出土黄帝書《經法・論
約》“四時有度，天地之理也。”“四時時而定，不爽不代，常有法式。”
“四時代正，終而復始。”《管子・四時》“天曰信明，地曰信聖，四時
曰正。”皆可發明其義。所謂“禮數四則”，即此書下文所説的“主法
天，佐法地，輔臣法四時，民法萬物，此謂法則。”以法天地、四時、萬
物這種樸素的自然觀爲依據，確定君臣下民的明分等次，反映出一
種植根于上古農耕文明的原始數術觀念①。《通典》卷十九：“夏商
以前云天子無爵，三公無官。”注引伊尹曰：“三公調陰陽。”帛書《九
主》載湯命“伊尹爲三公，天下太平”，而此段所闡述内容，正爲“調
陰陽”本色，且與司馬談《論六家要指》所云“陰陽四時，八位，十二
度，二十四節，各有教令，順之者昌，逆之者不死則亡，……又謂春
生，夏長，秋收，冬藏，此天地之大經也，弗順則無以爲天下綱紀。故
陰陽家序四時之大順不可失。”同出一源。天綸，猶言天緷。《爾
雅・釋言》：“貉縮，綸也。”郭璞註：“綸者，緷也，謂牽縛。”《淮南
子・時則》論陰陽大制有六度，“天爲緷，緷者所以緷萬物也”。“緷
之爲度也：直而不爭，修而不窮；久而不弊，遠而不忘；與天合德，與
神合明。”可見“天綸”、“四綸”云云，亦古陰陽家言。帛書《九主》之
“明分”。以原始數術觀念爲據立説，故多陰陽古義，這正是其異于
戰國名家尹文、公孫龍子、惠施之處。而黄老帛書則能繼其餘緒，融
入本宗體系。

　　“唯天不失企”和下文所言“天企”，爲本篇内容之關鍵處，而必
先明其釋讀。1974年、1975年兩種大字綫裝本皆釋爲“企”。凌襄
先生認爲，“‘企’訓舉踵，訓立，‘天企’難通。此字應爲‘法’字古文。
《説文》‘法’古文作‘佱’，《汗簡》引石經古文同，當係戰國古文的一

_____

　　① 參看魏啓鵬：《馬王堆漢墓帛書〈德行〉校釋》第115頁至119頁，巴蜀書社，
1991年。

種異體。”1980 年布面精裝八開本,帛書整理小組改釋“企”爲
“乏”,讀爲范。謹案:釋“乏”不妥。《說文‧正部》:“乏,《春秋傳》云:
反正爲乏。”睡虎地秦簡 16.115“御中發徵,乏弗行貲二甲。”帛書
《十六經‧正亂》“毋乏吾禁。”乏字形皆从丿从止,帛書《九主》企字
皆从人从止,字形顯然不同,1974 年本釋文不誤。企讀爲啓,二字
古音同支部溪紐,故得通借。《釋名》:“企,啓也。啓,開也。”據此釋
讀,則《九主》所謂“天不失企(啓),四維【是】則”與黃帝書《十六經
‧順道》所云“大庭氏之有天下也,不辨陰陽,不數日月,不志四時,
而天開以時,地成以財”,兩者之間的思想聯繫亦顯而易見了,“天
企”與“天開”意同。

　　“天啓”乃商周時期天命觀的重要內容之一。《古文尚書‧咸有
一德》引伊尹之言“皇天無保,監于萬方,啓迪有命。”《太甲上》引伊
尹言“旁求俊彦,啓迪後人。”[1] 與約公元前九世紀周孝王時器《番
生簋》銘文“廣啓乓(厥)子孫于下”[2]、周夷王時器《叔向父簋》銘文
乞上天“降餘多福”,“廣啓禹身”義可互證。《國語‧鄭語》載周幽王
八年(前 774)史伯論楚之季絀曰:“臣聞之:‘天之所啓,十世不
替。’夫子孫必光啓土,不可偪也。”《晉語四》載重耳如楚,楚成王以
周禮享之,公子欲辭,子犯曰:“天命也,君其饗之。亡人而國薦之,
非敵而君設之,非天,誰啓之心!”《左傳‧僖公二十三年》載叔詹
曰:“臣聞‘天之所啓,人弗及也’。”同書宣公三年載石癸曰:“天或
啓之,必將爲君,其後必蕃。”弄清楚上述深厚的思想和歷史背景,
就可以理解帛書《九主》載湯爲什麼要禮讚天企(啓)了,“大矣哉!
大矣哉! 不失企(啓)。”

　　值得重視的是,《九主》的“天企(啓)”還有使萬物“分名既定”
的涵義:

　　　　後曰:“天企(啓)何也?”伊尹對曰:“天企無□(案:疑闕文爲

　　① 《古文尚書》爲魏晉人輯佚本,一概斥之僞書不妥。
　　② 楊樹達先生指出,“啓”有贊助、佑助之義,“廣啓”與《左傳》“光啓”同義。見《積
微居金文說》第 105 至 106 頁,科學出版社,1959 年。

“私”),覆生萬物。生物不物,莫不以名,不可爲二名,此天企(啓)
也。”

案之故訓,“啓”有區別、分移之義。《夏小正》:“啓,別也,陶而
疏之也。”“疏”訓爲分,見《淮南子·原道》“襄子疏隊而緊之”註。
《孫臏兵法》亦有此語例。“不物”一語,數見于《鶡冠子》、《莊子》諸
書。《莊子·山木》:“物而不物,故能物物。”郭註:“夫用物者,不爲
物用也。不爲物用,斯不物矣。不物,故物天下之物,使各自得也。”
《九主》則認爲天生萬物而不爲物所同化,故啓分萬物,使天下萬物
各有其名而別之,各明其分而用之,在天命觀的基礎上樹立了自己
的形名學說。《九主》對“正名”問題也有相當精粹的論述:

> 主不妄與,以分聽名。臣不以妄進,曰蒕(匡)以受也。自蒕(匡)
> 者先名,先名者自責。夫先名者自蒕(匡)之命已。名命者符節也,法
> 君之所以蒕(匡)也。法君執符以聽,故自蒕(匡)之臣莫【敢】偶會以
> 當其君。

1980年本帛書整理小組註云:“蒕,字書不見,蓋从艸,强聲;
强,从田,弘聲;按士聲與才聲近,疑蒕是薦之異體。”謹案:1974
年、1975年本此字讀爲强,同彊。疑苗字从土从田,乃甾或匷之別
構,此字从艸,彊聲。在本書中借爲匡,二字陽部叠韻、見溪旁紐,故
得通假。《爾雅·釋言》:“匡,正也。”《毛詩·小雅·六月》:“以匡王
國。”《毛詩·豳風·破斧》:“四國是皇。”《齊詩》作“四國是匡。”《論
語·憲問》:“一匡天下。”《論衡·書虛》作“一正天下”。先秦早期經
籍中,凡“糾正”、“端正”、“使之正”諸義,多以“匡”一詞表述。因而,
有理由推測,形名之學形成初期,“匡名”早于“正名”一語。文中“夫
先名者自蒕(匡)之命”,且與西周金文互證:《麥彝》:“出入逛(匡)
令(命)。”《井侯尊》:“逛(匡)明令(命)。”《史頌鼎》:“日逛(匡)天子
顯令(命)。”[1] 逛(匡),正也,匡助也。甲、金文中“命”、“令”二字通
用。《説文通訓定聲·坤部》:“在事爲令,在言爲命。散文則通,對
文則別。”故此句意爲“先名者應當首先自正其事”,才能名命相合,

---

[1] 金文末段並非祇有祝頌之緘辭,亦有自勉自勗之辭。

言行一致，如合符契。此文不僅顯示了《九主》"匡名"之說有古老的
思想淵源，而且已發黃老形名之先聲，黃帝書《經法·論》所云"物
自正也，名自命也，事自定也"，《申子·大體》所云"動者搖，靜者
安。名自正也，事自定也"（定，訓爲正、成），皆爲《九主》"自匡"之迴
響。《韓非子·主道》強調"言已應則執其契，事已增則操其符，符契
之所合，賞罰之所生也"，亦顯然是發揮《九主》關于法君執符節以
匡正下臣，審其真僞之論①。董仲舒暢論王術，專有"匡科"一條，見
《春秋繁露·深察名號》："深察王號之大意，其中有五科：皇科、方
科、匡科、黃科、往科。合此五科，以一言謂之王。……故王意不普
大皇，則道不能正直而方；道不能正直而方，則德不能匡運周徧；德
不能匡運周徧，則美不能黃；美不能黃，則四方不能往。"猶存《九
主》謂法君執名命符節之所以匡的要旨。

　　黃老形名之學有關君人南面之術的主要論點，幾乎都可以在
《九主》中見其端倪。如"以無職並聽有職，主分也。"無職通無識，語
本《詩經·大雅·皇矣》："帝謂文王，予懷明德。不大聲以色，不長
夏以革。不識不知，順帝之則。"箋云："其爲人不識古，不知今，順天
之法而行之者。"《呂氏春秋·君守》發揮其旨，"故善爲君者無識，
其次無事。有識則不備矣，有事則不恢矣。"《春秋繁露·媛燠孰
多》亦就聖王之術而申說之，"詩云：不識不知，順帝之則。言弗能知
識，而效天之所爲云爾。"《九主》批評"勞君"不悟，"自爲其邦者，主
勞臣佚"。《管子》書中更是反復闡釋其義，"君出令：佚，故立于左；
臣任力：勞，故立于右。"（《宙合》）"舍大道而任小物，故上勞煩，百
姓迷惑，而國家不治。聖君則不然，守道要，處佚樂，……不思不慮，
不憂不圖。"（《任法》）精通黃老的司馬談《論六家要指》，特別批評
儒家"以爲人主天下之儀表也，君唱臣和，主先臣隨。如此，則主勞
而臣佚。至于大道之要，去健羨，黜聰明，釋此而任術。夫神大用則
竭，形大勞則敝；神形早衰，欲與天地長久，非所聞也。"

---

　　① 參喬《周禮·夏官·匡人》註疏。

《九主》所論"唯天無勝（朕），凡物有勝（朕）。"雖然是以天命、物性爲説，但對黄老之學的道論起了相當直接的影響：

　　　　後曰："天無勝，何也?"伊尹對曰："勝（朕）者，物【性之】所以備也①，所以得也。天不見端，故不可得原，是無勝（朕）。"

所謂無朕，就是無徵兆、無痕迹。比較于黄帝書《十六經·前道》所稱"道有原而無端，用者實，弗用者茫。合之而涅于美，循之而有常"，《管子·幼官》所稱"始乎無端，卒乎無窮。始乎無端，道也；卒乎無窮，德也。道不可壹，德不可數"，從"天不見端"之"天"，至"始于無端"之"道"，顯現出伊尹學派的天命論發展到黄老學派道論的思想軌迹。到《淮南子·兵略》中，就直接了當將《九主》之"天"易爲"道"，說"凡物有朕，唯道無朕"了。

這裏要順便指出，帛書《九主》的觀點，與鄭國兩位形名大師之論可以印證，一位是春秋末葉的鄧析，一位是戰國中期的申不害。前述"無朕"説，在《太平御覽》卷六百二十引《鄧析子》中亦有闡釋②："不以耳聽，則通于無聲矣。不以目視，則照于無形矣。不以心計，則達于無兆矣。不以知慮，則合于無朕（伍非百先生校曰：舊作然，形近而誤）矣。爲君者藏形匿影，群下無私。掩目塞耳，萬民恐震。循名責實，察法立成，是明主也。"《九主》論"法君之佐佐主無聲"，也使人聯想及《鄧析子》名句："聽于無聲，則得其所聞。故無形者，有形之本。無聲者，有聲之母。"帛書《九主》主張"法君執符以聽"，"以分聽名"，與《群書治要》引《申子·大體》所論"名者，天地之綱，聖人之符。張天地之綱，用聖人之符，則萬物之情無所逃之矣"，二者真如一脈傳承。鄭國乃殷商故地重鎮所在，1956年發現的鄭州商城遺址和1983年發現的偃師縣商代早期都城遺址，經研究認爲，即湯滅夏後所居都城。"湯滅夏後，首先在夏都附近建立了偃師商城。依《漢書·地理志》所記，偃師的尸鄉爲'殷湯所都'。

----

①　所闕二字，爲引者臆試補出。
②　《鄧析子》一書，自《別録》、《漢志》、《隋志》、《宋志》記載不絕如縷。《四庫全書總目》謂今本"似亦掇拾之本"，雖有其他子書據入，然書中某些段落，常爲鄧析學派之本來面目。

《帝王世紀》、《元和郡縣圖志》、《括地志》從其説。如果此説可靠,則商湯曾以偃師爲都城,即後世所謂西亳。……不久,又在鄭州建立一座更大的商城,其統治中心移到此,其地名仍稱亳"①。所以,伊尹學派直到春秋戰國時代仍傳承于鄭國的大學者,決非偶然,而有深厚的歷史文化基礎在于斯。從《九主》的"天無朕"、"佐主無聲"到《鄧析子》的"合于無朕"、"無聲之聽",至于黄帝書《道原》的"聖人能察無形,能聽無【聲】";從《九主》的"法君執符"到《申子》的"名者聖人之符"②,至于黄帝書《經法・名理》的"以法爲符",給形名之學的形成發展提供了可信的歷史聯鎖。

結束本文時,試就帛書《九主》的成書年代陳述幾點意見,供討論參考。

一、形名之學的出現相當早,過去有的學者認爲戰國中期才形成此學,其説不妥。正如《莊子・天道》指出③,"故書曰:'有形有名。'形名者,古人有之","禮法數度,形名比詳,古人有之,此下之所以事上,非上之所以畜下也。"帛書《九主》論"禮數四則",強調"匡名",稱湯"擇(案:讀爲斁,即古"度"字)悟見素",證明《天道》所言不虚。據《史記・晉世家》記載,晉穆侯十年(公元前802年)晉人師服曰:"名,自命也;物,自定也。"此語即後來黄老形名之學反復申説的名句。

二、道家伊尹學派的形名學説,在先秦時代就很有影響,特別是對形名"法"、"術"一派。《韓非子・姦劫弑臣》云:"伊尹得之湯以王,管仲得之齊以霸,商君得之秦以強,此三人者,皆明于霸王之術,察于治強之數,而不牽于世俗之言。"蒙文通先生指出,"非子以伊尹、管仲、商君爲皆尚法術,則法家之從商,不亦宜乎!"④ 帛書《九主》對管仲學派的影響,在《管子》書中《明法》、《任法》、《宙合》

① 孫淼:《夏商史稿》第344頁,文物出版社,1987年。
② 《史記》謂"申子之學本于黄老而主刑名"。
③ 《天道》爲先秦作品,參看劉笑敢《莊子哲學及其演變》第51頁,中國社會科學出版社,1987年。
④ 蒙文通:《古學甄微》第230頁,巴蜀書社,1987年。

等多篇中反映十分明顯，且有《七臣七主》一篇，純爲效法《九主》之作，內容更豐富。《商君書》主張"立法明分""塞私門"，揭露"大臣爭于私而不顧其民"，強調"名分定，勢治之道也"，皆直接繼承和發揮了《九主》之思想。在《韓非子》書中，也有大量類似的例證。因此，伊尹學派的影響和傳承，絕非虛言。

三、形名之學從以天命論爲思想基礎，演變爲以自然無爲的道論爲理論依據，符合中國哲學史發展的邏輯次序。黄老形名之學以"道生法"、"道法自然"取代了伊尹學派賴以制定"禮法度數，形名比詳"的"天企(啓)"之説，擺脱了商周天命觀的束縛，衝擊了"天之監下"，有意志，施賞罰的迷信思想，祇有周環不已的天道，才是萬物中最重要、最廣大無私的一種客觀存在。這無疑是思想史上的一大進步，體現了歷史的與邏輯的二者之統一。

四、帛書《九主》不僅其主要觀點可以與《國語》、《左傳》印證，例如"天啓"説，而且書中提及的某些情況，也與春秋時代的史事可以參合。如所説"擅主之臣，見主之不悟，故用其主嚴殺戮"，這種大臣篡奪君主刑戮之權的情況，據《韓非子》書中《二柄》、《外儲説右下》記載，最典型的事例即春秋時期宋國的大臣司城子罕篡宋君誅罰殺戮之權，"故宋君見劫"。《九主》所批評的"寄君"，亦即"寄公"，《儀禮·喪服·子夏傳》："寄公者何也?失地之君也。"顧棟高《春秋大事·列國爵姓存滅表》載春秋時封爵列國凡二百有九，"始而星羅棋布，繼而强兼弱削"，絕大多數失地名滅，或奔某國寄居，"寄君"在春秋後期大量湧現，勢所必然。由此可以窺見《九主》中的時代烙印。

五、從語言色彩觀察，前面已指出"企之哉"、"葫(匡)命"可以與西周金文、《左傳》、《國語》互證，足見其古老。這裏再舉二例。《九主》言"作人邦"、"作人"。《左傳·成公八年》："君子曰:《詩》曰'愷悌君子，遐不作人?'求善也夫!作人，斯有功績矣。"作人，謂起用人才。就"君子曰"而論，可視爲春秋時仍流行之熟語。"作邦"，語出《詩經·大雅·皇矣》"帝作邦作配"。于省吾先生指出此語亦見西周《盂鼎》："在珷王嗣玟作邦"①。作邦猶言爲邦。"作人"、"作邦"《九主》非引《詩》，而用于散文，而戰國諸子中已不見此種文例了。據以上五點推斷，《九主》的成書年代當不晚于春秋末期，而不排除其成書更早的可能。

總之，伊尹學派在商周天命觀的基礎上，建立了早期的形名之學，對後起的黃老形名之學發生過積極的影響，但是應注意到兩者理論基礎的重要區別，所以，宜將伊尹學派的形名說稱之爲前黃老形名之學。無論是對中國古代思想史的研究，或是道家文化研究，馬王堆漢墓帛書《伊尹·九主》都是一篇有珍貴學術價值古佚書。

作者簡介 魏啓鵬，1944年生，四川巴縣人。現任四川大學歷史系副教授。主要著作有《太平經與東漢醫學》、《黃帝四經思想探原》、《馬王堆漢墓帛書〈德行〉校釋》、《馬王堆漢墓醫書校釋》等。

---

① 于省吾：《澤螺居詩經新證》第52頁，中華書局，1982年。

帛書《伊尹・九主》與黄老之學

余明光

　　1973年長沙馬王堆漢墓出土的帛書文庫，其中很大部份屬于中國古代道家文獻，而尤其引人注目的是失佚了近兩千年的道家黄老之學的專門論著，除了《黄帝四經》外，還有一篇重要的佚文：《伊尹・九主》。這篇佚文的出土，不但糾正了《史記・殷本紀・集解》引劉向《別錄》關于"九主"記載的錯誤①，而且使我們對什麽是道家黄老之學會有更深刻的認識。

　　《伊尹》一書，共五十一篇。《漢書・藝文志》道家類把它列爲第一，可見它的重要性；但至《隋書・經籍志》已不見著錄，可知亡佚已久。現在我們對《伊尹》一書雖不能窺其全貌，但通過對佚文《九主》的研究和分析，卻可以使我們對此書的概要和其基本思想傾向，有大致的了解。今就《九主》一文的主要内容、寫作時代，以及與黄老之學的關係論次于下，以求教于海内外方家。

《九主》的主要内容

　　《九主》一文，重在論治。論治則以道家理論爲本。崇尚無爲，重在君道；強調名分，重在用人；强調"符節"，重在法治。故《九主》一文所述内容，實乃黄老君人南面之術。今就其主要内容，論次于

---

① 凌襄：《試論馬王堆漢墓帛書〈伊尹・九主〉》，《文物》1974年第11期。

左：

一、君無爲而臣有爲，以無職并聽有職。

君無爲而臣有爲，這是道家黄老之學最重要的理論支柱。道家認爲，君之與臣，猶天之與地，故有天道地道之分。而人主法天之行，故君用天道而無爲，臣用人道而有爲。《莊子・在宥篇》曰：“無爲而尊者，天道也；有爲而累者，人道也。主者，天道也；臣者，人道也。”同書《天道篇》又説：“帝王之德，以天地爲宗，以道德爲主，以無爲爲常。無爲也，則用天下而有餘；有爲也，則爲天下用而不足。故古之人貴夫無爲也。”《九主》承道家這一基本理論，主張君主法天，人臣法地，君主無爲而人臣有爲，以實現無爲之治，故其曰：

　　法君者，法天地之則者。志曰天，曰[地]，曰四時，覆生萬物，神聖是則，以配天地。

又説：

　　以無職并聽有職，……法君之佐，佐主無聲。

　　主法天，佐法地，輔臣法四時，民法萬物。……故曰：事分在職臣。

還説：

　　[是]故聖王[法]天，故曰：主不法則，乃反爲物。

以上所引，是《九主》論證“主法天，佐法地”，“法則明分”的重要理論依據。認爲衹有“法君”才能“神聖是則，以配天地”，和天地比美，與天地齊名，才是至高無上的。如果“主不法則”就會“乃反爲物”，變得和普通老百姓一樣，没有什麽尊貴的了。故《九主》開篇即從此處着手，以論君道。

二、法君明分，法臣分定。

“法君明分，法臣分定”，這是黄老之學爲實現無爲之治的重要手段和方法。《九主》在這裏講的“分”，蓋有雙重意義：一是指君臣上下的等級；二是指君臣的分職。而“分定”則是指君下百官各自的職責。“法君明分”，指的是君主應該懂得“分”的道理，遵照“分”的原則，嚴格區分君臣上下的等級。這樣才能做到君是君，臣是臣。這樣的君主,才能稱得上是"得道之君",做到"制命在主",把大權牢牢掌握在自己的手中。而臣下既然職責"分定",也就職責分明,有章可循,各自做好自己的工作,這樣才能實現君上無爲而臣下有爲的無爲而治。

"明分"的思想,在黄老學中極爲重要,這也是與老子之學區別的重要標誌。因爲祇有"明分",才能君臣異道,上下有別,故《九主》非常重視,强烈反對"臣主同術爲一,以策于民。"强調君臣上下異道則治,同道則亂的觀點。這一點,不但在《黄帝四經》中有明確的論述①,在《尹文子》、《淮南子》諸書中尤有强調。如《伊文子・大道上》説:

> 天下萬物,不可備能。責其備能于一人,則賢聖其猶病諸!設一人能備天下之事能,左右前後之宜,遠近遲疾之間,必有不兼者焉。苟有不兼,于治闕矣。全治而無闕者,大小多少,各當其分;農商工仕,不易其業,老農長商,習工哲士,莫不存焉,則處上者何處哉。

《淮南子・主術篇》説:

> 主道員者,運轉而無端,化育如神,虛無因循,常後而不先也。臣道員者,運轉而無方,論是而處當,爲事先倡,守職分明,以立成功也。是故君臣異道則治,同道則亂。

可見道家主治,重在"明分",在黄老學中尤爲重要。

三、爲官求人、弗自求也。

黄老之學在論及君主實行無爲之治時,其中重要的一條就是君主應該執本秉要、清虛自守,任人而不任智,充分發揮臣下的智能,讓他們各盡其職,各盡其能,君主守成而已。《九主》謂:"故法君爲官求人,弗自求也。"指的就是這個意思。即君主不必事必躬親,一切具體的事都交給臣下去辦。故《九主》曰:"佐者無偏職,有分守也。……是故……晝夕不離其職,故法君之邦若無人。非無人也,皆居其職也。"這也就是主上無爲,臣下有爲的意思。《管子・心術

---

① 見拙著《黄帝四經與黄老思想》第44—45頁,黑龍江人民出版社1989年9月版。

上》曰："毋代馬走,使盡其力;毋代鳥飛,使弊其羽翼。"亦君主任人不任智之意。韓非深得此旨,故其說:"明主者,使天下不得不爲己視,使天下不得不爲己聽。故身在深宮之中,而明照四海之内,而天下弗能蔽,弗能欺者,何也?暗亂之道廢,而聰明之勢興也。故善任勢者國安,不知因其勢者國危。"(《奸劫弒臣》)又說:"人主以一國目視,故視莫明焉;以一國耳聽,故聽莫聰焉。"(《定法》)均是發揮闡述道家這一主旨。《九主》作者深諳此理,故反對"主勞臣佚"的儒家思想,認爲"倚事于君,逆道也",是違背大道的。

四、以分聽名,執符以聽。

黃老思想的另一顯著特點是"循名責實"和"以法爲符"。這是君主駕馭臣下和維護社會穩定的重要方法。也是和老子之學大不相同的地方。《九主》在這兩方面都涉及到了,我們先分析一下《九主》中的"以分聽名"的思想。

《九主》認爲,"名"是從天道中産生的,故說:

天乏(範)無(名),覔生萬物,生物不物,莫不以名。

這裏所謂的"天範",也就是"天道"的意思。故曰"無名"。《老子》曰:"無名天地之始,有名萬物之母。"可見"天範"即"天道"的異名。"名"既是天道的産物,故萬事萬物,莫不有名。《九主》既主"明分",君主行天道,而臣下行人道,故"事分在職臣。"受職之臣,皆有名分,故可"以分聽名",即循名責實,使臣下努力工作,各盡其職。"故自強之臣莫敢僞會以當其君",即臣下不敢欺騙君上,用這種辦法,駕馭臣下,實行逐級統治,即可實現"無爲而治"。

其次《九主》強調君主要"執符以聽"。這裏的所謂"符",就是法令的意思。"執符以聽"就是按法而治。所以黃老的無爲之治是在法治條件下的各自有爲,才構成上層統治者的無爲。《九主》強調"制命在主",故主上應該"執符以聽",把一切都納入法治的範圍,對一切違法的行動,都要繩之以法:

(諸)侯時有雛罪,過不在主。干主之不明,虖(摭)下(蔽)上,[變]法亂常,以危主者,恒在臣。請明臣法,以繩(繘)臣之罪。

　　可見,道家黄老是主張統治的,離開了法治就無所謂無爲。

《九主》與《黄帝四經》之異同

　　帛書《九主》與《黄帝四經》(以下均簡稱《四經》)同出于馬王堆三號漢墓。《九主》附錄于《老子》甲本之後,《四經》則附在《老子》乙本卷前。可知這兩種帛書的編排絕非偶然。它們都是黄老刑名之作,代表着戰國至秦漢的黄老思潮。但《四經》是一部結構嚴謹、理論精深、論事系統、内容全面的著作,所以它是黄老思想的代表作。而《九主》祇是《伊尹》一書的殘篇,内容比較單純,論事比較簡略,然而它卻是黄老學中非常重要的一篇政論文章。故此文重在論治,而非論學。在論治方面,它與《四經》比較起來,大致有以下幾個觀點是相同的。

　　一、兩書都强調"明分"。《九主》曰:"法君明分,法臣分定。"又曰:"事分在職臣。"《四經·道原》曰:"分之以爲分,而萬民不爭.授之以其名,而萬物自定。"兩者都認爲君臣的分别,等級的劃分,百官的分職都是必要的。

　　二、兩書都强調君主集權,反對主輕臣重。《九主》曰:"得道之君,邦出乎一道,制命在主,下不别黨,邦無私門。"又説:"法君執符以聽,故自(强)之臣莫敢僞會以當其君。"《四經·經法·六分》曰:"主執度,臣循理。"又曰:"主上者執六分以生殺,以賞罰,以必伐。"都是强調君主要獨攬大權。

　　三、兩書都强調法治。《九主》曰:"法君執符以聽。"又曰:"[變]法亂常,以危主者……以絀讁臣之罪。"《四經·經法》曰:"道生法。法者,引得失以繩而明曲直者也。故執道者,生法而弗敢犯也,法立而弗敢廢也。"又曰:"是非有分,以法斷之,虚靜謹聽,以法爲符。"其它有關法治的言論還很多,可見,它們兩者都是强調法治的。

　　四、兩書都强調在既定的秩序下的"無爲",在"明分"原則下的

"人君無爲，臣下無不爲"的無爲而治。《九主》曰："法君執符以聽"，"故法君之邦若無人，非無人也，皆居其職也。"又說："所謂法君之佐，佐主無聲。"還說："以無職聽有職。"《四經‧十六經》曰："欲知得失，請必審名察形，形恒自定，是我愈靜，事恒自施，是我無爲。"可知兩者都強調在既定的統治秩序下的各自有爲，才構成上層統治者的無爲，這都反映出黃老之學無爲而治的本質與特色。

五、兩書都強調循名責實以駕馭臣下。《九主》曰："天企無[名]，覆生萬物，生物不物，莫不以名。"又曰："以分聽名。"《四經‧經法‧名理》曰："天下有事，必審其名。"《道原》曰："授之以其名，而萬物自定。"《稱》曰："有物將來，其形先之；建以其形，名以其名。"其它有關循名責實的言論還很多，總之，兩書都強調名學，都強調循名責實才能辨別是非，駕馭臣下。

六、兩書都反對擅主之臣，結黨營私，強調君主博聞廣聽。《九主》曰："專授之臣，擅主之前，厝（揩）下蔽上，乘主之不悟，以侵其君。"又曰："是故擅主之臣……成黨于下，與主分權……危之至，是故半君之臣，罪無[赦]。"《四經‧經法‧亡論》曰："一人擅主，命曰蔽光；從中外周，此謂重壅。"又說："臣肅敬，不敢蔽其主；下比順，不敢蔽其上。"還說："六危：……二曰大臣主……五曰左右比周壅塞，六曰父兄黨以儻。危不勝，禍及于身。"兩相對比，可見兩書都極力反對那些欺上瞞下的擅主之臣。因爲正是這些人用主之威，殺戮忠良；也正是這些人結黨營私，架空君主，挾天子以令諸侯，造成"主輕臣重，邦多私門"的局面。故兩書都主張對這些擅主之臣，罪殺"無赦"。

以上六條，是《九主》與《四經》在内容觀點上大致相同的地方。但因爲《九主》是《伊尹》一書的殘篇，而且重在政治，故其理論基礎較差，遠不如《四經》理論的精深嚴密；在治道上，也遠不如《四經》那樣內容廣博。但從治道上講，它與《四經》相同之處，已足可說明《九主》的性質了，它屬于道家黃老學派的著作已是無疑的了。

《九主》的寫作時代

《九主》的成書年代，現在學界有不同的看法。有人認爲它是春秋時代的作品；有人認爲它是戰國時期的產物。我個人認爲它成書于戰國中期左右。其理由于下：

一、細讀《九主》，即會發現，這是一篇歷史經驗的總結文章。它總結了歷史上興亡成敗的九種不同類型的君主——法君、專授之君、勞君、半君、寄主、破邦之主二、滅社之主二。而這種歷史經驗的總結，祇有在兼併戰爭頻繁之際，滅國破邦眾多之時，才能觀察、分析並總結出邦國存亡的原因及其歷史教訓。而這一歷史背景祇有在戰國時期才有可能，而在春秋時代條件尚不成熟。試觀春秋時期孔子的《論語》以及經孔子刪訂整理過的《春秋》，都是就事論事，或如流水帳簿一樣，一條記一事，互不相連屬。至于綜合排比、研究論次，那還根本談不上。祇是到了戰國，戰事日益頻繁，以大兼小，以強凌弱，破國滅邦，比比皆是。存亡之間，引人注目。于是諸子百家蜂起，存亡之論迭出。"以此馳說，取合諸侯。"而道家聞風而起，"歷記成敗存亡禍福古今之道"，以君人南面之術爲王者師。黃老之學乃風靡學壇，《黃帝四經》唱之于前，《九主》又隨之于後，皆成書于戰國中期左右。

尤其值得注意的是"九主"之中，作者祇肯定"法君"。法君之意，蓋有兩重：一曰效法于天地，以天地爲則，以行天地之道；二曰"執符以聽"，以法治爲本，以行無爲之治。顯然"法君"一詞，乃是戰國時期魏、楚、韓、齊、秦諸國變法圖強事實的反映。故《九主》一文出于戰國中期各國變法最盛之時，似可肯定。

二、《九主》與《管子‧七臣七主》一文有着直接的聯繫，文章結構也近似。如果將"九主"與"七主"加以對比，即可看出它們之間的對應關係：

法君相當于"七主"中的申主

專授之君類似于荒主

勞君相當于勞主

半君相當于侵主

寄君相當于惠主

滅社之君二相當于振主

破邦之主二相當于亡主

　　從對比中我們看到，七主的排列較爲周密，而九主不免粗疏，尤其是在論證和行文方面更是如此。可見《七臣七主》一文是藉鑒于《九主》寫成的。由此即可判斷，《九主》一文略早于《七臣七主》。《管子》此文成書于戰國中晚期，《九主》最早也不過在戰國中期了。

　　三、凌襄先生指出"專授"一詞，"極富時代特色，説明《九主》篇的著作年代和思想傾向與《管子‧明法》接近，……因此我們推斷《伊尹‧九主》著成于戰國中葉或者晚一些的時期。"[1]我要補充的是，除凌襄先生指出的外，還有一些概念和詞語是帶有時代烙印的。如"天倫"、"天範"這些名詞概念，就是戰國中葉的産物。證之于《黄帝四經》中的"天功"、"天當"、"天極"等詞語概念，就會更加强我們對《九主》時代的判斷[2]。尤其是"天倫"一詞，其它著作中很少見，而《莊子‧刻意》篇中卻有"一之精通，合于天倫"。所以我認爲《九主》的成書年代，大概和《莊子》書的年代差不多，亦即戰國中期稍後。

　　四、《九主》一文，强調中央集權，主張"制命在主"，顯然這是爲確立和鞏固新興的地主階級政權而提出的政治主張。從戰國中期慎到、申不害，一直到戰國晚期的韓非，都是如此主張的。可見，《九主》成書于戰國中期左右，應該説大致是沒有多少疑義的。

　　綜上所論，《九主》一文確係戰國中期黄老學派的著作。由于它的"道論"集中于君道，所以是一篇政治性很强的文章。《漢書‧藝

　　① 前引凌襄《試論馬王堆漢墓帛書〈伊尹‧九主〉》。
　　② 關于《黄帝四經》的成書年代，見拙作《黄帝四經書名及成書年代攷》，載《道家文化研究》第一輯。

文志》在論道家時説：“道家者流，蓋出于史官，歷記成敗存亡禍福古今之道，然後知秉要執本，清虚以自守，卑弱以自持，此君人南面之術也。”《漢志》所云，足可概括《九主》一文的精要。這是我們應該注意的。

　　作者簡介　余明光，1935 年生，湖南長沙人。1960 年中山大學歷史系畢業。現任湖南湘潭大學歷史系教授。著有《黄帝四經與黄老思想》、《黄帝四經今注今譯》等。

馬王堆漢墓帛書《五行篇》所見的身心問題

[日]池田知久

一、"心"對于身體諸器官的支配性

（1）一般而言,中國古代思想史中的"身心問題",實際上乃是在自然和人類、社會所構成的世界中,或對于這個世界,人如何地獲得主體性的問題,不外是一種表現那樣的人的主體性的問題。

即是說,在中國古代思想史中,當思想家們開始把人的主體性作爲問題,並開始追求要獲得它時,始考慮在人的内部有異于身體諸器官,且足以承當起其主體性的存在,提出"心"的命題。這項工作,也就是"心"的發現,以現存的思想史資料來推測,主要似是由戰國中期的儒家孟子所進行的,然而在孟子"心"的研究還祇是個開端,尚未進展到非常重視"心"之地位。

例如,《孟子·告子上》説:

> 孟子曰,……體有貴賤,有小大。無以小害大,無以賤害貴。養其小者爲小人,養其大者爲大人。……飲食之人,則人賤之矣。爲其養小以失大也。……公都子問曰,鈞是人也。或爲大人,或爲小人,何也。孟子曰,從其大體爲大人,從其小體爲小人。曰,鈞是人也。或從其大體,或從其小體,何也。曰,耳目之官,不思而蔽于物。物交物,則引之而已矣。心之官,則思。思則得之,不思則不得也。比天之所與我者,先立乎其大者,則其小者弗能奪也。此爲大人而已矣。

這裏討論"心"和"耳目"在功能上之區別,"心"對于"耳目"之優越性等。但是,在這裏,"心"仍然停留在"體"之一部分的階段,雖爲"從"的客體,卻非"從"的主體。結果,還看不到"心"支配身體諸器官,成爲承當起人的主體性的核心之思想。

還有,同樣在《孟子·告子上》説:

> 口之于味也,有同耆焉。耳之于聲也,有同聽焉。目之于色也,有同美焉。至于心,獨無所同然乎。心之所同然者,何也。謂理也,義也。
> 聖人先得我心之所同然耳。故理義之悦我心,猶芻豢之悦我口。

文中,暗示了"心"對于"口耳目"的優越性。但在具有感情、慾望這點"心"是與"口耳目"同等的,尚不存在"心"對身體諸器官的支配性。這種"心"和身體諸器官爲同等的主張,後來儒家荀子及受了其影響的漢代思想家們,將"心"限定于非道德的(即與道德無關的)感情、慾望這方面加以強調的。下面,舉幾個這樣的例子。例如,《荀子·王霸》説:

> 夫人之情,目欲綦色,耳欲綦聲,口欲綦味,鼻欲綦臭,心欲綦佚。此五綦者,人情之所必不免也。……人之情,口好味而臭味莫美焉,耳好聲而聲樂莫大焉,目好色而文章致繁婦女莫衆焉,形體好佚而安重閒靜莫愉焉,心好利而穀祿莫厚焉。

《荀子·性惡》説:

> 若夫目好色,耳好聲,口好味,心好利,骨體膚理好愉佚,是皆生于人之情性者也。

《呂氏春秋·適音》説:

> 耳之情欲聲,心不樂,五音在前弗聽。目之情欲色,心弗樂,五色在前弗視。鼻之情欲芬香,心弗樂,芬香在前弗嗅。口之情欲滋味,心弗樂,五味在前弗食。欲之者,耳目鼻口也。樂之弗樂者,心也。心必和平,然後樂。心必樂,然後耳目鼻口有以欲之。

《韓詩外傳·卷二》説:

> 孔子曰,口欲味,心欲佚,教之以仁。心欲安,身惡勞,教之以恭。好辯論而畏懼,教之以勇。目好色,耳好聲,教之以義。

《淮南子·人間》説:

悦于目，悦于心，愚者之所利也。然而有論者之所辟也。

《史記·貨殖》説：

太史公曰，……耳目欲極聲色之好，口欲窮芻豢之味，身安逸
樂，而心誇矜執能之榮。

等等。

（2）另一方面，看一下與孟子、荀子大致同時代的儒家以外的
諸子思想家們的文章，如《吕氏春秋·本性》説：

今有聲于此，耳聽之必慊。已聽之，則使人鼙，必弗聽。有色于
此，目視之必慊。已視之，則使人盲，必弗視。有味于此，口食之必慊。
已食之，則使人瘖，必弗食。是故聖人之于聲色滋味也，利于性則取
之，害于性則舍之。此全性之道也。

《吕氏春秋·貴生》也説：

夫耳目鼻口，生之役也。耳雖欲聲，目雖欲色，鼻雖欲芬香，口雖
欲滋味，害于性則止。在四官者不欲，利于生者則爲。由此觀之，耳目
鼻口，不得擅行，必有所制。譬之若官職，不得擅爲，必有所制。此貴
生之術也。

在這些文章中，雖“心”之詞没有登場，但實際上，已想定相當于
“心”的存在，認爲它支配着“耳目鼻口”身體諸器官的感情、慾望之
功能。而且有了這種對于感情、慾望的支配，人才能在身體的世界、
物質的世界中，免于異化（Entfremdung），成爲主體的存在。我們
可以把這個想定視作是將孟子思想的進一步發展，試圖把人的主
體性的獲得和“心”的支配性之論題結合起來。還有，在這些文章中
没有“心”登場，或許是《吕氏春秋》的作者們對如上所述孟子等以
往的思想没有提到“心”支配“耳目鼻口”之事，抱以不滿的吧！

（3）到了荀子，他就明確地主張“心”支配身體諸器官。而且，在
荀子思想中，此“心”的支配，如果勉强分類的話，可以分爲在感覺、
認識道方面支配身體諸器官的，和在感情、慾望這方面支配身體諸
器官的。關于前者的感覺論、認識論的“心”之支配，例如，《荀子·
解蔽》説：

心者，形之君也，而神明之主也。出令而無所受令，自禁也自使

也,自奪也自取也,自行也自止也。故口可劫而使墨云,形可劫而使
詘申,心不可劫而使易意。是之則受,非之則辭。故曰,心容其擇也無
禁,必自見其物也雜博,其情之至也不弍。

《荀子·正名》説:

> 然則何緣而以同異。曰,緣天官。凡同類同情者,其天官之意物
> 也同。故比方之疑似而通。是所以共其約名以相期也。形體色理以
> 目異,聲音清濁調竽奇聲以耳異,甘苦鹹淡辛酸奇味以口異,香臭芬
> 鬱腥臊漏酸奇臭以鼻異,疾養滄熱滑鈹輕重以形體異,説故喜怒哀
> 樂愛惡欲以心異。心有徵知。徵知則緣耳而知聲可也,緣目而知形可
> 也。然而徵知必將待天官之當簿其類然後可也。五官簿之而不知,心
> 徵之而無説,則人莫不然謂之不知。此所緣而以同異也。

還有,關于後者的感情論、慾望論的"心"之支配,例如,《荀子·天
論》説:

> 耳目鼻口形能,各有接而不相能也。夫是之謂天官。心居中虛,
> 以治五官。夫是之謂天君。

由以上所述來看,荀子才是最早將人的"心"分爲兩種,即與身
體諸器官並列地具有與身體諸器官同樣性質的感情、慾望之"心"
和君臨于身體諸器官之上,並且支配這些感覺、認識與感情、慾望
的"心"的思想家。而且,與前者的身體諸器官同等的"心",大體上
繼承了孟子以來的古老的身心觀,但後者的支配身體諸器官的
"心",則係荀子在中國思想史上最初提倡的,應該説此事具有之意
義極爲重要。在荀子的思想中,認爲具有前者的感情、慾望的身體
諸器官是一如"自然"的"惡",爲"性",如果沒有後者的支配身體諸
器官"心"有目的意識的"作爲",向"善"行"僞"的話,會一直停頓在
"自然"上。克服這樣的"自然"狀態,提倡人的有目的意識的"作
爲",可以説正是從深處把握人的主體性問題的學説,而在荀子的
這種"作爲"理論整體中,他提出的支配身體諸器官的"心",在上述
意義上,承當起人的主體性的核心作用。

荀子之提倡"心"爲承當人的主體性的核心,具有極重要的意
義,因而也給後來的思想史帶來很大的影響。不妨列舉一些受到荀

子的影響，主要在感覺論、認識論中，叙述"心"支配身體諸器官的資料，例如，《管子·君臣下》説：

> 君之在國都，若心之在身體也。

《管子·心術上》説：

> ［經］心之在體，君之位也。九竅之有職，官之分也。心處其道，九竅循理。嗜欲充益，目不見色，耳不聞聲。故曰，上離其道，下失其事。……［解］心之在體，君之位也。九竅之有職，官之分也。耳目者，視聽之官也。心而無與于視聽之事，則官得守其分矣。夫心有欲者，物過而目不見，聲至而耳不聞也。故曰，上離其道，下失其事。

《鬼谷子·捭闔》説：

> 口者，心之門户也。心者，神之主也。志意喜欲思慮知謀，此皆由門户出入。故關之以捭闔，制之以出入。

《論衡·變動》説：

> 人生于天，含天之氣，以天爲主，猶耳目手足繫于心矣。心有所爲，耳目視聽，手足動作。謂天應人，是謂心爲耳目手足使乎。

等等。再有，若受到荀子的影響，主要在感情論、慾望論中，叙述"心"支配身體諸器官的資料，例如，《尸子·貴言》説：

> 目之所美，心以爲不義，弗敢視也。口之所甘，心以爲不義，弗敢食也。耳之所樂，心以爲不義，弗敢聽也。身之所安，心以爲不義，弗敢服也。然則令于天下而行，禁焉而止者，心也。故曰，心者，身之君也。

《淮南子·精神》説：

> 心者，形之主也，而神者，心之寶也。形勞而不休則蹶，精用而不已則竭。是故聖人貴而尊之，不敢越也。

《淮南子·詮言》説：

> 目好色，耳好聲，口好味。接而説之，不知利害，嗜慾也。食之不寧于體，聽之不合于道，視之不便于性。三官交爭，以義爲制者，心也。……此四者，耳目鼻口不知所取去，必爲之制，各得其所。

《春秋繁露·循天之道》説：

> 凡氣從心。心，氣之君也。何爲而氣不隨也。

《黄帝内經素問·靈蘭秘典論》説：

　　　　　心者，君主之官也，神明出焉。

等等。

　　（4）那麼，我們視作問題的《馬王堆帛書五行篇》的身心觀又是
如何的呢？

　　首先必須證實的是，在這《馬王堆帛書五行篇》的身心觀中，同
時出現上面所述荀子身心觀中兩種“心”。即與身體諸器官並列，並
具有與身體諸器官同樣性質的感情、慾望的“心”，如其在第二十三
章之説文中説：

　　　　　文王源耳目之生，而知亓[好]聲色也。源亓口之生，而知亓好犨
　　　　　（臭）味也。源手足之生，而知亓好劈（佚）餘（豫）也。源[心]之生，則
　　　　　巍然知亓好仁義也。

“心”與“耳目、鼻口、手足”等身體諸器官並列，與“耳目、鼻口、手
足”分別具有所“好”相比，“心”未必佔在優勢。此“心”之所“好”的
内容，並非像荀子那樣的身體上、物質上的慾望，而是與其相反的
精神上、倫理上的慾望，稱爲“仁義”者。這點，《帛書五行篇》第二十
三章説文的“心”，大致與西漢初期的各文獻一致。例如：《韓詩外
傳・卷一》説：

　　　　　傳曰，衣服容貌者，所以説目也。應對言語者，所以説耳也。好惡
　　　　　去就者，所以説心也。故君子衣服中，容貌得，則民之目悦也。言語
　　　　　遜，應對給，則民之耳悦矣。就仁去不仁，則民之心悦矣。

　　還有，君臨在身體諸器官之上，並支配那些感情、慾望等的
“心”，見于第二十二章之經文：

　　　　　耳目鼻口手足六者，心之役也。心曰唯，莫敢不[唯]。心曰若
　　　　　（諾），莫]敢不[若（諾）]。心]曰進，莫敢不進。[心曰退，莫敢不退。心
　　　　　曰深，莫敢不深]。心曰淺，莫敢不淺。……。

其第二十二章之説文中説：

　　　　　“耳目鼻口手足六者，心之役也。”耳目也者，説（悦）聲色者也。
　　　　　鼻口者，説（悦）犨（臭）味者也。手足者，説（悦）劈餘（佚豫）者也。
　　　　　[心]也者，説（悦）仁義者也。之（此）敫膛（體）者，皆有説（悦）也。而
　　　　　六者爲心役，何[居]？曰，心貴也。有天下之美聲色于此，不義則不聽

弗視也。有天下之美犟（臭）味于[此]，不義則弗求弗食也。居而不閒
（閑）尊長者，不義則弗爲之矣。何居？曰，幾不□□□，[小]不勝大，
賤不勝貴也才（哉）。故曰，“心之役也”。耳目鼻口手足六者，人□□，
[人]膿（體）之小者也。心，人□□，人體（體）之大者也。故曰，君也。

　　“心曰雖（唯），莫敢不雖（唯）。”，心曰雖（唯），[耳目]鼻口手足
音聲愬（貌）色皆雖（唯）也。是“莫敢不雖（唯）”也。若亦然，進亦然，退
亦然。

　　“心曰深，[莫]敢不深。心曰淺，莫敢不淺。”，“深”者，甚也。
“淺”者，不甚也。深淺有道矣。故父謼（呼），口[含]食則堵（吐）之，手
執[業]則投[之]，雖（唯）而不若（諾），走而不趨。是“莫敢不深”也。
于兄則不如是亓甚也。是“莫敢不淺”也。……。

在“心”具有固有之“說（悦）”這點，雖與“耳目鼻口手足六者”同等，
與此同時也詳細地論述了“心”成爲“耳目鼻口手足”之“君”，並支
配着“耳目鼻口手足”的構造。

二、關于“德”完成時的身體性、物質性的撥無

　　(1)然而，在《帛書五行篇》中，還有與在前文一（4）所述的身心
觀相異的另一種身心觀存在。這種身心觀不將“仁、義、知、禮、聖”
之“五行”弄亂，統一爲一（即第七章經文説文、第二十八章説文的
“爲一”，或相當于第一章經文、第十八章經文説文、第二十八章説
文的“和”。還有，請參考第十九章經文説文、第二十二章經文説文
的“和”。），其統一的“五行”和實踐主體的自我的“心”形成渾然一
體化的狀態（相當于第七章經文的“亓獨”，第七章説文的“亓蜀、亓
心、一心”，第八章説文的“亓心”。還有，也請參考第十九章經文説
文、第二十二章經文説文的“同”。）然後當到達了“德”最終完成的
階段時，實踐主體的自我便捨棄了身體的“膿”，“獨”存在自我的
“心”，而至于其作用及于世界的各個角落，是這樣的一種哲學。例
如：第八章經文説：

　　　君子之爲善也，有與始也，有與終也。君子之爲德也，有與始也，

無與終也。

如在其第八章説文中又有詳細的解説：

> "君子之爲善也，有與始，有與終。"言與亓膻（體）始，與亓膻
> （體）終也。"君子之爲德也，有與始，無[與終]。""["有與始"者，言]與
> 亓膻（體）始。"無與終"者，言舍（捨）亓膻（體）而獨亓心也。

還有，第七章經文説：

> 能爲一，然后（後）能爲君子。君子慎其獨[也]。

而在其第七章説文中又有詳細的解説：

> "君子慎亓蜀（獨）"，"慎亓蜀（獨）"也者，言舍（捨）夫五而慎亓
> 心。之胃（謂）□□。然筍（後）一。一也者，夫五爲[一]心也。之
> （此）一也，乃德已。德猶天也，天乃德已。……言至内者之不在外也。
> 是之胃（謂）蜀（獨）。蜀（獨）也者，舍（捨）膻（體）也。

　　不用説，這是"慎獨"思想的表現之一。但是，這不僅止于自己
的"心"支配身體諸器官"膻"而已。由人之中撥無身體的、物質的性
質（相當于第七章説文的"舍膻"，第八章説文的"舍亓膻"，第十三
章説文、第十八章説文的"流膻"），藉着解開來自"膻"的束縛（相當
于第十三章説文、第十八章説文的"忘寒"），昇華至一種世界精神
或絶對理性爲止，通過這些階段，然後獲得人的真正的主體性，可
以説這是高揚主體性的哲學。除了已經引用的，再試舉一、兩例，如
第十三章經文説：

> 不樂無德。

其第十三章説文解説又説：

> "不樂無德。"樂也者，流膻（體），機（欣）然忘寒〈塞〉。忘寒〈塞〉，
> 悳（德）之至也。樂而筍有悳（德）。

還有，第十八章經文説：

> 樂則有德。

其第十八章説文解説叙述説：

> 樂者，言亓流膻（體）也，機（欣）[然忘寒〈塞〉也。忘]寒〈塞〉，悳
> （德）之至也。樂而筍（後）有悳（德）。

等等。

　　可是,叙述"慎獨"思想的文獻中,如《荀子・不苟》、《禮記・中庸》、《禮記・大學》、《禮記・禮器》、《淮南子・繆稱》、《文子・精誠》等,完全没有像上述《五行篇》中那樣,撥無人的身體性、物質性,高揚其主體性的"慎獨"思想。

　　(2)《五行篇》撥無人的身體性、物質性,高揚其主體性的思想,筆者推測其一部分系來源于當時的道家思想。

　　説起來道家思想,自其發生當初,就是專以解決人的主體性的問題爲目的的哲學。若根據其哲學所主張,則認爲人主體性,通過捨去人已經具有的慾望、知識,除掉道德上的規範或政治上的利害,更進一步地,徹底地撥無在這些的根底的人的身體性、物質性,最終與"道"形成一體,其結果藉着獲得具有"道"的存在論的(ontological)全能的能力作爲自我的東西,而得到的。例如:《莊子・大宗師》説:

　　　　墮枝體,黜聰明,離形去知,同于大通。此謂坐忘。

《莊子・在宥》説:

　　　　意,心養。……墮爾形體,吐爾聰明,倫與物忘,大同乎涬溟。

《莊子・天地》説:

　　　　願聞神人。曰,上神乘光,與形滅亡。此謂照曠。致命盡情,天地
　　樂,而萬事銷亡,萬物復情。此之謂混冥。

等等。

　　而且,在道家的哲學中,經常將這種通過與"道"一體化來獲得主體性的人,用"獨"這個詞來形容。這個"獨",在其哲學的内容上,具有是世界唯一絶對的實在,因此是比其他的學派更適合于道家的 terminology(專門述語)。還有,其詞之表現也比儒家系統的"慎獨",單純簡單。可以説在道家的各文獻中,是使用相當頻繁的概念。例如:《莊子・大宗師》説:

　　　　吾猶守而告之參日,而後能外天下。已外天下矣,吾又守之七
　　日,而後能外物。已外物矣,吾又守之九日,而後能外生。已外生矣,
　　而後能朝徹。朝徹,而後能見獨。見獨,而後能無古今。無古今,而後
　　能入于不死不生。

《莊子·在宥》説：

> 余將去女，入無窮之門，以游無極之野。吾與日月參光，吾與天
> 地爲常。……人盡死，而我獨存乎。
>
> 夫有土者，有大物也。有大物者，不可以物。物而不物，故能物
> 物。明乎物物者之非物也，豈獨治天下百姓而已哉。出入六合，遊乎
> 九州，獨往獨來。是謂獨有。獨有之人，是之謂至貴。

《莊子·田子方》説：

> 向者先生形體掘若槁木，似遺物離人而立于獨也。

等等。

因此，《五行篇》"慎獨"思想的來源之一，乃在于徹底的撥無人
的身體性、物質性，高揚其主體性的道家之"獨"的思想。但是，道家
一直要到《淮南子·繆稱》才使用"慎獨"這個詞。

（3）雖這麼説，但由于《五行篇》畢竟還是儒家系統的文獻，所
以不像道家哲學那樣，藉若與"道"形成一體，而超越"天下""國
家"，也決不會那樣飛翔到"六合"或"九州"那邊。《五行篇》所提倡
的撥無身體性、物質性的這種世界精神或絶對理性，也是在"五行"
的"德"到達最終完成的階段的究極境界所形成的一種狀態，所以，
始終是停留在"天下""國家"之道德規範或政治的公利範圍内，在
這一範圍之内，其作用遍及世界各個角落。例如，請看第十八章經
文説：

> 有德則國家興（與）。□□□□□。詩曰，文［王在尚（上），于昭］
> 于天，［此之胃（謂）也。］

其第十八章説文也説：

> "有悳（德）而國家與（興）。""國家與（興）"者，言天下之與（興）
> 仁義也。言亓□□樂也。"文王在尚（上），于昭于天，此之胃（謂）也。"
> 言大悳（德）備成矣。

還有，在第二十一章説文討論"君子雜（集）大成"，並叙述其美好作
用的成果時説：

> 仁復（覆）四海，義襄（蘘）天下而成，縣亓中心行之。亦君子已。

此"雜大成"，是在"五行"的"德"之最終完成的階段上，乃不言而喻

之事。

如上所述,《五行篇》的主張,不止于"心"君臨于身體諸器官"膿"之上,而且支配那些慾望和認識等,藉着由人之中撥無身體性、物質性,人由"膿"所受之束縛解放開來,將"心"昇華至一種世界精神或絕對理性之境界。這個作爲世界精神或絕對理性的"心",一方面意味着是由"仁、義、知、禮、聖"而成的"五行"之"德"在最終的完成階段,因此停留在"天下""國家"之範圍内,將其作用限制在這一範圍内。通過這些,《五行篇》在人的"心"的内面和"心"的外面之,兩者一致的地方——"天下""國家",終于確立完成"五行"的"德"之"君子"主體性的核心之命題。

時代爲秦帝國被推翻不久的漢初,人們懇切地期盼充分具備"仁、義、知、禮、聖"之"五行"的"德"之全能型(allround-type)的"君子",能夠以新型的士大夫主體性地承當起新時代的任務,且出現在這嶄新的時代。

作者簡介　池田知久,1942 年生。現爲日本東京大學文學部教授,中國哲學研究室主任。

馬王堆古佚書的道家與醫家

魏啓鵬

内容提要 馬王堆漢墓帛書《黄帝四經》等古佚籍的發現和研究表明，以道家各派爲主流的先秦天道觀，對《内經》、《難經》的醫學哲學理論的形成有巨大影響。特別是“天道環周”論和形名之術，幫助中國古代醫學建立了獨具特色的生理學原理和診治方法論。馬王堆古醫書體現的道家思想則異彩紛呈：輕“聖人”而推崇知天道之士；黄陰的“精氣”説似與《内業》諸篇同出一源；升天“形解”、長生不死，則采神仙家與南方道家；合氣而胚胎結，又與《文子》和《水地》同；醫書的諸源流及形成，它的理論體系和方法，其中蘊藏的奥秘尚多，值得深入研究。

一

中國傳統醫學的重要經典，大多要冠以黄帝的聖名，如《黄帝扁鵲之脈書》（見《史記·扁鵲倉公列傳》）、《黄帝内經》（其中《靈樞經》亦曾以《黄帝靈樞》九卷單行①）、《難經》則古稱《黄帝八十一難》，肯定自身與黄帝的關係。北宋以來，學者們就提出並辯論了這個問題。熙寧年間，高保衡就針對有人懷疑這些經典“非黄帝書，似出于戰國”，憤憤然質問：人體内腑臟血脈如此複雜奥妙，“十二經

---

① 王應麟：《玉海》卷六十三“《黄帝靈樞經》”條引《中興館閣書目》。

之血氣大數，皮膚包絡其外，可剖而視之乎？非大聖上智，孰能知之，戰國之人何與焉？"對諸經"最出遠古"，爲黄帝時代作品堅信不疑①。然而，司馬光等人的反詰頗爲機智："謂爲真黄帝之書，則恐未可。黄帝亦治天下，豈可終日坐明堂但與岐伯論醫藥針灸耶？此周、漢之間醫者依托以取重耳。"②又經過元、明、清若干學者的繼續探求考索，上述諸書"爲戰國、秦、漢間人所撰"，成爲學術界比較一致的看法。迄今爲止，據出土文獻所見，也基本上是正確的。

"依托"説從學術史來看，不是没有憑據，《淮南子‧修務訓》云："世俗之人多尊古而賤今，故爲道者必托之于神農、黄帝而後能入説。"但"依托"説的最大缺點，是其觀察僅停留在淺表層面，這就爲曲解和否定中國傳統醫學的謬説提供了乘虛而入的機會。本世紀初至三十年代，否定中醫、提出取締中醫案的余雲岫，即力圖證明中國古代醫家五行説始于鄒衍，而鄒衍"先序今上至黄帝"，故醫家尾隨之也要拉扯上黄帝作招牌，實則將中國傳統醫學目之爲與鄒衍"其言閎大不經"一樣的誑世欺人的骗術，可謂用心别有所在。到五十年代後，有學者明確提出：《黄帝内經》的思想與道家有相當的關係，所以楊上善、王冰在多處引《老子》作註解。道家是推崇黄帝的，漢初黄、老並稱，醫家當然也就和黄帝發生關係了③。這是富有啓發性的卓見。

《老子》對《内經》、《難經》的理論影響是不難發現的。《素問‧上古天真論》："故美其食，任其服，樂其俗，高下不相慕，其民故曰樸。是以嗜欲不能勞其目，淫邪不能惑其心，愚智賢不肖不懼于物，故合于道。所以能年皆度百歲而動作不衰者，以其德全不危也。"顯然是發揮《老子》"甘其食，美其服，安其居，樂其俗，鄰國相望，鷄犬之聲相聞，民至老死不相往來。"（八十章）"我無欲而民自樸。"（五

---

① 商保衡：《新校正黄帝針灸甲乙經》序。
② 司馬光：《傳家集》卷六十二，《與范景仁第四書》。
③ 這一意見以後收入《黄帝内經概論》，龍伯堅著，上海科學技術出版社，1980年。

十七章）“見素抱樸，少私寡欲。”（十九章）“不見可欲，使民心不亂。”（三章）等“小國寡民”說和修養論，而運用于長壽醫學理論。《老子》哲理名句“天之道，其猶張弓歟？高者抑之，下者舉之，有餘者損之，不足者補之。天之道，損有餘而補不足。人之道則不然，損不足以奉有餘。”（七十七章）對中醫的治療原則和平衡學說的形成，提供了指導性的理論基礎。《靈樞・九針十二原——法天》云：“皮肉筋脈各有所處，病各有所宜，各以任其所宜。無實無虛，損不足而益有餘，是謂甚病，病益甚①。”《難經・第十二難》云：“陽絶補陰，陰絶補陽，是謂實實虛虛，損不足益有餘。如此死者，醫殺之耳。”成書年代較晚的《素問》第七十四《至真要大論》亦闡述“高者抑之，下者舉之，有餘折之，不足補之。”“燥者濡之，急者緩之。”“論言治寒以熱，治熱以寒，而方士不能廢繩墨而更其道也。”立足于仔細體察病因，準確把握病情變化的這種逆向治療原則，其目標是使陰陽平衡而康復，也是對《老子》“反者道之動”的深刻理解和運用②。

由于“依托”說容易妨礙研究者視野拓展，另一方面，也因爲戰國秦漢間形成和頗有影響的黄帝之言學派（簡稱之爲“黄學”），其涉足道家、陰陽家、兵家、天文曆律、占卜、醫家（含房中、神仙家）諸領域的著述大量早佚，使學者們受到局限，没有能提出一個問題：“黄學是否也和老學一樣，對中國古代醫學在哲學和方法上産生過深刻而巨大的影響？”

可以肯定，如果能提出並研究這一課題，必將從民族傳統心理和思維方式、歷史文化積澱的較深層面，對道家思想與傳統醫學的關係向縱深推進研究，別開生面。

---

① 馬蒔註：“無實其實而益其有餘，無虛其虛而損其不足。若實實虛虛，是謂甚人之病，使病反益甚也。”
② 八十年代出土張家山漢簡《引書》用《老子》典，文曰：“治身欲與天地相求，猶橐籥也，虛而不屈，動而俞出。”乃前所未見之新資料。

二

　　馬王堆①漢墓出土的《黃帝四經》、《老子》及醫學、天文、數術等大量古佚書，首先向人們開啓了地下的經籍寶庫，十餘年後湖北張家山漢墓群出土的《脈書》、《引書》、《養生家書》更是錦上添花，交相輝映。這就使我們非常幸運，有足夠的材料和難逢的機遇，提出和研究黃學、老學等道家各派思想與傳統醫學的關係這一課題。

　　帛書展現了黃宗"方四面，傅一心，四達自中"的莊嚴形象，而且記載了黃帝即位之言："吾受命于天，定位于地，成名于人。唯余一人，【德】乃配天，乃立王、三公。立國，置君、三卿。數日，曆月，計歲，以當日月之行。允地廣裕，吾類天大明。吾畏天愛地親【民】，□無命，執虛信。"這固然是傳說或依托黃帝宣告，但是其中包涵的天、地、人相參合，敬循天道，曆象日月星辰，法陰陽，順四時，執虛靜精妙之道術來應接萬物，治理天下等等觀點，可以說已經提綱挈領地表明，黃學將對醫家及其餘諸家發揮巨大思想影響的幾個側重面。試舉證于下：

　　一、黃學的哲學思想和治國理論把天地萬物作爲一個有系統的整體，綜合地考察各類事物和現象之間的統一性和一般性，以此作爲管理實踐的原則和出發點：

　　　王天下者之道，有天焉，有人焉，有地焉。三者參用之，【故王】而有天下矣。(《經法·六分》)

　　　參之于天地之恒道，乃定禍福死生存亡興壞之所在。是故萬舉不失理，論天下而無遺策。(《經法·論約》)

　　　王者不以幸治國，治國固有前道，上知天時，下知地利，中知人事。(《十六經·前道》)

　　《黃帝內經》一脈相承地繼承了這一理論，堅持"人與天地相

<hr/>

① 虛信，猶言道術。《賈子·道術》："道者，所從接物也，其本者謂之虛，其末者謂之術。虛者，言其精微也，平素而無設施也；術也者，所從制物也，動靜之數也。凡此皆道也。"帛書《經法·論》說"信者，天之期也"，即天道環行之期數。

參"的學説,應用于醫理和臨床實踐中:

　　《上經》曰:道者上知天文,下知地理,中知人事,可以長久。(《素
　　問·氣交變大論》)

　　而道上知天文,下知地理,中知人事,可以長久,以教衆庶,亦不
　　疑殆,醫道論篇,可傳後世,可以爲寶。(《素問·著至教論》)

　　就人的生理而言,"人之常數"也就是"天之常數"(《素問·血
氣形志篇》);人的"經脈十二者,外合于十二經水,而内屬于五藏六
府","此人之所以參天地而應陰陽也,不可不察。"(《靈樞·經水》)
就病理而言,也大有關,如咳症:

　　人與天地相參,故五藏各以治時感于寒則受病,微則爲咳,其者
　　爲泄爲痛。乘秋則肺先受邪,乘春則肝先受之,乘夏則心先受之,乘
　　至陰則脾先受之,乘冬則腎先受之。(《素問·咳論》)

　　可見,在黄學的理論指導下,中國古典醫學已經有意識地強調
天、地、人相參的物質世界的統一性,並以此爲規律來理解和把握
人體生理病理機制,作爲醫學認識論的一個重要原則。

　　二、與古代世界的其他農耕民族一樣,黄學對天道的遵循,必
然同重視季節物候變化,順應四時緊密聯繫在一起:

　　四時有度,天地之理也。日月星辰有數,天地之紀也。三時成功,
　　一時刑殺,天地之道也。四時時而定,不爽不忒,常有法式,……一立
　　一廢,一生一殺,四時代正,終而復始。……順則生,理則成,逆則死,
　　失【則倚】名①。倍天之道,國乃無主。無主之國,逆順相攻。伐本隳
　　功,亂生國亡。(《經法·論約》)

　　在生産、政治、思想諸方面,黄學主張順應天理四時,就是強調
了規律的客觀性,必須謹慎地順從規律行動,才能避禍謀福,反之
則受天殃。帛書《黄帝四經》還有一段與醫學相關的重要論述:

　　不天天則失其神,不重地則失其根,不順【四時之度】而民疾。不
　　處外内之位,不應動靜之化,則事宭于内而舉宭于【外】。八】正皆失,
　　……。八正不失,則與天地總矣。(《經法·論》)

────────

　　① 闕文據《經法·論》"二曰倚名法(廢)而亂"補出。參看《管子·樞言》:"名正則
治,名倚則亂,無名則死。"《白心》:"正名自治,倚名自廢。"

《黃帝內經》直接繼承和全面發揮了帛書的四時觀念：

> 人能應四時者，天地爲之父母。知萬物者，謂之天子。（王冰注：
> "知萬物之根本者，天地常養育之，故謂曰天之子。"）（《素問·寶命
> 全形論》）

> 夫四時陰陽者，萬物之根本也。所以聖人春夏養陽，秋冬養陰，
> 以從其根，故與萬物沉浮于生長之門，逆其根則伐其本，壞其真矣。
> 故陰陽四時者，萬物之終始也，死生之本也。逆之則災害生，從之則
> 苛疾不起，是謂得道。道者，聖人行之，愚者佩之。（《素問·四氣調神
> 論》）

《素問》專有《八正神明論》一篇，雖爲闡述針刺之法則，而其原
理和術語，可與帛書一一對應：

> 黃帝問曰：用針之服，必有法則焉，今何法何則？岐伯對曰：法天
> 則地，合以天光。（王冰注："謂合日月星辰之法度。"）帝曰：願卒聞
> 之。岐伯曰：凡刺之法，必候日月星辰，四時八正之氣，氣定乃刺之。
> ……星辰者，所以制日月之行也。八正者，所以候八風之虛邪以時至
> 者也。四時者，所以分春秋冬夏之氣所在，以時調之也。八正之虛邪，
> 而避之勿犯也。（《素問·八正神明論》）

以上論述，顯然語本帛書《經法·論》云：

> 不失其常者，天之一也。天執一以明三。日信出信入，南北有極，
> 度之稽也。月信生信死，進退有常，數之稽也。列星有數，而不失其
> 行，信之稽也。天明三以定二，則壹晦壹明，□□□□□□□天定
> 二以建八正，則四時有度，動靜有位，而外內有處。天建八正以行七
> 法。……

案："天建八正"云云，是黃學天道觀形成的重要環節，待另文
論述。這裏謹欲指出，帛書公布後，註家多以"四時有度，動靜有位，
外內有處"爲內證解釋"八正"，似未妥當。"八正"即"八節"，指冬
至、夏至（二至），春分、秋分（二分），立春、立夏、立秋、立冬（四立）。
《漢書·律曆志》："正八節，諧八音。"《周髀算經注》："二至者，寒暑

之極；二分者，陰陽之和；四立者，生長收藏之始；是謂八節①。""建八正"就是順四時，調陰陽，以便掌握和適應一年之中"分、至、啓、閉"的規律性變化。在此基礎上所行之"七法"，從所列"明以正者，天之道也。適者，天【之】度也。極而反者，天之性也。必者，天之命也。……"來看，當是進一步用道、法、度、數、形、名對天道觀的實際運用加以明確化、度量化，更具有規定性，即所謂"七法各當其名，謂之物。物各合于道者，謂之理。理之所在，謂之順。"（《經法·論》）這就爲中國古典醫學走向科學化提供了可資藉鑒的理論和方法，所以《靈樞·逆順肥瘦》載：

> 黃帝問于岐伯曰：余聞針道于夫子，衆多畢悉矣，夫子之道應若失②，而據未有堅然者也。夫子之問學熟乎？將審察于物而心生之乎？岐伯曰：聖人之爲道者，上合于天，下合于地，中合于人事，必有明法，以起度數，法式檢押，乃後可傳焉。故匠人不能釋尺寸而意短長，廢繩墨而起平木也，工人不能置規而爲圓，去矩而爲方。知用此者，固自然之物，易用之教，逆順之常也。

這些精闢議論，的確是帛書《黃帝四經》以下經典性論述的迴響：

> 道生法。法者，引得失以繩，而明曲直者也。故執道者生法而弗敢犯也，法立而弗敢廢也。
>
> 稱以權衡，參以天當，天下有事，必有巧（考）驗。事如直木，多如倉粟。斗石已具，尺寸已陳，則無所逃其神。故曰：度量已具，則治而制之矣。絕而復屬，亡而復存，孰知其神。死而復生，以禍爲福，孰知其極。（《經法·道法》）

總之，黃學的四時觀、"八正七法"論，不僅對中醫的養生保健學、季節性多發病流行病學、時間醫學（如後來崛起的子午流注針灸學）有直接的影響，而且由此拓展形成的具有明法度數和模式的天道觀運用學說，對古典中醫建立自己的系統和方法論，起了奠基

---

① 參看《左傳·僖公五年》："凡分至啓閉，必書雲物，爲備故也。"疏、王應麟《小學紺珠·律曆類·八節》。
② "道應若失"，其出典亦見帛書《稱》："道無始而有應。其未來也，無之；其已來，如之。有物將來，其形先之。建以其形，名以其名。"

的作用。

三、我們曾經指出，天道環周的思想，貫串在整個《黃帝四經》中，是黃帝之言哲學思想體系的核心和基本點①。

> 周遷動作，天爲之稽，天道不遠，入與處，出與反。（《經法·四度》）

> 極而反，盛而衰，天地之道，人之理也。逆順同道而異理，審知逆順，是謂道紀。（同上）

> 極而反者，天之性也。（《經法·論》）

> 天稽環周。（《十六經·姓爭》）

> 天有環刑，反受其殃。（《稱》）

黃學的天道環周論，其形成與天文學、曆算學、物候學的巨大發展而密切相關，這也爲天道環周論給予醫學産生直接的重大影響準備了條件，主要體現于中醫的血液循環理論。《靈樞·邪客》云：

> 五穀入于胃也，其糟粕、津液（案：包括下文所說的營氣和衛氣）、宗氣分爲三隧（張景岳注："隧，道也。糟粕之道出于下焦，津液之道出于中焦，宗氣之道出于上焦，故分爲三隧"）。故宗氣積于胸中，出于喉嚨，以貫心肺而行呼吸焉。營氣者，泌（案：過濾也。）其津液（案：指水穀化生的精微物質，人的生命和健康賴以維持。《素問》有營氣爲水穀之精氣，衛氣爲水穀之悍氣的論述。），注之于脈，化以爲血，以榮四末（案：外則營養四肢），内注五藏六府，以應刻數（案：指與古代記時的漏下百刻之數相應。）焉。衛氣者，出其悍氣之慓疾（案：其氣性强悍，其運行迅捷快速。），而先行于四末分肉皮膚之間而不休也。（案：營氣運行于脈管中，衛氣日則運行于體表四肢和肌肉腠理之間，夜則入于體内溫養臟腑。它的主要職能是保衛肌表，抗禦外邪，故稱作"衛氣"。）晝日行于陽，夜行于陰，常從足少陰之分間，行于五藏六府。

現代研究認爲，《黃帝內經》所稱"營氣"，就是流動在血管中的

① 魏啓鵬：《黃帝四經思想探源》，載《中國哲學》第四輯 179 頁－191 頁，三聯書店，1980 年 10 月。

血液。從上文關于營氣的化生和運行過程來看，"營氣"和"血"當是名異實同的一種物質，之所以有這兩個名稱，是從認識的角度不同所致。營者，運也，環也，"營氣"之名旨在突出血液在經脈中循環運行不已；而名爲"血"者，則在于營氣所呈現的赤色液體的形態①。

案："營"與"環"二字古音近義通。"環"、"還"古爲匣紐，"營"乃喻紐三等字，其古聲同匣紐，説詳曾運乾先生《喻母古讀考》。二字例爲雙聲通借，《詩·齊風·還》："子之還兮"，《漢書·地理志》引作"營"。顏師古注："《毛詩》作還，《齊詩》作營。"又《韓非子·五蠹》："自環謂之厶（私）。"《説文·厶部》引作"自營爲厶"，皆是其證。且"營"字有圍繞而居、環繞之義，見《説文段註》。所以，"營氣"即"環氣"，"環周"義同"營周"。那麽，再來看《内經》下列論述：

> 經脈流行不止，環周不休。（《素問·舉痛論》）

> 氣之不得無行也，如水之流，如日月之行不休，故陰脈榮其藏，陽脈榮其府，如環之無端，莫知其紀，終而復始。（《靈樞·脈度》）

> 營氣之道，内穀爲寶。穀入于胃，乃傳之肺，流溢于中，布散于外，精專者行于經隧，常營無已，終而復始，是謂天地之紀。（《靈樞·營氣》）

> 其浮氣之不循經者，爲衞氣；其精氣之行于經者，爲營氣。陰陽相隨，外内相貫，如環之無端，亭亭淳淳乎，孰能窮之？（《靈樞·衞氣》）

> 營在脈中，衞在脈外，營周不休，五十而大會。陰陽相貫，如環無端。……如是無已，與天地同紀。（《靈樞·營衞生會》）

《難經·第三十難》亦有極其相似的論述，説營氣、衞氣相隨，"營周不息"。丹波元胤《疏證》已正確指出，此爲"環周之義也"。本文不厭繁難舉出以上例證，是因爲强烈感受到這無異于黄學天道環周論的《醫學篇》，在理論方法上、術語使用上，都如出一轍。《内經》對血液循環的揭示和分析，在中國科學技術史上占有重要地位。"衆所周知，真正通過實驗觀察最後完成發現血液循環的是17

---

① 以上分析引自李今庸主編：《新編黄帝内經綱目》，第88頁，上海科學技術出版社，1988年11月。

世紀英國醫生哈維。《內經》所述雖然與哈維的發現有本質的區別，但早在兩千多年以前能有這樣的論斷，殊屬難能可貴，其意義是非常重大的。"① 論者又指出，"不過這個結論並非出于微觀的實驗觀察，而是宏觀推論的結果。"倘若誠如斯言，那麼天道環周論便是據以宏觀推論的思想基礎；黃學以此對中國古代文明的發達作出了自己的貢獻。

四、黃學發展了老學的道論，並建立了相當深刻的形名觀念：

虛無形，其裻（督）冥冥，萬物之所從生。……見知之道，唯虛無有。虛無有，秋毫成之，必有形名。形名立，則黑之分已。故執道者之觀于天下也，無執也，無處也，無爲也，無私也。是故天下有事，無不自爲形名聲號矣。形名已立，聲號已建，則無所逃迹匿正矣。（《經法·道法》）

"虛"是沒有具體形象的，但並非絕對的空無所有。"督"訓爲中，"無形"之中的"冥冥"是玄奧幽深的，而有道之士卻能視于無形，察其始于毫末之"有"，形立則正其名。因爲有道之士能達到"公者明，至明者有功，至正者靜，至靜者聖"的境界，"無私"者成爲天下最有智慧的人②。《黃帝內經》對此作了充分的發揮和運用：

觀其冥冥者，言形氣營衛之不形于外，而工（案：指醫家）獨知之；以日之寒溫，月之虛盛，四時氣之浮沉，參伍相合而調之，工常先見之；然而不形于外，故曰觀于冥冥焉。……是故工之所以異也，然而不形見（案：通"現"）于外，故俱不能見也，視之無形，嘗之無味，故謂冥冥，若神髣髴。（《素問·八正神明論》）

無論人體內部的狀況和規律，或是人體與日月四時的相應關係，都沒有直接可見的形象，沒有可嘗的味道，故亦稱之爲"冥冥"。醫生能透視"冥冥"，好似有神靈般的技巧。這裏的"觀其冥冥"，實際就是把握本質和規律所必須具有的抽象思維的能力和理性認識的過程③。《內經》在診斷學上，成功地藉鑒了帛書黃學。

① 甄志亞主編：《中國醫學史》，第89頁，人民衛生出版社，1991年2月。
② 見《經法·道法》。
③ 引自劉長林：《內經的哲學和中醫學的方法》，第243頁，科學出版社，1982年。

　　"審察名理終始,是謂究理。"重視概念、判斷和推理等邏輯思維形式的運用,是黃學形名觀念的重要內容:

> 故執道者之觀于天下,□見正道循理,能舉曲直,能與終始,故能循名究理。形名出聲,聲實調合,禍災廢立,如影之隨形,如響之隨聲,如衡之不藏重與輕。故唯執道者能虛靜公正,乃見□□,乃得名理之誠。(《經法·名理》)

　　"如影之隨形,如響之隨聲"這樣的語句亦見于《文子·精誠》、《淮南子·主術》,但檢其文意,皆與黃學之旨不合。能合者惟《靈樞·外揣》所載:

> 黃帝曰:余願聞針道,非國事也。岐伯曰:夫治國者,夫惟道焉。非道,何可小大深淺,雜合而爲一乎①? 黃帝曰:願卒聞之,岐伯曰:日與月焉,水與鏡焉,鼓與響焉。夫日月之明,不失其影;水鏡之察,不失其形;鼓響之應,不後其聲;動搖則應和,盡得其情。黃帝曰:窘乎哉! 昭昭之明不可蔽。其不可蔽,不失陰陽也。合而察之,切而驗之,見而得之,若清水明鏡之不失其形也。五音不彰,五色不明,五藏波蕩,若是則內外相襲,若鼓之應桴,響之應聲,影之似形。(馬蒔註:設使五音不能彰,五色不能明,則陰陽不明,而五臟在人身者,如水波蕩然,紊亂無紀,故必知內外有相襲之妙,真若桴鼓聲響形影之相合,則人身之音與色,是之謂遠可以言外也,而即外可以揣五臟之在內者。)故遠者司外揣內,近者司內揣外,是謂陰陽之極,天地之蓋。(張景岳註:內外遠近無所不知,以其明之至也,陰陽之道盡于此矣。天地雖大,又安能出于是哉?)

　　現代研究者認爲,《靈樞》這一段論述了醫學理論對于醫療實踐的指導意義。治國和治病都需要理論作指導,原文把理論與實踐喻爲明與影、水鏡與形、鼓響與聲的"應和"關係,並指出没有理論,"何可使大小深淺雜合爲一乎?"即不能從錯綜複雜的事物中把握其規律②。我們則要補充指出,這個理論(即引文中所説的"道")就

---

　　① "雜合"一詞,亦見于馬王堆漢墓帛書《老子》甲本後古佚書第 328 行,"天之監下也,雜邵爲耳。"參喬魏啓鵬:《馬王堆漢墓帛書〈德行〉校釋》,第 68 頁,巴蜀書社,1991 年。
　　② 引文見李今庸主編:《新編黃帝内經綱目》,第 541 頁,上海科學技術出版社,1988 年 11 月。

是黃學的道論和形名原理，“故能循名究理。形名出聲，聲實調合，禍災廢立”。古典中醫學將它作爲獲得正確認識的手段和途徑，由此及彼，由外知內，由遠知近，“若鼓之應桴，響之應聲，影之似形”，遵循邏輯思維形式，完成了形成概念、判斷和推理的過程，從而獲得真知，避免了失誤。這種“形名參合”，是四診之後另一個更深入、更高的認識過程，體現了黃學對醫學的理論引導。

　　帛書中還有不少材料證明，古代醫家汲取了道家的思想養料。例如《難經·第六十一難》：“經言望而知之謂之神，聞而知之謂之聖。”神，猶言智，《淮南子·兵略》：“知人所不知謂之神。”《素問·八正神明論》：“神，謂神智通悟。”即是其證。由此可知，《難經》此語，始本于帛書《老子》甲本前第一種古佚書“見而知之，知（智）也。聞而知之，聖也。”（197 行）“知其天道也，聖也。”（275 行）此佚書之言，乃孔子殁後的儒者引道家之言爲説，故亦應源于道家天道觀。

　　綜上所述，馬王堆漢墓帛書《黃帝四經》等古佚書的研究證明，以道家各派爲主流的先秦天道觀，對《內經》、《難經》的醫學哲學的形成有巨大影響，特別是《黃帝四經》的天道環周論和形名之術，指導中國醫學建立了獨具特色的生理學原理和診治方法論，影響和作用尤爲深遠。從這一角度回顧，我們就不難理解中醫古代經典爲什麼大多要冠以黃帝之名了。

三

　　醫書是馬王堆漢墓古佚書的重要組成部份，在近三十件帛書中占到五件，同時出土的竹木簡，近全部是醫書。從內容來說，簡帛合計，共達十五種，既珍異又豐富，不僅對中國傳統醫學的研究具有重大價值，而且對道家思想文化研究也提供了前所未見的資料。

　　古代醫家承擔着防治疾病、救死扶傷的社會責任，此外還有指導和幫助人們合婚生殖、繁衍子孫，使衰弱多病者康復、老年人體健壽長的義務。這關係着民族的興衰，國家的强弱，經濟的發展穩定或下跌崩潰,文化的傳承或中斷,在古代社會尤爲明顯。當然,統治者和貴族不免常懷永享富貴,回復青春,長生不死的渴求和夢想,也對醫家提出了要求,從而促進了長生術的研究,但從社會發展的整體而言,尚非主要方面。道家也首先是從"治天下"的全局提出生育保健問題的:

> 觀天于上,視地于下,而稽之男女。夫天有稈,地有恒常。合□□常,是以有晦有明,有陰有陽。……陰陽備物,化變乃生。《十六經·果童》)

> 行法循□□□牝牡,牝牡相求,會剛與柔。柔剛相成,□牝牡者形。下會于地,上會于天,得天□之微,……待地氣之發也,乃萌萌而孽者孽,天因而成之。弗因則不成,【弗】養則不生。夫民之生也,規規生食與繼。不會不繼,無與守地;不食不人,無與守天。是故□□贏陰布德,□□□□民功者①,所以食之也。宿陽脩刑,重陰長夜氣閉地孕者,【所】以繼之也。《十六經·觀》)

所謂食與繼,就是人之大欲者飲食男女。没有男女交合,就没有後代在大地上繁衍耕織;没有飲食維持生存,就没有人民順守天命。通觀馬王堆醫書,無不體現了以黄學爲主的"順察天地之道","與陰陽皆生",掌握陰陽化變的道家精神。戰國以來,人們推崇的聖人不外乎"三代聖王堯舜禹湯文武",或者伊尹、周公、柳下惠、孔子等,而馬王堆醫書旗幟鮮明地推崇"道者"和知天道的"天士",藐視那些聖人,在情緒上與莊子後學貶譎三皇,斥責孔學倒是頗爲相近的:

> 君必察天地之情,而行之以身。有徵可知,間雖聖人,非其所能,唯道者知之。《十問·黄帝問于容成》)

論世俗之人的病源,所論更爲精闢:

> 彼生有殃,必其陰精漏洩,百脈菀廢,喜怒不時,不明大道,生氣去之。俗人芒生,乃恃巫醫,行年七十,形必夭霾,頌事自殺,亦傷悲哉!死生安在,徹士制之,實下閉精,氣不漏洩。心制死生,孰爲之敗?

----

① 據該篇後文可補爲"並時以眷民功者"。

慎守勿失,長生纍世。(《十問·王子巧父問彭祖》)

此純爲道家之言集粹。"俗人芒生",指世人對人生之理和養生之道的昏昧無知。《莊子·齊物論》云:"人之生也,固若是芒乎?其我獨芒,而人亦有不芒者乎?"《疏》:"芒,暗昧也。"俗人不明大道,故年近七十不夭折即患狂惑之疾。"徹士"猶言"達士",《小爾雅·廣詁》:"徹,達也。"此句同《呂氏春秋·知分》云:"達士者,達乎死生之分。達乎死生存亡之分,則利害存亡弗能惑矣"。據陳奇猷先生考證,亦道家伊尹學派之言。"心制死生",其内涵與《管子·内業》所云"論治在心,此以長壽。忿怒之失度,乃爲之圖。節其五欲,去其二凶,不喜不怒,平正擅胸。"可以互相發明。

　　君若欲壽,則順察天地之道。天地月盡月盈,故能長生。地氣歲
有寒暑,險易相取①,故地久而不腐。(《十問·黄帝問于容成》)

這種強調客觀世界的對立統一互相依存並互相轉化的思維方式,使人聯想到老子的名句:"有無相生,難易相成,長短相形,高下相盈,音聲相和,前後相隨,恒也②。"從相因相克,相生相化的視角討論長壽和生命問題,是頗深刻的。

醫書有關房中養生術,即古代性醫學的内容,十分强調食陰、保陰精,稱女陰爲"玄門"即《老子》所謂"玄牝之門",道家貴陰是其思想淵源,顯而易見。更值得重視的是,醫書強調"太上執遇"③,就是説男女交合首先要講求準則和限度,借鑒了黄學的形名度數觀念:

　　爾察天之情,陰陽爲正,萬物失之而不繼,得之而贏。食陰凝陽,
稽于神明。(《十問·黄帝問于天師》)

"陰陽爲正",就是以陰陽爲天地之道,萬物之綱紀,説詳《素問·陰陽應象大論》。"稽于神明"即取法于神明。此文所云"神明"不同于醫書其他處所言與食陰取精氣相聯繫的"神明",而是具

① 參喬《易·繫辭下》:"遠近相取而悔吝生。"王弼注:"相取,猶相資也。"
② 據帛書《老子》補"恒也"二字。
③ 《十問·黄帝問于大成》。

有黄學所論的特定含義，見帛書《經法・名理》：

　　道者，神明之原也。處于度之内而見于度之外者也。處于度之
【内】者，不言而信。見于度之外者，言而不可易也。處于度之内者，靜
而不可移也。見于度之外者，動而不可化也。靜而不移，動而不化，故
曰神。神明者，見知之稽也。

　　在醫書的《合陰陽》、《天下至道談》諸篇所論述的“十動”、“十
節”、“十脩”、“八動”、“十已之徵”、“八益”、“七損”，的確是把握著
度内度外的關係闡述房中養生之術，以黄學的道論和形名原理爲
指導去探索性醫學的秘密。

　　馬王堆醫書中的道家思想影響，還突出地表現在以下幾個方
面：

　　一、人的生命來自何處？胚胎是怎樣形成和發育成熟的？其早
期論述見于《管子・水地》：“人，水也。男女精氣合，而水流形。三
月如咀。咀者何？曰五味。五味者何？曰五藏。……五藏已具，而
後生五内。……五内已具，而後發爲九竅。……五月而成，十月而
生。”帛書《胎産書》在《水地》的基礎上，有進一步的詳細論述：

　　故人之産也，入于冥冥，出于冥冥，乃始爲人。

　　這個看法，本于《經法・道法》所云“虛無形，其裻冥冥，萬物之
所從生”，“故同出冥冥，或以死，或以生；或以敗，或以成。”同時又
從醫學上爲黄學的道論提供了具體的例證。

　　該書述胚胎的形成和發育，云“一月名曰流形”，“二月始膏”、
“三月始脂，果隋宵效”①，“四月而水授之，乃始成血”，“五月而火
授之，乃始成氣”，“六月而金授之，乃始成筋”，“七月而木授之，乃
始成骨”，“八月而土授之，乃始成膚革”，“九月而石受之，乃始成毫
毛”，“十月氣陳”而出生，呱呱墜地。與其說相類似的，則爲《文子・
九守》：

　　人受天地變化而生，一月而膏，二月而血②，三月而胚，四月而

---

　　① 此句意爲，那圓而下垂的胚胎已經維維妙維肖地出現。
　　② 據俞樾《讀文子》校改。

胎，五月而筋，六月而骨，七月而成形，八月而動，九月而燥，十月而生①。

其後《淮南子‧精神》亦有意同而文小異的叙述。由此可見《胎產書》與道家聯繫之源遠流長。

二、《十問》、《合陰陽》、《天下至道談》包含有大量的"精氣"說論述，是對道家此說的運用和發展，值得同道者去深入細緻研究。

> 天地之至精，生于無徵，長于無形，成于無體，得者壽長，失者夭死。故善治氣摶精者，以無徵爲積，精神泉溢，翕甘露以爲積，飲瑤泉靈尊以爲經，去惡好俗，神乃溜刑②。（《十問‧黃帝問于容成》）

案："無徵"意同"無朕"，即無徵兆、無痕迹。《鶡冠子‧度萬》云："所謂天者，其然（《廣雅‧釋詁三》："然，成也。"）物而無勝（朕）也。③"《淮南子‧兵略》則云："凡物有朕，唯道無朕。所以無朕者，以其無常形勢也。"同書《詮言》又云："人生于無，形于有。有形而制于物，能反其所生。"聖人"藏無形，行無迹，游無朕。"可見，"以無徵爲積"，就是以道爲積。此義在《管子‧內業》有更爲明晰的論述：

> 夫道者，所以充形也，而人不能固。其往不復，其來不舍。謀乎莫聞其音，卒乎乃在于心。冥冥乎不見其形，淫淫乎與我俱生。不見其形，不聞其聲，而序其成。謂之道。

裘錫圭先生指出，《心術下》有"氣者，身之充也"語，《淮南子‧原道》有"氣者，生之充也"語，馬王堆漢墓出土的竹書《十問》有"以精爲充，故能久長"語，可證這一句的"道"應理解爲精氣④。其說甚確。所謂"翕甘露以爲積"，乃本于帛書《老子‧道經》："天地相合，以俞（輸）甘露。"此當指天地相合所生之精氣，（亦可喻男女合陰陽時所生之神氣或陰精），非液態之甘露，故曰"翕"（通"歙"，吸也）。《十問》對精氣的諸方面論述中，還有一個"黏白內成"的觀點，如論

---

① 《范子計然》亦有與此段相似文句，見馬國翰《玉函山房輯佚書》六十九卷三十二頁。
② "去惡好俗"，即去惡俗。惡好，偏義複詞，這裏指惡。"神乃溜刑"，此句溜刑當爲流布成形，聚集于身。
③ 參喬帛書《九主》"天無勝"整理小組註。
④ 裘錫圭：《稷下道家精氣說的研究》，《道家文化研究》第二輯，第171頁。

述"人氣莫如朘精",保養朘精之氣,"如養赤子",云:

> 赤子驕悍數起,慎勿出入,以俟美涅①,觥白内成,何病之有?
（《十問·王子巧父問彭祖》）

在論述翕日月精光、食松柏、飲走獸泉英、接陰而翕其神霧,均爲卻老復壯的方法後,亦指出:

> 精氣淩健久長。神和内得,魂魄皇【皇】,五藏觥白,玉色重光,壽
> 參日月,爲天地英。《十問·秦昭王問王期》)

所謂"赤子驕悍數起",明爲用《老子·德經》所言"含德之厚者,比于赤子,……未知牝牡之會而朘怒,精之至也",以赤子驕悍比喻陰莖經常勃起。而"觥白"較爲費解,考慮到此書有"善治氣摶精者,以無徵爲積,精神泉溢"的觀點,疑"觥白"當讀爲"固泊",指精氣積聚固定于體内如小湖泊如泉淵,而不會乾涸枯竭,證之于《管子·内業》:

> 精存自生,其外安榮,内藏以爲泉原,浩然和平,以爲氣淵。淵之
> 不涸,四體乃固;泉之不竭,九竅遂通。乃能窮天地,被四海。

《心術下》也有相似的論述,"是故内聚以爲原,泉之不竭,表裏遂通。泉之不涸,四支堅固。能令用之,被服四固②。"因此有理由推測,醫書的精氣說受稷下道家影響甚深,不宜低估。

三、由于廣采博取道家各派思想,馬王堆醫書有若干内容,爲《莊子》外雜篇中講究養生鍊形、企求長生不死的神仙思想提供了佐證和社會生活背景的材料。例如《十問·王子巧問彭祖》云:

> 彼生之多,上察于天,下播于地,故能形解。明大道者,其行陵
> 雲,上自麋榣,(帛書整理小組指出,疑即群瑶,《穆天子傳》有群玉之
> 山。案:亦即《山海經》所云玉山,西王母所居者。)水流能遠,龍能登
> 高,疾不力倦,……巫成栯以四時爲輔③,天地爲經,巫成栯與陰陽
> 皆生。陰陽不死,巫成栯與相視,有道之士亦如此。

這就極大地豐富了我們對《天地》篇所稱"千歲厭世,去而上

---

① 涅借爲理,指肌肉紋理。
② 原作"四囷",據《管子集校》改。囷借爲囵,指四方邊地。
③ 即務成昭。《漢書·藝文志》房中家有《務成子陰道》三十六卷。

仙；乘彼白雲，至于帝鄉”的認識，深化了對其内涵的理解。

又如《在宥》篇記載廣成子對黃帝大談其治身長生之道。不妨先舉廣成子的警句于前（G），再列《十問》、《合陰陽》意近之句于後（M），加以對照：

G 抱神以靜，形將自正。必靜必清，無勞汝形，無搖汝精，乃可以長生。

M 食陰之道，虛而五藏，⋯⋯食之貴靜而神風。

神明來積。積必見章，玉閉堅精，必使玉泉毋傾，則百疾弗嬰，故能長生。

G 目無所見，耳無所聞，心無所知，汝神將守形，形乃長生。

M 接陰之道，必心塞葆。（案：《買子·道術》云“克行遂節謂之必。”必心，指節制己心而不放縱。塞葆，意閉塞寶貴之腹精。）形氣相葆，⋯⋯可以壽長，通于神明。

接陰之道，以靜爲強。平心如水，靈露内藏。

G 我爲汝遂于大明之上矣，至彼至陽之原也。（案：“大明”謂太陽。）

M 群精皆上，翕其大明。

必朝日月而翕其精光。

G 爲汝入于窈冥之門矣，至彼至陰之原也。

M 入玄門，御交筋，上欲精神，乃能久視而與天地侔存。

我們無意仿效《老子》河上公註、想爾註，上列對照祇不過證明，戰國後期至漢初風行一時的各種成仙術、長生術，包括導引、食氣、房中等，是構成《莊子》外雜篇長生久視的神仙思想之社會文化背景的重要組成部分，成爲廣義的道家文化。

此外，馬王堆醫書的發現，將道教修鍊中的“尸解”、“采日精月華”、“還精補腦”諸方法形成的歷史時期大大推前了，爲道教史的研究展示了新材料，也提出了新課題。總之，整個馬王堆古佚書蘊藏的奧秘尚多，我們願與同道流連探索，相互切磋，深入研究。

帛書《却穀食氣》義證

胡翔驊

内容提要 本文運用傳世典籍和出土文獻對《却穀食氣》的古義進行了闡釋和考證,指出帛書此篇不僅是戰國秦漢的道家和神仙家思想的第一手資料,而且對于中國道教史和醫學史的研究也有重要意義。

"却穀"亦稱"辟穀",或曰"絶穀"、"休糧"。古代神仙家和後世道教所用修鍊方法,"却穀"并非一切進食皆停止,而是要配合藥物服用,并須兼以行氣導引,其目的是長生不死或輕舉升仙。張良辟穀,在西漢初頗有代表性。《史記·留侯世家》:"留侯性多病,即導引不食穀。"裴駰《集解》:"服辟穀藥而靜居行氣。"《抱朴子内篇·至理》亦載"張良曰:'吾將棄人間之事,以從赤松子游耳。'遂修道引,絶穀一年,規輕舉之道。"又説"按孔安國《秘記》云,良得黄石公不死之法,不但兵法而已。"黄石公所傳《太公兵法》,《漢書·藝文志》歸入道家。《史記》載黄石公"衣褐",張守節《正義》引顏師古曰:"褐,制若裘,今道士所服者是也。"(引自《史記正義佚文輯校》,第197頁)據此推之,黄石公乃戰國時道家中人,秦時爲隱者,張良所習辟穀行氣之術,亦傳自戰國道家學派中一支。但是,到魏晉神仙道教興盛時,葛洪一方面記載和列舉了當時許多道士行辟穀,食氣之術,稱辟穀"近有一百許法","余數見斷穀人三年二年者多,皆身輕色好,堪風寒暑濕,大都無肥者耳",也有斷穀已三年的馮生表示

"斷穀亡精耗氣，最大忌也"(《抱朴子内篇·雜應》)，另一方面，葛洪迷信金丹，"令人長生，神仙獨見此理"(同上《金丹》)，而貶低辟穀食氣，説"吞氣斷穀，可得百日以還，亦不堪久，此是其術至淺可知也。"(同上《道意》)。衆所周知葛洪在中國道教史上有巨大影響，很可能正由于他的輕視貶低，黃石公、張良一脈傳習的却穀食氣術，在魏晉以後逐漸湮没無聞。帛書的出土，使我們得以窺見其當時的本來面目。本文擬作初步的探索，以證其古義。

去(却)穀者石韋

案：石韋，《神農本草經》稱其"主勞熱邪氣五癃閉不通，利小便水道。"《名醫別錄》稱其"主止煩，下氣，通膀胱滿，補五勞，安五藏，去惡風，益精氣。"古代辟穀食氣者，都須先服藥，去舊疾。通泄腸胃，去其積滯。在斷穀不食的初期，據《雲笈七籤》卷五十七載，"凡服氣斷穀者，一旬之時，精氣微弱，顏色萎黃；二旬之時，動作瞑眩，肢節脈恨，大便苦難，小便赤黃，或時下痢，前剛後溏。"同書卷六十三亦載，"凡初服氣，小便赤黃，亦勿怪"。因此，服食石韋正可以除小便赤黃，安利五臟，便于益精氣。古方中服氣者"可飲一椀薜荔飲，洗滌腸中，常令潔淨，其氣即易流行"，亦取其通利腑臟之意。參看《抱朴子内篇·論仙》云："仙法欲止絶臭腥，休量清腸。"

朔日食質，日駕加一節，旬五而止；

案：質，物類的本體，這裏指石韋的莖葉。從陰曆的每月初一起服食。節，草禾上生葉的部分。這裏用作量詞，指每天增加一節。在月中十五日時告一段落。

[旬]六始銚，日□【一】節，至晦而復質，

案：銚讀爲匡，虧損，減少。《國語·越語》："月盈而匡。"《注》："匡，虧也。"這裏指從月中第十六日起，減少服用石韋的數量。缺字可補爲"減"或"損"，意爲每天服用石韋的數量逐日減少一節。參看《雲笈七籤》卷五十七引《太清行氣符》："服氣之始，亦不得頓絶其藥食，宜日日減藥，宜漸漸加氣，氣液流通，體藏安穩，乃可絶諸藥

食，仍須兼膏餌消潤之藥助之。"晦，每月的最末一日，即陰曆三十日。到這一天又重新食石韋之莖葉。《呂氏春秋·精通》："月也者，群陰之本也。月望則蚌蛤實，群陰盈；月晦則蚌蛤虚，群陰虧。"《素問·八正神明論》張志聰注云："人之形體屬陰，精血屬水，故其虚實浮沉，亦應于月。"晦日復食石韋之質，目的在補人之精氣。參看金代竇杰《標幽賦》："望不補而晦不瀉。"

與月進退。

案:《太平御覽》卷四引《范子計然》："月行疾二十九日、三十日間一與日合，取日之度以爲月節。"本書所説食石韋"朔日食質，日加一節，旬五而止。旬六始銑，日[減]一節，至晦而復質"，其加減進退，與范蠡所説之月節之度相合。中國古代醫學繼承和發展了這一學説，指出"月始生則血氣始精，衛氣始行，月郭滿則血氣實，肌肉堅，月郭空則肌肉減，經絡虚，衛氣去形獨居，是以因天時而調血氣也。……月生無瀉，月滿無補，月郭空無治，是謂得時而調之。"(《素問·八正神明論》)道教修鍊猶略存此法，《雲笈七籤》卷二十三《服日月六氣法》云："若存月，當以月一日夜至十五日住，從十六日至三十日是月氣衰損，天胎虧縮，不可以存也。"然已不曉范子以來古法，以三十日(即晦日)爲陰由虚極而轉盈之樞紐，蓋晦則月行"間一與日合"也。

爲首重足輕膿(體)胗(胗)，則昫(呴)炊(吹)之，視利止。

案:胗、腫。慧琳《一切經音義》卷二十七引《三蒼》："胗，腫也。"一説，胗，通疹，癮疹搔瘙。服氣者常有此症狀。參看《雲笈七籤》卷五十七引《姑婆服氣訣問答》。呴同噓。緩緩地呼氣叫做呴，撮口急促地吐氣叫做吹。慧琳《一切經音義》卷五十四引《聲類》："出氣急曰吹，緩曰噓。"《老子》："或呴或吹。"《莊子·刻意》："吹呴呼吸，吐故納新，熊經鳥申，爲壽而已矣。此道引之士養形之人，彭祖壽考之所好也。""視利止"，是説直到痊愈爲止。

食穀者食質而□，食□者爲昫(呴)炊(吹)，

案:食□者，缺字當補爲"氣"。古之格言常以食氣者與食穀者

并舉。陶弘景《養性延命錄》引《孔子家語》:"食肉者勇敢而悍,食氣者神明而壽,食穀者智慧而夭,不食者不死而神。"此語見今本《孔子家語·執轡》。與此相同而間有異文者,還見于《淮南子·地形訓》、《大戴禮記·易本命》、《抱朴子·雜應》。道教典籍如《攝生月令》、《服氣精義論》引此語或作"《黄帝内傳》云"、"黄帝曰"。參看張家山漢簡《引書》:"吹呴呼吸天地之精氣,伸腹折腰,力伸手足,軵踵曲指,去起寬亶,偃治巨引,以與相求也,故能無病。""喜則陽氣多,怒則陰氣多,是以道者喜則急呴,怒則劇吹,以和之。吸天地之精氣,實其陰,故能無病。"

則以始卧與始興。

案:這句是説在剛就寢時和剛起床時,都可以進呴吹吐納。參看馬王堆竹簡《十問·黄帝問于容成》所載"朝息之志(早晨呼吸的方法),其出也務合于天,其入也揆彼閨滿(吸入要以充滿肺部為度),如藏于淵,則陳氣日盡,而新氣日盈,則形有雲光。以精為充,故能久長。""暮息之法,深息長徐,使耳勿聞,且以寢。魂魄安形,故能長生。"

凡昫(呴)中息而炊(吹)。年廿者朝廿,二月之莫二百;年卅者朝卅莫(暮)卅,三日之莫(暮)三百,以此數準之。

案:這裏是説,緩緩地呼氣與自身呼吸節奏協調合拍之後,再急速地吐氣。至于每次呼吸的次數,按照二十歲,三十歲……的比例類推,即二十歲者在行氣後第二天晚上則為二百次,三十歲者在行氣後第三晚則為三百次。

春食一去濁陽,和以銑光,朝霞,昏清可。夏食一去湯風,和以朝霞,行(沆)暨(瀣),昏清可。秋食一去□□、霜霧,霜霧和以輸陽、銑【光】,昏清可。冬食一去凌陰,和以【端】陽、銑光、輸陽、輸陰,昏清可。

案:這一段文字極重要,所稱之朝霞,沆瀣,端陽,銑光,輸陽,輸陰,即《楚辭·遠游》和《莊子·逍遥游》中所講的"六氣"。

《遠游》云：“餐六氣而飲沆瀣兮，漱正陽而含朝霞。保神明之清澄兮，精氣入而粗穢除。”王逸《注》：“《陵陽子明經》言，春食朝霞，朝霞者，日始欲出赤黄氣也。秋食淪陰，淪陰者，日没以後赤黄氣也。冬食沆瀣，沆瀣者北方夜半氣也。夏食正陽，正陽者，南方日中氣也。并天玄地黄之氣，是爲六氣。”

《逍遥游》云：“若夫乘天地之正，而御六氣之辯，以游無窮者，彼且惡乎待哉！”成玄英《疏》：“李頤云：平旦朝霞，日午正陽，日入飛泉，夜半沆瀣，并天地二氣爲六氣。”按《釋文》引作“天地玄黄爲六氣”。《疏》又引“支道林云：六氣，天地四時也。”

後人認爲李頤之説“頗近牽强”，亦不相信王逸、支道林之説，因爲“四時皆承天地之氣以爲氣，似不得以四時與天地并列爲六。”這種懷疑首先是因爲不曉解神仙家六氣之説，與先秦時代“六指”的時空觀有密切關聯。《荀子·儒效》云：“至高謂之天，至下謂之地，宇中六指謂之極，塗之人百姓，積善而全盡謂之聖人。”楊倞注：“六指，上下四方也。盡六指之遠則爲六極，言積近以成遠。”四時分屬四方，上下爲天地，故六氣亦以天地與四時并列。馬王堆漢墓竹簡《十問》載巫成栢（即務成昭）蓄積生氣，以至長壽之道云：“巫成栢以四時爲輔，天地爲經，巫成栢與陰陽皆生。”正與“六指”相合。其次是由于他們不了解戰國秦漢食氣之法，與魏晉以後有所不同。《雲笈七籤》卷五十九載《王説山人服氣新訣》就明確指出：“古經法皆有時節行之，今議食氣不復以時節也。液則時時助氣使調滑也，所論食氣皆內氣也。”而戰國秦漢的神仙家，所服食者爲天地四時之外氣。其中朝霞、行（沆）暨（瀣）、端陽（係避秦始皇諱，以“端”代“正”），與《陵陽明子經》所載相同。其外三氣亦大抵相同，試考辨如下。

輸陰：輸，傾瀉。《廣雅·釋言》：“輸，寫也。”《説文》段注：“輸，凡傾寫皆曰輸。”輸陰含義同淪陰，爲日没以後赤黄氣，陽衰陰盛，陰氣爲傾瀉，故李頤之説稱之爲“飛泉”。《遠游》亦有句云：“漱飛泉之微液兮，懷琬琰之華英。”

輸陽：猶云積陽。輸，聚積。《廣雅·釋詁三》：“輸，聚也。”《難經·六十五難》：“經言所出爲井，所入爲合。其法奈何？然：所出爲井，井者，東方春也，萬物之始生，故言所出爲井也。所入爲合，合者，北方冬也，陽氣入藏，故言所入爲合也。”積陽爲天，輸陽之氣與沆瀣之氣同居於北方冬，其色玄，當即《陵陽明子經》和李頤所説的天玄之氣。

銚光：銚讀爲黄。帛書《却穀食氣》第八行的層遞句，聯珠格中，又稱銚光爲“昏”。銚光當爲日西黄昏時黄色之氣。《九嘆·遠逝》：“建黄繡之總旌。”《楚辭補注》：“繡一作昏，《注》云黄昏時天氣玄黄，故曰黄昏。”《淮南子·天文訓》：“至于虞淵，是謂黄昏。”《文選·琴賦·李善注》引高誘《注》曰：“視物黄也。”銚光當即《陵陽子明經》和李頤所説的地黄之氣。

根據六氣與四時相配的關係，試列表如下：

氣名	輸陽	沆瀣	朝霞	端陽	銚光	輸陰	注
時段	夜半	夜半後	平旦	日中	日西	日入	①
季節	冬	春		夏	秋		②
方位	北	東		南	西		③
天符	黑	青		赤	白		④

①古代對時段有四分法，六分法，十分法，十五分法，十二分法。這裏取六分法，見《靈樞·營衛生會》：“夜半爲陰隴，夜半後而爲陰衰，平旦陰盡而陽受氣矣。日中爲隴，日西而陽衰，日入而陽盡而陰受氣矣。”

②《靈樞·順氣一日分爲四時》：“春生夏長，秋收冬藏，是氣之常也，人亦應之，以一日分爲四時，朝則爲春，日中爲夏，日入爲秋，夜半爲冬。”

③古代“迎氣”儀式，迎春氣於東郊，衣青，立青幡；迎夏氣于南郊，衣赤；迎秋氣于西郊，衣白；迎冬氣于北郊，衣黑。

④符：事物間的感應和傳導，其標識爲符。《素問·天元紀大

論》：“應天爲天符。”《春秋繁露·人副天數》：“天地之符，陰陽之
副，常設于身，數與之相參，故命與之相連也。”帛書《却穀食氣》中
所謂青附、白附、黑附，附讀爲符，六氣爲天行之氣，青、赤、白、黑諸
符皆爲天符，標識六氣的性質和傳變。

昏清可。

案：昏清可：昏即銑光，地黄之氣，地氣。清爲天氣。《素問·四
氣調神大論》：“天氣，清淨光明者也。”《九歌·大司命》：“乘清氣兮
御陰陽。”《荀子·解蔽》：“養之以清。”《注》：“清，謂沖和之氣。”清
皆指天氣而言。這裏是説，地氣與天氣相適合協調，陰陽中和。一
説，“昏清可”指服氣在黄昏清晨都可以。

□□□□□【者】，□四塞，清風折首者也。霜霧（霧）者，
□□□□□□。濁陽者，黑四塞，天之亂氣也，及日出而
霧（霧）也。【清風者】，□風也，熱而中人者，日□。【凌陰】
者，入骨□□【也】，□□者不可食也。

案：此段殘損嚴重，參看《十問·黄帝問于容成》：“食氣有禁，
春避濁陽，夏避湯風，秋避凌陰，必去四咎，乃深息以爲壽。清風、涼
風。即清邪，爲風露之邪。《金匱要略·臟腑經絡先後病脈證》：“清
邪居上，濁邪居下。”清邪首先傷害人的上部，故云“折首”。濁陽：清
陽爲天，其被擾亂則爲濁陽之氣，表現爲塵埃四塞，濃霧蔽日。凌
陰，藏冰之處。《詩經·七月》：“二之日鑿冰沖沖，三之日納于凌
陰。”這裏指積冰至寒至陰之地，《初學記》七引《風俗通義》：“積冰
曰凌。”

□氣者員（圓）、員（圓）者天也，方□□也。

案：帛書整理小組説，以上疑應補爲“食穀者食方，食氣者食
圓，圓者天也，方者地也。”按《太平御覽》卷二、卷十五引《吕氏春
秋》：“天道圓，地道方，聖人所以立天下。天圓謂精氣圓通，周復無
雜，故曰圓。”所謂食氣者食圓，即是服食天之精氣。

□□□□□青附，青附即多朝暇（霞）。朝○失氣爲白

【附】，白【附】即多銑光。昏失氣爲黑附，黑附即多輸□。

　　案：青附：附讀爲符，下面白附、黑附同。事物間有所感應和傳導，其標識爲符。説詳附録《六氣考》。又《莊子・人間世》："若一志，無聽之以耳，而聽之以心；無聽之以心，而聽之以氣；聽止于耳，心止于符。氣也者，虚而待物者也。唯道集虚，虚者心齋也。"後世氣功家稱爲聽息法。據上文所列表解，殆可補缺文爲"沈澄失氣爲青附"，"朝○"即"朝霞"，"黑附即多輸陽。【輸陽失氣爲赤附，赤附即多端陽。】"失氣，失讀爲佚，通逸。這裏指六氣傳變。此段爲層遞句，修辭聯珠格，故"昏"即銑光。青附傳變爲白附，即春與秋合。黑附傳變爲赤附，即冬與夏合。其意與《淮南子・時則訓》所載"六合"相同。以上所考，沈澄、朝霞、銑光、輸陽、端陽五者皆備，獨缺輸陰。殆輸陰爲陰氣之傾瀉，極而盛，盛而衰，待彼方萌而陽氣已積聚而興，陰中有陽，陽中有陰，如天地合氣，交會則難詳分彼此，故論者宜略之，究其名實傳變，仍爲六氣無疑。然此説猶待驗證。

　　帛書《却穀食氣》當爲南方道家神仙家的作品，所食之六氣與《楚辭・遠游》、《莊子・逍遥游》可以互證，《莊子》有濃厚的楚文化背景已爲學人所共識，故三者同源而異用。帛書所載辟穀食石韋"與月進退"之法，又合于范蠡"月節"理論。范蠡活動的吳越舊地，戰國後即爲東楚地區。張良遇黄石公于下邳圯上，下邳即屬東楚，《史記集解》引徐廣曰："圯，橋也，東楚謂之圯。"就文化和地域而言，黄石公傳與張良的長生不死之術，極有可能包括《却穀食氣》所載内容，張良避穀乃習之。1988 年江陵張家山 M136 號漢墓出土的 B 組竹簡，載有食氣却穀之法，與馬王堆帛書此篇相同，且較之内容更完整。總之，帛書此篇不僅是戰國秦漢的道家和神仙家思想的第一手資料，而且對于中國道教史和醫學史的研究也有重要意義。

作者簡介　胡翔驊，1944 年生，四川重慶市人。現任華西醫科大學副教授，曾進行馬王堆醫書的校釋和藥物療效研究。

道家與"帛書"

李　零

　　鼓應先生出題,要我圍繞"帛書"(楚帛書和馬王堆帛書)談談
對道家文化的印象。我想反過來做這題目,先談一般印象,再談"帛
書"。下分上、下兩篇述之:

上　篇

　　德國哲學家雅斯貝斯(Karl Jaspers)把文明既出,再上一個臺
階叫"樞軸時代"(theaxial period)①。因爲他是哲學家,所以他關
心的主要是世界各大文明不約而同的"思想活躍",而不是其技術
的和社會組織的躍遷。

　　"樞軸現象"在世界各地有時好像不那麼明顯,但中國的"百家
爭鳴"却很典型。從考古材料看,我們有一種感覺,春秋末和戰國早
期的東西比較相似,而戰國中晚期的東西是另一種面貌。現在我們
説的"書"(私家著述)和諸子百家也有類似情況。它們雖出現于春
秋末和戰國早期,但大盛是在後一段。

　　中國的"樞軸現象"有一大特點,是它緣于貴族傳統的崩潰,同
"禮崩樂壞"直接有關。歐洲和日本的武士都是到十七世紀左右才
開始衰落,但中國的"堂吉訶德"(宋襄公)却出在兩千六百年前。這

---

　　① Karl Jaspers,"The origin and goal of history",Yale University Press,New Haven 1953.

個崩潰顯得特別早①。

諸子蜂起既以"禮崩樂壞"爲背景,最初的爭論焦點自然是這個崩潰的傳統本身(就像我們在近代史上碰到的一樣)。如儒墨之爭就是圍繞詩書禮樂和與詩書禮樂有關的道德價值和社會規範(如仁義)。對如何重建傳統,儒繁墨簡,持說不一,但語境相似。當時真正異于這種爭論,游離于這種爭論,是楊朱式的東西。楊朱既被墨拒,也爲儒非,兩面不討好。但他重生貴己,回歸個人,回歸自然,有點存在主義味道,這才是真正的第三條道路。馮友蘭先生謂"道家蓋出隱者"②,此說雖不一定準確,但楊朱之說確有逃避社會主流的含義。

楊朱式的東西在初并不是主流思潮。但到了戰國中晚期,有趣的是,這種本來是"逃跑主義"的思想卻成爲治國用兵的根本,成爲佔據主流地位的東西。我在《說"黃老"》一文中說司馬談于儒、墨之外析分爲陰陽、道、法、名的四家是内容相關的"一大類"③。道德順乎陰陽,刑名(形名)源于獄訟④,法名亦與道術互爲表裏。這四家合在一起,是一股更多割斷"傳統"臍帶,因而也更"現代"的思潮。

道家既然是這樣複雜的"一大類"。當然會有許多終極原理相近,但具體主張不同的派別,蔽于所見,互有詆訾。特別是它的"道"和"術"、"體"和"用"也必然存在矛盾。

例如:

(一)我們在《說"黃老"》一文中提到《漢志·諸子略》道家類有一種"陰謀書",即《伊尹》、《太公》、《辛甲》、《鬻子》、《管子》五書⑤。

---

① 李零《紙上談兵》,《讀書》1992 年 11 期;《俠與武士遺風》,《讀書》1993 年第 1 期。
② 馮友蘭《中國哲學史簡編》(北京大學出版社 1985 年)47 頁。
③ 將刊于《道家文化研究》第五輯。
④ 同上②99 頁。
⑤ 《伊尹》,有馬王堆帛書《九主》和馬國翰《玉函山房輯逸書》卷七〇的輯本。《太公》,有銀雀山漢簡《六韜》、八角廊漢簡《太公》、今本《六韜》(宋代傳本)及孫同元《六韜逸文》(收入《平津館叢書》)、汪宗沂《太公兵法逸文》(收入《漸西村舍叢刻》)、洪頤煊《太公金匱》(收入《經典集林》)和嚴可均《全上古三代秦漢三國六朝文》卷六的輯本。《辛甲》,有馬國翰《玉函山房輯逸書》卷七〇的輯本。《鬻子》,有今本(唐代傳本)、《四庫全書總目》以爲《鬻子說》。《管子》有今本(唐代傳本)。

這類"陰謀書"和當時的"小説"有密切關係(如小説家類有《伊尹説》和《鬻子説》),有些内容就像《三國演義》。如《孫子·用間》説商周的開國功臣伊尹、呂牙都是間諜,據考就是來源于這類故事[①]。這五書中,要以《太公》最典型,《蘇秦》(與今《鬼穀子》有關)和《張良經》(與今《三略》有關)皆其餘緒,一直流傳于漢。這類書不僅講治國,也講用兵,甚至涉及縱横和用間,中心主題是"陰謀取天下"。馬王堆帛書《十六經·順道》有"不陰謀"的説法,對陰謀之術取否定態度,但按漢代的理解,這也是道家書的一種,而且是很重要的一種(在《漢志》此類中列在最前)。

(二)道家主張"清静無爲",本來似乎不該有應用問題,但你從"太公釣魚,願者上鉤"這種表達可以看得很清楚(漢代黄石公和河上公的形象都是從太公翻版),它可以把"無爲"本身也當成一種工具(而且是一種"舒之横四海,卷之不盈懷"的利器)。道家本來最重個人,但推廣道術的法家和兵家對"人"的看法卻很殘酷,視之如畜牲或機器,專門利用人性的弱點(如貪欲、恐懼感等等),抹殺人的個性差異(把人規格化、數字化、系列化,有如機器零件一樣),認爲祇要運用法、術、勢和形名、奇正一套東西,就能把人管得服服貼貼。如《韓非子·制分》説"夫治法之至明者,任數不任人",主張"去言而任法",反對"釋法而任慧"。《孫子》也説"勇怯,勢也","善戰者,求之于勢,不責于人,故能擇(釋)人而任勢"(《勢》)。《孫子》論兵,偏愛客場(和現代球賽相反),把御兵比做趕羊,比做"登高去梯",説將軍的職責就是愚弄士兵。在他看來,士兵的勇怯并無一定,全在環境的利用。祇要連蒙帶騙(用事不用言,告利不告害),把他們帶離故土,深入敵國,投之死地,陷于絶境,便會有"諸、劌之勇"(《九地》)。他們所"釋"是個人差異,是聰慧聰明,是道德考慮,所"任"是標準化、數量化、形式化,即黄仁宇先生稱爲"千軍萬馬,從數目字上去管理"那一套[②]。其實這在今天也還是"現代化"的基

[①] 李零《讀〈孫子〉札記》(收入《孫子新論》,解放軍出版社 1990 年)第八節。
[②] 黄仁宇《赫遜河畔談中國歷史》,三聯書店 1992 年。

本精神。

道家書中的矛盾和差異後來在《呂氏春秋》中被折衷。其《貴生》説"道之真,以持身;其緒餘,以爲國家;其土苴,以治天下",不但把養生延命與治國用兵冶于一爐,而且還以道家兼賅諸家。降及漢代,《淮南子》和《六家要指》也是融合諸家而歸宗于道術。道家退守回道論哲言和養生神仙,喪失治國用兵這塊前沿陣地,那是又一個變化。馮友蘭先生已指出,劉歆的折衷與前者不同,是儒家打了翻身仗以後的情況①。

我在《説"黄老"》一文中曾説,古代道家是以養生爲本,養生的背景知識是方技,而方技又是以數術爲前提。也就是説,除去治國、用兵這樣的"外景",它還有養生延命、順乎天道的"内景"。我理解,"黄老之術"也像"孫吴之術"、"管商之術"、"岐黄之術"、"玄素之法"一樣,都是托術于書,而且是泛言其書。其中的"老"是道論,但"黄"不限于道論,還結合着數術方技。我們不能衹把黄帝書中的道論哲言抽出,而把其他内容扔掉,説其他部分就不是"黄"。這樣做是没有根據也不合情理的。

西漢的"黄老"與東漢的"黄老"、漢末魏晉道教的"黄老"在概念上是有聯緊的。《抱朴子》講"黄老",其中的"黄"都是兼賅數術、方技。如其《極言》篇説:

> 昔黄帝生而能言,役使百靈,可謂天授自然之體者也,猶復不能端坐而得道。故陟王屋而受丹經,到鼎湖而飛流珠,登崆峒而問廣成,之具茨而事大隗,適東岳而奉中黄,入金穀而諮涓子,論道養則資玄、素二女,精推步則訪山稽、力牧,講占候則詢風後,著體診則受雷、岐,審攻戰則納五音之策,窮神奸則記白澤之辭,相地理則書青鳥之説,救傷殘則綴金冶之術。

這類東西,都不是魏晉道教的發明,而是上承《世本》和諸子傳記,且與《十六經》裏面的黄帝君臣問對可以相互印證。

"黄老"是"術"而不是哲學派别。我相信,古代的思想流派都不

---

① 前引馮友蘭《中國哲學史簡編》219—220頁。

是我們現在理解的那種哲學流派。我們用數術、方技解釋陰陽道德，并非要將前者等同于後者，或等同于"黄老"，而祇是爲了凸現其背景。它與其説是一種擴大，還不如説是一種限定，即對泛哲學傾向的限定。這正像我們不能説，講儒學必及六藝就是把儒學擴大了一樣。

下 篇

下面，我想講一下我個人對"帛書"的初步認識。

現在出土古書很多，它們對研究古代思想太重要，大家都已體會到這一點。我是學考古的，當然喜歡强調用考古材料重寫思想史。但我很討厭有些考古學家的"老王賣瓜"，絕不認爲考古材料的功用是專門打傳世文獻的屁股。在"地上"與"地下"的關係上，我還是贊同王國維提出的"二重史證"。出土文獻與傳世文獻都有缺陷空白，但它們反映的對象畢竟是同一個，二者主要還是相互補充、相互發明的關係。從根本上講，它們是一致的。

這裏講幾點看法：

（一）我們祇要翻一下《漢書·藝文志》就可看出，古書亡逸最多是講實用技術的後三略，即兵書、數術、方技（詩賦亡逸也比較多），而出土古書補充最大也在這幾方面。例如銀雀山漢簡以兵書居多，馬王堆帛書以數術、方技居多，對我們的知識就有很多補充，但這并不是什麽"全面的更新"。因爲人們對技術的追求一向是"喜新厭舊"，講技術的書雖不斷遭淘汰，没法像"高談闊論"那樣傳之長久，但它們的傳統没有斷，後世還有類似的書，晚期的"杯"中還有早期的"酒"。現在我們研究楚帛書和各種日書，還得看《協紀辨方書》（清代）；研究馬王堆房中書，還得看《素女妙論》（明代）。

（二）現在出土最早的帛書是楚帛書。此書與日書（出土發現極爲普遍）繁簡詳略不同，但皆與諏日之術有關，屬于古日者之説（參《史記·日者列傳》）。它的圖式是來源于古代數術中的式法。遊文分述各月宜忌,并以春夏秋冬列四方,青赤白黑四木表四維,構成四方八位和十二位,與六壬式相似。十二月所配月神應屬"轉位十二神"(見《漢志・數術略》五行類的書名),也和六壬式的十二月神作用相似,是表示斗行所值。中間兩篇,長篇是講順令知歲的重要性,側重于"歲";而短篇是講"四時"(春夏秋冬和宵朝晝夕)產生的神話,則側重于"時"。後者提到伏羲、女□(下字不識)及其所生四子,還有炎帝、祝融和共工,這不是講楚世系(《世本》和楚占卜簡都不是這種講法),而是講曆術推步的源流。這類書是以陰陽五行講時令禁忌,在古書中是一種時髦書,就連儒籍也不能不受其影響。例如學者多已指出,大小戴記中的明堂月令之說,背景就是這類書①。

(三)馬王堆帛書是楚帛書之後唯一的一大批帛書。它的特點是數術、方技書很多。例如按《漢志》的分類,屬于數術書:(1)天文類(包括占星候氣)。它有《五星占》和《天文氣象雜占》;(2)五行類(式法、曆忌、風角、五音等術)。它有《陰陽五行》(兩種)和《刑德》(三種);(3)雜占類(占夢、脈刻、祠禳等術)。它有《木人占》(未發表)和《避兵圖》;(4)形法類(相術)。它有《相馬經》。而屬于方技書:(1)醫經類。它有《足臂十二脈灸經》、《陰陽十一脈灸經》(兩種)、《脈法》和《陰陽脈死候》等脈書;(2)經方類。它有《五十二病方》等醫方;(3)房中類。它有《十問》、《合陰陽》和《天下至道談》等書(皆竹簡),以及《養生方》、《雜療方》、《胎產書》和《雜禁方》(木簡)等有關醫書醫方;(4)神仙類(與神仙家有關的服食、行氣、導引等術)。它有《却穀食氣》和《導引圖》。另外,新近發表的《卦象圖》(原名《符籙》),性質還有待研究(似非卦亦非符)。這些書中,《五星占》、《天文氣象雜占》、《刑德》和《避兵圖》都與兵陰陽有關。特別是其中的《避兵圖》,圖象可與戰國時期的"兵避太歲"戈相印證,是由戎裝的太一神和用三龍表示的"太一三星"(即天一或太歲)構成,外加雷

① 參看陳夢家《戰國楚帛書考》(《考古學報》1984 年 2 期)。

公、雨師和分避各種兵器的四神，具有避兵符的作用。這對我們來說，似乎很陌生，但仔細查一下，在《史記》、《漢書》中卻本來就有這樣的東西，是叫"太一鋒"。還有新發表的隸書《陰陽五行》和《刑德》乙本，二者都附有圖表。前者的圖是以天一居中，旁列八宮和二十八種值神；表中所列似爲各月天一所居之日。而後者的圖是以五行（木、火、金、水、土）居五位（分別以青、赤、白、黑、黃五色繪之），標注五帝（太昊、炎帝、少昊、顓頊、黃帝），并列豐隆、風伯、大音、雷公、雨師五神于八位（還有表示二至的大天、卅昌，以及攝提、青澤、氣雲、司門等神）①；表是以六十個十二位圖（與《禹藏圖》的小圖相同）來表示六十甲子的五位循環和十二位循環，用以推算刑德。這些都與古代的式法有關。宋以來的式法主要是太乙、六壬、遁甲三種，但古式卻不祇于此。比如唐代還有雷公式，《通志·藝文略》著錄的式經除上述三式也還有"九宮"一類。現已出土的古式實物多數是六壬式，但雙古堆漢墓卻出土過一件九宮類的古式。這兩種書的圖式與雙古堆出土的九宮類古式不盡相同，還須做進一步研究。特別是後者，其中有"雷公"之名，是否即古書中的雷公式，很值得注意。

（四）馬王堆帛書還有不少是屬于諸子傳記。如《周易》經傳（包括已發表的《六十四卦》、《繫辭》和未發表的《二三子問》、《要》、《繆和》、《昭力》），《老子》甲本卷後、乙本卷前的古逸書，以及《春秋事語》和《戰國縱橫家書》。這些書中，《老子》和《經法》等四書當然是道家書，但《周易》經傳、《五行》和《喪服圖》卻應屬儒籍。《五行》與思孟學派有關，《喪服圖》和清代禮學家所繪的服制圖相似，這些問題倒不大，可是《易傳》現在卻有一些爭論。我認爲從戰國中晚期到秦漢，儒籍與數術、方技，陰陽家和道家言，會有許多"交叉感染"，這一點也不奇怪，而且幾乎是必然的。因爲當時思想融合是大趨勢，陰陽家和道家，以及數術、方技影響太大。過去，由于人們對真

---

① 饒宗頤《馬王堆〈刑德〉乙本九宮圖諸神釋》，中國古文字研究會第九次會議（北京，1992 年）的論文。

正的數術、方技傳統缺乏了解，對陰陽家和道家的理解也很狹窄，
學者常常是借儒籍的折射來談這一類思想。如把《洪範》當五行的
來源，《易傳》、《月令》當陰陽的來源。其實真正的陰陽五行，當有更
早的“源”和更大的“流”。如果我們對這一傳統有更連貫的理解，我
們就會看得比較清楚，漢代那種神秘色彩很濃的儒學（“緯”的出現
最典型，它是把數術、方技當成與儒經相翼而行的東西）絕不是突
然冒出來的。其實這都是承襲戰國的傳統而有所發揚罷了。另外，
我們還得考慮，儒學與陰陽家和道家在知識來源上也有交叉。儒傳
六藝和古代的史官有密切關係，同樣陰陽家、道家和數術也都有傳
出史卜的源流（見《漢志》各類後面的小序）。《易》本卜筮之書，本來
就與數術有關。即使儒家偏重哲理，也不可能離陰陽天道而言之。
學者謂漢代傳易有儒門易和數術易，但兩者也有“交叉感染”。數術
當然與陰陽家和道家關係更密切，但不一定講這類東西的都是陰
陽家或道家。我們認爲，馬王堆帛書《周易》應當還是屬于儒門易，
雙古堆漢簡《周易》才是數術易。

此外，馬王堆帛書中還有若干種地圖，這裏就不去講它了。

我以爲，馬王堆帛書既有數術、方技，又有儒、道二家的東西，
這恰好爲分析三者間的關係提供了很好的材料。

　　　　　　　　　1992 年 12 月 6 日寫于北京蓟門里寓所

　　附錄：關于楚帛書，可參看拙作：(1)《長沙子彈庫戰國楚帛書
研究》，中華書局 1985 年（又該書《補正》，《古文字研究》待刊）；(2)
《楚帛書目驗記》，《文物天地》1990 年 6 期；(3)《楚帛書與“式
圖”》，《江漢考古》1991 年 1 期。關于馬王堆帛書《避兵圖》，可參看
拙作：(1)《馬王堆帛書“神祇圖”應屬避兵圖》，《考古》1991 年 10
期；(2)《湖北荆門“兵避太歲”戈》，《文物天地》1992 年 3 期。關于
馬王堆房中書，可參看拙作：《馬王堆房中書研究》，《文史》第 35
輯。關于古代式法，可參看拙作：《“式”與中國古代的宇宙模式》，
《中國文化》第 4 輯。

作者簡介　李零，1948 年生，山西武鄉人。現任北京大學副教授，著有《長沙子彈庫戰國楚帛書研究》等。

從馬王堆出土文物看我國道家文化

周世榮

内容提要 本文對馬王堆漢墓出土的帛書圖文《老子》、《却穀食氣》、《導引圖》、《合陰陽方》、《神祇圖》、《非衣》(即 T 字形帛畫),結合道家升仙思想、養生學說和方術等進行綜合分析,認爲上述道家文化與楚地流行的巫文化有着不可分割的聯繫。

1972 年初至 1974 年初,長沙馬王堆一、二、三號漢墓出土了數千件珍貴文物,品種之多,保存之完好是國内外考古工作中所罕見的。

馬王堆漢墓是西漢長沙國丞相軑侯利蒼及其夫人、兒子的墓地。利蒼死于呂后二年(前 186),兒子葬于漢文帝十二年(前 168),利蒼的夫人葬于漢文帝十二年以後不久。出土文物中除了精美的漆器和絲織品外,還有帛書圖文、竹簡等,其内容與道家文化密切相關。

一般所謂道家,多就哲學而言。而道家文化這一概念,則有十分寬泛的意義。除哲學思想外,它還包括孕育并產生此種哲學的深厚文化背景,以及受這種哲學及文化背景影響而出現的其他文化現象,如道教就可以説是其中之一。在這種理解之下,我們就會看到道家文化與古老的民間信仰有着密切的關係,它以長生升天爲宗旨,包括了養生、辟穀、導引、房中、巫祝、陰陽、神仙等多方面内容。《文獻通考》中將黄、老、莊、列、煉養、服食、符籙、經典科教等列入道家，道教文獻《雲笈七籤》中也收錄了老子、修養（導引、服氣、絕穀等）、金丹、符籙、尸解、神仙、秘要訣法（祝、咒等）等。從這也可看出道家文化所包括的豐富內容。

帛書出土于長沙馬王堆。戰國時，湖南屬楚地，民間信巫術，《楚辭·雲中君》曰："靈連蜷兮既留，爛昭昭兮未央，蹇將憺兮壽宮，與日月兮齊光，龍駕兮帝服，聊翱游兮周章，靈皇皇兮既降，焱遠舉兮雲中。"此處指巫神而言。又《天問》中也能見到有關神仙思想的提問，如"崑崙縣（玄）圃"（與天相通），以及"延年不死，壽何所止?"等等。至漢、竇太后好黃老，孝文帝及外戚皆令讀之。武帝時尊少君，神仙服食之術大盛。馬王堆漢墓中出土道家文物甚多，與當時的歷史背景有着必然的聯繫。

馬王堆與道家有關的文物中，其較重要的有反映道家哲學思想的《老子》，有反映神仙思想的帛畫"非衣"、漆繪棺，有反映養生長壽醫學的《却穀食氣》、《導引圖》，以及其他方術的《雜禁方》、《養生方》、《合陰陽方》、《神祇圖》、《符籙》、《木人占》和桃木人等等。

一、靈魂不滅與神仙思想

馬王堆一號漢墓出土的女尸，保存十分完好，是一具軟組織富有彈性的軟濕尸體，她與古籍文獻檔案中所説的"木乃伊"式的干尸、皮革狀的"鞣尸"不同，這種新型的古尸，醫學界將它命名爲"馬王堆尸"。該墓的女尸保存得如此之好，是經過精心設計，采取有效的防腐措施，如用白膏泥和多層棺槨密封等等分不開的。説明，當時人們不僅相信人死後靈魂不滅，而且希望肉體長存。馬王堆漢墓用白膏泥密封的防腐法也見于長沙楚墓，至少春秋戰國時期，這類防腐保尸的方法已在楚地流行。

人死後升天的思想也見于《楚辭·離騷》："駟玉虯以桀鷖兮，溢埃風余上征，朝發軔于蒼梧兮，夕余至于懸圃。"其天國情景，在馬王堆一號漢墓的漆繪圖形中也得到了反映。該墓除外槨外，有棺

木四層,第一層是外棺,漆黑無紋,第四層是內棺,表面用羽毛飾菱
形紋。中間爲第二、三層。第二層爲黑地彩繪棺,其上繪雲海、仙人、
天國瑞禽瑞獸等圖形。第三重爲朱地彩繪棺,通體紅色,在紅漆地
上描繪仙山中的龍騰虎躍和羽人、仙鹿在雲海中不同的動態。圖形
以左側和頭檔的仙山表現得最爲明顯;左側面中心繪有頂天立地,
高聳入雲的山峰,兩側繪一對雄雌飛龍。雌龍乘載著展翅的鳥和羽
人握著龍尾作騰飛狀。圖中仙山已變作象徵性的圖形。

　　這座高聳入雲的仙山不是蓬萊仙境,而是神話傳說中的天帝
的下都。這一論點,筆者在《馬王堆一號漢墓》中已提出①,日本曾
布川寬先生在《崑崙山升仙圖》一文中作了進一步闡述。崑崙山就
是傳說中的神山。墓主人死後,希望靈魂升仙,而崑崙山就是登上
天國的通道。

　　與升天思想緊密相連的還有一幅覆蓋在棺木蓋板上的帛畫
"非衣",畫中還具體描繪了墓主人是如何登天的動人情景。帛畫在
竹簡中自稱"非衣"(即飛衣),古代叫"銘旌"或"魂幡"。呈"T"字
形,上端寬92厘米,下部窄長,寬47.7厘米。它的頂端邊緣包有一
根竹棍,竹棍的兩端繫有絲帶,繫帶處有一玟瑠璧,璧上繫著麻帶,
可以懸掛。帛畫爲棕色絹地,用朱砂、石青、石綠等礦物顏料繪神話
傳說故事和墓主人引魂升天的圖象。

　　帛畫的內容大多數同志將它分爲三部分,上部代表天上,中部
代表人間,下部代表大地。筆者認爲,實際上整個畫面繪的是天上
與人間兩部分。它象徵死與生的轉變過程,是陰與陽的對立統一。
畫面明顯的分爲兩段,上段寬廣者爲天國圖景,下段窄長的爲人間
——墓主人死後升天的情景。

　　天上:中間繪人首蛇尾的燭龍(一說女媧),兩側繪日、月、星辰
(小太陽實爲辰星)、仙鶴、神人與飛龍,進天門處爲守衛神和虎豹。

　　人間:爲雙龍纏繞穿插而成的"登天仙車"。車中分上下兩層。

　　① 湖南省博物館、中國科學院考古研究所編《長沙馬王堆一號漢墓》(上下集),文物出版社,1973年10月。

下層爲祭祀場面，上層是墓主人，前後有侍者，似作引魂升天之狀。

天門使者竊竊私語，大概是派他們迎候墓主人的到來。天上鐘聲振蕩，車上懸罄對應。車中梟鳥號哭，天上仙鶴長鳴。整個畫面，表現了人間與天上之間瞬息的變化。

1976年，山東省臨沂金雀四一九號墓也出土了一件圖形不同而内容相似的帛畫。帛畫呈長條形，頂端繪日月，其下繪三山和侍女伺候老婦的場面；下端繪有雙龍等圖形。圖中的仙山，一説是逢萊、方丈、瀛洲的東海三神山；另一説則認爲是崑崙山。該墓的時代約相當武帝時期。

1957年，河南洛陽出土的千秋墓中的壁畫，也繪有人首蛇尾的男神和日月飛龍等圖形。其中女墓主人手抱小鳥，乘三首鳥，男墓主人乘物作龍蛇狀。

總的説來，以上畫面雖各有不同，但中心内容是一致的——即反映了墓主人死後靈魂升天的思想，和死後登天的情景。馬王堆出土的"非（飛）衣"，其最初的形式見于1973年長沙子彈庫楚墓出土的帛畫。該畫呈長方形，帛畫的上端也配有一根細竹棍，可以懸掛，畫面正中繪有一長服配劍的男子，手拉繮紲，側立作駕御一龍狀。龍的形狀有如龍舟，舟上有寶蓋，舟尾立一仙鶴，男人略有短鬚，年約四十左右，與墓主人棺内尸骨鑒定的年齡相同，證明圖中畫像是描繪墓主人駕龍舟升天的圖景。上述圖形反映了它與馬王堆漢墓出土的"非衣"，有着淵源關係，也間接説明馬王堆漢墓深受楚文化的影響，而且這種思想還波及到山東的臨沂金雀山和洛陽的卜千秋墓。這種升仙思想，在漢代青銅鏡的圖形和銘文中也可以見到，如1954年，長沙掃把塘二號漢墓出土的十二層規矩銅鏡，鏡銘中説："尚方作鏡真大巧，上有仙人不知老，渴飲玉泉饑食棗，浮由（游）天下敖（遨）四海。"這種神仙之説，最早見于《莊子·逍遥篇》："藐姑射之山，有神人居焉，肌膚若冰雪，淖約若處子。不食五穀，吸風飲露，乘雲氣，御飛龍，而游乎四海之外。"這些描述，與銅鏡銘文相同，與上述"非衣"類帛畫圖形也十分相似。古之仙人不食五穀，往往"渴飲玉泉，饑食棗"，或求助于"不死之藥"。所以道家很注重養生（詳下文）。

二、帛書《老子》與道家氣功

老子是我國春秋末期的大哲學家。在哲學上，老子提出了"道"這一範疇，把它看成是世界的本源。馬王堆帛書《老子》乙本："道生一，一生二，二生三，三生［萬物］。"認爲"道"産生一切。萬事萬物有一個創造主，它的名字叫做"道"。又説："天下之物生于有，有（生）于無。""無"就是"道"的別名，即虛無。它不是人感覺到的，它不佔有時間和空間。此外，《老子》還談到自然、無爲、樸、守一、常、復、生死、柔弱，知、不自、不爭、知足、損有餘和無欲等。

老子是道家的創始人，莊子則繼承和發展了老子的思想。在莊子前或同時，有楊朱的"全性葆真"説，宋研、尹文的"情欲寡淺"説，彭蒙、田駢、慎到的"棄知去己"説，都同道家思想接近，也可稱之謂道家別派的。道家思想流入民間，對東漢末年農民運動中道教思想的産生有很大的影響。道教尊奉老子爲教祖，其實老子并非宗教。

道家注重養生，老子《道德經》（在馬王堆帛書中作《德道經》），廣爲氣功師所引用，或用現代氣功術語加以解釋，如帛書《老子》乙本：

　　浴（穀）神不死，是胃（謂）玄牝。玄牝之門，是胃（謂）天地根，綿綿呵，其若存，用之不菫（勤）。

　　恒無欲也，［以觀其妙］；恒又（有）欲也，以觀其所噭（竅）。

　　各復歸于其根，曰靜。靜，是胃（謂）復命。復命，常也，明也。

　　槫（摶）氣至柔，能嬰兒乎？

以上《老子》四節，氣功師認爲主要指氣功的部位，方法和功效而言。

關于部位：指臍部。未生以前叫"玄牝"，既生以後叫"命"，或"竅"。"穀神"係指胎息的動力。臍帶斷後，胎息中止，爲"穀神死"。

玄牝爲胎息出入的門户，爲天地之根。

關于方法：“恒無欲以觀其妙，恒有欲以觀其竅。”觀其竅，即觀（內視）想（意念）臍部是空的。觀其妙，妙指功效。觀妙要任其自然，不要想妙的現象。總之，觀用眼視，欲用意想。有欲觀竅，是古人所説的“武火”；無欲觀妙，就是古人所説的“文火”。其主要目的在于空，又要靜。

關于功效：(1)胎息——“綿綿呵，其若存，用之不菫（勤）。”是説胎息在臍部往來，要若存若忘，聽其自然。“槫（摶）氣至柔，能嬰兒乎？”是説專心練氣，能使臍部柔通，會有嬰兒的胎息出現。(2)命、精、明——“歸其根曰靜”。根指臍部，胎息歸根，必然胎息靜止，恢復其先天之命。先天之命是原有的，是空明的，故曰“是謂復命。復命，曰常也。知常，曰明也。”明就是精，也就是本性。工夫到此，性命合一，從而無性命之分了。無爲，無不爲——工夫到了精明，尚須再進一步，做到空化。空化是精明之體象，以至于無所空化，即做到“無爲而無不爲。”

此外，《老子》還涉及氣功原理、練功方法、氣功的效應和特異功能等。

綜上所述，《老子》的長壽養生秘訣就是清除雜念、呼吸柔和、大腦歸靜。道教經典《道藏》中也收錄了不少養生長壽的功法，如《老君丹經》、《雲笈七籤》、《黄帝胎息》等等。近代流傳的道家氣功還有《回春功》、《道家真氣功》等。相傳真氣功始于老子養生功，它引用老子的話：“萬物負陰而抱陽。”認爲萬物都有陰陽兩個方面，它們必須保持相對平衡。對人的身體來説也是這樣，如吐故納新，吸爲陰，吐爲陽，體內各系統職能必須協調一致，保持平衡才能身强體壯，如果失去平衡，就會氣滯血瘀而生病。

三、其他養生法

道家的養生法中，還有導引和却榖等。“導引”二字最早見于

《莊子·刻意篇》:"吹呴呼吸,吐故納新;熊經鳥申(伸),爲壽而已,此導引之士,養形之人,彭祖壽考者之所好也。"這一段話的第一句與第二句説的是"呼吸運動"。第三句指"肢體運動"。"導引"以肢體運動爲主,而精神與臟腑的鍛煉則是通過意念和呼吸運動結合肢體運動來進行的。所以宋代曾慥《道樞·陰符篇》説:"吐納練五藏(臟),導引開百關。"用現代通俗的話説,"導引"就是古代的"氣功"之一。

馬王堆出土的帛書《導引圖》,其上繪有四十四個圖形,除殘缺者外,大部分圖形側邊書寫有簡短的説明文字,能看出文字的有三十一處。根據不同的特點可分爲呼吸運動、肢體運動和器械運動和治療功等功法。

關于呼吸運動,有些作閉息狀("引頹"、"備欮"等);有些作吐氣狀;有些作呼叫狀,如"笺(猿)嘑"、"印(仰)謼"等。"嘑"、"謼"與"呼"音近義通,叫的意思,屬"開聲呼吸法。"

關于肢體運動,有些摹仿禽獸等動物的形態,如鳥類有"信"(通伸,鳥伸之意),"鸇"等。獸類則有"熊經"、"笺(猿)嘑"等,即《莊子》所説的"熊經、鳥伸"。

關于器械運動:有雙手持杖作鍛煉的"以丈(杖)通陰陽",有作盤形舞的"螳螂"和作袋形器械導引的"引胠責(積)"(胠,側胸部)。

關于治療功:馬王堆導引圖文字説明中直接提到導引治病的項目共十二處,如"煩"、"痛明"、"引聾"、"復(腹)中"、"引郄(膝)痛"、"引胠責(積)"、"備(憊)欮(厥)"、"引項"、"引溫病","坐引八維"、"引胖(痹)痛"、"引頹(疝)"等。説明導引不僅對四肢部位的膝痛,消化系統的腹中,五官系統的耳目,甚至對某些傳染病治療也有一定的作用①。

歷代古籍中自名爲"導引法"的散見于先秦諸子和醫書,如《莊子》與醫書《黄帝内經》等。此外見于《隋書·經籍志》的有《導引

① 周世榮《從馬王堆三號漢墓出土的導引圖看五禽戲》,見《五禽戲》,人民體育出版社,1978年。

圖》、見于《唐書·藝文志》的有《朱少陽導引錄》、見于《宋史·藝文志》的有《六氣導引圖》、《導引養生圖》和《十二月五藏導引》等。其中"熊經鳥伸"式的仿生功,漢代華佗將它總結爲《五禽戲》。特別是明清以來《五禽戲》的流派多種多樣,其中包括《修真秘要·五禽戲法》、《曾嵩生五禽氣功》和《劉克昌華佗五禽戲》等等。

《却穀食氣》見于馬王堆帛書。它是道家長生術之一。"却穀"又叫"辟穀";"食氣"又叫"服氣",它散見于《抱朴子》、《赤松子》、《黃庭經》和《聖濟總錄》等古籍。其名稱不一,有的叫"斷穀食氣"、"咽氣斷穀",有的叫"辟穀服氣"、"服氣絕粒",或"蟄法"等等。總的説來,"却穀"與"食氣"聯在一起,兩者是不可分割的。所謂"却穀"就是不吃五穀,并通過服氣,即呼吸空氣來維持生命,它是一種古老的氣功術式。

馬王堆帛書《却穀食氣》全文不長,現將原文淺釋如下:

> 却穀者食石韋。朔日食質,日加一節,旬五而止。月大始銑,日去一節,至晦而復質,與月進退。

石韋:草藥名。主治"五癃閉不通,利小便,水道"。食質:質與劑通,表示劑量。銑,通洗,明亮之意。本節大意是説,不吃穀物的人,可以食石韋。每月初一,服食一節石韋。以後每日增加一節劑量,直到十五日爲一個階段。十五月四以後,每日再減少一節。至月終,又恢復到月初的劑量與月圓月缺的變化遞增、遞減而趨向進退。

> 爲首重、足輕、體軫(疹),則响吹之,視利止。

文中"軫"(疹):痛之意。"响吹":指吐氣法。"利":通利。本段大意是説,如果頭腦沉重,兩腳無力,肢體作痛,可行响吹,直到好轉爲止。

> 食穀者,食質而(止)。食氣者爲响吹,則以始臥與始興。凡响中息(吸)而吹:年廿者朝廿暮廿,二日之暮二百;年卅者朝卅暮卅,三日之暮三百。以此數準之。

本段大意是,吃穀的人,每天吃一節劑量的石韋汁就夠了。食氣的人練呼吸，每天以晚間剛卧和早晨剛起之際爲宜。年二十歲的早晚各作二十遍，每二日晚上作二百遍；年三十歲的，早晚各作三十遍，每三日晚上作三百遍.其他年齡的人，按年齡大小以此類推。

此外，文中還談到食氣時的禁忌，如春天要避免在渾濁不明的天氣，而適宜在朝霞或皓月當空時進行；夏天要避免熱風，日初或偏西之際均可；秋天要避免霜霧；冬天切忌在冰凍嚴寒時進行。如果陽光暖人，月色清明則早晚均可練氣，以便吸日月之精光等等。

《却穀食氣》中的"朝霞"、"沆瀣"既見于《楚辭·遠游》，也見于《陵陽子明經》。前者如"軒轅不可攀援兮，吾將從王喬而娛戲。餐六氣而沆瀣兮，漱正陽而含朝霞"。六氣、沆瀣、正陽、朝霞等，是後世道家養生家常用詞。可見這種功法，遠在東周楚地已很流行。《陵陽子明經》則説："春食朝霞，朝霞者日始欲出，赤黃氣也。秋食淪陰，淪陰者，日没以後黃氣也。冬飲沆瀣，沆瀣者，北方夜半氣也；夏日正陽，正陽者，南方日中氣也。并天地玄黃之氣是爲六氣也。"我國古代養生學，所謂"和于陰陽，調于四時"。《内經·四時調神大論》也説："夫四時陰陽者，萬物之根本也，所以聖人春夏養陽，秋冬養陰，以從其根，故與萬物沉浮于生長之門。"《却穀食氣》是我國漢初至先秦時期氣功養生法最古老的氣功文獻之一，對後來諸服氣法影響很大。

自漢以來，有關《却穀食氣》的人和事越來越多，歸納起來大致有三種類型：

第一類——絶食，祇飲水。見于記載的有王嘉、焦曠、褚伯王、卻儉、太山老父、張元妃、曁慧琰等。

第二類——不飲不食，服氣，入定作冬眠狀。見于《宋史·陳摶傳》："……摶因服氣辟穀，歷二十餘年……每寝處多百餘日，不起。"

第三類——不食烟火。主要不食五穀、肉類，而食其他藥物和莖葉、水果等，如漢代的張良，性多病，即導引不食穀，杜門不出歲餘。又《典論》記載："潁水卻儉，能辟穀餌伏苓。甘陵，甘始亦善行氣，老有少容。"此外，《三才圖繪》中還記載：白石生、何仙姑、張果老、譚峭、張三豐等不食烟火的却穀法。

四、其他方術

其他方術中還包括房中、雜占、咒禁等。

房中：係古代對性生活的稱呼，或叫"房事"、"交媾"、"合陰陽"等。古代道家方士則從修鍊、養生的角度研究房事，其中包括醫理和男女交媾的方法。古人稱之謂"房中術"。見于馬王堆竹簡《養生方》（又叫《合陰陽方》）等。

竹簡《養生方》的内容包括《合陰陽方》、《十問》、《天下至道談》和《雜禁方》[①]。

《合陰陽方》主要談性保健。文中"七孫（損）八益"見于《素問·陰陽大應象大論》。

所謂七孫（損）："一曰閉、二曰泄、三曰竭、四曰勿、五曰煩、六曰絶、七曰費。"

以上七損中的"閉"、"泄"、"竭"、"絶"等也見于《素女經》與《玉房秘訣》。如"素女曰……六損。曰百閉，百閉者，淫于女，自用不節。數交失度，竭其精，强用力瀉，精盡出，百病并生。"所謂"泄"，"素女曰……四損，謂之氣泄。氣泄者，勞倦，汗出未乾交接，令人股熱唇焦。"所謂"絶"，"素女曰……損曰氣絶。氣絶者，心意不欲而强用之，則汗泄氣少，令人心熱，目窅窅（冥）。"該書還例舉了各種防治諸"損"的房中導引法。

性保健應注意些什麽呢？竹簡《養生方》談了八點，即所謂"八益"。"八益：一曰治氣、二曰致沫、三曰智（知）時、四曰畜氣、五曰和

---

① 馬王堆漢墓帛書整理小組編《馬王堆漢墓帛書（肆）》，文物出版社，1985年。
　周世榮《長沙馬王堆三號漢墓竹簡〈養生方〉第一卷釋文》和《長沙馬王堆三號漢墓竹簡〈養生方〉第二卷釋文》，見《馬王堆醫書研究專刊》（《湖南中醫學院學報》），1981年，第二輯。

沫（協調）、六曰竊（積）氣、七曰寺（侍）嬴（精氣有餘）、八曰定頃。”
又說：“善用八益去七孫（損），耳目聰明，身體輕利，陰氣益強，延年
益壽，居處樂長。”

文中還談到男女交合得法，則可使雙方身心得到健康。《合陰
陽方》說：“……出入（指性交）而毋決（閉精不瀉）。一動（出入十
次）毋決，耳目聰明；再而音聲（章）；三而皮革光；四而脊膂強，五而
尻脾（髀）方，六而水道行，七而堅至以強，八而奏（腠）理光，九而通
神明，十而爲身常，此胃（謂）十動。”又說“昏者，男之精將，旦者，女
之精責（積），吾精以養女精，筋脈皆動，皮膚氣血皆作，故能發閉通
塞，中府（腑）受輸而盈。”大意是說：男子精氣可以補益女子精氣。
男女筋脈因高度興奮而得到運動，皮膚氣血流暢，所以能開鬱通
塞，因而五臟六腑均能得到補益。

此外，《天下至道談》還談到高深的性保健知識：“如水沫淫（暗
昧），如春秋氣，往者弗見，不得其功；來者弗堵（覩），吾鄉（餉）其貿
（饋）。于（嗚）呼滇（慎）才（哉），神明之事，在于所閉。齊操玉閉，神
明（真氣）將至。凡彼治身，務在積精。精嬴必舍，精缺必布（補），布
（補）舍之時，精缺爲之。爲之合坐，撅（豗）尻界（臬）口，各當其時，
物（忽）往物（忽）來，至精將失，吾奚（何）以止之？庨（虛）貿有常，滇
（慎）用勿忘，勿困勿窮，筋骨凌強，躤以玉泉（陰道液），食以粉（芬）
放（芳），微出微入，侍（待）盈（充足）是常，三和（脂）氣至，堅勁以
強。將欲治之，必害其言，躤以玉閉，可以壹仙。壹動耳目葱（聰）明
……十動産神明。”大意是說，性的保健，好像雨露水沫和天氣的變
化，當它消失或到來的時候，人們好像并沒有察覺到，但卻收到了
功效，得到了它的貿賜。性的保健之道，在于閉固其精。……人的
陰精虛貿是有常數的，切不能縱欲，不能粗暴用之，要保持精氣常
盈，閉精慎泄，如能十動而不泄，則真氣自生等等。《千金翼方》中把
“房事”列入養性第七項。性生活是男女成熟時期正常的生理現象，
唐代孫思邈說：“男不可無女，女不可無男。無女則意動，意動則神
勞，神勞則損壽。”所謂“若獨陽絶陰，獨陰絶陽……久則成癆。”獨

身或禁欲都不利于身體健康。故道家養生法中把房事也當做重要
的内容之一。

禁咒除災——見于馬王堆竹、帛書的有《雜禁方》、《雜占》、《神
祇圖》、《符籙》、《陰陽五行》和《五十二病方》中的祝由等等。

《雜禁方》中采用符籙禁咒之類的方技防止犬吠，夫妻不和和
嬰兒啼哭等：如

防止犬吠："又(有)犬善皋(嗥)于亘(壇)與門，涂(塗)井上方
五尺。"

夫妻相惡(不和睦)："垛(塗)户□方五尺。"

嬰兒善泣："涂(塗)堷(房——窗牖)上方五尺。"

與人訟(訴訟)："書其名直(置)履中。"等

帛書《天文氣象雜占》中也帶有較多的迷信色彩，如圖形作刷
狀者，上書"軍興大敗"；圖形作鐵樹狀者，上書"不出五日，大戰，主
人勝"。紅色角狀物下，書寫"戰方者勝"。占書把戰爭的勝敗取決
于某些天象的變化與預兆，毋疑是主觀唯心的臆測。

帛書《五十二病方》中也往往夾雜巫覡禳災之類。如：

治尤(疣)方中説："令尤(疣)者抱禾，令人嘑(呼)曰：'若胡爲
是?'應曰：'吾尤(疣)。'置去禾，勿顧。"

又如，身有癭者咒曰："某幸病癭，我直(值)百疾之□，我以明
月炻若，寒□□□□以柞楖，桯若以虎蚤，抉取若刀，而割若蒫，而
刲若肉，□若不去，苦。涶(唾)……。"

又如，贅(癩疝)中説："操柏杵，禹步(即巫步)三，曰：'賁者一
襄胡，湏者二襄胡，湏者三襄胡。柏杵臼穿，一母一□，□獨有三。賁
者潼(腫)，若以柏杵亡，令某徙(癩)毋一。'必令同族抱□贅(癩)
者，直(置)東鄉(向)窗道外，改(逐鬼)椎之。"

帛畫《神祇圖》或叫《社神圖》、《太一避兵圖》，圖上書寫"太一"
"雷公"、"雨師"和"武弟子""筮裘"等神祇名和圖形。其内容具有僻
邪和避兵的性質；其他圖形還有《木人占》和奇形怪狀，有待考釋的
符籙等。

此外，還有用麻繩束縛的小木俑和桃木削成的小俑等，其中桃木俑 33 件，小俑係以一段桃木枝條劈成兩半，一端削成三棱形，用墨筆略繪眉目，其餘部分未作加工，用麻繩分上下兩道、交錯編聯在一起。這種編束木桃人小俑的作用，與桃符驅鬼的風俗有關。

綜上所述，馬王堆出土文物中，不僅具有道家文化特點，而且也具有古老的巫覡文化的因素。其中巫覡中的祀神，占卜等也爲道教所繼承，并得到進一步的發展，如道教理論系統的天地神鬼，以及養生登仙和避邪驅鬼等等。湖南地處楚文化圈，楚人整理的《山海經》是一部巫書，屈原根據楚地風土民情撰寫的《楚辭》也是巫與神聯在一起，說明馬王堆所反映的道家文化，實際上與楚地流行的巫文化有着不可分割的聯繫。

作者簡介　周世榮，1931 年生，湖南祁陽縣人。吉林大學古文字學師訓班畢業。現任湖南省文物考古研究所研究員。主要著作有《馬王堆養生氣功》、《湖南陶瓷》等。

馬王堆漢墓帛書的道家傾向

陳松長

馬王堆三號漢墓出土的帛書共十二萬餘字，按其內容可分爲十一類：一、《老子》甲本及其卷後佚書；二、《老子》乙本及其卷前的《黃帝四經》；三、《周易》，包括《繫辭》及《二三子問》、《要》等古佚書；四、《戰國縱橫家書》、《春秋事語》；五、《五星占》及《天文雲氣雜占》；六、《刑德》三篇；七、《陰陽五行》兩篇；八、《導引圖》和《却穀食氣篇》；九、《五十二病方》及其卷後佚書；十、《雜病方》、《養生方》、《胎產方》等；十一、《相馬經》。對這十一類帛書，過去人們一般區分爲哲學、歷史、醫學等，分別進行研究，迄今尚罕見有人加以整體宏觀的把握和論述。但這樣的問題是無法迴避的，即這些看上去似是分屬于不同學科的著作，爲什麼被集中在一起，同裝在一個盒子裏隨葬呢？在筆者看來，答案應當是：這批帛書連同那二百支醫簡，本來就是一個有共同思想內容的有機的整體。更明確地說，這些帛書多數雖出于先秦，但它們作爲一個經過編纂的整體，乃是西漢初期道家學派的資料匯編。

一

在就各篇帛書的道家思想性質進行論證之前，首先應當確定我們的評判標準。我們根據什麼斷定這些帛書屬于道家學派呢？道家思想的主要特徵是什麼呢？這個問題初看起來非常複雜，但若注

意到這些帛書是出土于漢初墓葬，問題就很簡單了，因爲司馬談的
《論六家要旨》和班固的《漢書·藝文志》，對道家的思想特徵有着
最權威的說明。

司馬談《論六家要旨》說："道家使人精神專一，動合無形，贍足
萬物。其爲術也，因陰陽之大順，采儒、墨之善，撮名、法之要，與時
遷移，應物變化。立俗施事，無所不宜。指弱而易操，事少而功多。
……其術以虛無爲本，以因循爲用。無成勢，無常形，故能究萬物之
情，不爲物先，不爲物後，故能爲萬物主。"

班固在《漢書·藝文志·諸子略》中亦高度概括說："道家者
流，蓋出于史官，歷記成敗存亡禍福古今之道，然後知秉要執中，清
虛以自守，卑弱以自持，此君人南面之術也。"

這兩家之說雖不盡相同，但他們的見解大致代表了西漢人對
道家的基本認識。我們現在來談西漢初年的道家學說，自然當以西
漢人的見解爲準，斷不可以今人對道家的認識來強解馬王堆漢墓
帛書所體現的道家學說。張舜徽先生曾指出："西漢學者多能識得
道家深處"（《周秦道論發微》），真是一言中的。我們這裏討論西漢
初年的道家學說，自然得以西漢人的理解和認識爲鑰匙，來還其歷
史的本來面目。

根據司馬談、班固的論述，我們可以把當時的道家學說的基本
要素概括出來。首先，這種學說的實質乃是爲萬物主的"君人南面
之術"。張舜徽先生曾精辟地指出："這裏所提出的'此君人南面之
術'，一語道破了道家學說的全體大用。……應該算得是一句探本
窮源的話，我們沒有理由不重視它。"他接着分析道：

　　《漢書·藝文志》，是以劉歆爲底本改編而成的。其中各部類的
　　叙論，絕大部分都是《七略》中《輯略》裏面的原文，像上面所舉介紹
　　道家的一段話，也自然不能例外。那些話不是劉向、劉歆父子校書
　　時，專憑主觀臆造出來的，而是在西漢學者們人所共知的理論基礎
　　上提出來的。……所以《七略》裏介紹道家學說"此君人南面之術"的
　　那句話，無疑是西漢學者們共同的認識。劉歆既寫入《七略》，保存了

這句極其寶貴的名言,應該被後人看成研究道家學説的指針。(《周秦道論發微》)

所謂"南面之術",也就是君王統治的權術。這種權術,在先秦文獻中即多稱之爲"道",而這種道的最核心的東西乃是"以虚無爲本,以因循爲用。無成勢,無常形"的"清静"、"無爲"的統治思想,而這種思想在《老子》一書中曾得到反復的强調。諸如"聖人處無爲之事,行不言之教","是以聖人之治也,虚其心,實其腹,弱其志,强其骨","故聖人云:'我無爲而民自化,我好静而民自正;我無事而民自富,我無欲而民自樸"等等,均是這種"南面之術"的帶根本性的方法論。

帛書《老子》甲、乙本雖與傳世的河上公注本、王弼注本和傅奕校定本有較大的不同,例如諸本《老子》,《道經》在前,《德經》在後,而帛書本則正好相反,是《德經》在前,《道經》在後。又如諸本《老子》分爲八十一章,帛書本則不分章等等,但其基本内容和精神實質是一脈相承的,都是"君人南面之術"。唯一大不同的是諸本都稱"道常無爲而無不爲",這句話一直是後人討論老子思想内寒術",也就是君王統治的權術。這種權術,在先",根本就没有"無不爲"的字眼。這種根本性的不同,究竟誰真誰假呢? 許多學者認爲:帛書《老子》甲、乙兩本抄寫的時代不同、書手亦不同,但此處都作"道恒無名",這説明這句話抄錯的可能性極小①。而從文意上理解,"道恒無名,侯王若能守之,萬物將自化",讀起來比"道常無爲而無不爲,侯王若能守,萬物將自化"更爲通順流暢。再聯繫三十二章的"道常無名……侯王若能守之,萬物將自賓"去理解,"道恒無名"也應是《老子》的原樣,更何況凡諸本中稱"無爲而無不爲"的地方,在帛書本中根本就不見踪影。因此,可以説,"無爲"乃是老子哲學的核心,所謂"無爲而無不爲"當是戰國晚期或漢初以後思想家或史學家改造的結果。

---

① 《論帛書本〈老子〉》,載鄭良樹著《竹簡帛書論文集》,中華書局1982年1月版。

其次，道家學說是融合百家之長而形成的一個龐大體系。司馬談所言"其爲術也，因陰陽之大順，采儒、墨之善，撮名、法之要"這種特點，在帛書《黄帝四經》中表現得淋漓盡致。

帛書《黄帝四經》是抄錄於《老子》乙本前的四篇古佚書，共分爲《經法》、《十六經》、《稱》、《道原》四篇，其中《經法》主要講述以法治國的道理。《十六經》主要講政治、軍事鬥爭的策略。《稱》則主要講施政、行法的方法，《道原》則主要是宇宙觀論。這部失傳已久的古佚書，經考證研究，乃是同《老子》同源異流的黄學思想的代表作。其思想内容是漢初道家學說的一個重要組成部分。下面我們且摘引《黄帝四經》的部分内容來驗證一下道家學說兼采衆説之長而自成體系的特點。

所謂"因陰陽之大順"，也就是取陰陽家之精華爲道家所用。司馬談曾解釋説："夫春生、夏長、秋收、冬藏，此天道大經也，弗順則無以爲天下綱紀，故曰四時之大順不可失也。"（《史記·太史公自序》）這方面，在《黄帝四經·經法》中亦有非常類似而精當的論述：

> 天地之恒常，四時、晦明、生殺、柔剛。
>
> 天地無私，四時不息。……過極失當，天將降殃。
>
> 動靜不時，種樹失地之宜，則天地之道逆矣。
>
> 四時有度，天地之理也。日月星辰有數，天地之紀也。三時成功，
> 一時刑殺，天地之道也。……

可見，陰陽四時之説，在黄學思想中是一個不可或缺的部分。

所謂"采儒、墨之善"，意思即道家學說兼取了儒家、墨學的長處。儒家的長處是什麽呢？用司馬談的話來説，就是"列君臣、父子之禮，序夫婦、長幼之別"（《史記·太史公自序》）。這一點，《黄帝四經·經法》中曾多次論及，諸如：

> 其子父，其臣主，雖强大不王。
>
> 君臣易位謂之逆，賢不肖并立謂之亂。
>
> 君臣當位謂之靜，賢不肖當位謂之正。

是可知儒家思想亦多爲道家所用。

墨家所强調的是要强本節用，《黄帝四經·經法》中亦反復加

以强調説："人之本在地,地之本在宜,宜之生在時,時之用在民,民之用在力,力之用在節。知地宜須時而樹,節民力以使,則財生。"可見,墨家思想亦爲道家思想兼容并收。

再看司馬談所説的："撮名、法之要。"名家主張"控名責實,參伍不失"(《史記·太史公自序》)。《黄帝四經·十六經》亦多同此主張云:"欲知得失,請必審名察形,形恒自定,是我愈靜,事恒自施,是我無爲。"法家的精要是要"不别親疏,不殊貴賤,一斷于法。"(《史記·太史公自序》)《黄帝四經·經法》亦多稱:"法度者,正之至也。而以法度治者,不可亂也。而生法度者,不可亂也。精公無私而賞罰信,所以治也。""是非有分,以法斷之,虚靜謹聽,以法爲符。"

從以上對比排列分析可以知道,道家學説確如司馬談所言,是"因陰陽之大順,采儒墨之善,撮名法之要"的龐大思想體系。

二

據班固所説,道家的思想淵源之一乃是"史官"。道家學説其所以能成爲"君人南面之術",是因爲它能"歷記成敗存亡禍福古今之道"。由于這個緣故,道家著作的系統自然要包括那些論述"古今之道"的歷史類著述。

馬王堆帛書中的歷史類著作有《戰國縱橫家書》和《春秋事語》兩種。其中《戰國縱橫家書》共二十七章,一萬七千多字。通過整理研究,其内容大致可分三個部分(或以爲應分四個部分①),其中前十四章爲一單元,主要是有關蘇秦游説的記載。第十五章至第十九章因其每篇之末都有字數統計,而且在第十九篇之末又有這五篇字數的總計,所以,這五篇自爲一個單元。最後八章,楊寬先生認爲是出于又一種輯錄戰國游説故事的册子,因而將其定爲一個單元。

① 《論帛書本〈戰國策〉的分批及命名》,載《竹簡帛書論文集》,中華書局,1982年1月版。

鄭良樹先生則根據每章中人名的統計，將第二十章至二十四章及二十七章稱爲一批，而將二十五章及二十六章另稱爲一批①。但不管到底分爲幾部分，大家比較一致的意見是，該書是一種以蘇秦游說資料爲主的戰國縱橫家言論的輯本，大約抄定于漢惠帝時代。它的出土，既爲我們提供了比較原始的有關蘇秦的資料，糾正了有關蘇秦的文獻記載中某些謬誤，又爲我們訂正有關歷史文獻提供了強有力的佐證。例如今本《戰國策·趙策四》："左師觸讋願見太后"這一句，《史記》上作"左師觸龍言願見太后"。二者究竟誰是誰非，似很難論斷。今帛書《戰國縱橫家書》所書與《史記》相同，這完全說明了《史記》本的正確，從而澄清了這個久疑不釋的訓詁問題。

　　帛書《戰國縱橫家書》爲什麼會與《老子》、《黃帝四經》等書放在一起呢？有人曾這麼認爲："縱橫之學"從戰國延至漢初，繼續是一種"熱門"的顯學而廣泛流傳，成爲士大夫們輯錄學習的主要資料，模仿操練的一種脚本。因此，它會同《老子》等書一起出土是不奇怪的②。我們以爲，這種見解是比較勉強的。因爲且不必詳說劉邦建立漢朝以後，所謂"縱橫之學"實際上已沒有什麼用武之地，就是退一步說，假如同意"縱橫之學"是作爲當時"熱門"的顯學而會同《老子》等書隨葬的見解，那麼，《春秋事語》這部據張政烺先生考釋爲歷史教科書的帛書又爲什麼也會同《老子》等書一起隨葬呢？這裏恐怕再不能將《春秋事語》也視爲"熱門"的顯學吧！因此，與其以現代人的眼光去釋解二千多年前的文化現象，還不如以漢代人的理解來認識這種文化現象。班固所言"道家者流，蓋出于史官"，這似乎已明確告訴我們，道家和史官本是同源的。道家思想既然主要是"君人南面之術"，那麼，參稽歷史，熟悉歷代君王的"成敗存亡禍福古今之道"自是道家之本份。因而，諸如《戰國縱橫家書》、《春秋事語》這類歷記興亡成敗的史書本身也就是漢初道家學說的一

────────────

　　① 《論帛書本〈戰國策〉的分批及命名》，載《竹簡帛書論文集》，中華書局，1982年1月版。
　　② 《馬王堆漢墓》，文物出版社1982年1月版。

個組成部分。

三

　　馬王堆帛書的其它各種,如《周易》、《導引圖》、《却穀食氣篇》等等,也可歸入道家著作的範圍之内。

　　先看《周易》。《周易》與道家的思想本是相通的,例如在宇宙觀方面,帛書《易傳‧繫辭》說:"一陰一陽之謂道","易有太恒,是生兩儀,兩儀生四象,四象生八卦"。這就是說,世界是一陰一陽構成的,陰陽兩儀又是由絶對存在的太恒造成的。由太恒變生出陰陽兩儀,再由陰陽兩儀相合變生出四象、八卦乃至萬事萬物。這種認識,與《老子》書中所强調的"道生一,一生二,二生三,三生萬物"的生化原理何其相似! 又例如在對事物發展變化規律的認識上,《周易》强調變易、運動和轉化,諸如所謂陰陽變易,否極泰來之類,《周易》卦爻辭中是處處可見。而《老子》一書亦同樣强調事物的變化、運動和轉化,諸如:"合抱之木,生于毫末;九成之臺,起于累土;百仞之高,始于足下。""禍兮,福之所倚;福兮,禍之所伏"等等,比比皆是。或許亦正因爲這種相同關係,故東漢以後興起的奉老子爲師祖的道教就非常注重對《周易》的研究,許多道教名師都做過深入的易學研究。如《宋史‧陳摶傳》記載:陳摶好《易》,曾作《無極圖》、《先天圖》,并以《無極圖》刻于華山石壁。這無異于説明,《周易》確與道家學説息息相通,關係密切。

　　帛書《周易》與通行本相校,雖有卦序、卦名、卦體以及用語的諸多不同,但作爲《周易》的較原始形式的古本,其思想脈絡和主要内容與通行本是一樣的。它之所以與黄老文獻同出于一個墓中,除了説明它確與黄老思想關係十分密切外,亦間接地説明漢初的道家學説本身就是涵括《周易》在内的。

　　最後,帛書中的醫書,包括導引圖、却穀食氣篇等等又該怎么解釋呢? 我們以爲:漢代初期所盛行的道家思想除了其社會、政治的理論外，還有一個作爲道的本體意義的層次，即表現在人體生命層次上的道是我們不應該忽視的。其實，老子本身就是在這個層次上，積極開發科學攝生之道以修道養壽的典型。《史記·老子傳》就稱："蓋老子百有六十餘歲或者二百歲，以其修道而養其壽也。"很顯然，司馬遷在這裏所言的"修道"，并不是哲學意義上的修道，而是指的養生之道。從這個角度去審讀《老子》，那諸如"虛其心，實其腹"、"載營魄抱一，能無離乎？專氣致柔，能嬰兒乎？""致虛極，守靜篤"等語，完全可以視爲老子講究心情安靜，思想集中，呼吸柔和，氣貫丹田的練功養生之法。難怪王充在《論衡·道虛》篇中說："世或以老子之道爲可以度世，恬淡無欲，養精愛氣。夫人以精神爲壽命，精神不傷則壽命長而不死，成事，老子行之，逾百度世，爲真人矣。"這說明至少到東漢時期，人們還將老子視爲善養生調氣、延年長壽的行家裏手。因此，馬王堆漢墓醫書，包括《導引圖》、《却穀食氣篇》、《養生方》、《五十二病方》等與《老子》、《黃帝四經》、《周易》等放在一起，這不是偶然的。它應該是與道家學說密切相關的一部分內容，或者說，本來就是道家學說中的養生術。這養生術包括導引、辟穀、去疾、治病等諸多方面，從現代醫學的角度去認識和研究，完全可以將其稱爲西漢初年的醫學大百科，儘管它當時也許就僅僅是道家學說的養生健身術而已。

帛書《繫辭》釋文

陳松長

一、帛書《繫辭》不分章節,釋文參照通行本中的《十三經注疏》本分段、句讀,同時每行之後均用小字注明行數,以便讀者查對圖版。

二、帛書《繫辭》圖版多有殘缺之處,凡參照通行本補出者,均用[]號標明。

三、爲減少排版造字的麻煩,帛書中的一些比較明確的古文異體字,直接用常用漢字隸定,如將"亓"隸定爲"其"之類。

四、釋文中凡通假字,均用()號標明,凡確定爲抄漏的字,均用〈〉號補出,凡屬衍文,包括帛書中已標明了的,均用○號標示,凡帛書殘缺不清,無法確定者,均用□號標明,以示闕如。

五、釋文參考了廖名春《帛書繫辭釋文校補》(1992.8)一文。

天奠(尊)地庫(卑),鍵(乾)川(坤)定矣。庫(卑)高已陳,貴賤立(位)矣。動靜有常,剛柔斷矣。方以類寂(聚),物以群[分,吉凶生矣。在天成象],—行上在地成刑(形),[變]化見矣。見[故]剛柔相摩,八卦[相蕩,鼓之以雷霆,潤之以風雨,日月運行,一寒一一暑。]—行下鍵(乾)道成男,川(坤)道成女。鍵(乾)知大始,川(坤)作成物。鍵(乾)以易〈知〉,川(坤)以閒(簡)能。易則傷(易)知,閒(簡)則易從。傷(易)知則有親,傷(易)從則有二行上功。有親則可久,有功則可大也。可久則賢人之德,[可大則賢人之業。易閒(簡)而天下之]二行下理得,理得而成立(位)乎其中。

圷(聖)人設卦觀馬(象),毄(繫)辭焉而明吉凶,剛柔相遂而生變化,是故吉凶也者,得失之馬(象)也。三行上惡(悔)閵(吝)也者,憂虞之馬(象)也。通變化也者,進退之馬(象)也。剛柔也者,畫夜之馬(象)也。六爻[之]三行下動,三亟(極)之道也。是故君子之所居而安者,易之序〈?〉也。所樂而妧(玩),教(爻)之始也。君子居則觀其馬(象)而妧(玩)其辭四行上,動則觀其變而妧(玩)其占,是以自天右(祐)之,吉,無不利也。

緣(彖)者,言如馬(象)者也。肴(爻)者,言如四行下變者也。吉凶也者,言其失得也。惡(悔)閵(吝)也者,言如小疵也。無咎也者,言補過也。是故列貴賤[者]存乎立(位),極五行上大小者存乎卦。辯吉凶者存乎辭,憂惡(悔)閵(吝)者存乎分,振無咎存乎謀。是故卦有大五行下小,辭有險易。辭者,各指其所之也。

《易》與天地順,故能彌論天下之道,卬(仰)以觀于天文,頫(俯)以觀于地理,是六行上故知幽明之故,觀始反(返)冬(終),故知死生之說。精氣爲物,斿(游)魂爲變,故知鬼神之精(情)狀。與天六行下[地]相校,故不回。知周乎萬物,道齊乎天下,故不過。方行不遺,樂天知命,故不憂。安地厚乎仁,故能眹(愛)。犯(範)七行上回(圍)天地之化而不過。曲萬物而不遺,達諸畫夜之道而知。古(故)神無方,《易》無體。

一陰一陽七行下之胃(謂)道。係之者,善也。成之者,生(性)也。仁者見之胃(謂)之仁,知(智)者見之胃(謂)知(智),百生(姓)日用而弗知也。故君子之道八行上鮮。卲(聖)者仁勇,鼓萬物而不與眾人同憂,盛德大業至矣幾(哉)。富有之胃(謂)大業,日新之胃(謂)八行下誠德,生之胃(謂)馬(象),成馬(象)之胃(謂)鍵(乾),教(爻)法之胃(謂)川(坤),極數知來之胃(謂)占,迵(通)變之胃(謂)事,陰陽之胃(謂)神。

大《易》,廣矣,大九行上矣。以言乎遠則不過,以言乎近則精而正,以言乎天地之間則備。夫鍵(乾),其靜也圈,其九行下動也櫂,是以大生焉。夫川(坤),其靜也斂,其動也辟,是以廣生焉。廣大肥(配)天地,變迵(通)配四[時],陰[陽]之合肥(配)十行上日月,易陰

（簡）之善肥（配）至德。

子曰：《易》，其至乎，夫《易》，卬（聖）人之所崇德而廣業也。知
崇膿（禮）卑，十行下崇效天，卑法地，天地設立（位），《易》行乎其中。
誠生［存存？］，道義之門。

卬（聖）人具以見天之業而□疑（擬）者（諸）其刑（形）容，以十一
行上馬（象）其物義，［是］故冑（謂）之馬（象）。卬（聖）人具以見天下
之動而觀其會同，以行其疾（典）膿（禮）。係（繫）辭焉，以十一行下斷
其吉凶，是故冑（謂）之教（爻）。言天下之至業而不可惡也。言天下
之至業而不亂，知之而後言，義之而十二行上後動矣。義以成其變
化。鳴額（鶴）在陰，其子和之。我有好爵，吾與亞（爾）靡之。日君
子居十二行下其室，言善則千裏之外應之，伲（況）乎其近者乎。出言
而不善，則十里之外回之，伲（況）乎其近者乎？言出十三行上乎身，
加於民。行發乎近，見乎遠。言行，君子之區（樞）幾（機）。區（樞）
幾（機）之發，營辰之鬪也。言行，君子之十三行下所以動天地也。同
人先號逃（咷）而後哭。子曰：君子之道，或出或居，或謀或語。二人
同心，其利斷金，同人之十四行上言，其臭如蘭。初六，藉用白茅，无
咎。子曰：苟足（措）者（諸）地而可矣。藉之用茅，何咎之有，慎之至
十四行下也。夫且茅之爲述也，薄用也，而可重也。慎此述也以往，其
毋所失之。勞謙，君子有冬（終），吉。子曰：勞而不代（伐），十五行上
有功而不聽德，厚之至也。語以其功下人者也。德言成，膿（禮）言
共（恭）也。溓（謙）也者，至共（恭）以存其立（位）者十五行下也。抗
（亢）龍有悬（悔）。子曰：貴而無立（位），［高而無民］，賢人在其下，
□立（位）而无輔，是以動而有悬（悔）也。不出戶牖，无咎。子十六行
上曰：亂之所生，言語以爲階，君不閉則失臣，臣不閉則失身，幾
（機）事不閉則害盈，是以君子十六行下慎閉而弗［出也。子曰：作
《易》者，其知盜］乎？《易》曰：負［且乘，致寇至，負］之事也者，小人
之事也。乘者，君子之器也。小人十七行上而乘君子之器，盜思奪之
矣。上曼（慢）下暴，盜思伐之。曼（慢）暴謀，盜思奪之。易曰：負且
乘，十七行下致寇至，盜之招也。

　　[《易》有聖人之道四]焉，以言[者，上（尚）其辭]。以動者，上（尚）其變。以[制器者，上（尚）其象。以卜筮者]，十八行上上（尚）其占。是故君子將有爲，將有行者，問焉[而以]言。其受命也如錯，無又（有）遠近幽險。述十八行下知來勿（物），非天之至精，其孰能[與于此]。參五以變，[錯綜其數，通]其變，述[成天下之文，極其數，十九行上遂定天下之象，非天下]之至變，誰能與於此。[《易》，無思也]，無爲也。[寂]然不動，欽而述達天十九行下下之故，非天下之至神，誰[能與於此？夫《易》，卟（聖）人[之所以極深而]達幾也。唯深，故達天下之誠。唯幾，[故二十行上能成天下]之勞。唯神，故不疾而[速，不行而]至。[子曰，《易》有]卟（聖）人之道[四焉者]，此言之[胃（謂）]也。

　　天二十行下一、地二，天三、地四，天五、地六，天七、地八，天九、地十。[子曰：夫《易》]可（何）爲者也。夫《易》，古物定命，樂天下之道，如此二十一行上而已者也。是故卟（聖）人以達天下之志，以達[天下之業，以]斷[天下之疑。是故蓍]之德，員（圓）而神。卦二十一行下之德，方以知。六肴（爻）之義，易以工。卟（聖）人以此佚心，内藏於閉，[吉凶與]民同顋（願），神以知來，知以將往，其誰能爲二十二行上[於]茲？古之忈（聰）明叡知神武而不恙者也歟？是其[明於天道]察於民故，是閊（興）神物以前民二十二行下民用。卟（聖）人以此齋戒，以神明其德夫。是故閊（闔）户胃（謂）之川（坤），辟門胃（謂）之鍵（乾）。一閊（闔）一辟胃（謂）之變，往來不窮胃（謂）之二十三行上迵（通）。見之胃（謂）之馬（象），刑（形）胃（謂）之器，□而用之胃（謂）之法。利用出入，民一用之胃（謂）之神。

　　是故易有大恒，是二十三行下生兩檥（儀）。兩檥（儀）生四馬（象），四馬（象）生八卦，八卦生吉凶，吉凶生六（大）業。是故法馬（象）莫大乎天地。變迵（通）莫大乎四時，垂馬（象）著明，莫大二十四行上乎日月，榮莫大乎富貴。備物至用，位成器以爲天下利，莫大乎卟（聖）人。深備錯根，柭險至遠，二十四行下定天下吉凶，定天下之勿勿者，莫善乎蓍龜。是故天生神物，卟（聖）人則之。天變化，卟

（聖）人效之。天垂馬（象），見吉凶而二十五行上卲（聖）人馬（象）之。河出圖，雒出書，而卲（聖）人則之。《易》有四馬（象），所以見也。毄（繫）辭焉，所以告也。定之以吉二十五行下凶，所以斷也。《易》曰：自天右（祐）之，吉，無不利。右（祐）之者，助之也。天之所助者，順也。人之所助也者，信也。朢（禮）信，思乎順，二十六行上□上（尚）貶，是以自天右（祐）之，吉，无不利也。

　　子曰："書不盡言，言不盡意。然則卲（聖）人之意，其義可見已乎？二十六行下子曰：卲（聖）人之位（立）馬（象）以盡意，設卦以盡請（情）僞。毄（繫）辭焉，以盡其〈言〉，變而迵（通）之以盡利。鼓之舞之以[盡]神。鍵（乾）川（坤），其[《易》二十七行上]之經與？鍵（乾）川（坤）[成]列，易位乎其中。鍵（乾）川（坤）毀則無以見《易》矣。《易》不可則見則鍵（乾）川（坤）不可見，鍵（乾）川（坤）不可見則二十七行下鍵（乾）川（坤）或幾乎息矣。是故刑（形）而上者胃（謂）之道，刑（形）而下者胃（謂）之器，爲而施之胃（謂）之變，誰（推）而舉諸天下之民二十八行上胃（謂）之事業。是[故]夫馬（象），卲（聖）人具以見天下之請（情）而不疑（擬）者（諸）其刑（形）容，以馬（象）其物義，是故胃（謂）之二十八行下馬（象）。卲（聖）人有以見天下之動而觀其會同，以行其疾（典）朢（禮）。毄（繫）辭焉，以斷其吉凶。是故胃（謂）之教（爻）。極天下之請（情）二十九行上存乎卦，鼓天下之動者存乎辭，化而制之存乎變，誰（推）而行之存乎迵（通），神而化之存乎其二十九行下人。謀而成，不言而信，存乎德行。

　　八卦成列，馬（象）在其中矣。因而動之，教（爻）在其中矣。剛柔相誰（推），變在其中三十行上矣。毄（繫）辭而齊之，動在其中矣。吉凶忢（悔）閵（吝）也者，生乎動者也。剛柔也者，立本者也。變迵（通）也者，聚者也。吉凶者，上勝者也。天地之道，上觀者。日月之行，上明者。天下之動，上觀天者也。夫鍵（乾），蒿然三十一行上視人易。川（坤），㩲然視人閒。教（爻）也者，效此者也。馬（象）也者，馬（象）此者也。效（爻）馬（象）動乎內，吉凶見乎外，功業三十一行下見乎變，卲（聖）人之請（情）見乎辭。天地之大思曰生，卲（聖）人之大費曰立立（位），何以守立（位）曰人，何以聚人曰材。理材正三十二行上辭，愛民安行曰義。

　　古者戲是（氏）之王天下也，卬（仰）則觀馬（象）於天，府（俯）則觀法於地，觀鳥獸之文與三十二行下地之義（宜），近取諸身，遠取者（諸）物，於是始作八卦，以達神明之德，以類萬物之請（情）。作結繩而爲古（罟），以田以漁，三十三行上蓋取者（諸）羅也。肆戲是（氏）没，神戎（農）是（氏）作，斲木爲枳（耜），斲木爲耒梠（耜）。梠（耜）耒之利，以教天下，蓋[取]三十三行下者（諸）益也。日中爲疾，至天下之民，聚天下之貨，交易而退，各得其所欲，蓋取者（諸）筮（噬）蓋（嗑）也。神戎（農）是（氏）没，黄三十四行上[帝]堯舜是（氏）作，迵（通）其變，使民不亂，神而化之，使民宜之。《易》，冬（終）則變，迵（通）則久，是以自天右（祐）之，三十四行下吉，无不利也。黄帝堯舜陲（垂）衣常（裳）而天下治，蓋取者（諸）鍵（乾）川（坤）也。朾木爲周（舟），剡木而爲楫，盍（濟）不達，至（致）遠以利三十五行上天下，蓋取者（諸）奐也。備牛乘馬，[引]重行遠，以利天下，蓋取者（諸）隋也。重門擊柝，以挨（俟）掞客，蓋取三十五行下余（餘）也。斷木爲杵，㓟（掘）地爲臼，臼杵之利，萬民以次，蓋取者（諸）少過也。弦木爲柧（弧），棪木爲矢，柧（弧）矢之利，以威天[下]三十六行上，蓋取者（諸）誅（睽）也。上古穴居而野處，後世卯（聖）人易之以宫室，上練下楣，以寺風雨，蓋取者（諸）大莊（壯）也。三十六行下古之葬者，厚裹之以薪，葬諸中野，不封不樹，葬期無數。後世卯（聖）人易之以棺萃（槨），蓋取者（諸）大過也。[上古]三十七行上[結]繩以治，[後]世卯（聖）人易之以書契，百官以治，萬民以察，蓋取者（諸）大有也。

　　是故《易》也者，馬（象）。馬（象）也者，三十七行下馬（象）也。緣（彖）也者，制也。肴（爻）也者，效天下之動者也。是[故]吉凶生而㥬（悔）闓（吝）著也。

　　陽卦多陰，陰卦多[陽，其何故也？陽卦]三十八行上奇，陰[卦耦。其德]行何也？陽，一君二民，君子之馬（象）也。

　　《易》曰：童童往[來]，崩（朋）從璽（爾）思。子曰：天下三十八行下

可思何慮，天下同歸而殊途，一致而百慮。天下何思何慮？日往則
月來，月往則日來。日月相推而明生三十九行上焉。寒往則暑來，暑往
則寒來，寒暑相推而歲成焉。往者屈也，來者信（伸）也。屈信（伸）
相感而利生焉。尺三十九行下蠖之屈，以求信（伸）也。龍蛇之蟄，以存
身也。精義入]神，以至（致）用。利用安身，以崇[德也。過此以往，
未之或知也。窮神四十行上知化，德之盛也。《易》曰：困于石，據]于
疾（蒺）利（藜），入于其宮，不見其妻，凶。子曰：非其[所困而困焉，]
名四十行下必辱，非其所勮而據焉，身必危。既辱且危，死其（期）將
至，妻可得見[耶？《易》曰：公用射隼于高墉之上四十一行上獲]之，無
不利。子曰]：隼者，禽也。弓矢者，器也。射之者，人也。君子臧器
於身，待者而童（動），何四十一行下不利之又（有）？動而不猾，是以出
而又（有）獲也，言舉成器而動者也。子曰：小人[不耻不仁，不畏不
義，不見利四十二行上不勸，不]畏不詠（懲），[小]詠（懲）而大戒，小
人之福也。《易》曰：構校滅止（趾），無咎也者，此之胃（謂）也。善不
責（積）不足以四十二行下成名，惡不責（積）不足以滅身。小人以小善
爲無益也而弗爲也，以小惡[爲無傷而弗去也，故惡責（積）而不四十
三行上可]蓋也，罪大而不可解也。《易》曰：何校滅耳，凶。君子見幾
而作，不位冬（終）日。《易》曰：介于石，四十三行下不冬（終）[日，貞]
吉。介于石，毋用冬（終）日，斷可識矣。君子知物知章，知柔[知剛，
萬夫之望。

　　若夫雜物撰德，四十四行上辨]是與非，則下中教（爻）不備，初，
大要。存亡吉凶，則將可知矣。

　　鍵（乾），德行恒易，以知險。夫川（坤），四十四行下雖然天下[之
至]順也。德行恒閒（簡），以知[阻]。能説之心，能數諸侯之[慮，定
天下之吉凶，成天下之勿勿者，是故]四十五行上變化具爲，吉事又
（有）羊（祥）。馬（象）事知器，筭（算）事知來。天地設馬（象），旷
（聖）人成能。人謀鬼謀，百姓與能。八四十五行下卦以馬（象）告也。教
（爻）順以論語。剛柔雜處，吉[凶]可識。動作以利言，吉凶以請
（情）遷，[是故]愛惡相攻，[而吉凶生]，四十六行上遠近相取，[而悔

（悔）閭（吝）生］，請（情）僞相欽，而利害生。凡《易》之請（情），近而
不相得則凶，或害之，則惡（悔）四十六行下且笑（吝）。將反則［其］辭
亂，吉人之辭寡，趮人之辭多，無善之人其辭游，失其所守其辭屈。
四十七行上

帛書《二三子問》、《易之義》、《要》釋文

陳松長　廖名春

說明　帛書原件已斷裂殘碎,經拼接復原。尚有若干零碎殘片,有待進一步試綴。

釋文盡可能用通行字體,如亓作其,荆作刑,考作者,胃作謂,朕作勝,烸作悔等。以()注出假借字、異體字之本字,以〈〉改正明顯的誤字,以[]表示試補的缺字。不能補出的缺字,字數可估計的,用□表示;不能估計的,用▨表示。每行末用數碼注出行次。

《易之義》末行下殘,不知是否原有標題,篇題係試擬。《要》末行原有標題及字數,據以推算篇首全缺三行。其第四至七行殘損太甚,不估計所缺字數。

一、《二三子問》釋文

二厽(三)子問曰:易屢稱于龍,龍之德何如? 孔子曰:龍大矣。龍刑(形)岳(遷),叚(假)賓於帝,倪神聖之德也。高尚行虖(乎)星辰日月而不眺,能陽也;下綸窮深潚(淵)之潚(淵)而不沫,能陰也。上則風雨奉之,下綸則有天□□□。□一行乎深沕,則魚蛟先後之,水流之物莫不隋(隨)從;陵處,則雷神養之,風雨辟(避)鄉(嚮),鳥守(獸)弗干。曰:龍大矣。龍既能雲變,有(又)能蛇變,有(又)能魚變,焉(飛)鳥蚰蟲,唯所欲化,而不失本刑(形),神能之至也。□□□□□二行□□□□□焉,有弗能察也。知(智)者不能察其變,辯者不能□其美,至巧不能贏其文(?)。□□□鳥□也,功(?)□

焉,化蚰蟲,神貴之容也,天下之貴物也。曰:龍大矣。龍之□德也,
曰□□□□三行易□□□□,爵之曰君子;戒事敬合,精白柔和,
而不諱賢,爵之曰夫子。或大或小,其方一也。至用□也,而名之曰
君子、兼,“黃常(裳)”近之矣;尊威精白堅強,行之不可撓也,“不
習”近之矣。・易曰:“[寢]龍勿四行用。”孔子曰:龍寢矣而不陽,時
至矣而不出,可謂寢矣。大人安失(佚)矣而不朝,誋狄在廷,亦猶龍
之寢也。其行減而不可用也,故曰“寢龍勿用”。・易曰:“杭(亢)龍
有悔。”孔子曰:此言爲上而驕下,驕下而不殆者,未五行之有也。聖
人之立正(政)也。若遁(循)木,俞(愈)高俞(愈)畏下,故曰“杭
(亢)龍有悔”。・易曰:“龍戰于野,其血玄黃。”孔子曰:此言大人之
寶德而施教於民也。夫文之孝,采物暴者,其唯龍乎?德義廣大,
法物備具者,六行[其唯]聖人乎?“龍戰于野”者,言大人之廣德而
下綏(接)民也;“其血玄黃”者,見文也。聖人出法教以道(導)民,亦
猶龍之文也,可謂“玄黃”矣,故曰“龍”。見龍而稱莫大焉。・易曰:
“王臣蹇蹇,非今之故。”孔子七行曰:“王臣蹇蹇”者,言其難也。夫
唯智(知)其難也,故重言之,以戒今也。君子智(知)難而備[之,
則]不難矣;見幾而務之,□有功矣,故備難□易。務幾者,成存其
人,不言吉凶焉。“非今之故”者,非言獨今也,古以狀也。・易曰:
“鼎折八行足,復(覆)公葱(餗),其刑屋(渥),凶。”孔子曰:此言下不
勝任也。非其任而任之,能毋折虖(乎)?下不用則城不守,師不戰,
內亂□上,謂“折足”;路其國,[無(蕪)其]地,五種不收,謂“復(覆)
公葱(餗)”;口養不至,饑餓不得食,謂“形屋(渥)”。二厽(三)子問
曰:人君至于饑九行乎?孔子曰:昔者晉厲公路其國,無(蕪)其地,
出田七月不歸,民反諸雲夢,無車而獨行,□□□□□□公□□□
□□□□□□饑(?)不得食亓(六)月,此“其刑屋(渥)”也。故曰德
義無小,失宗無大,此之謂也。・易曰:“鼎玉鉉(鉉),[六]吉,十行
無不利。”孔子曰:鼎大矣。鼎之遷也,不自往,必入〈人〉舉之,大人
之貞也。鼎之舉也,不以其止,以□□□□□□□□□□□□□□□□
賢以舉忌也。明君立正(政),賢輔強(弼)之,將何爲而不利?故曰

"大吉"。・易曰："康侯用錫馬番（蕃）+一行庶，晝日三接。"孔子曰：
此言聖王之安世者也。聖之正（政），牛參弗服，馬恒弗驚，不愛
（擾）乘牝馬□□□□□□□□□呆（糧?）時至，芻藁不重，故曰
"錫馬"。聖人之立正（政）也，必尊天而敬眾，理順五行，天地無困，
民□不+二行滲（?），甘露時雨聚降，剽（飄）風苦雨不至，民心相勘
以壽，故曰"番（蕃）庶"。聖王各有厽（三）公、厽（三）卿，"晝日三
［接］"□□□□□者也。・易曰："聏（括）囊，無咎無譽。"孔子曰：
此言箴小人之口也。小人多言多過，多事多患，□□+三行□以衍
矣。而不可以言箴之。其猶"聏（括）囊"也，莫出莫入，故曰"無咎無
譽"。二厽（三）子問曰：獨無箴于聖□□□□□□聖人之言也，德之
首也。聖人之有口也，猶地之有川浴（谷）也，財用所剚出也；猶山林
陵澤也，衣食□+四行□［所］剚生也。聖人壹言，萬世用之。唯恐其
不言也，有何箴焉？・卦曰："見龍在田，利見大人。"孔子曰：□□
□□□□□□嗛（謙）易告也，就民易遇也，聖人君子之貞也。度
（庶?）民宜之，故曰"利以見大人"。・卦曰："君子終日鍵（乾）鍵
（乾），+五行［夕沂（惕）若］屬，無咎。"孔子曰：此言君子務時，時至
而動□□□□□□屈力以成功，亦日中而不止，時年至而不淹。君
子之務時，猶馳驅也，故曰"君子終日鍵（乾）鍵（乾）"。時盡而止之
以置身，置身而靜，故曰"夕沂（惕）若屬，無咎"。+六行

　　易［曰："蜚（飛）龍在］天，利見大人。"［孔子曰：此］言
□□□□□□□□君子在上，[則]民被其利，賢者不離，故曰
"蜚（飛）龍在天，利見大人"。・卦曰："見群龍[無首]，吉。"孔子曰：
龍神威而精處□□□□□□□□□□□+七行用□□□□□首
者□□□□□□□□□□□□□□見君子□吉也。・卦曰："履
霜，堅冰至。"孔子曰：此言天時䛒（?），戒葆常也。葳□田產（?）濕，
以□厚（乎）始於□+八行之□□□□□守之□□□□□□□
□□□□□德與天道始，必順五行，其孫貴而宗不俄（? 滅）。・卦
曰："直方大，不習，無不利。"孔子曰：□□也，方者□+九行大者言
其直或之容□□□□□□□□□□□□□□□□□□□□□

無不□，故曰“無不利”。·卦曰：“含章可貞。”□□□□□□□
□□□□□□□□□□□□□□□□□□□□□二十行含亦美，貞之可
也，亦□□□□□□□□□[·]卦曰：□□□□□□□□□□□
□□□□之事矣。□□□□□□□□□□□□□□□□□□
□□□□□□□□□□□二十一行□者也。元，善之始也。
□□□□□□□□色之徒嗛□□□□□。[·卦曰：“屯其膏，
小貞吉]，大貞凶。”孔子曰：屯☑而上通其德，無☑二十二行小民
家息以縗衣□□□□□□□□□屯輪之，其吉亦宜矣。大貞
□□□□□□川流下而貨(?)留□年穀十□□□□□□□□
□□□□□□□□□□□□二十三行貨□財弗施
則□。[·卦曰：“同人于野，亨，利]涉大川。”孔子曰：此言大德之好
遠也。□□□□□□□惪(？德)，和同者眾，以濟大事，故曰[“利涉
大川”。]卦曰：“同人於門，无咎。”[孔子曰：]□□□□□□□□
□□二十四行而已矣。小德□□□。[·卦曰：“同人于]宗，貞閵
(吝)。”孔子曰：此言其所同唯其室人而[已]，其所同☑，故曰“貞閵
(吝)”。·卦曰：“絞如委如，吉。”孔[子]曰：絞，日也；委，老也。老
日之□□□，故曰“吉”。·卦曰：“嗛(謙)，亨，君子有二十五行冬
(終)，吉。”孔子曰：□□□□□□□□上川(坤)而下根(艮)，川
(坤)(此處疑有脫文)也；根(艮)，精質也，君子之行也。□□□□
□□□□吉焉。吉，嗛(謙)也；凶，橋(驕)也。天亂驕而成嗛(謙)，
地徹(？)驕而實嗛(謙)，鬼神禍福嗛(謙)，人亞(惡)驕而好[嗛
(謙)]。□□□□二十六行□□□□□□□□□□好，美不伐
也。夫不伐德者，君子也。其盈如□□□□□□□□而再說，
其有終也亦宜矣。·卦曰：“盱予(豫)，悔。”孔子曰：此言鼓樂而不
忘惪(德)也。夫忘□□□□□□二十七行□□□□□□□□
□□□□□至者，其病亦至，不可辟(避)，禍福成(？)□□□□
□□□□□□□行，禍福畢至，知(智)者知之，故廄客恐
懼，日慢(？)一日，猶有過行。卒焉之(？)□□□□□二十八行□□□
□□□□[·卦曰：“鳴鶴在陰，其子和之，我]有好爵，與墮(爾)羸

（靡）［之。”孔子曰：］□□□□□□□□□□□□□□□□其子隨之，通
也，昌（倡）而和之，和也。曰和同至矣。“好爵”者，言者（旨）酒也。
弗□□□□□二十九行曰□□□□□□□□□□□□□□□□□之
德。唯飲與食，絕甘分□。〔·卦曰：“密雲不雨，自我西郊，公射取
皮（彼）在穴。”孔〕子曰：此言聲（聖）君之下舉乎山林，拔取之中也，
故曰“公射取皮（彼）在穴”。□□□□□，三十行故曰“自我〔西郊〕”。
□□□□□□□□□□美（?），故曰“利貞”。其占曰：豐
□□□□□□□□□〔·卦曰：“不〔恒其德，或〕承之羞（羞），
貞閵（吝）。”孔子曰：此言小人知善而弗爲，攻（?）維而無止，
□□□□，〔故曰“不〕三十一行恒其德”。□□□〔□□□□□
□□□□□也。勧（飭）行以後民者謂大寨（?），遠人倡至謂□□。
〔·〕卦曰：“公用射雒於〔高墉之上〕，無不利。”孔子曰：此言人君高
志求賢，賢者在上，則因／用之，故曰／三十二行〔□□□□□。〔·〕
卦曰：〔根（艮）其北（背），不獲其身；行其庭，不見其人。孔子〕曰：
“根（艮）其北（背）”者，言□事也；“不獲其身”者，精□□□也。敬官
任事，身□□者鮮矣。其占曰：能精能白，必爲上客；能白能精，必爲
□以精白諫□□三十三行“〔行〕其庭，不見其〔人”。·卦曰：〔“艮其
輔，〕言有序。”孔子曰：□言也，吉凶之至也。必皆於言語擇善
□□□□擇利而言害，塞人之美，陽人之亞（惡），可謂无德，其凶亦
宜矣。君子慮之內，發之□□□□□□□三十四行□不言害，塞人之
亞（惡），陽〔人之〕美，可謂“有序”矣。·卦曰：“豐，亨，王叚（假）
〔之〕，勿自（?）憂，宜日中。”孔子曰：□□□也。“勿憂”，用賢弗害
也。日中而盛，用賢弗害，其亨亦宜矣。黃帝四輔，堯立三卿，帝
□□□□□□三十五行□□□□曰□其肝□□□□魚大燹也，肝
言其內。其內大美，其外必有大聲問。·卦曰：“未濟，亨，〔小狐〕涉
川幾濟，濡其尾，无逌（攸）利。”孔子曰：此言始易而終難也，小人之
貞也。三十六行

二、《易之義》釋文

　　子曰：易之義誰（唯）陰與陽，六畫而成章。曲句焉柔，正直焉剛。六剛無柔，是謂大陽，此天[之義也。]□□□□□□□□□方。六柔無剛，此地之義也。天地相衛（率），氣味相取，陰陽流刑（形），剛一行柔成□。萬物莫不欲長生而亞（惡）死，會心者而台（以）作易，和之至也。是故鍵（乾）□□□□□□□□□□□□□□□□義沾下就，地之道也。用六贛（坎）也，用九盈也。盈而剛，故易曰“直二行方大，不習，[吉]”也。因不習而備，故易曰“見羣龍无首，吉”也。是故鍵（乾）者得□□□□□□□□□□□□□□□□畏也。容（訟）者，得之疑也。師者，得之栽也。比者，得鮮也。小蓄（畜）者，[得]之三行未□也。履者，誣之□行也。益者，上下交矣。婦（否）者，[陰]陽姦矣。下多陰而紞（？）□□□□□□□□□□□□□□□□□□而周，所以人背（？）也。無孟（妄）之卦，有罪而死，无功而賞，所以嗇（？），故四行□。□之卦，歸而強士靜（？）也。嬬（需）□□□□□□□□□知未騰勝也。容失諸□□□□□□□□□□□□□遠也。大有之卦，孫（遜）位也。大牀（壯），小腫（動）而大從，□□□也。大蓄（畜），兌而誨五行[也]。隋（隨）之卦，相而能戒也。□□□□□□□□□□□□□无爭而後（？）□者，得□說，和說而知畏。謹（艮）者，得之代邢也。家[人]者，得處也。井者，得之徹六行也。均（姤）者，□□□□□□□□□□□□□□□也。豐者，得□之卦，草木（？）□而從于不壹（？）。均（姤）之卦，足而知余（？）。林（臨）之卦，自誰（推）不先瞿（懼）。觀之卦，盈而能乎（虛）。七行賫（晉？）之卦，善近而□□□□□□□□□□□其□絶（？）誘也。□乎□□□忠身失量，故曰慎而侍（待）也。筮（噬）閘（嗑）紫紀，恒言不八行已，容（訟）獄凶得也。勞之□易□者□行也。損以□也。大牀（壯），以卑陰也。歸妹，以正女[也]。九行既賫（濟）者，亨余比貧□

而知路，凡□埊也。子曰：☑+行□禁□也。子曰：☑既窮□而
☑“[晉]如秋（愁）如”，所以辟（避）怒☑+一行□□□“[不]事王
[侯]”，□□之謂也。不求（？）則不足以難☑。易曰☑+二行□□□
□則危，親傷□□。[易]曰“何校”則凶，“屨（履）校”則吉，此之謂
也。子曰：五行□□□□□□□□□□□□□用，不可學者也，唯其人
而已矣。然其利（？）□□□□□□□□□□□□□□□□+三行贊
於神明而生占也，參天雨地而義敭也，觀變於陰陽而立卦也，發揮
於[剛]柔而[生爻也]，和順於道德]而理於義也。窮理盡生（性）而至
於命□□□□□□□□□□□理也。是故位（立）+四行天之道曰陰
與陽，位（立）地之道曰柔與剛，位（立）人之道曰仁與義。兼三財
（才）兩之，六畫而成卦。分陰分陽，[迭用柔剛，故]易六畫而爲章
也。天地定立（位），[山澤通氣]，火水相射，雷風相榑（薄），八卦相
厝（錯）。數+五行往者順，知來者逆，故易達數也。子曰：萬物之義，
不剛則不能僮（動），不僮（動）則無功，恒僮（動）而弗中則□，[此
剛]之失也。不柔則不靜，不靜則不安，久靜不僮（動）則沈，此柔之
失也。是故鍵（乾）之“炕（亢）龍”，壯之“觸蕃（藩）”，+六行句（姤）之
離角，鼎之“折足”，鄷（豐）之虛盈，五繇者，剛之失也，僮（動）而不
能靜者也。川（坤）之“牝馬”，小蓄（畜）之“密雲”，句（姤）之[適
（蹢）]屬（躅），[漸]之細（孕）婦，肫（屯）之“泣血”，五繇者，陰之失
也，靜而不能僮（動）者也。是故天之義剛建（健）僮（動）發+七行而
不息，其吉保功也。無柔救（救）之，不死必亡。僮（重）陽者亡，故火
不吉也。地之義柔弱沈靜不僮（動），其吉[保安也。無]剛□之，則
窮賤进亡。重陰者沈，故水不吉也。故武之義保功而恒死，文之義
+八行保安而恒窮。是故柔而不狂（？枉），然後文而能勝也；剛而不
折，然而後武而能安也。易曰“直方大，不[習，吉]”□□□之屯於文
武也，此易贊也。子曰：鍵（乾）六剛能方，湯武之德也。“潛龍勿
用”者，匿也。+九行“見蠠（龍）在田”也者，德也。“君子冬（終）日鍵
（乾）鍵（乾）”，用也。“夕沂（惕）若厲，無咎”，息也。“或耀（躍）在
淵”，隱[而]能靜也。“羊（飛）蠠（龍）[在天”]，□而上也。“炕（亢）

龍有悔”，高而爭也。“群龍無首”，文而𨾏（聖）也。川（坤）六柔相從順，文之至也。君二十行子“先迷後得主”，學人之謂也。“東北喪崩（朋），西南得崩（朋）”，求贒也。“履霜堅冰至”，豫□□也。“直方大，[不習，吉，]□□□□[也]。“含章可貞”，言美請（情）也。“聑（括）嚢，無咎”，語無聲也。“黃常（裳）元吉”，有而弗發也。二十一行“龍單（戰）于野”，文而能達也。“或從王事，无成有冬（終）”，學而能發也。易曰“何校”，剛而折也。“鳴嗛（謙）”也者，柔而□[也]。[胵之]“黃牛”，文而知勝矣。渙之緣（彖）辭，武而知安矣。川（坤）之至德，柔而反於方；鍵（乾）之至德，二十二行剛而能讓。此鍵（乾）川（坤）之厸（參）説也。子曰：易之用也，叚（殷）之无道，周之盛德也。恐以守功，敬以承事，知（智）以辟（避）患，□□□□□□□文王之危知，史説（?）之數書，孰能辯焉？易曰（按此字衍）又（有）名焉曰鍵（乾）。鍵（乾）也者，八卦二十三行之長也。九也者，六肴（爻）之大也。爲九之狀，浮首兆（頫）下，蛇身偻曲，其爲龍類也。夫𧔢（龍），下居而上達者□□□□□□□□而成章。在下爲楮（潛），在上爲炕（亢）。人之陰德不行者，其陽必失類。易二十四行曰“潛龍勿用”，其義潛清勿使之謂也。子曰：廢則不可入于謀，勝則不可與戒。忌者不可與親，緞□□□□□□。[易]曰“潛龍[勿用]”，“炕（亢）龍有悔”，言其過也。物之上撼（盛）而下絶者，不久大立（位），必多其二十五行咎。易曰“炕（亢）𧔢（龍）有悔”，大人之義不實于心，則不見于德；不單于口，則不澤于面。能威能澤，謂之𧔢（龍）。易[曰“見龍在田，利]見大人”，子曰：君子之德也。君子齊明好道，日自見以待用也。見男（用）則二十六行僮（動），不見用則靜。易曰：“君子冬（終）日鍵（乾）鍵（乾），夕沂（惕）若厲，無咎”。・子曰：知息也，何咎之有？人不淵不鑩（躍）則不見□□□□□□反居其□□。易曰“或鑩（躍）在淵，無咎”。・子曰：恒鑩（躍）則凶。君子鑩（躍）以自見，道以自二十七行成。君子窮不忘達，安不忘亡，靜居而成章，首福又（有）皇。易曰：“蜚（飛）𧔢（龍）在天，利見大人”，子曰：天□□□□□□□□□□□□□□□□文而溥（?），齊明而達矣。此以制（專）名，孰能及□？易曰“見群二十八行蠪（龍）无首”，子曰：讓善之謂也。君子群居莫玑（亂）首，善而治，何誄其和也？龍不侍（待）光而僮（動），無階而登，□□□□□□□□□□□，此鍵（乾）之羊（詳）説也。子曰“易又（有）名曰川（坤），雌道也。故曰“牝馬之貞”，二十九行童獸也，川（坤）之類也。是故良馬之類，廣前而景後，遂臧，尚受而順，下安而靜，外又（有）美刑（形），則中又（有）□□□□□□□□乎戻以來坙，文德也。是故文人之義，不侍（待）人以不善，見亞（惡）墨（默）然弗三十行反，是謂以前戒後，武夫昌慮，文人緣序。易曰“先迷後得主”，學人謂也，何先主之又（有）？天氣作□□□□□□□，其寒不涑（凍），其暑不曷（渴）。易曰“履霜堅冰至”，子曰：孫（遜）從之謂也。歲之義，三十一行始于東北，成于西南。君子見始弗逆，順而保斫。易曰：“東北喪崩（朋），西南得崩（朋），吉。”子曰：非吉石也。其□□□□與賢之謂也。[武夫]又（有）桃（拂），文人有輔，桃（拂）不橈（撓），輔不絕，何不吉之又（有）？易曰：“直方大，不習，三十二行吉”，子曰：生（性）文武也，雖强學，是弗能及之矣。易曰“含章可貞，吉”，言美請（情）之謂也。文人僮（動），小事時説，大[事]順成，知毋過數而務柔和。易曰：“或從事，無成又（有）冬（終）”。子曰：言詩書之謂也。君子笱（苟）得其三十三行冬（終），可必可盡也。君子言于无罪之外，不言于又（有）罪之內，是謂重福。易曰“利[永]貞”，此川（坤）之羊（詳）説也。子[曰]：易之要，可得而知矣。鍵（乾）川（坤）也者，易之門户也。鍵（乾），陽物也；川（坤），陰物也。陰陽合德而剛柔有膿（體），三十四行以膿（體）天地之化。又（有）口能斂之，无舌罪，言不當其時則閉慎而觀。易曰“聒（括）囊，無咎”，子曰：不言之謂也。□□□□[何]咎之又（有）？墨（默）亦毋譽，君子美其慎而不自箸（著）也。淵深而內其華。易曰“黃常（裳）元吉”，子三十五行曰：尉（蔚）文而不發之謂也。文人內其光，外其龍，不以其白陽人之黑，故其文茲（滋）章（彰）。易⌐□□既没，又（有）屫□□□□□居其德不忘，“蠪（龍）單（戰）于野，其血玄黃”，子曰：圸（聖）人信戈（哉）！隱文且靜，必見之謂也。三十六行龍七十變而不能去其文，則文其信于（按此字衍）而達神明之德也。其辯名也，雜而不戉（越），于指（稽）易□，衰世之僮〈意〉與？易□□□□□而[察]來者也。微顯贊絕，巽而恒當，當名辯物，正言巽辭而備。本生（性）仁義，所三十七行以義（儀）剛柔之制也。其稱名也少，其取類也多，其指閒（簡），其辭文，其言曲而中，其事隱而單。因貳（濟）人行，明[失得之報。易之]興也，於中故（古）乎？作易者，其又（有）患夏與？上卦九者，贊以德而占以義者三十八行也。履也者，德之基也。嗛（謙）也者，德之枋也。復也者，德之本也。恒也者，德之固也。損也者，德之脩也。益[也者]，德之譽也。困也者，德之欲也。井者，德之地也。渙者，德制也。是故占曰履，和而至；三十九行嗛（謙），尊（尊）而光；復，少而辨于物；恒，久而弗厭；損，先難而後易；益，長裕而與；宋〈困〉，窮而達，井，居其所而遷；[渙]，□□□而救。是故履，以果（和）行也；嗛（謙），以制禮也；復，以自知也；恒，以一德也；損，以遠害也；益，以興四十行禮也；困，以辟（避）咎也；井，以辯義也；渙，以行權也。子曰：渙而不救，則比矣。易之爲書也難前，爲道就琹（遷），□□□僮（動）而不居，周流六虛，上下無常，剛柔相易也，不可爲典要，唯變所次，出入又（有）度，外内四十一行内（按此字衍）皆瞿（懼），又知患故，无又（有）師保而親若父母。印率其辭，樑（揆）度其方，无又（有）典常。後（苟）非其人，則道不[虛行]。□□无德而占，則易亦不當。易之義，贊始[反]冬（終）以爲質，六肴（爻）相雜，唯侍（時）物也。是故[其初]四十二行難知而上易知也，本難知也而末易知也。□則初如疑（擬）之，敬以成之，冬（終）而无咎。□□□□□□□□□脩道，鄉物巽德，大明在上，正其是非，則□□□□□□□□□□□占，危戈（哉）。□□不四十三行當，疑德占之，則易可用矣。子曰：知者觀其緣（彖）辭而説過半矣。易曰：二與四同[功而異位，其善不同，二]多譽，四多瞿（懼），近也。近也者，嗛（謙）之謂也。易曰：柔之[爲道，不利遠者，其]要无[咎，其用]柔若[中也。易]四十四行曰：三與五同功異立（位），其過□□，[三]多凶，五多功，[貴賤]之等□四十五行

三、《要》釋文

☑反疏四行☑矣五行☑至命者也。易☑六行明而甚☑行其義，長其慮，脩其☑易矣。若夫祝巫七行卜筮龜☐☐☐☐☐☐☐☐☐☐☐☐☐☐☐☐☐☐☐☐☐☐☐☐巫之師☐☐☐☐☐☐無德，則不能知易，故君子戔（尊）之。☐☐☐☐☐☐☐☐子曰：吾好學而麰（絘）八行問要，安得益吾年乎？吾☐焉而產道，☐焉益之，☐而貴之，難☑危者安其立（位）者也；亡者保[其存者也；亂者有其治者也。是故]君子安不忘危，存不忘亡，治不[忘亂。是以身安而國]家可保也。易曰“其亡其亡，毄（繫）于九行枹（苞）桑。”夫子曰：德薄而立（位）戔（尊），☐☐鮮不及。易曰“鼎折足，復（覆）公莡（餗）”，言不勝任也。夫子曰：顏氏之子其庶幾乎？見幾又（有）不善，未嘗弗知；知之，未嘗復行之。易十行曰“不遠復，無茝（祗）誨（悔），元吉。”天地凪，萬勿（物）潤，男女購（構）請（精）而萬物成。易[曰]“三人行則損一人，一人行則[得]其友”，言至一也。君子安其身而後動，易其心而後靜，定位而後求。君子脩於此三十一行者，故存也。危以勭，則人弗與也；無立（位）而求，則人弗予也。莫之予，則傷之者必至矣。易曰“莫益之，或毄（繫）之，立心勿恒，凶”，此之謂也。·夫子老而好易，居則在席，行則在橐。子贛曰：夫十二行子它日教此弟子曰：“悳（德）行亡者，神霝（靈）之趨；知（智）謀遠者，卜筮之蔡”，賜以此爲然矣。以此言取之，賜緡（?）行之爲也。夫子何以老而好之乎？夫子曰：君子言以矩（榘）方也。前羊（祥）而至者，弗羊（祥）而好（?）也。十三行察其要者，不趮（詭）其德。尚書多於（閒）矣，周易未失也，且又（有）古之遺言焉。予非安其用也。[子贛曰：賜]聞於夫[子曰]必（?）於☐☐☐☐如是，則君子已重過矣。賜聞諸夫子曰孫（遜）正而行義，則人不惑矣。夫十四行子今不安其用而樂其辭，則是用倚於人也，而可乎？子曰：校（謬）戋（哉），賜！吾告女（汝），易之道☐☐☐☐而不☐☐☐百生（姓）之☐☐☐易也。故易剛者使知瞿（懼），柔者使

知剛，愚人爲而不忘（妄），僮（漸）人爲而去詐。文十五行王仁，不得
其志以成其慮，紂乃無道，文王作，諱而辟（避）咎，然後易始興也。
予樂其知之□□□之□□□予何曰（?）事紂乎？子贛曰：夫子亦信
其筮乎？子曰：吾百占而七十當，唯周梁山之占也，亦必十六行從其
多者而已矣。子曰：易，我復其祝卜矣，我觀其德義耳也。幽贊而達
乎數，明數而達乎德，又（?）仁□者而義行之耳。贊而不達於數，則
其爲之巫；數而不達於德，則其爲之史。史巫之筮，鄉十七行之而未
也，好之而非也。後世之士疑丘者，或以易乎？吾求其德而已，吾與
史巫同涂而殊歸者也。君子德行焉求福，故祭祀而寡也；仁義焉求
吉，故卜筮而希也。祝巫卜筮其後乎？孔子十八行繇（籀）易，至于損
益一〈二〉卦，未尚（嘗）不廢書而嘆，戒門弟子曰：二厽（參）子！夫損
益之道，不可不審察也，吉凶之□也。益之爲卦也，春以授夏之時
也，萬勿（物）之所出也，長日之所至也，產之（?）室也，故曰十九行
益。損者，秋以授冬之時也，萬勿（物）之所老衰也長［夕之］所至也，
故曰產。道窮□□□□□□□。［益之］始也吉，其冬（終）也凶。損
之始凶，其冬（終）也吉。損益之道，足以觀天地之變，而君者之事
已。二十行是以察於損益之總（?）者，不可動以憂（惡）。故明君不時
不宿，不日不月，不卜不□□□□□□□□□□地之也，此謂易道。故
易又（有）天道焉，而不可以日月生（星）辰盡稱也，故爲之以陰陽。
又（有）地道二十一行焉，不可以水火金土木盡稱也，故律之以柔剛。
又（有）人道焉，不可以父子君臣夫婦先後盡稱也，故要之以上下。
又（有）四時之變焉，不可以萬勿（物）盡稱也，故爲之以八卦。故易
之爲書也，一類不足以亟（極）二十二行之，變以備其請（情）者也，故
謂之易。又（有）君道焉，五官六府不足盡稱之，五正之事不足以至
之，而詩書禮樂不□百篇，難以致之。不問於古法，不可順以辭令，
不可求以志善。能者繇（由）一求之，所謂二十三行得一而君（羣）畢
者，此之謂也。損益之道，足以觀得失矣。《要》千六百卌八二十四行

《馬王堆漢墓文物》述評

王少聞

七十年代長沙馬王堆漢墓的發掘,是本世紀中國考古領域最重大的成就之一。在發掘的三個漢墓中,如李學勤先生所説:"有完好無損的女尸,有成組成套的物品,還有内容珍秘的帛書、竹木簡。這三項有其一,已可説是重要發現,如今三者兼有,在中國考古史上尚没有其他例子。"由于它們的重要價值,因而隨着各種整理成果的問世,馬王堆漢墓文物理所當然地成了國内外多領域學者共同關注的一個熱點,各種研究成果紛紛問世。而這些研究,已經或正在改變人們對古代歷史、文化、思想等多方面面貌的認識。

馬王堆漢墓發掘以後,文物出版社等曾先後出版了幾本分門别類的介紹著作。1992年正值馬王堆漢墓發掘二十周年,作爲紀念,湖南出版社出版了精裝豪華本《馬王堆漢墓文物》(以下簡稱《文物》)。該書由湖南省博物館的傅舉有、陳松長二先生編著,張政烺先生題寫書名,李學勤先生作序。它匯集了馬王堆漢墓各門類的精品,内容包括紡織品、漆器、木器和竹器、帛畫與帛書等。因而,讀者通過此書即可了解馬王堆漢墓的主要面貌。而從思想史的角度來看,則以其中首次公布的一些帛書照片及釋文最爲重要。

帛書中包含有大批古代文獻,較早公布的有《老子》甲乙本及卷前後的部分,其中特别是《黄帝四經》,引起了學界對黄老之學的重新認識與評價,具有很高的學術價值。與之同時出土的還有《周易》經傳,其中經文多年前即已公布,而傳文卻千呼萬唤不出來。如今《文物》一書,首次發表帛書《易傳》中《繫辭》部分的照片及釋文,功德無量。由于學界早已知道有帛書《繫辭》存在,且由于易學在傳統文化中的特殊地位,所以甫一出版,便受到海内外學者的矚目,形成了一個研究熱潮。

值得一提的是,《文物》一書裝幀豪華、氣勢宏大而又古樸典雅。它采用布面精裝,所有圖片均以八開銅版紙彩色印制,并配以布面套匣,是國内少有的出版精品。該書内容結構編排合理,照片及文字也非常清晰,出版後頗得海内外學者好評,責任編輯尹飛舟先生爲此付出了很多智慧與勞動。據説出版社爲此書投資幾十萬元,顯示出對學術事業的支持與重視,有很大的魄力。